LE CLAN
DES PRINCES

De la même auteure

Parfum de courtisane, Noblesse déchirée – tome 1, Libre
Expression, 2008.
Le Poison de la favorite, Noblesse déchirée – tome 2, Libre
Expression, 2009.

JENNIFER AHERN

NOBLESSE DÉCHIRÉE TOME 3

LE CLAN
DES PRINCES

Libre Expression

Une compagnie de Quebecor Media

Catalogage avant publication de Bibliothèque et Archives nationales du Québec et Bibliothèque et Archives Canada

Ahern, Jennifer

    Noblesse déchirée
    Sommaire : [t. 1] Parfum de courtisane -- t. 2. Le poison de la favorite -- t. 3. Le clan des princes.

    ISBN 978-2-7648-0354-7 (v. 1)
    ISBN 978-2-7648-0423-0 (v. 2)
    ISBN 978-2-7648-0470-4 (v. 3)

    I. Titre. II. Titre : Parfum de courtisane. III. Titre : Le poison de la favorite. IV. Titre : Le clan des princes.

PS8601.H47N62 2010   C843'.6   C2007-942355-8
PS9601.H47N62 2010

Édition : JULIE SIMARD et ROMY SNAUWAERT
Révision linguistique : FRANÇOISE LE GRAND
Correction d'épreuves : EMMANUEL DALMENESCHE
Couverture : AURÉLIE LANNOU
Grille graphique intérieure : CHANTAL BOYER et MARIKE PARADIS
Mise en pages : HAMID AITTOUARES
Photo de l'auteure : ROBERT ETCHEVERRY
Photo de couverture : *Head of a Young Girl* (huile sur toile) de Benedetto Luti (fl.1666-1724)
Private Collection / © Richard Philp, Londres / The Bridgeman Art Library

L'auteure tient à préciser que, tout en restant fidèle aux faits historiques, elle s'est permis une certaine liberté quand il s'agissait de personnages, d'événements et de lieux secondaires.

Remerciements
Les Éditions Libre Expression reconnaissent l'aide financière du gouvernement du Canada par l'entremise du Fonds du livre du Canada pour leurs activités d'édition. Nous remercions le Conseil des Arts du Canada et la Société de développement des entreprises culturelles du Québec (SODEC) du soutien accordé à notre programme de publication. Gouvernement du Québec – Programme de crédit d'impôt pour l'édition de livres – gestion SODEC.

Les Éditions Libre Expression
Groupe Librex inc.
Une compagnie de Quebecor Media
La Tourelle
1055, boul. René-Lévesque Est
Bureau 800
Montréal (Québec) H2L 4S5
Tél. : 514 849-5259
Téléc. : 514 849-1388
www.edlibreexpression.com

Dépôt légal – Bibliothèque et Archives nationales du Québec et Bibliothèque et Archives Canada, 2010

ISBN 978-2-7648-0470-4

Distribution au Canada
Messageries ADP
2315, rue de la Province
Longueuil (Québec) J4G 1G4
Tél. : 450 640-1234
Sans frais : 1 800 771-3022
www.messageries-adp.com

À mes garçons, Xavier et Nicolas

Familles de Razès et de Collibret

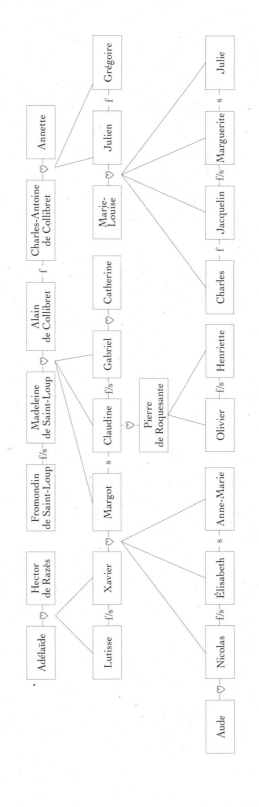

f = frère
s = sœur
♡ = époux

1

Émoi nocturne

Bien qu'endormi, le château de Montcerf n'était jamais silencieux. Dans le grand âtre de la salle basse, les braises vives éclataient et leur crépitement résonnait jusque dans l'escalier en colimaçon. Les fenêtres cloisonnées vibraient sous les secousses du vent ; tandis que, sur le chemin de ronde, les rafales serpentaient entre les créneaux en produisant de puissants sifflements. Marguerite poussa un petit soupir et rabattit les couvertures. À ses côtés, son mari, Xavier, maugréa dans son sommeil. Les orteils de Marguerite tâtonnèrent la surface froide du sol, avant de se lover dans des chaussures en cuir souple. Elle se glissa hors du lit. Le couloir était désert, vide de cette ambiance remuante qui peuplait la journée. À la lueur d'une simple chandelle, la demeure de Razès était lugubre. Les pierres, qu'on avait puisées dans le ventre d'un volcan du centre de l'Auvergne, paraissaient presque noires. Les premiers seigneurs les avaient choisies pour leur solidité. Au siècle précédent, les guerres étaient fréquentes et le premier rôle du château était de protéger ses habitants. À présent, ses fortifications s'avéraient désuètes, ses occupants recherchant surtout le confort et l'agrément. Marguerite pénétra dans la salle commune. Durant le jour, cette vaste pièce s'emplissait des allées et venues de la maisonnée. C'était en quelque sorte le cœur de la demeure comtale. Pour la famille de Razès, c'était d'abord le lieu où l'on se rassemblait pour prendre les repas. Marguerite poursuivit son chemin jusqu'à la chapelle où, quelques jours plus tard, son fils Nicolas se marierait. En prévision de la cérémonie, l'autel et les murs avaient été parés de fines étoffes. La lumière des lampions

9

révélait le contraste entre leur blancheur immaculée et l'obscurité du plafond en arcade. Elle déposa son bougeoir et s'assit sur un banc. La fraîcheur du bois, qui pénétrait à travers le tissu de sa chemise de nuit, la fit frissonner. Il faisait toujours froid dans la chapelle, quelle que fût la saison. Elle se remémora les regards méfiants qu'elle avait lancés à la voûte et à sa fresque moyenâgeuse pendant que le prêtre avait prononcé les paroles sacramentelles qui l'avaient unie à Xavier pour toujours. Elle aurait préféré se marier à l'église du village. À l'inverse, son mari nourrissait une inconcevable affection à l'égard de ces peintures religieuses, où figuraient anges et animaux mythiques ; affection qu'elle comprenait mieux aujourd'hui : il s'agissait d'honorer les traditions des seigneurs de Montcerf. Cet attachement à son héritage, Xavier l'avait transmis à son fils, qui mettait la même fierté à reproduire les coutumes de ses ancêtres. Par ailleurs, Marguerite devait bien l'admettre, elle se réjouissait d'assister à l'union de Nicolas et d'Aude sous son toit, parmi les siens. En outre, la châtelaine espérait que le caractère intime de la cérémonie imposerait le respect aux nobles de la région qui, depuis des mois, colportaient des rumeurs à propos de la fiancée. Le fait qu'elle-même avait reçu un accueil similaire, dix-huit ans plus tôt, ne faisait qu'accroître son malaise. Cette fois-là, c'était elle, l'étrangère au passé douteux. Elle avait supporté les médisances en se promettant d'être une châtelaine exemplaire à tout point de vue. Le pari, elle l'avait gagné sans équivoque, mais cela ne la dégageait pas de son devoir de comtesse : convier ces hobereaux aux noces de son aîné. Xavier tenait au caractère formel de la célébration, et elle aurait été bien en peine de le contredire. Il ne s'agissait pas seulement d'un mariage, mais bien aussi de transmettre le titre de comte à leur descendant. Puisque la tradition française voulait que les héritiers n'obtiennent le titre qu'à la mort des parents, leur intention avait suscité nombre de réactions. L'événement était exceptionnel ! Xavier espérait que cela préviendrait les médisances quant à l'ambiguïté de la naissance d'Aude. Quant à Marguerite, son réel souci était le bonheur de Nicolas. Elle espérait que tout serait à la hauteur de ses attentes.

Non seulement elle avait planifié la fête par le menu détail, mais elle avait également brodé, avec Oksana, une grande partie de la toilette de la mariée.

Dès le lendemain, les futurs époux se prépareraient pour la cérémonie. La maisonnée était fébrile. Marguerite, même si elle contenait son émoi, ne l'était pas moins. Ce surcroît d'excitation nuisait à son sommeil et elle se réfugiait, ici ou dans le petit salon, dans ses pensées. Tant d'événements s'étaient produits, et en si peu de temps : l'arrivée d'Aude et d'Oksana, puis la naissance de sa fille, Anne-Marie ; les derniers mois lui avaient fait l'effet d'un tourbillon tumultueux duquel elle émergeait à peine. Elle considérait les épousailles comme une étape symbolique au-delà de laquelle la vie redeviendrait paisible. Un sourire se dessina sur ses lèvres : ce n'était pas tout à fait la vérité. Tout ne serait pas calme, puisqu'il avait été décidé d'entreprendre d'importants travaux d'agrandissement du château. Le projet représentait un défi de taille, et bien que certaines difficultés d'approvisionnement se dessinassent déjà, cette perspective enthousiasmait Xavier et Nicolas. Nul doute que le parterre serait bientôt couvert d'échafaudages.

Toute à ces réflexions, Marguerite ne perçut pas le premier grattement. Petit à petit, le bruit s'intensifia. Le son s'apparentait à celui du métal sur la pierre. La châtelaine leva la tête vers les fenêtres percées dans le mur. Dehors, le vent soufflait violemment. Les bourrasques avaient probablement déplacé un objet qui frottait contre la paroi rocheuse de la tour. Marguerite remarqua que les lumignons situés dans les enfoncements tremblaient. De toute évidence, une averse se préparait. La porte de la chapelle grinça. La comtesse se dressa aussitôt. « Qui peut bien visiter la chapelle en pleine nuit ? » se demanda-t-elle. Avec stupeur, Marguerite vit apparaître une silhouette toute blanche. Un frisson fit dresser ses cheveux sur sa nuque.

— Madame la comtesse ? murmura une voix sortant de la pénombre.

La châtelaine reconnut, avec soulagement, le timbre mélodieux d'Aude.

— Bonsoir, Aude, répondit-elle avec un sourire figé.

Marguerite chercha un commentaire spirituel, qui dissimulerait la gêne qu'elle ressentait à se faire surprendre dans sa promenade nocturne.

— Vous m'avez fait bien peur, dit Aude en faisant quelques pas. J'ai cru que… Enfin, je suis rassurée de voir que c'est vous.

Marguerite fut tentée de lui faire la même remarque, mais se contenta de hocher la tête. Une imagination fertile pouvait prêter à leurs robes de nuit des allures de linceul.

— Vous n'arriviez pas à trouver le sommeil ? demanda-t-elle avec empathie.

La châtelaine pouvait aisément concevoir les émotions que devait ressentir la jeune femme à la veille de son mariage. Pour Aude, qui n'avait pas été élevée dans l'aristocratie française, devenir comtesse représentait un changement de vie majeur.

— Hum, je me demandais à quoi ressemblait cette partie du château, la nuit, éluda la jeune femme en promenant son regard sur le plafond. La voûte paraît encore plus vaste, je n'en vois pas le fond.

Le fait que la future comtesse de Razès se retrouvât dans la chapelle au même moment qu'elle suscita chez Marguerite une sorte d'attendrissement nostalgique. Aude apprivoisait ce lieu ancestral, qui serait dorénavant le sien.

— Et puis ? Quelles sont vos impressions sur la demeure ?

Aude tritura le bord de sa manche avant de répondre. Ces gestes candides, associés à sa blondeur lunaire et à sa silhouette délicate, la faisaient passer pour fragile. Marguerite n'avait pas mis beaucoup de temps à comprendre que, sous des dehors dociles, la promise de Nicolas était plutôt de nature intrépide et assurée.

— Je crois que je la préfère dans la noirceur, répondit Aude d'un ton romanesque. Ces pierres sont vénérables. On se croirait dans un des contes de Marthe.

Marthe, la vieille nourrice de Nicolas et d'Élisabeth, avait décidé d'initier la nouvelle venue à ses histoires folkloriques. C'était sa façon de souhaiter la bienvenue à sa future châtelaine.

réunir autant de fidèles qu'en comptait un quartier. Mais l'endroit revêtait une signification auquel rien, pas même la cathédrale de Notre-Dame, ne se comparait. Elle se leva et effleura le dessus de la table. C'est ici qu'elle deviendrait la femme de Nicolas de Razès. Elle, la cantatrice, la fille de courtisane. Elle avait peine à croire à son bonheur. Quelques mois plus tôt, un tel dénouement aurait bel et bien appartenu au royaume des rêves. Voilà pourquoi elle aimait tant ce château. C'était une demeure de princesse. Sur le chemin qui l'avait conduite ici, Nicolas le lui avait décrit avec force détails, si bien qu'il lui semblait avoir déjà bâti un lien solide avec Montcerf. Son regard s'attardait aux ornements religieux qui brillaient sous l'effet des lampions, quand soudain un mouvement capta son attention. Quelque chose avait bougé à la fenêtre.

« Il y a quelqu'un là, dehors », s'étonna Aude.

Attirée tel un aimant, elle approcha son visage de l'ouverture étroite et se leva sur le bout des pieds. C'est alors qu'elle entendit un grincement. On aurait cru de la ferraille qui heurtait la roche. Aude étira le cou. Son angle de vision étant limité par l'épaisseur de la muraille, elle ne pouvait distinguer qu'une toute petite partie de la cour. Le bruit recommença de plus belle. Il y avait assurément quelque chose de sinistre dans ce crissement sec et rythmé. Domptant son appréhension, elle saisit un tabouret et grimpa dessus. Dehors, il faisait nuit noire. La pluie ruisselait sur la surface lisse et déformait sa vue. Le tintement métallique provenait de la droite. La jeune femme tentait de percer la pénombre à la recherche de ce qui avait attiré son attention plus tôt. Tout à coup, une faux s'abattit juste sous ses yeux. Aude poussa un cri d'effroi et s'agrippa au mur pour ne pas tomber. Son cœur tambourinait dans sa poitrine. Tétanisée, elle tâchait de rassembler ses esprits. Il y avait bien une personne, là dans la tempête.

« Allons, ce doit être l'effet du vent », tenta-t-elle de se convaincre tout en secouant sa tête blonde. Mais il n'y avait qu'un bras qui puisse planter une faux dans la terre. « À moins que ce soit… Non, franchement, tu ne vas pas croire à ces histoires de fantômes ? »

— Pour ma part, j'avoue que j'ai mis plusieurs années à m'y faire, confia Marguerite. Mais, avec le temps, je m'y suis attachée.

Aude demeura silencieuse un bref instant. La pluie s'abattait sur les carreaux des fenêtres.

— Marthe m'a raconté que la grand-mère de Nicolas n'avait jamais été bien ici. Elle trouvait cela triste et froid. Imaginez, passer sa vie dans un endroit qui nous chagrine…

— Certes, elle était de tempérament mélancolique. Mais je doute fort qu'elle ait été aussi malheureuse que nos gens se plaisent à le rapporter. Si vous…

— Madame de Razès, regrettez-vous que Nicolas se soit détourné de ses ambitions militaires ? interrompit Aude.

Marguerite eut l'impression que la question était sur ses lèvres depuis longtemps.

— Bien sûr que non. Pourquoi me posez-vous cette question ?

— Je sais que vous avez donné votre bénédiction à ce mariage. Mais il m'arrive parfois de craindre de ne pas avoir les… dispositions nécessaires pour être comtesse.

Marguerite considéra la jeune femme assise près d'elle. Aude était au printemps de sa vie. Comment pouvait-elle lui résumer en un trait ce qu'elle avait mis des années à comprendre ?

— Nicolas a pour vous des sentiments profonds, et je ne doute pas que vous l'aimez en retour. À vous deux, vous saurez vous compléter et vous épauler. C'est ce qui importe avant toute chose.

Aude pencha sa tête en émettant un long soupir. La châtelaine n'aurait su dire si sa réponse adoucissait les tourments qui l'agitaient. Elle posa sa main sur le bras de celle dont son fils était épris. Ce geste, empreint de sollicitude et d'affection, parut agir sur la jeune femme, qui se détendit.

— Je vais retourner à ma chambre, annonça Marguerite avec douceur. Ne vous peinez pas avec toutes ces réflexions.

Sur ce, elle s'éloigna lentement, l'averse étouffant le bruit de ses pas. Demeurée seule, Aude scruta la pénombre, s'attardant sur l'autel. Certes, la chapelle était de dimensions modestes. Elle ne se comparait pas aux églises de Paris, dont certaines pouvaient

13

Plus tôt, quand elle avait aperçu la robe blanche de Marguerite, elle avait bien cru qu'il s'agissait de l'apparition d'Adélaïde de Razès, l'ancienne comtesse de Montcerf. Elle avait eu la présence d'esprit de ne pas en souffler mot. Qu'aurait alors pensé d'elle la mère de Nicolas ? Aude retrouva son calme. Décidément, les contes de la nourrice excitaient son imagination. Elle distinguait toujours un grincement ténu, qui se faisait entendre à travers les lourdes pierres. Pour son oreille exercée à la musique, il ne faisait aucun doute qu'il y avait une cadence dans le son de ce phéno- mène insolite. Tout en se disant qu'il serait plus sage de regagner sa chambre, la jeune femme descendit du tabouret et se rendit à la porte qui menait dehors. Un seul coup d'œil lui suffirait pour satisfaire sa curiosité. Elle fit jouer la clé dans la serrure et poussa de toutes ses forces pour ouvrir le battant. Le vent, ainsi invité dans la pièce, se libéra, plaquant sa chemise contre sa peau. Aussitôt, la chapelle se trouva plongée dans l'obscurité. Elle avisa avec circonspection l'eau boueuse qui s'était amassée devant la porte. « Non, vraiment, ce n'était pas raisonnable de mettre le pied dehors par un temps pareil », se dit-elle. Néanmoins, elle tendit l'oreille.

Le son s'élevait avec plus de clarté. Aude souleva sa robe de nuit et enjamba la flaque brune. Une volée de gouttes glacées la frappa et lui arracha un glapissement. Le temps s'était refroidi considérablement avec l'averse. Prudemment, elle gravit la pente du terrain. « Plus que quelques pas à faire », s'encourageait-elle. La chapelle étant située dans une tour d'angle, Aude suivit la courbe du mur en direction de la fenêtre qui avait constitué son point d'observation. Lorsqu'elle prit conscience que le bruit s'était tu, elle était déjà loin de la porte. À terre, à moitié enfouie dans la boue, se trouvait la faux. Aude n'y prêta pas attention, car ses yeux étaient rivés sur une forme imposante dressée devant elle : un visage d'une pâleur spectrale semblait flotter au-dessus du sol, alors qu'un vêtement sombre ondulait dans le vent. Aude aurait voulu parler, mais une peur infantile la paralysait. Deux orbites la regardaient fixement. Puis, la silhouette se mit à bouger, lentement. Interloquée, Aude vit les ténèbres recouvrir l'apparition, la rappelant au monde qu'elle avait quitté pour un bref instant.

— La comtesse ! articula la jeune femme, de ses lèvres exsangues.

Avançant un pied d'un mouvement incertain, qui la déséquilibra aussitôt, elle glissa dans la vase et se retrouva sur le dos. Bouleversée, tant par sa chute que par la rencontre, elle s'appuya maladroitement sur ses coudes pour tenter de se redresser. Un éclair déchira le ciel tumultueux. La jeune femme battit des paupières. La pluie inondait son visage. Peinant et jurant, elle se redressa enfin.

« Incroyable », pensa-t-elle.

L'apparition avait bel et bien disparu. Elle tendit un bras vers la faux qui avait servi à percuter la roche et qui n'avait dès lors plus rien de menaçant. C'était un banal instrument avec lequel les paysans tranchaient le blé. Aude considéra l'assemblement de mortier et de pierres qui formait la paroi de la tour. La surface était intacte. Assurément, il ne pouvait s'agir que du fait d'un fantôme ! Elle hésita avant de reposer l'outil. Il était préférable de ne pas attirer l'attention sur son escapade nocturne. Sa sortie, si elle était découverte, ne manquerait pas de provoquer des commentaires. La jeune femme regagna l'entrée de la chapelle en grelottant. C'est là qu'elle prit pleinement conscience de l'état lamentable de sa mise. Ses jambes, sa chemise, ses cheveux étaient imprégnés de boue. Combattant cette déconvenue par un gloussement, Aude se rendit aux cuisines. Les lieux étaient déserts, fort heureusement. Dans cette pièce, il y avait toujours une réserve d'eau fraîche pour la toilette du matin et pour la préparation des repas. Dans un recoin, elle retira soigneusement son vêtement et entreprit de se nettoyer. L'eau tempérée lui faisait le plus grand bien. Elle repensa à ce qu'elle avait vu, à la femme qu'elle avait vue. Car elle était convaincue qu'il s'agissait de feue la comtesse de Razès. Elle savait peu de choses sur la pauvre âme, mais elle l'avait déjà vue en peinture et avait reconnu son visage. En vérité, les domestiques du château en parlaient très rarement. Il y avait une aura sinistre autour de son trépas. Aude frémit. Ses pieds nus étaient transis, et elle était impatiente de regagner le confort de son lit. Elle toucha sa chevelure poisseuse, puis décida qu'elle se laverait convenablement le lendemain. Sa chemise souillée lui tira une grimace de dégoût. Elle ne pouvait l'enfiler à nouveau. Or, la perspective de se promener nue par les couloirs ne l'enchantait pas davantage. Elle résolut la question en attrapant un morceau de toile qui servait de tablier à une des servantes. Petite et particulièrement menue, elle parvint aisément à s'en couvrir le haut du corps, jusqu'au début des cuisses. Satisfaite de sa trouvaille, elle prit le chemin de sa chambre. Le jour ne se lèverait pas avant plusieurs heures. Et assurément, les habitants du château dormaient sur leurs deux oreilles. « Et lui ? Dort-il ? » songea Aude. Dans la pénombre, ses yeux se mirent à briller ardemment. Quelques heures encore la séparaient de son mariage avec Nicolas de Razès. Maintenant que ce moment était imminent, l'attente lui pesait encore plus fort. N'avait-elle pas dû supporter, avec patience et tempérance, ces longs mois durant lesquels ils avaient partagé le même toit sans jouir d'une véritable intimité ? Animée du désir d'acquérir l'estime de sa nouvelle famille, elle avait compris que si on leur imposait cette distance, c'était moins par pure conviction que pour servir les apparences. Ni le comte ni sa femme n'ignoraient que Nicolas et elle s'étaient adonnés à l'amour charnel ; en principe, cette union devait constituer la réparation de son honneur bafoué. Un air de béatitude imprégna le visage de la jeune femme. Bien qu'elle n'eût pas orchestré cette incartade, fruit d'une attirance réciproque et de leur nature impulsive, elle n'était pas moins ravie de la tournure des événements. Et cela, elle s'était bien gardée de le révéler à quiconque, terrorisée à l'idée que l'on lui attribue de fourbes ambitions.

— Aude ?

Interdite, la demoiselle se retourna vivement. Devant elle se profilait la silhouette d'Élisabeth, la sœur de son fiancé. Le regard soupçonneux, sous le bonnet de nuit, ne trompait pas. Aude choisit tout de même de l'ignorer.

— Bonsoir, Élisabeth, chuchota-t-elle en serrant les pans de son vêtement de fortune.

— Que faites-vous dans cette mise ? dit celle-ci, choquée.

Il fallait bien qu'elle tombe sur l'unique personne avec laquelle elle n'avait jamais pu, à ce jour, tisser de liens.

— Je... j'allais me coucher, bredouilla-t-elle en faisant un pas en direction de sa chambre, qui était tout à côté. Je vous souhaite le bonsoir.

— Pardieu, c'est le tablier de Bertrande ! s'exclama Élisabeth, scandalisée.

Sa voix outrée remplissait le silence de la maison. Craignant qu'elle n'alerte tout l'étage, Aude se précipita à sa porte sans rien ajouter. D'ailleurs, il ne lui venait rien à l'esprit qui eût pu expliquer sa situation de façon convaincante. Une fois soustraite aux jugements de la sœur de Nicolas, Aude se jeta sur son lit, pouffant de rire. Décidément, son excursion avait été riche en rebondissements. La perspective que sa future belle-mère apprenne son inconduite lui valut aussitôt de retrouver son sérieux. Nul doute qu'Élisabeth irait tout raconter à la comtesse de Razès et que celle-ci, fidèle à son habitude, ne manquerait pas de le rapporter à Oksana. La jeune femme se dit, pour s'encourager, qu'elle pourrait certainement compter sur l'indulgence de Marguerite qui, contrairement à sa fille, la traitait justement. Qui plus est, leur tête-à-tête nocturne la disculpait en partie d'un comportement blâmable, auquel sa future sœur ne manquerait pas de conclure.

2

Plaies et blessures

Le carrosse s'ébranla et prit la route du village de Montcerf. Xavier, qui observait la scène depuis la fenêtre de sa chambre, lança à l'adresse de Marguerite :

— Élisabeth se rend au village ?

— Je l'ai envoyée quérir nos robes chez le tailleur. Je crois qu'il est temps qu'elle recommence à se rendre au village toute seule, affirma-t-elle. Elle regarda ensuite Xavier avec un sourire coquin :

— Laisse-moi t'aider avec ce jabot.

Xavier capitula et s'approcha d'elle en lui tendant le morceau de dentelle.

— Es-tu nerveux ?

— Franchement, j'ai hâte que ces festivités soient derrière nous. Pas toi ?

— Hum… Je ne te cacherai pas que cette réception me donne des maux de tête. Pour tout te dire, j'ai eu de la difficulté à fermer l'œil. Je revoyais sans cesse le visage de notre fils, notre garçon, qui va prendre femme ! Dès demain, notre fils sera le nouveau seigneur de Montcerf. Et bientôt, il formera sa propre famille. Le temps passe si vite !

Marguerite noua la cravate en un tournemain. Xavier lui attrapa la main et la porta à ses lèvres.

— C'est vrai, mais je n'ai aucun regret. Je souhaite à Nicolas d'être aussi heureux que je le suis.

Marguerite inspira profondément et cligna des paupières pour chasser les larmes qui lui montaient aux yeux.

— Ma mie, tu t'attendris avec l'âge, glissa Xavier.

Piquée au vif, elle lui fit une grimace. Content de voir que sa pointe avait fait mouche, il éclata de rire.

— Et toi, tu as la vue qui baisse, riposta Marguerite. La prochaine fois que ton jabot te posera un problème…

— Oh ! Ce n'est pas parce que j'ai de la difficulté à voir !

— Ah non ?

Marguerite leva le menton en signe de bravade.

— C'était une stratégie pour t'attirer à moi, avoua-t-il en posant ses mains sur les hanches de sa femme. Récemment, il me semble que…

Marguerite fit la moue.

— À qui la faute ? Tu dépenses toutes tes forces dans ce projet d'aménagement du château…

— Toutes mes forces ! répéta-t-il, vexé. Mais je te sentais tellement distante…

— Distante, moi ?

Ils s'entre-regardèrent et, soudain, leurs expressions renfrognées laissèrent place à un éclat de rire complice et affectueux.

— Viens là, je vais te montrer que j'ai de la vigueur à revendre.

Elle s'approcha lentement, en conservant une pointe de réticence.

— Qu'y a-t-il ? demanda Xavier.

— Tu crois qu'on a le temps ?

Xavier ne s'attarda pas à la convaincre et s'empressa de joindre ses lèvres aux siennes. Il s'enhardit à la soulever de terre et la porta à son lit. Marguerite lui chuchota à l'oreille :

— Alors, monsieur de Razès, on est toujours aussi vigoureux qu'à vingt ans ?

Xavier entreprit de lui en fournir la preuve.

∽

Élisabeth triturait nerveusement le bas de sa robe. Elle n'avait pas besoin de regarder sous la tenture de la portière pour savoir qu'elle était arrivée au village. La clameur, inhabituelle à une heure aussi matinale, laissait deviner l'agitation générale qui régnait dans la petite communauté. Pour les habitants de Montcerf, ce mariage était un grand événement. Ce soir-là, ils festoieraient avec leurs familles et leurs voisins, au bon gré de leurs nouveaux seigneurs, qui voulaient que chacun boive à leur santé. Les marchands envisageaient déjà de faire de beaux gains avec les visiteurs qui séjourneraient au château. Le carrosse bringuebalait sur la route de terre battue. Élisabeth entendait leur cocher offrir ses salutations cordiales à droite et à gauche. Elle poussa un soupir. Il lui semblait que les épousailles de son frère réjouissaient tout le monde sauf elle. Depuis son retour à Montcerf, c'était le seul sujet de conversation. Alors que Nicolas était censé quitter la région pour faire carrière dans les armes, voilà qu'il revenait, quelques mois plus tard, avec une fiancée prête à peupler le château de petits de Razès !

— Nous y sommes, mademoiselle, avertit le cocher.

Un spasme agita la jeune femme. Elle toucha sa coiffure, ajusta les manches de sa robe et, finalement, vérifia le contenu de son aumônière. Si sa mère lui avait demandé d'aller chercher leurs toilettes chez le tailleur, Élisabeth savait pertinemment que ce n'était pas parce que les domestiques étaient trop occupés à voir aux préparatifs de la journée ; depuis son retour, elle ressentait une profonde angoisse à côtoyer les gens du village. Elle vivait dans l'appréhension de se faire reprocher la mort d'Antoine. Or, sa mère avait jugé opportun qu'elle affronte ses peurs ce jour-là, puisque chacun était de si belle humeur !

— Est-ce que vous m'avez entendue, mademoiselle ? Nous sommes arrivés, répéta le serviteur.

Élisabeth serra les dents et ouvrit la portière.

— J'attendais que vous veniez ouvrir, lui reprocha-t-elle bien que ce fût faux.

— Pardon, je suis navré, répondit Octave, confus.

Aussitôt, Élisabeth regretta ses propos. Elle avait beaucoup d'affection pour le vieil homme. De plus, Octave était âgé et faisait de moins en moins souvent office de cocher.

— Je ne serai pas longue, lui dit-elle en descendant les marches.

La boutique du tailleur. La maison d'Antoine. Marguerite avait placé la barre haute.

« Courage, pensa-t-elle. Tu n'as qu'à prendre les robes et à leur donner l'argent. Rien de plus simple. »

Elle franchit les quelques pas qui la séparaient de la bâtisse en prenant bien soin de ne pas regarder autour d'elle. Comme ils le faisaient toujours, les ruraux étaient sortis de chez eux pour voir de qui il s'agissait. Élisabeth imaginait aisément leur verbiage animé. Lorsqu'elle passa la porte, elle fut presque soulagée de se retrouver à l'abri des regards.

— Bonjour, mademoiselle de Razès, fit le jeune homme derrière le comptoir.

Il s'agissait du nouvel apprenti de maître Millet, qu'elle avait rencontré lorsqu'il était venu au château pour prendre leur commande. Élisabeth aurait pleuré de soulagement. Plus que tout, elle craignait un face-à-face avec les parents de son défunt amoureux.

— Vous êtes venue pour les robes ? Attendez là, je vais les chercher.

Elle avait prononcé un « oui » étouffé, qui ne s'était probablement pas rendu jusqu'à ses oreilles. La jeune femme chiffonna le tissu de sa jupe entre ses mains. Un bruit de pas martela le plancher. « Pourvu que... », songea-t-elle. Soudain, la tête de maître Millet apparut dans le cadre de la porte.

— Ah ! Mademoiselle de Razès, c'est vous !

Élisabeth était livide.

— Bonjour, murmura-t-elle.

Même s'il n'y avait pas de trace de rancœur dans l'expression du visage de l'artisan, une petite voix se fit entendre dans l'esprit de la jeune femme : « Ma femme et moi sommes très heureux de vous voir. Nous ne vous en voulons plus du tout d'avoir ensorcelé et empoisonné notre fils. Après tout, Antoine était un fainéant. »

— Pourriez-vous remettre ceci à la comtesse ? C'est un présent de ma femme, expliqua-t-il en lui tendant un ballot.

Élisabeth fit taire ses élucubrations intérieures.

— C'est… pour ma mère ? hésita-t-elle.

— Non, pour la *nouvelle* comtesse, répondit le tailleur en pesant ses mots, comme s'il parlait à une enfant.

— Oui, bien sûr, je vais lui donner.

— Voici vos mises, mademoiselle. J'ai pris le temps de m'assurer que tout était en ordre, annonça l'apprenti, qui revenait vers elle.

— Merci. Tenez, pour vous, lui répondit-elle en sortant la monnaie de son aumônière.

Élisabeth ramassa les volumineux paquets.

— Voulez-vous de l'aide ? demanda le jeune homme.

— Ce n'est pas la peine, rétorqua-t-elle, avant de sortir de la boutique.

Dès qu'Élisabeth fut dehors, un immense soulagement l'envahit. Elle prit la direction de la voiture d'un pas assuré. Soudain, un des colis glissa sur le côté. Élisabeth essaya en vain de le retenir ; son contenu atterrit à ses pieds.

— Mademoiselle ! cria Octave, qui arrivait trop tard.

— Ne vous alarmez pas, Octave, ce n'est que du tissu, l'apaisa-t-elle. Je vais aller porter celui-ci au carrosse, avant qu'il ne subisse le même sort.

— Attendez, je vais vous aider.

Ce petit contretemps évita à la jeune femme de se tourmenter sur les probables racontars suscités par sa présence. En quelques instants, ils furent prêts à repartir. Elle s'apprêtait à remonter quand un éclat de voix attira son attention.

« Les bateleurs sont peut-être déjà arrivés », pensa-t-elle en cherchant des yeux l'origine du bruit.

Rapidement, quelques personnes s'étaient rassemblées autour de ce qui semblait être un accident. La jeune femme aperçut un attelage tiré par un cheval affolé traverser le chemin à toute vitesse. Un homme hurlait, tandis que les témoins paniquaient.

Elle attrapa ses jupes et s'élança vers le rassemblement. Elle parvint au lieu de l'accident en même temps que d'autres curieux attirés par le tumulte. Le blessé était Marc Le Forain, un colporteur qui parcourait la région à la recherche d'occasions profitables. Il était étendu sur le sol et poussait des râles de douleur. Sa jambe droite, enflée et bleuie, se terminait désormais à la hauteur de la cheville, là où les chairs avaient été écrasées par les roues de la calèche.

— Quelqu'un, allez quérir Dusseau ! cria le meunier.

— Il est parti à Salers, répondit une femme.

Une vieille femme poussait des cris stridents. Chacun restait là à le regarder souffrir. L'aubergiste se tourna vers Élisabeth :

— Vous devriez vous éloigner, mademoiselle, ce n'est pas joli, tout cela.

La jeune femme ignora le conseil et s'approcha de l'accidenté. Sa cuisse était si gonflée que la toile du pantalon avait lâché, exposant la plaie béante. La peau était sectionnée, mais, étrangement, il n'y avait pas d'effusion de sang.

— Mademoiselle Élisabeth ! protesta Octave, qui l'avait rejointe.

— Nous allons devoir transporter cet homme à l'auberge. Vous, ordonna-t-elle à deux hommes robustes parmi les badauds, aidez-moi à le mener à l'intérieur. Octave, courez chez maître Millet et demandez-lui du tissu frais.

— Je peux vous apporter du linge, mademoiselle Élisabeth, répondit une femme.

— Faites, répondit-elle.

Ensuite, elle se tourna vers les deux volontaires désignés, et leur lança :

— Prenez-le sous les épaules, et vous, soulevez-le au niveau du bassin. Je m'occupe de ses jambes.

Il y eut des murmures d'admiration mêlés de réprobation. Élisabeth les ignora et guida le groupe à l'intérieur de l'auberge.

Le tenancier, Anselme Pantin, écarquilla les yeux en le voyant entrer chez lui.

— Monsieur Pantin, conduisez-nous à la chambre la plus proche, ordonna Élisabeth, sur le ton de quelqu'un qui ne souffrirait aucun délai.

Élisabeth espérait qu'il ne ferait pas d'histoires, car c'était la seule solution à laquelle elle avait pensé. Elle ne pouvait pas abandonner ce pauvre homme à son triste sort !

— Par ici, lui indiqua l'aubergiste.

Il leur ouvrit la porte d'une chambre, qui s'avérait être la sienne.

— Merci, souffla Élisabeth.

Ils déposèrent l'accidenté sur le matelas. Entre-temps, le brouhaha de la foule s'était déplacé dans la salle commune ; l'événement suscitait l'intérêt des habitants, chacun se demandant ce que la fille du seigneur ferait ensuite. Élisabeth eut un choc en prenant conscience qu'on s'attendait à ce qu'elle fasse *quelque chose*. Mais quoi ? Elle s'approcha de Marc Le Forain. Ses yeux papillotaient et il délirait. Elle comprit qu'il était sur le point de défaillir. Elle s'agenouilla à son chevet et prit sa tête entre ses mains. Elle était beaucoup plus lourde que ce à quoi elle s'attendait.

— Marc, écoutez-moi, lui dit-elle avec fermeté. On va vous aider.

Elle tenta de le maintenir en éveil en prononçant des paroles réconfortantes. Lorsque Octave revint enfin, avec le tas de linge promis, elle lui lança :

— Je crois que ça suffit.

Elle avait dit cela sur un ton incertain. Octave, au service de son père depuis toujours, avait-il deviné qu'elle ne savait pas ce qu'elle devait faire ?

Pour gagner du temps, elle réquisitionna la veste de son cocher et la plaça sous la tête de l'homme.

« Maintenant, quoi ? » pensa-t-elle en fixant la jambe écrasée de son patient.

Elle avait déjà vu un palefrenier ayant subi une blessure identique, et il ne faisait pas de doute qu'il allait devoir subir une amputation. Le barbier du village, un dénommé Dusseau, procédait généralement à ce genre d'intervention. Le comté de Montcerf ne comptait pas de médecin.

— Mademoiselle de Razès, l'interpella une femme à la voix mélodieuse.

Dans le chaos qui régnait, Élisabeth crut qu'il s'agissait d'un ange. Elle leva la tête et aperçut une femme vêtue d'une soutane. Elle devait avoir près de vingt ans.

— Je suis Pauline Moissan, des sœurs hospitalières de Saint-Joseph. Vous permettez que j'examine cet homme ?

Élisabeth n'en croyait pas ses yeux. Elle remercia le ciel pour cette aide inespérée et céda sa place à l'hospitalière.

— Sa jambe a été écrasée par les roues d'une calèche, l'informa Élisabeth.

La religieuse avisa les bandages de fortune.

— Vous alliez procéder à l'amputation vous-même ?

— J'espérais ne pas avoir à le faire, confia Élisabeth, qui rechignait à lui avouer qu'elle avait pris les choses en main sans trop savoir comment il convenait de procéder.

— Il faudrait disperser les badauds, conseilla Pauline, toujours très calme.

— Vous voulez l'opérer ?

— Si fait, le temps presse. Il va me falloir de l'alcool, en grande quantité, et de l'eau chaude.

Élisabeth opina devant tant d'assurance.

— Je m'occupe d'écarter la foule, annonça-t-elle.

— Non, restez, je vais avoir besoin que vous m'assistiez. Pour couper l'os et cautériser la plaie… Y a-t-il un forgeron ou un maréchal-ferrant au village ?

Élisabeth mit de l'ordre dans ses idées.

— Vous avez entendu, monsieur Pantin ? Octave, allez trouver le forgeron et demandez-lui de vous prêter tout ce que vous jugerez nécessaire.

Puis elle avisa les curieux qui se pressaient à qui mieux mieux jusque dans l'embrasure de la porte.

Sous son regard sévère, certains firent un pas en arrière, mais la plupart restaient immobiles.

Parmi eux, elle repéra le notaire et son visage s'éclaira.

— Monsieur Mignerot, vous allez devoir trouver le moyen d'éloigner les gens afin que l'on soit tranquilles pour lui administrer des soins, lança-t-elle puissamment. Sans quoi, il pourrait succomber à ses blessures.

Le notaire était l'homme le plus important du village après le comte. Qui d'autre que ce notable pétri d'orgueil pouvait bien accomplir cette délicate mission ? Satisfaite de son choix, elle se tourna vers Pauline et lui demanda :

— Que dois-je faire maintenant ?

❧

Élisabeth tendit une infusion à la sœur hospitalière.

— Merci, lui dit Pauline en mettant ses mains autour du gobelet chaud. Hum, qu'est-ce que c'est ?

— Un mélange d'orge et de miel, l'informa Élisabeth en s'assoyant en face de la religieuse.

Pauline avait passé une soutane propre et s'était abondamment lavé les mains. Il ne restait donc plus de traces de la chirurgie sur elle et elle paraissait même avoir retrouvé son air angélique. Après le retour d'Octave, tout s'était déroulé très vite. Élisabeth avait surtout fait des compresses. C'était la sœur qui avait fait l'essentiel du travail. Malgré cela, elle éprouvait une réelle fierté à l'idée que Marc survive à son amputation.

— Il va devoir rester longtemps au lit ?

— Plusieurs semaines peut-être, selon son rythme de récupération. Vous croyez que l'aubergiste fera des problèmes ?

— Non, je suis certaine que mon père acquittera les frais de la chambre.

Pauline secoua la tête en signe de dépit.

— Qu'y a-t-il ?

— Je déplore le manque de générosité dont font preuve les gens à l'égard des étrangers.

Élisabeth opina du chef. Pauline avait raison. Si Marc avait été un paysan, les villageois auraient été plus rapides à réagir.

— Marc Le Forain n'est pas un parfait étranger, mais il est vrai que les habitants ne le considèrent pas comme l'un des leurs. En revanche, vous avez fait preuve d'une remarquable bonté, et je tiens à vous en remercier.

— Je n'ai fait que remplir ma mission d'hospitalière. C'est vous qui méritez la gratitude de cet homme. Vous avez été très prompte à réagir. Je n'ai jamais vu autant de sang-froid chez quelqu'un qui n'a pas d'expérience auprès des blessés.

Élisabeth baissa les yeux sur son breuvage. Il était inutile de continuer à faire semblant ; Pauline avait compris en quelques instants seulement qu'elle n'avait pas les compétences pour soigner la blessure.

— Comment saviez-vous que la millefeuille avait des vertus cicatrisantes ?

— Je m'intéresse à l'herboristerie, répondit Élisabeth.

— Vraiment ? La préparation des simples[1] ?

— La cueillette surtout, précisa Élisabeth.

Puis, sur un ton de dérision, elle ajouta :

— C'est une bagatelle, une simple distraction.

— Notre communauté de Moulins pourrait souhaiter acheter certaines des plantes médicinales que vous ramassez, dit Pauline. Cela dit, nos moyens sont modestes.

Élisabeth dodelina de la tête.

— Je ne sais trop… À part quelques infusions, je n'ai jamais concocté de vrais traitements.

Pauline lui jeta un regard perplexe.

— C'est beaucoup moins hasardeux que de tenter une amputation.

---

1. À l'époque, remède composé d'un ingrédient unique, souvent une plante médicinale.

— Je m'en doute, ricana Élisabeth. Quand prévoyez-vous de rentrer à Moulins ?

— Je vais partir dès que Marc sera hors de danger. J'ai reçu la permission de quitter le cloître afin de rendre visite à mon père, qui est mourant, mais je dois rentrer le plus rapidement possible.

— Je comprends, lui dit Élisabeth. Je vais tenter de rassembler ce que j'ai déjà, et si cela vous convient, j'essaierai de vous en fournir davantage. Ce sera ma contribution à votre mission.

Le visage de Pauline s'illumina d'un sourire, et Élisabeth songea qu'elle devait être fort belle sans sa coiffe de religieuse.

— Je suis ravie d'avoir fait votre rencontre, mademoiselle de Razès.

Sur ces entrefaites, Xavier pénétra dans l'auberge et se dirigea tout droit vers sa fille.

— Élisabeth !

— Père, lui dit-elle en se levant.

Xavier parut soulagé de la trouver à la fois sereine et épanouie.

— Fouchtra ! Est-ce bien vrai, ce qu'on m'a rapporté ?

Un peu plus tôt, Élisabeth avait envoyé Octave quérir des simples et avertir ses parents.

— Je suppose que vous faites allusion à l'accident de Marc Le Forain ? En effet, dit-elle. Laissez-moi vous présenter sœur Pauline Moissan, des Hospitalières de Saint-Joseph.

Xavier se tourna vers la religieuse et lui adressa un hochement de tête empreint de respect.

— Merci pour ce que vous avez fait.

— Monsieur de Razès, c'est à votre fille que vous devez exprimer votre reconnaissance. Sans elle, je doute que Marc Le Forain serait encore en vie.

Xavier, pris au dépourvu, balbutia un « évidemment » un peu forcé.

— Je vais aller voir notre patient, annonça Pauline en se levant. À très bientôt, mademoiselle de Razès.

೫

Élisabeth se laissa choir sur son lit, épuisée. À côté de son armoire était suspendue sa toilette pour la cérémonie, qui aurait lieu dans moins de deux heures. Elle aurait déjà dû être en train de se préparer ; en ce moment même, les premiers invités se pressaient dans la salle basse. Un sourire se profila sur ses lèvres. On ne pouvait pas lui reprocher de ne pas être présente pour les accueillir. Après tout, sauver la vie d'un homme était infiniment plus important que d'échanger de vaines salutations. On cogna à sa porte. Élisabeth se dressa sur son séant.

— Élisabeth, c'est moi, je peux entrer ?

Elle pria son frère à l'intérieur.

— Nicolas, bonjour.

— Ma foi, ma sœur, tu sembles remise de tes émotions, observa Nicolas, soulagé. Je craignais, enfin, j'espérais que tu ne sois pas trop secouée par tout ce que tu as vu.

Elle leva un sourcil perplexe.

— Je vais bien, tu n'as pas à t'en faire. Et toi ? Es-tu fin prêt ?

Nicolas baissa les yeux sur son pourpoint déboutonné, ses mains nues et ses vieilles bottes.

— Non, fort heureusement. Mère m'attend pour corriger tout cela.

Élisabeth sourit à la saillie comique de son aîné.

« Pourvu que rien ne change », souhaita-t-elle en son for intérieur.

— Tu ne devrais pas la faire patienter, lui dit-elle. Elle va m'en vouloir de te retenir.

Nicolas s'empressa de la rassurer :

— C'est elle qui m'a suggéré de venir te voir. Nous étions tous inquiets quand nous avons appris ce que tu avais fait.

— Pourquoi ? Ce n'est pas moi qui ai été blessée. D'ailleurs, tu devrais rendre visite à Marc Le Forain dès que possible.

Nicolas hocha la tête.

— Tu as raison, nous irons, Aude et moi. Ce serait cordial de notre part.

Élisabeth tiqua. Dorénavant, partout où il irait, elle suivrait… Il lui faudrait se faire à cette idée.

— Dis-moi, mon frère, tu es certain qu'Aude est celle qu'il te faut ? La femme qui te complétera, qui t'épaulera…

— Je n'ai pas le moindre doute là-dessus, répondit Nicolas avec une certitude désarmante. Tu n'en aurais pas non plus, si tu la connaissais aussi bien que je la connais.

— Je ne peux m'imaginer rencontrer quelqu'un qui sera fait pour moi, tout comme je serai faite pour lui, à l'instar de nos parents, lui confia Élisabeth.

— Moi, je le puis, répondit-il simplement.

À ce moment, le regard noir du jeune comte de Montcerf brillait de toute l'affection qu'il ressentait pour sa cadette. Mais elle s'était détournée et ce témoignage muet lui échappa.

3

Liens de sang

— Ton oncle nous a écrit, finalement. Il est bel et bien en voyage de noces, quelque part en Bourgogne. Il est navré de ne pas être présent et vous offre ses vœux de bonheur, à Aude et à toi.

— Hum, j'avais fait deuil de l'idée de le voir, répondit Nicolas en hochant la tête. Ce n'est que justice : nous n'avons pas pu assister à son mariage.

Marguerite n'aurait su dire si l'absence de Gabriel peinait son fils. Il est vrai qu'ils n'avaient jamais eu la chance de nouer des liens solides. En contrepartie, Nicolas avait été beaucoup plus démonstratif lorsqu'il avait appris que Claudine ne viendrait pas au mariage. Cela ne l'avait pas surprise ; l'attachement qu'il éprouvait pour elle, d'ailleurs réciproque, remontait à sa tendre enfance.

— Réjouissons-nous, lança Xavier d'un air goguenard. À elle seule, la suite de M. le baron de Lugny aurait envahi tout le second étage ! Sans parler de l'embarras que cela aurait causé à Bertille de voir son amant se pavanant au bras de sa jeune épouse…

La comtesse jeta un regard de reproche à son mari. Lorsqu'il était fébrile, Xavier avait la tendance fâcheuse à oublier les convenances. D'ores et déjà, le brouhaha des invités emplissait le château ; la dernière chose que Marguerite souhaitait, c'est qu'un commentaire comme celui-là tombât dans l'oreille malveillante d'un de leurs voisins hobereaux.

— Allons, mon mari, c'est aujourd'hui jour de fête. Gardez vos vieilles brouilles pour une autre fois. Bon, je ferais mieux d'aller voir où en est la future mariée. Je vous laisse entre vous, messieurs, affirma Marguerite.

Aussitôt, Gontran de Cailhaut se leva pour la saluer, suivi par un Xavier désinvolte mais souriant. Nicolas, occupé aux derniers détails de sa toilette, se contenta de hocher la tête d'un air distrait. D'un pas hâtif, Marguerite quitta les appartements de son fils pour se diriger vers les siens. C'était le troisième aller-retour qu'elle accomplissait depuis le matin et elle espérait que ce soit le dernier. Même si elle tenait à prendre part aux menus détails, tout le branle-bas de la cérémonie l'essoufflait. En somme, elle avait hâte que se déroule la fête qui clôturerait la journée. À ce moment-là seulement, elle pourrait se détendre et, qui sait, profiter un peu des réjouissances. Marguerite poussa la porte du boudoir. En dépit du silence qui régnait dans la pièce, la tension était palpable.

— C'est moi, annonça-t-elle d'une voix douce.

D'une simple pression de la main, Oksana intima à sa fille de ne pas bouger.

— Nous aurons bientôt terminé, affirma cette dernière en posant une boucle de soie dans la chevelure de la mariée.

Laissée aux soins de sa mère, la coiffure de la jeune femme était devenue saisissante de beauté et de majesté. Marguerite s'assit sur un tabouret, légèrement en retrait. La tendresse qu'elle perçut dans les gestes de son amie lui souffla de ne pas troubler le moment de complicité auquel elle assistait. Dans la glace, le reflet d'Aude n'était que joie contenue. Derrière elle, dans une posture exprimant toute son affection maternelle, Oksana lui renvoyait un regard chargé de fierté. Pour la deuxième fois aujourd'hui, Marguerite sentit monter en elle une bouffée d'émotion.

« Quelle chance nous avons que cette union soit porteuse de tant de bonheur, présent et à venir, pensa-t-elle. Combien rares sont les alliances qui ont des dénouements heureux… »

La majorité des gens considéraient le mariage comme une association entre deux familles, faisant fi du bien-être des principaux concernés. Dans bien des cercles, on soutenait volontiers que les sentiments pouvaient aller jusqu'à miner les bases d'une union. Quant à la passion, vieille adversaire de l'Église, elle était vue comme une chose qui ne faisait qu'entraver le devoir des époux en compliquant leur relation. Étant donné ce précepte, il n'était pas étonnant que l'adultère soit si répandu. Ne l'avait-on pas elle-même montrée du doigt plus d'une fois parce qu'elle avait exhibé ouvertement les preuves de son bonheur matrimonial ? Sarcastiquement, elle se demandait s'il y avait plus gros scandale en société que celui d'un couple marié et heureux.

— Marguerite ? dit Oksana de sa voix douce.

La comtesse de Montcerf leva les yeux vers son amie.

— Pardon, je me suis laissée entraîner par mes pensées. Aude, ma chère, vous êtes éblouissante ! s'exclama-t-elle devant la jeune femme, qui brillait de tous ses feux.

Celle-ci lui sourit, et malgré la gaieté qu'elle dégageait, Marguerite perçut une nervosité refoulée.

— Je crois que nous sommes prêtes, affirma Oksana.

Marguerite se leva et dit :

— Je vais m'assurer que tout est en place pour la cérémonie. Je vous enverrai quérir lorsque le moment sera venu.

⁓

Aude avait l'impression d'être à l'extérieur d'elle-même, comme dans un songe où elle se serait vue faire des gestes contre sa volonté, sans parvenir à changer le cours des événements. Sa fébrilité, déjà difficile à maîtriser, s'était muée en panique quand elle avait vu Élisabeth apparaître pour l'escorter vers la chapelle. La sœur de Nicolas n'avait fait aucun commentaire, ni sur sa toilette ni sur la journée ; bref, elle n'avait soufflé mot. Son regard détaché, voire hautain, avait cette fois-ci percé l'armure d'Aude, attendrie par la fatigue et la nervosité. Jusqu'alors, elle avait pardonné à Élisabeth son indifférence et ses humeurs, elle qui avait eu une année marquée par les pertes et les épreuves. Mais aujourd'hui, ébranlée par sa froideur, elle avait eu un choc : peut-être allait-elle devoir faire le deuil d'une amitié avec sa future sœur, en dépit de ses tentatives ? Docilement, la jeune femme avait suivi Élisabeth le long des corridors, en prenant soin d'afficher l'air aimable de celle qui se réjouit de son sort. Après tout, n'était-ce pas ce qu'elle ressentait ? Ce mariage ne leur avait pas été imposé, ou du moins pas tout à fait. C'était leurs sentiments réciproques qui les avaient unis. Pourtant, Aude avait l'impression que l'ostentation de la cérémonie reléguait cet aspect au second plan. La procession des curieux qui la jaugeaient, cou tendu, sur le chemin menant à l'autel, l'intimidait. Ces nobles, venus exprès des quatre coins de l'Auvergne pour ses noces, ne manqueraient pas de se moquer d'elle si elle commettait un impair. Pas à pas, Aude se voyait marcher vers Nicolas, l'homme qu'elle chérissait, sans parvenir à savourer ce moment. Finalement, l'évêque entama le long cérémonial. Les paroles apprises les jours précédents, elle les prononça calmement, encouragée par le regard réconfortant de Nicolas qui ne la quittait pas. Lentement, l'apaisement la gagna. Ce n'était pas plus difficile que de donner une représentation musicale. En somme, c'était comparable. Dans les derniers mois, elle avait étudié le comportement de Marguerite, la comtesse de Razès. Durant le jour, elle jouait son rôle à la perfection ; c'était une châtelaine respectée et aimée. Or, Aude avait pu la voir plus détendue, plus spontanée, lorsque, le soir, les domestiques regagnaient leurs appartements. En compagnie de ses enfants, et surtout de Xavier, Marguerite redevenait familière. Lorsqu'elle comprit que le prêtre donnait sa bénédiction, Aude frémit imperceptiblement. Le moment était venu d'échanger les joncs rituels. Ses yeux rencontrèrent ceux de Nicolas. Ils brillaient de confiance et de joie. Cette communion la fit émerger d'elle-même ; son sentiment pour lui triompha de tout le protocole de ce mariage.

Soudain, une voix s'éleva de l'assemblée. Aude n'y prêta pas attention jusqu'à ce que Nicolas, distrait, détourne la tête. La jeune femme comprit qu'il cherchait chez ses parents l'explication d'une telle inconvenance. Or, le comte s'était levé et avait quitté son siège. Aude n'eut pas à chercher bien longtemps pour se rendre compte que c'était nul autre que Xavier qui avait créé la commotion. Un murmure général accompagna le seigneur du château lorsqu'il s'approcha de l'autel, avec à son bras une femme inconnue, vêtue d'une robe aux couleurs de la famille de Razès.

～

La jeune femme cherchait à capter le regard de son mari. Tout s'était déroulé si vite, après l'arrivée, ou plutôt, l'apparition de Lutisse de Razès. Elle fit bouger la bague qu'elle portait maintenant à son doigt. Le bijou, délicatement ciselé, paraissait avoir traversé des décennies pour parvenir jusqu'à elle. La jeune femme était en proie à une émotion vive. Alors qu'autour d'elle le remous créé par la visite inattendue de la sœur de Xavier s'aplanissait légèrement, Aude ne pouvait détacher ses yeux du visage de Nicolas. Ses yeux noirs, bordés de cils épais, son front haut et droit, l'arête fine de son nez, ses lèvres sensuelles, minces et bien définies. Il la regarda à son tour et lui adressa un sourire discret. Était-il, à l'instar de sa mère et de son père, ébranlé par la présence de sa tante ? Aude tendait à penser que, comme pour elle, le bonheur d'être enfin unis amoindrissait l'importance de cet événement. Un bref instant, elle avait cru que cette femme était apparue pour empêcher la cérémonie de suivre son cours. Puis, le comte l'avait présentée à l'assemblée. Cette femme n'était autre que sa sœur cadette, Lutisse de Razès, qui avait quitté Montcerf vingt-cinq ans plus tôt. Au milieu des murmures des invités, qui dissimulaient mal leur consternation, Lutisse s'était approchée des époux. Loin de s'opposer à leur mariage, elle avait fait un geste qui scellait son lien avec la famille de Razès : elle léguait à Aude l'anneau qui avait appartenu aux châtelaines de Montcerf depuis que le domaine était rattaché aux Razès.

Aude avait peine à croire à son bonheur. Toute à sa joie, elle tendait une oreille distraite aux discussions alentour. Apparemment, personne ne s'attendait à voir surgir Lutisse de Razès. Elle n'avait jamais quitté le cloître où elle avait grandi, et Élisabeth et Nicolas ne la connaissaient pas. Tandis que Xavier et Marguerite s'entretenaient avec elle, Oksana veillait méticuleusement au déroulement de la journée. Une fois les invités réunis dans la salle basse, Nicolas prit sa femme par le bras et l'entraîna à sa suite. Comme la tradition le voulait, chacun viendrait présenter ses hommages. Le marié, magnifique dans son habit indigo brodé, dégageait une remarquable aura de fierté. Aude ne l'avait jamais vu ressemblant autant à son père ; la pensée qu'elle fut la cause de cet orgueil l'enchantait.

— Tu veux t'asseoir ? lui demanda Nicolas en se penchant doucement à son oreille.

— Non, répondit-elle aussitôt.

Le timbre de sa voix parvint aux oreilles des hobereaux qui attendaient non loin. Aude leva imperceptiblement la tête. Elle tenait à être debout pour accueillir les marques d'honneur qui lui revenaient.

❧

Marguerite souriait, sensible à l'émoi de Xavier, qui paraissait avoir rajeuni de dix ans. Elle se tenait légèrement à l'écart, discrète observatrice de la complicité fraternelle qui commençait à poindre après tant d'années de séparation. Xavier éclata d'un rire sonore, et Marguerite remarqua les têtes des convives se tourner dans leur direction. Elle savait que plusieurs seigneurs de la région désiraient s'entretenir avec son mari au sujet de leurs enjeux communs : la hausse des impôts, le braconnage, les récoltes. Comme elle, ils devaient attendre et certains s'impatientaient. Après le premier choc, Marguerite avait vite chaussé ses souliers de châtelaine et s'était empressée d'aller à la rencontre de la sœur de son mari. Bien sûr, une dizaine de questions lui brûlaient les lèvres : pourquoi avoir quitté le couvent ? Combien de temps prévoyait-elle demeurer à Montcerf ? Et surtout, d'où provenait cette bague familiale dont elle n'avait jamais entendu parler auparavant ? Marguerite taisait ses interrogations, sachant qu'un moment plus propice se présenterait plus tard.

Elle ne pouvait nier l'évidence ; la présence de Lutisse, même si elle n'atténuait en rien l'émotion associée au mariage de Nicolas, l'empêchait en quelque sorte d'en profiter pleinement.

— On peut dire que vous avez fait une entrée remarquée, exprima Marguerite en s'approchant du frère et de la sœur. Le moins que l'on puisse dire, c'est que vous avez donné à jaser à nos invités pour les mois à venir !

— J'avais prévu d'arriver avant le début de la cérémonie, mais la pluie a considérablement ralenti ma diligence, expliqua Lutisse à l'adresse de Xavier.

Puis, elle ajouta :

— Je suis navrée de mon attitude, qui a dû vous paraître cavalière, mais je tenais à remettre la bague de notre mère à l'épouse de Nicolas.

— Ma chère sœur, vous n'auriez rien pu faire qui aurait diminué ma joie de vous revoir. Il n'y a pas de plus beau cadeau à mes yeux que votre présence parmi nous, en ce jour si important !

Marguerite ne put s'empêcher de noter le contraste entre l'enthousiasme de Xavier et la retenue de Lutisse. Plutôt que de se réchauffer au contact de ce dernier, Lutisse semblait de plus en plus distante, incertaine de l'attitude à adopter envers ce frère qu'elle revoyait pour la première fois depuis si longtemps. Prenant conscience de sa façon de la regarder, Marguerite détourna les yeux ; elle devrait se garder d'examiner sa belle-sœur avec un si grand intérêt.

— Je vous sais gré de votre accueil, mon frère, et à vous aussi, madame de Razès, remercia Lutisse en hochant la tête avec déférence, les yeux tournés vers Marguerite. Je dois vous avouer que je reconnais à peine les lieux ! Vous avez transformé notre vieux château en un véritable palais. C'est très… fastueux.

— Votre frère tenait à ce que rien ne manque à cette réception. Nous voulons qu'elle soit mémorable ! répondit Marguerite, avec un clin d'œil de connivence à l'adresse de Xavier.

Celui-ci fit un sourire embêté, qui ressemblait davantage à un aveu coupable qu'à une affirmation. Marguerite tiqua.

— Nous sommes très fiers de cette union, crut-elle bon d'ajouter.

C'était la vérité. Depuis des mois, il n'y avait que ce projet qui comptait à leurs yeux. Xavier n'avait pas lésiné lorsque était venu le temps d'acheter de nouveaux lustres ou d'aménager le parterre. Mais de là à dire que c'était fastueux...

— Ils semblent très amoureux, en effet, commenta Lutisse.

Marguerite nota que son intonation était neutre, voire détachée.

« Tout ce temps passé dans un couvent, et soudain, elle se retrouve projetée dans le monde. Cela doit donner le vertige », pensa Marguerite avec pitié.

— Je crois que je vais devoir vous laisser un instant, ma sœur. Il y a des gens qui souhaitent me voir. Je vous laisse entre les mains de Marguerite, qui va vous montrer vos appartements, expliqua Xavier d'une voix rassurante.

Marguerite se tourna vers Lutisse et lui offrit gracieusement son bras.

— Je peux attendre, je ne veux pas vous retenir, avança Lutisse. Vous devez avoir des choses beaucoup plus pressantes à faire.

— Mais non, allons, suivez-moi ! Après cette route, vous devez avoir envie de rafraîchir votre toilette. Avez-vous des effets personnels ? Où sont vos bagages ?

— Les domestiques s'en sont chargés lors de mon arrivée.

— Ah ? Bien, dans ce cas, allons nous informer.

Marguerite se dirigea vers une servante qui avait été engagée pour la période des festivités. Le bras de Lutisse, à côté du sien, était d'une raideur impossible à ignorer. Marguerite avait l'impression que ce rapprochement, pourtant banal, faisait ressortir la carapace de son invitée. Marguerite s'efforçait toutefois de paraître désinvolte et offrait à chacun son plus beau sourire.

— Cette femme, je l'ai vue plus tôt à la chapelle. Qui est-ce ?

— C'est dame Oksana, la mère d'Aude, répondit Marguerite, omettant délibérément de spécifier qu'elle était aussi son amie de longue date.

Le regard de Lutisse s'attachait à Oksana avec une fixité dérangeante. Bien que cela fût surtout inconvenant, Marguerite en conçut un malaise indéfinissable.

— Peux-tu aller quérir Octave ? demanda-t-elle à une servante.

Marguerite profita de ce qu'elles s'étaient arrêtées pour lâcher le bras de sa belle-sœur.

— J'ai été étonnée d'apprendre que mon neveu se mariait, confia Lutisse, dont les yeux s'étaient posés sur l'attroupement autour de Nicolas. Je croyais qu'il désirait s'illustrer dans les armes, à Paris.

De toute évidence, Xavier avait entretenu une correspondance intime avec sa sœur. Sans tenter de dissimuler sa surprise, Marguerite raconta :

— Nicolas a fait la rencontre d'Aude alors qu'il était à Paris. Les sentiments qu'ils ressentaient l'un envers l'autre nous ont convaincus qu'il serait bien vain de s'opposer à ce mariage. Il n'a pas pour autant abandonné ses aspirations militaires.

— Si cela s'apparente à l'attirance que mon frère avait pour votre personne, je veux bien vous croire.

Marguerite se retint d'exprimer sa réaction. Qu'est-ce que cette affirmation suggérait ? Lutisse avait-elle tenté de dissuader Xavier de l'épouser ? Le faciès de Lutisse était fermé à toute tentative d'interprétation. Cependant, son air fuyant donnait à penser que cette remarque n'avait pas été lancée naïvement. L'arrivée opportune d'Octave soulagea Marguerite de la tension grandissante.

Le domestique les mena à l'étage des chambres. Plutôt que de prendre à droite, vers les chambres destinées à la famille, il bifurqua vers l'autre direction.

— Nous allons installer Mme de Razès dans l'aile familiale, annonça-t-elle au valet.

Bien que la perspective de la proximité de Lutisse ne l'enchantât guère, elle savait qu'en la matière l'étiquette et la civilité lui permettaient peu de liberté.

— J'ai obéi aux vœux de Mme de Razès, voilà pourquoi je l'ai installée dans une chambre d'invité, expliqua Octave.

Marguerite s'arrêta pour considérer sa belle-sœur. Celle-ci s'empressa de lancer, d'un ton pétri d'humilité :

— Votre famille est nombreuse et je ne veux pas vous imposer ma présence, alors qu'à n'en pas douter vous ne vous attendiez pas à ce que je vienne vivre au château. Je serai très à l'aise dans une de ces chambres, soyez sans crainte.

— Il serait indélicat de ne pas vous avoir avec nous. En outre, nous avons plusieurs chambres de libres, insista Marguerite, qui pensait surtout à son mari, lequel serait outré de savoir sa sœur logée parmi les invités.

Lutisse jeta un coup d'œil gêné en direction d'Octave, qui se tenait en retrait. Sa silhouette massive, dans le couloir, n'avait rien de discret. Aussitôt, Marguerite devina ce qui se jouait en sourdine ; la pudeur empêchait Lutisse de s'exprimer en présence du valet de service.

— Dans quelle chambre avez-vous mis ses bagages, Octave ?

— Dans la plus grande, celle du fond.

— Bien, approuva Marguerite, satisfaite.

Elle perçut le soupir de soulagement de Lutisse et se félicita de ne pas s'être obstinée. À un signe de sa maîtresse, Octave alla ouvrir la porte puis s'éloigna rapidement.

— Lorsque j'étais enfant, je venais souvent jouer dans ces pièces. À l'époque, elles étaient très opulentes et plus agréables que nos chambres, raconta Lutisse avec nostalgie.

Quoiqu'elle doutât que son insistance à demeurer à l'écart ne tienne qu'à cela, Marguerite sourit en entendant l'évocation de cette réminiscence de jeunesse.

— La chambre du fond est encore agréable, ce qui n'est pas le cas de toutes les autres. Beaucoup de meubles ont été vendus ou volés lorsque le château était à l'abandon, avant que Xavier ne reprenne le domaine de son père.

Comme Lutisse ne disait mot, Marguerite ajouta :

— Lorsque les travaux seront terminés, nous allons remeubler chacune d'entre elles. Xavier y tient beauc…

— Les travaux ? Mais que… qu'est-ce que cela ? coupa Lutisse, et sa voix se répercuta le long des parois de pierre.

— Nous remettons le château au goût du jour, répondit calmement Marguerite. Xavier doit vous avoir écrit à ce sujet…

— Il n'en a rien fait, argua-t-elle en regardant Marguerite d'un air mi-alarmé, mi-soupçonneux.

« Ce n'est pas mon initiative, se défendit Marguerite intérieurement, en constatant l'état de trouble dans lequel cette annonce avait jeté sa belle-sœur. Xavier devait se douter qu'elle aurait cette réaction ; c'est pourquoi il ne lui en avait pas glissé mot. »

— De quoi s'agit-il, exactement ? demanda Lutisse, qui tentait de maîtriser son émoi.

— C'est essentiellement une question de confort, et de modernité, évidemment. Mais je ne suis pas la meilleure personne pour vous entretenir de ce projet. Votre frère se fera une joie de vous faire part de tout ce qu'il souhaite accomplir, après le banquet de noces, bien entendu.

Lutisse hocha la tête mécaniquement. De toute évidence, cette nouvelle ne la laissait pas indifférente.

En espérant que son message soit bien compris, Marguerite la suivit du regard, alors qu'elle pénétrait dans l'appartement qu'on lui avait attribué. Sa venue, à elle seule, avait causé assez d'agitation pour la journée. Ce soir-là, la seule préoccupation de Xavier devait être de célébrer le bonheur de son fils.

❧

La magie opérait. Les draperies déguisaient le gris des murs et le plafond, qui était illuminé à profusion, transformant ainsi la salle basse au point qu'on en oubliait son habituelle austérité.

Les farandoles s'enchaînaient et Marguerite, de son poste d'observation, s'amusa du spectacle des époux qui, après avoir dansé à satiété, manifestèrent le désir de se retirer pour la nuit. Les boutades et le brouhaha des protestations semblèrent avoir raison de la volonté de Nicolas, qui se laissa entraîner dans une nouvelle ronde. Elle se tourna vers Xavier, au moment où il lui adressait une œillade complice.

— Tu crois qu'il sera aussi long que son père à se décider à prendre congé des fêtards ? demanda Xavier en se penchant vers elle.

Marguerite lui sourit et s'apprêtait à lui lancer une répartie piquante lorsqu'elle surprit Lutisse qui les observait à la dérobée. Intimidée, elle se contenta de lui prendre la main et de la serrer affectueusement. Elle aurait voulu être seule avec lui, sur le tréteau d'honneur où siégeaient les parents des époux, mais Lutisse, qui de toute évidence ne souhaitait pas prendre part à la danse, était assise avec eux. Quant à Oksana, elle s'était fait inviter par un cavalier hardi au commencement de la soirée et ne s'était pas encore lassée de danser. Véritablement, la fête était une réussite et tous semblaient de fort belle humeur. Les cuisiniers engagés pour l'occasion avaient surpassé les attentes et les musiciens n'étaient pas loin d'en faire autant, du moins quant à leur enthousiasme. Marguerite avisa Élisabeth qui s'avançait vers eux. Encore une fois, elle se prit à admirer sa fille, superbe dans sa robe de brocart gris brodé d'argent. La jeune femme ne paraissait pas consciente des prunelles masculines qui s'attachaient à ses courbes voluptueuses. Était-elle si innocente ? Marguerite l'aurait juré, mais pouvait-elle vraiment avancer quoi que ce fût sur Élisabeth et son rapport au sexe opposé ?

— Mère, estimez-vous que le temps soit venu de donner mon récital ?

Marguerite se rendit compte brusquement que la représentation de sa fille lui était sortie de l'esprit.

— Euh… certes, cela ne saurait tarder. Votre frère doit se retirer sous peu, affirma-t-elle en tentant de ne pas laisser paraître son oubli.

Élisabeth avait tenu à faire ce présent à son frère. Puisqu'elle n'avait pas de rôle précis dans la cérémonie de mariage, c'était sa façon à elle d'exprimer ses vœux de bonheur aux nouveaux époux.

— Vous devriez demander à Bertille d'aller quérir votre luth.

— C'est déjà fait. J'attendais votre accord pour paraître.

Marguerite se leva aussitôt et fit signe à Xavier de faire de même. Pendant que sa fille s'installait sur un tabouret, elle commanda aux musiciens de cesser de jouer. Après quelques accords, les bruits de la fête firent place à un calme relatif.

— À l'occasion de votre mariage, mon fils, votre sœur vous a préparé un récital tout particulier, introduisit Xavier en regardant Nicolas, qui s'avançait avec Aude. Élisabeth, nous vous écoutons.

Seule sur le tréteau devenu scène, la jeune femme se pencha sur son instrument avec une grâce qui acheva de susciter le silence dans la vaste salle. Marguerite se reprocha d'avoir oublié le récital, d'autant plus que c'était elle qui en avait suggéré l'idée à sa fille. En fait, elle avait même dû insister pour convaincre Élisabeth, très réticente à l'idée de se produire devant un public.

« Heureusement qu'elle a accepté », pensa-t-elle en lisant l'émotion sur le visage de Nicolas.

La jeune femme avait choisi une pièce que leur mère leur avait apprise à tous deux lorsqu'ils avaient commencé la pratique du luth. Contrairement à sa sœur, Nicolas n'avait jamais eu de facilité ni de talent réel pour la musique. Mais il savait l'apprécier. Cette musique racontait leur jeunesse, leurs escapades dans la lande, leur complicité. Élisabeth ne l'avait pas choisie sans raison. Lorsque la dernière note fut jouée, les invités, bercés par la nostalgique mélodie, restèrent attentifs à l'émotion du nouveau comte de Razès, qui s'avança vers la musicienne. Tandis que Nicolas s'approchait, Aude lui emboîta le pas et se précipita pour embrasser sa nouvelle sœur. Nicolas gloussa amoureusement et, prenant sa femme par la main, déclara :

— Nous sommes très émus par cette attention, ma chère sœur. Vous avez su me rappeler que notre jeunesse n'est pas derrière nous et surtout à quel point elle est encore présente à mon cœur.

Bien que le geste d'Aude l'ait déstabilisée, Élisabeth avait rapidement repris contenance. Elle sourit à Nicolas.

— Je suis heureuse de vous l'entendre dire, mon frère. Puissiez-vous ne jamais oublier vos paroles et cette complicité qui fut la nôtre.

4

Destinées opposées

— Nicolas était si parfaitement heureux ! s'exclama Marguerite en dénouant le dernier ruban de sa coiffure.

— Les autres seigneurs ont déjà un grand respect pour lui, souligna Xavier en souriant avec confiance. Puis, ce n'est pas rien d'avoir une femme qui fait l'envie et l'admiration de tous.

Marguerite voulut le semoncer pour sa goujaterie, mais le bonheur qui l'habitait eut raison de cet élan.

— Aude n'est pas que belle et gracieuse. Tu verras, elle te surprendra, le temps venu.

— Je suis content que Lutisse lui ait remis l'alliance de notre mère, lui confia Xavier.

Marguerite ressentit, une fois de plus, l'offense que lui avait causé l'apparition de ce bijou ancestral. C'était elle qui aurait dû le transmettre à Aude. C'était elle, la comtesse de Mont-cerf. Comment se faisait-il qu'elle n'avait jamais porté cette bague ?

— Tout s'est très bien déroulé, commenta Xavier, qui semblait perdu dans ses réflexions.

Marguerite se glissa sous les couvertures avec la satisfaction qu'ainsi s'achevait une journée qui en valait dix. Dans la fraîcheur du lit, ses orteils rencontrèrent ceux de son mari, qui paraissait attendre ce signal pour lui livrer le fond de sa pensée :

— Tout de même, ce n'est pas convenable que Lutisse demeure dans la chambre du fond.

Marguerite avisa ses yeux cernés et son front sillonné de fines rides. Lui aussi avait eu une journée éprouvante.

— Je suis de ton avis, admit-elle en réprimant un bâillement. Mais je ne voyais pas comment j'aurais pu lui présenter la chose… sans la gêner davantage.

— Tu aurais dû m'en parler plus tôt, lui reprocha-t-il d'un ton las. Venant de ma part, elle aurait accepté l'invitation.

Marguerite se renfrogna. Elle ne doutait pas qu'il disait vrai, et c'était bien là le problème. Pourquoi aurait-il fallu que ce soit Xavier qui formulât le souhait personnel qu'elle soit logée avec le reste de la famille ? Elle considérait avoir donné à sa belle-sœur toutes les marques d'estime qu'elle lui devait. Apparemment, cela ne suffisait pas.

— Tu lui parleras demain. Je crois que tu as raison, elle consentira à ta demande, renchérit Marguerite.

Puis elle ajouta, d'un air plus enjoué :

— Qu'as-tu pensé du récital d'Élisabeth ? Tu crois que Nicolas était content ?

Elle attendit sa réponse, qui ne vint pas.

— Comment ? fit tout à coup Xavier.

Marguerite poussa un soupir agacé. Cette affaire de chambre le préoccupait réellement. Pourtant, il était habituellement indifférent aux qu'en-dira-t-on.

— Je suis certaine que personne n'aura remarqué que ta sœur séjourne dans l'aile des invités, dit-elle pour tenter de l'apaiser.

Xavier tressaillit, comme si une mouche l'avait piqué.

— Je n'ai cure de ce que nos invités peuvent penser ! lança-t-il, contrarié. Tout ce que je veux, c'est que ma sœur se sente ici chez elle, simplement.

La véhémence des propos de son mari rebuta Marguerite. Les traits de son visage se tendirent sous l'effet de l'émotion.

« Pas la peine de te mettre dans tous ses états, se rebiffa-t-elle en pensée. Elle devait bien s'attendre, après vingt-cinq ans d'absence, que sa famille et sa demeure ne soient pas tout à fait les mêmes. »

— Dans ce cas, tu vas devoir envisager de remettre les travaux à plus tard, murmura Marguerite d'une voix posée, consciente de l'effet que ces paroles allaient produire. Cette nouvelle l'a furieusement ébranlée.

— Vraiment ? rétorqua Xavier, troublé.

— Hum, hum...

Marguerite souffla sa chandelle et se lova dans l'oreiller. Elle n'aimait pas se fâcher contre son mari. Cela arrivait rarement, mais leurs rares disputes pouvaient prendre des proportions spectaculaires. Cependant, après l'épuisante journée qu'elle avait traversée, elle ne se sentait pas d'attaque pour se lancer dans un débat.

— J'aurais dû m'en douter. J'ai bien peur que Lutisse ne soit guère préparée à la vie à Montcerf.

— Le moins qu'on puisse dire, c'est qu'elle n'est pas très avenante avec sa nouvelle famille, maugréa Marguerite d'un ton amer, tout en remontant les couvertures sur ses épaules.

En dépit de sa raison, qui lui conseillait de se taire, elle tenait à se défendre des accusations que lui avait lancées Xavier. Il s'attendait à ce qu'elle fasse quoi au juste ? Lutisse était loin de lui inspirer des sentiments d'amabilité. Malgré cela, elle avait fait tout ce que la bienséance lui demandait de faire.

— Avant la mort de notre père, Lutisse n'était pas aussi réservée. Compte tenu des circonstances, je l'ai trouvée plus sereine que je ne l'espérais.

Adoucie par son ton empreint de tristesse, Marguerite tourna la tête vers Xavier. Il ébaucha un sourire navré.

— Je comprends que son arrivée puisse être bouleversante pour toi, pour nous... Je ne t'ai pas souvent parlé de ma sœur, c'est un peu ma faute. Elle est pourvue d'une bonne âme. Mais elle va avoir besoin de temps. Lutisse n'a pas l'usage du monde, voilà tout... Elle a été en retraite pendant plus de vingt ans. Je sais que je peux m'en remettre à ton esprit raisonnable et sensible. Je te demande simplement de ne pas être intransigeante avec elle.

◦~◦

Marguerite regardait les pages fixement, sans les voir, jusqu'à ce que les mots se transforment en un brouillamini de noir et de blanc. En revanche, son esprit scandait le refrain incessant des propos de Xavier, sans qu'elle puisse mettre fin à la désagréable ritournelle :

« Lutisse n'a pas l'usage du monde, donne-lui le temps de s'accoutumer avant de rendre ton jugement... Elle a été en retraite pendant plus de vingt ans... Ne sois pas intransigeante avec elle. »

La voix d'Oksana la tira de sa méditation stérile.

— Tu as cet air absent que je ne t'avais pas vu depuis des lustres... Que dirais-tu de faire une partie d'échecs ?

— Sans façon, répondit Marguerite en considérant le texte devant elle. Je t'assure que tu apprécierais cet ouvrage. C'est fort bien écrit.

— Hum. Les *Conversations* de Mlle de Scudéry ? Allons, pourquoi ne pas me dire simplement ce qui te peine plutôt que de te prétendre absorbée par la lecture de ces conversations galantes ? suggéra Oksana d'un ton bienveillant.

Marguerite ferma le livre et le posa sur ses genoux. Elle eut un moment de doute : était-il si facile de lire jusqu'au fond de ses pensées, ou était-ce plutôt la perspicacité de sa compagne qui lui valait de voir ses états d'âme percés à jour ? Un coup d'œil à son amie la mit en confiance : Oksana avait cet air désintéressé, voire réservé, qui la caractérisait depuis toujours et qui lui attirait les confidences.

— Lorsque vous êtes arrivées ici, ai-je fait montre de trop de rigueur envers toi et ta fille ? demanda Marguerite, prenant soudain conscience de ce qui la taraudait réellement dans les paroles de son mari.

La surprise qu'elle lut sur le visage de son amie révéla qu'elle était loin d'être préparée à un échange de cette nature.

— Non, bien au contraire. En fait, j'aurais plutôt eu à me plaindre d'un excès de générosité ! Quant à Aude, elle s'est pliée aux contraintes de son statut, et en a souffert quelque peu au début. Mais sur ce point, je crois que nous étions en accord. Son éducation justifiait, à tout le moins, un surcroît d'encadrement, répondit Oksana.

Marguerite lui sourit. Il n'y avait, dans la réponse de son amie, rien d'exagéré. La famille de Razès avait accueilli Aude et sa mère avec tous les égards appropriés. En contrepartie, elles avaient fait montre de vaillance et de bonne volonté afin que tout se passât au mieux.

— Margot, est-ce bien là ce qui te tracasse ?

— Oui, à peu de choses près… Pendant des années, j'ai voulu me conformer au rôle auquel ce mariage me destinait. Je croyais y être parvenue, et alors… Enfin, peut-être me suis-je un peu égarée dans tout cela…

Cette confidence évasive susciterait probablement une série d'interrogations chez Oksana. Redoutant les conclusions auxquelles son amie ne manquerait pas d'aboutir si elle lui en donnait l'occasion, Marguerite se leva sans attendre.

— Si je peux me permettre, tu n'as pas à avoir de regrets. Tu as fait ce que tu croyais être le mieux pour toi et pour les tiens. Aujourd'hui, tu as une belle grande famille et l'estime de chacun. Les renoncements, s'il y en a eu, sont derrière toi. Vous formez…

— Anne-Marie a commencé à marcher, tu le savais ? Cette petite m'étonne jour après jour ! Je m'étais promis d'aller faire une promenade avec elle. Je vais m'y rendre avant que le jour baisse.

Oksana esquissa un sourire et Marguerite, reconnaissante, lui retourna la pareille.

෴

À son retour de Mirmille, Élisabeth avait annoncé à Marguerite le décès de son père, Alain de Collibret. Avant de trépasser, ce dernier avait remis à Élisabeth la correspondance que sa mère, Madeleine, avait entretenue pendant des années. L'arrivée de Lutisse, étrangement, ramenait Marguerite à ces lettres. La sœur de Xavier dégageait une sorte de présence enveloppante, maternelle aussi, qu'il était difficile d'ignorer. Bien qu'elle fût sa cadette, il ne faisait aucun doute que Xavier voyait en elle sa mère, Adélaïde de Razès, décédée alors qu'il n'était qu'un enfant. Les émotions qui naissaient en elle à l'idée de devoir inclure la sœur de Xavier dans sa vie étaient difficiles à définir. Dès la première journée, Marguerite avait craint de se faire juger par cette femme qui ne lui ressemblait en rien. L'importance que Xavier accordait à sa personne était d'autant plus problématique qu'elle n'arrivait pas à se défaire de l'intuition persistante que Lutisse ne l'aimait guère.

Marguerite souleva le couvercle de la cassette où elle gardait la précieuse correspondance. Les feuilles jaunies reposaient dans l'état où elle les avait laissées. Elle toucha les lettres du bout du doigt, habitée soudain du désir d'entrer dans l'intimité de celle qui avait été sa mère. Pourquoi avait-elle attendu si longtemps pour en connaître le contenu ? Certes, les derniers mois n'avaient pas été de tout repos ; les moments libres avaient été bien rares. Mais la vérité était qu'elle ressentait aujourd'hui, et peut-être pour la première fois, le besoin de lire ce que son père lui avait transmis à sa mort. Contrairement à Xavier, elle n'avait personne pour lui rappeler sa mère. Son père, sa tante, son oncle, personne ne lui avait jamais parlé d'elle. Lorsqu'elle était enfant, et même en grandissant, elle s'était expliqué cela par le chagrin causé par sa mort. En tant qu'aînée de la famille, elle s'était sentie la responsabilité de protéger son frère et sa sœur des vaines allusions à sa mère. À quoi bon ressasser la tristesse passée ? Assister à l'échange entre Xavier et Lutisse l'avait amenée à conclure une chose : elle ne s'était jamais permis de parler de sa mère. Sa main trembla légèrement en desserrant le ruban qui retenait les feuilles. Elle avait la certitude qu'elle découvrirait quelque chose sur sa mère. Si ce n'était pas dans ce but, alors, pourquoi son père lui avait-il envoyé ceci à sa mort ?

« Voilà la véritable raison pour laquelle tu n'as pas voulu les lire jusqu'à maintenant, surgit une petite voix dans son esprit. La colère envers lui était trop forte. »

Assaillie par une tempête de sentiments contraires, virevoltant entre la joie de revoir enfin Élisabeth, la détresse reliée à la perte de son père et l'appréhension de ce qui lui serait révélé, elle avait choisi de se mettre à couvert. Aujourd'hui, cependant, il était plus que temps de braver sa peur. D'ailleurs, ce qu'il y avait de rassurant avec le passé, c'est qu'on ne pouvait le changer.

                                ഏ

Le papier était plus raffiné que d'ordinaire. L'encre, appliquée avec délicatesse, imitait l'aspect d'une dentelle en point de Gênes. Savoir que l'auteur était une femme donnait à Marguerite l'impression que sa lecture aurait un caractère moins intrusif. Elle déplia la lettre, datée du 22 mars 1642 :

> *Ma chère Madeleine,*
>
> *Je me languis de notre hôtel de Condé, de nos amies et de la compagnie de l'hôtel de Rambouillet. Notre jeunesse, si douce à mon âme, paraît chaque jour plus loin et je n'ai de cesse de la regretter. Je vous écris aujourd'hui, bien qu'il m'eût été infiniment plus agréable de voir votre personne. Je ne suis pas la seule à qui votre gaieté et votre répartie piquante font défaut. Mon frère me confiait récemment sa peine de vous savoir retirée du monde et le manque qu'il avait de votre personne. Si son esprit est tout à la guerre et aux honneurs qui l'attendent, son cœur n'en reste pas moins épris de vous. Si vous saviez avec quel acharnement il tente de faire annuler son mariage ! En ceci, il mécontente grandement mon père, lequel lui a interdit de vous écrire. Rassurez-vous, il m'a dit lui-même qu'il ne pouvait se résoudre à cela : si vous n'étiez pas si chère à mes yeux, j'éprouverais de la jalousie de l'affection qu'il porte à votre personne.*
>
> *Hélas, bientôt je quitterai mes frères et avec eux les précieux souvenirs de notre enfance. Pour tout vous dire, j'appartiendrai bientôt à une autre famille, celle du duc de Longueville. Vous qui avez été ma confidente dès les premières allusions à ce mariage, vous savez combien j'éprouve d'amertume pour cette alliance qui est inférieure à mon rang.*

L'échec du mariage de mon frère avec la petite Maillé-Brézé aurait dû décourager mon père de mener son projet à bien, mais il n'en est rien. Hélas, notre famille semble vouée à contracter des mésalliances infortunées. Je ne peux que vous souhaiter un sort meilleur au mien. Votre mère a-t-elle toujours le souhait de vous voir prendre le voile parmi mes chères carmélites ? Bien que je sache que cela ne vous enchante guère, j'espère que vous en viendrez à apprécier la quiétude du cloître. Je vous écrirai une fois que j'aurai rejoint les terres de Longueville où nous nous retirerons avec le duc après les épousailles. J'espère qu'il ne s'écoulera pas trop de temps avant que nous ne soyons à nouveau réunies.

Votre amie,
Anne de Bourbon

Marguerite expira profondément. Elle avait retenu son souffle durant toute la lecture. Quoique la plus grande part de ses appréhensions se fût envolée dès les premières lignes, la missive ne contenait pas moins des éléments forts étonnants : « *Votre mère a-t-elle toujours le souhait de vous voir prendre le voile…* » Était-ce que Madeleine de Saint-Loup, sa mère, avait été destinée à une vie ecclésiastique, chez les sœurs carmélites ? Intriguée par cette possibilité, Marguerite plissa les yeux. Le propos laissait entendre qu'il n'était pas dans les goûts de Madeleine de mener une vie à l'écart du monde. Mais l'allusion, prudente, pouvait s'expliquer par le style châtié qui caractérisait la lettre. Marguerite reconnaissait les tournures et le langage précieux qui faisait la réputation de l'hôtel de Rambouillet.

« Du peu que je sais de ma mère, elle n'avait pas le tempérament pour se vouer à la prière et à la réclusion. Mais ma grand-mère aurait songé néanmoins à la cloîtrer ? » s'interrogea-t-elle.

Marguerite tenait de source fiable que sa grand-mère, Mme de Saint-Loup, avait été une veuve dont la situation financière peu enviable avait favorisé le mariage de sa fille unique avec une famille moins illustre de Champagne. Or, avant qu'Alain de Collibret ne la demandât en mariage, Madeleine de Saint-Loup, orpheline de père et modestement dotée, avait effectivement pu être une candidate pour les Carmélites. L'alliance inattendue avec les Collibret de Mirmille avait dérobé la jeune Madeleine à une vie de moniale. Marguerite se demandait si sa mère avait vu dans ce mariage une chance inespérée d'échapper à un sort plus austère. Ou bien, à l'instar de son amie Anne de Bourbon, considérait-elle ce mari en dessous de son rang ? La famille de Saint-Loup était de vieille noblesse. D'un rang assez honorable pour qu'Anne de Bourbon et Madeleine de Saint-Loup aient partagé une complicité. Cette lettre le prouvait. Les deux demoiselles s'étaient connues dans leur jeunesse. De plus, Anne laissait entendre qu'elle n'était pas seule à regretter la présence de Madeleine. Elle faisait allusion à son frère, Louis de Bourbon, le futur prince de Condé.

— De toute évidence… murmura Marguerite, tandis qu'un frisson incontrôlable faisait dresser le duvet de ses bras.

Elle n'était qu'au début de sa lecture, mais déjà elle ressentait une fascination certaine pour le passé de sa mère. Pourtant, ce n'était qu'une collection de vieux papiers, de vieux souvenirs. Marguerite rangea la lettre dans le coffret après l'avoir repliée. Sans hésiter, elle saisit la lettre suivante.

გ

Trois jours s'étaient écoulés depuis qu'Élisabeth s'était enquise de l'arrivée du courrier auprès des domestiques. Trois jours ! La rémission de Marc Le Forain avait retenu toute son attention, au point qu'elle n'avait plus pensé à Hyacinthe. La jeune femme tenait la lettre entre deux de ses doigts, délicatement, comme s'il s'agissait d'une chose fragile. Pourtant, il aurait été plus en accord avec son sentiment d'allégresse, de bonheur même, de serrer la feuille avec force pour s'assurer de ne pas la perdre. Elle s'engagea dans l'escalier en colimaçon en comptant les jours qui s'étaient écoulés depuis la dernière fois qu'il avait écrit.

— Trente-cinq, trente-six… Elle réfléchit un moment. Trente-sept !

L'attente lui avait paru beaucoup plus longue que cela.

— Faites place ! prévint un groupe de voix, plus ou moins à l'unisson.

Le tapage qui précédait la cohue n'était pas parvenu à la sortir de sa rêverie. Lorsque les jeunes gens surgirent du haut des marches de pierre, Élisabeth eut le réflexe de se plaquer contre le pilier central pour ne pas perdre l'équilibre. Avec muflerie, les trois garçons bousculèrent tour à tour la jeune femme. Le dernier, plus costaud que ses acolytes, la secoua au point qu'elle agrippa à pleines mains la colonne.

— Impertinents ! Attendez que je prévienne votre père de votre effronterie ! s'enragea-t-elle contre les galopins.

Élisabeth fit une moue désapprobatrice. Ces jeunes gens étaient les fils du baron d'Auzers, dont le domaine s'étendait à quelques lieues de Montcerf. S'ils n'avaient pas encore quitté le château, c'est que leur père y séjournait toujours. Le comte et lui étaient probablement en pourparlers en ce moment même.

— Je suis navré, mademoiselle de Razès, mes frères sont affreusement rustauds, exprima un homme qui arriva sur ces entrefaites.

Court de jambes, il avait un visage rond et une chevelure de la couleur des blés. Ses joues rebondies étaient légèrement rougies ; vraisemblablement, il avait tenté de rattraper sa fratrie. Élisabeth prit quelques instants pour reconnaître le fils aîné du baron d'Auzers.

— Ils feraient mieux d'aller courir dans les champs ! Il ne fait pas bon rester emmuré, à cet âge.

— Vous avez raison. Si je parviens à les rejoindre, je les mènerai dans la cour, répondit-il avec un sourire navré.

Élisabeth se rendit compte soudainement que, dans l'agitation, elle avait échappé la lettre. Elle jeta un coup d'œil rapide sur les marches inférieures. Le carré de papier blanc se trouvait quelques marches plus bas. Elle maîtrisa son envie d'aller le ramasser immédiatement.

— Je suis content de pouvoir vous rencontrer, malgré les circonstances… Je voulais vous dire combien j'ai apprécié votre récital au luth. J'ai rarement vu une interprète aussi douée.

— Je… euh… merci, balbutia-t-elle distraitement.

Contre toute attente, il demeurait là, immobile, l'air béat. Élisabeth, tout en souriant gracieusement, souhaitait qu'il partît.

— Bon, je vous verrai ce soir au souper, finit-il par dire.

Elle hocha la tête sans mot dire, afin de le décourager de s'attarder. À son grand soulagement, il s'éloigna enfin. Toutefois, lorsqu'il posa le pied sur la marche où reposait la missive, il marqua une pause. Élisabeth le guettait en grimaçant. Elle devrait la lui réclamer, s'il la ramassait. Heureusement, il poursuivit son chemin sans y prêter attention. La jeune femme poussa un soupir d'aise et récupéra le pli. Elle grimpa rapidement à l'étage pour gagner sa chambre. Cette fois, elle tenait la correspondance de Hyacinthe dans sa main, posée sur sa poitrine. Une fois arrivée en vue de ses appartements, elle ralentit le pas.

— Bonjour, dit-elle à l'adresse de la femme qui l'attendait devant sa porte.

Lutisse se retourna. Élisabeth n'avait pas vraiment fait connaissance avec sa tante. Bien sûr, elles avaient été présentées officiellement. Mais lors du banquet, et durant toute la journée qui avait suivi, elles avaient échangé des politesses, sans plus. Alors qu'elle s'approchait, la femme lui adressa un sourire hésitant, timide. Pour la deuxième fois, Élisabeth eut l'impression que, malgré sa forte stature et ses dehors imposants, sa tante était profondément intimidée.

— Élisabeth ! Ah… C'est votre chambre, là…

Elle était parvenue à la hauteur de sa tante. La jeune femme hésita avant de l'inviter à entrer. Une certaine curiosité la poussait à le faire, et pourtant elle connaissait si peu de choses sur la sœur de son père. Pourrait-elle entretenir une conversation avec cette dernière ?

— Vous cherchiez quelqu'un ? Mon père est en compagnie du seigneur d'Auzers, ajouta-t-elle aussitôt.

— En fait, je cherchais plutôt votre mère. Auriez-vous la gentillesse de m'indiquer où je pourrais la trouver ? demanda Lutisse.

— Certes, ses appartements sont là, au bout du couloir…

— Hum, les appartements de la comtesse, bien sûr. J'aurais dû le savoir.

Lutisse paraissait songeuse alors que son regard errait dans la direction indiquée par Élisabeth. La jeune femme sourit, amusée malgré elle par l'attitude de sa tante qui, dressée devant sa porte, ne bougeait pas. Décidément, elle piquait sa curiosité.

— Vous savez que vous occupez la chambre qui était la mienne autrefois ? lança Lutisse sur un ton qui se voulait complice.

— Je l'ignorais. Mon père ne m'a pas souvent parlé de vous, dit Élisabeth, qui regretta aussitôt d'avoir prononcé ces paroles.

Lutisse secoua la tête avec une expression lucide empreinte d'indulgence. Pour elle-même ou pour son frère ? Élisabeth n'aurait su dire. Apparemment, elle n'était pas étonnée par ses propos.

— J'aurais bien voulu entrer, oh, par nostalgie, mais je suppose que des affaires plus importantes vous appellent, suggéra Lutisse.

Interloquée, Élisabeth voulut l'assurer du contraire, puis elle comprit que sa tante faisait allusion à la lettre qu'elle tenait toujours contre sa poitrine.

— Non, euh, je serais ravie si vous acceptiez mon invite. J'aurais dû vous prier de me suivre, mais je croyais que…

Ce disant, la jeune femme s'empressa d'ouvrir la porte. Lutisse la suivit docilement à l'intérieur. Alors que les grands yeux brun clair de sa tante s'attardaient sur le mobilier, sur le lit à courtines, puis sur les plants de simples qui séchaient dans l'alcôve, Élisabeth en profita pour ranger la missive de Hyacinthe dans son cabinet.

— À quoi servent ces herbes ? demanda sa tante, d'une voix douce.

— La camomille calme les fièvres, le séné facilite la digestion, la mélisse…

— Vous vous y connaissez, l'interrompit Lutisse. Cela vous intéresse-t-il, ma nièce ?

Surprise par la tournure de la discussion, Élisabeth réfléchit avant de répondre. En général, on traitait son intérêt pour l'herboristerie comme une excentricité peu sérieuse. C'était la première fois qu'on lui posait cette question.

— Oui, mais c'est surtout une distraction, affirma-t-elle.

Et elle ajouta :

— Toutefois, j'ai obtenu la permission de père d'utiliser une ancienne réserve pour sécher et préparer les simples.

— Hum.

Lutisse parut se désintéresser du sujet tandis qu'elle continuait à arpenter la pièce. Élisabeth ne s'en offensa pas. De toute évidence, sa tante faisait un réel effort pour ranimer ses souvenirs enfouis sous les années d'exil.

— Votre chambre est-elle près d'ici ?

— Non, je loge dans l'autre aile.

Élisabeth s'en étonna, d'autant qu'il y avait plusieurs pièces libres de leur côté. Peut-être le séjour de Lutisse serait-il de courte durée ?

— Merci, mademoiselle Élisabeth, témoigna Lutisse en se tournant vers elle. Je vais vous laisser, maintenant.

Élisabeth lui sourit, gagnée par la sincérité de sa tante.

— Je vous en prie. J'espère que nous aurons l'occasion de converser à nouveau.

౭

Marguerite pénétra dans le petit salon avec un mélange d'enthousiasme et d'impatience. L'orfèvre, qui patientait un verre de vin à la main, s'empressa de le donner à son apprenti afin de saluer la comtesse bien bas.

— Monsieur Taillefer, je suis bien aise de vous revoir ! Relevez-vous, je vous prie.

— Madame la comtesse de Montcerf, quel plaisir pour moi également ! Comment vont vos enfants ?

Marguerite esquissa un sourire complaisant. L'artisan avait des manières de bourgeois, ce qui n'était guère surprenant puisque c'était le seul homme de la région à travailler l'argent avec maîtrise et précision. Elle lui avait confié le soin de créer les parures qu'Aude portait le jour du mariage, tâche qu'il avait accomplie avec brio. Convaincue de sa loyauté, Marguerite avait décidé de lui confier un autre ouvrage, moins laborieux, mais tout aussi délicat.

— Tout le monde se porte très bien, merci ! J'espère que vous me pardonnerez ma curiosité, mais j'ai un vif désir de connaître les résultats de la commande dont je vous ai chargé. Êtes-vous parvenu à ouvrir le pendentif ?

— Hélas, madame, j'ai dû renoncer, déplora M. Taillefer d'un ton piteux. Le loquet ne veut pas céder. J'ai tout tenté, mais il faudrait, pour y parvenir, que je pratique une incision dans le bijou, ce qui ne manquerait pas de l'endommager.

« Évidemment », pensa Marguerite, agacée.

— Mais vous m'avez dit, lorsque je vous l'ai remis, qu'il était composé de deux parties qui s'emboîtaient l'une dans l'autre. Comment se fait-il que vous ne soyez pas parvenu à dégager la fermeture ?

— C'est une bonne question ! lança-t-il sur un ton pimpant.

Il attrapa le boîtier, qui était sur la table, et en sortit le pendentif.

— Laissez-moi vous montrer, dit-il, une fois qu'il fut près de Marguerite. Les deux facettes sont maintenues par le petit fermoir qu'on voit ici.

— Hum, hum.

— Mes outils m'ont permis de séparer les deux ferrets. Oh ! La réparation est à peine visible, et cela n'a pas abîmé la parure.

— Alors ?

De toute évidence, l'orfèvre aimait faire l'étalage de ses connaissances.

— Eh bien, ce n'est pas le fermoir qui empêche l'ouverture.

Marguerite leva un sourcil, perplexe. L'artisan la regardait fixement. Elle comprit qu'il attendait qu'elle requît la suite des explications.

— Qu'est-ce donc, alors ?

— Je présume qu'il a été gardé dans un lieu très humide. Quoi qu'il en soit, quelque chose a causé la détérioration de l'argent, et la rouille a dû gâter l'interstice...

— Vous présumez ? Ainsi, vous n'en êtes pas certain ?

— Madame la comtesse, si je suis habile à travailler les métaux, je n'ai pas encore réussi à les faire parler.

Il gloussa, fier de sa réplique. Marguerite lui prit le pendentif des mains en poussant un soupir résigné. Le loquet qui avait appartenu à sa mère et que son père lui avait transmis avant de mourir était donc scellé à jamais.

5

Éloignement

La lettre était datée du mois d'avril de 1643. C'était la première qu'Anne de Bourbon signait de son nouveau titre de duchesse de Longueville.

> *Ma chère Madeleine,*
>
> *Je ne sais si je dois me réjouir ou pleurer sur le sort qui vous attend. Dois-je comprendre que votre frère s'est mis en devoir de jouer les entremetteurs ? Au nom de l'amitié qui nous unit, je me permets de vous dire sans dissimulation la méfiance que m'inspirent ces jésuites dont les hommes de ma famille aiment s'entourer. Assurément, mon époux n'a rien en commun avec un héros de roman, et s'il ne se passe pas un mois sans qu'un scandale n'éclabousse notre triste union, au moins le duc est-il un gentilhomme de noble souche. Mais voilà que je me laisse emporter… Mon amie, ne me confierez-vous point les émois qui agitent votre cœur au sujet de ce M. de Collibret, qui deviendra bientôt votre mari ? Votre lettre me laisse deviner vos sentiments. Vous me demandez des nouvelles de mon frère. Je ne vous cacherai point qu'il n'avait pas bonne mine lorsqu'il a rejoint le régiment de Picardie. Je me suis laissé conter qu'il avait trouvé du réconfort dans les bras d'une courtisane…*

Sans s'annoncer, Élisabeth pénétra dans les appartements de sa mère. Celle-ci était assise à son secrétaire, absorbée dans sa lecture. La jeune femme s'avança à pas lents, présumant que d'un moment à l'autre sa mère lèverait la tête pour l'accueillir. Les lèvres de Marguerite articulaient silencieusement les mots qu'elle lisait, ce qui fit sourire Élisabeth. De toute évidence, le contenu du courrier la passionnait. Amusée et un peu gênée d'épier sa mère, elle se décida à l'interrompre :

— Hum, hum.

Marguerite bondit de son siège.

— Élisabeth ! Par mes saints !

La jeune femme réprima un fou rire.

— Vous ne m'avez pas entendue entrer, mais j'hésitais à troubler votre lecture. Laquelle semble captivante, je dois dire.

Marguerite sourit et invita sa fille à approcher.

— Elle l'est, admit-elle lorsque Élisabeth se fut assise. Ce sont les lettres que votre grand-père vous avait remises. C'est une vieille correspondance, mais qui s'avère, à ma grande surprise, précieuse à plus d'un égard.

— S'agit-il de votre mère, comme j'avais cru le comprendre ? demanda Élisabeth avec un intérêt qui n'était pas feint.

— Oui, répondit Marguerite en songeant que sa fille ne savait rien ou presque de ses aïeules et que la vie de Madeleine de Saint-Loup devait être une source de curiosité pour elle aussi. Avant son mariage, votre grand-mère a passé une partie de sa jeunesse au couvent des Carmélites, à Paris, raconta-t-elle. Sa mère voulait qu'elle prenne le voile. À ce moment-là, elle devait avoir environ votre âge.

— Vous l'ignoriez jusqu'à présent ?

— N'est-ce pas étonnant ? confirma Marguerite, manifestant du même coup sa stupéfaction devant cette nouvelle.

Élisabeth réfléchit avant de répondre.

— N'est-il pas courant qu'une femme se retrouve au couvent après le décès de son père ? C'est bien ce qui s'est produit avec tante Lutisse.

L'allusion à Lutisse dans la conversation sur sa mère agaça Marguerite de manière irraisonnée. Elle aurait voulu préciser que, contrairement à Lutisse, Madeleine n'avait pas le tempérament pour vouer sa vie à Dieu, mais cela n'aurait rien apporté. Pour Élisabeth, sa tante faisait désormais partie de son quotidien ; elle devait s'accoutumer à cette nouvelle réalité.

— Certes, c'est trop souvent le destin que l'on réserve aux filles orphelines de père, conclut-elle. Vous désiriez me voir, Élisabeth ?

— J'ai reçu une lettre de Hyacinthe, annonça Élisabeth, prenant soudain un ton doux-amer.

— Comment se porte-t-il ? demanda Marguerite, qui déjà percevait la langueur qui accompagnait la mention du jeune homme.

— Bien. Il se plaît là-bas, dit-il. Il affirme qu'un officier l'a remarqué, relata Élisabeth, chaque mot sortant péniblement de sa bouche. Il n'a pas abordé son prochain séjour à Montcerf.

L'absence de Hyacinthe au mariage avait aiguillé Marguerite sur les aboutissants de la carrière militaire du jeune Auvergnat. En dépit de son intuition, elle n'en était pas moins navrée pour sa fille, dont la fantaisie résolument sentimentale venait d'être rattrapée par la réalité.

— Assurément, il ne doit pas vouloir que tu nourrisses de vains espoirs. La vie d'un soldat est très imprévisible et peu clémente envers les sentimentalités.

Élisabeth fit un effort pour hocher la tête.

— Tu vas lui réécrire. Il aimerait certainement que tu lui racontes le mariage de Nicolas, renchérit Marguerite, qui espérait en son for intérieur que cette amourette se dissiperait au gré du temps et de l'éloignement.

Immobile, Élisabeth demeura songeuse. Marguerite évita d'approfondir le sujet et relança plutôt sa fille :

— On m'a fait beaucoup d'éloges à ton endroit, après le récital. Tu as des admirateurs, en Auvergne. Aude aussi semblait sincèrement touchée par ton interprétation.

L'allégation fit réagir la jeune femme, qui plissa son petit nez. Le propos l'avait sortie de son alanguissement.

— Mère, pourquoi tante Lutisse ne demeure-t-elle pas dans l'aile familiale ? Cela m'a fort embarrassée d'apprendre cela. Allons-nous veiller à ce qu'elle soit convenablement logée ?

— Elle a été accueillie selon son désir, s'empressa-t-elle de répondre. Ton père devait voir à son logis, mais…

— Vous pensez qu'elle ne restera pas ?

— Je n'en sais rien, avoua Marguerite, qui s'étonna de percevoir chez sa fille un sentiment de déception face à cette éventualité.

Il y eut un court silence.

— Je vais vous laisser à votre lecture, mère. Peut-être viendrai-je jouer du luth après le dîner.

Alors que sa fille s'éloignait, Marguerite décida qu'elle devait parler à Xavier, avant que toute la maisonnée ne s'affligeât d'un manque d'affabilité à l'égard de Lutisse.

⁓

Elle trouva son mari dans le cabinet, dont il se servait comme une salle d'armes. Une grande table en occupait le centre, couverte en majeure partie de grandes feuilles débordant de tracés complexes. Il s'agissait des plans d'aménagement du château. Xavier les avait délaissés le temps des festivités, mais, les derniers convives partis, il s'était promptement remis au travail.

— Voici les plans que vous m'aviez mandés. La tour nord disparaît, puis, là, c'est le mur en équerre dont nous avions parlé.

Le chef des maçons tendit à Xavier un rouleau de papier qu'il s'empressa de déployer devant lui. Le comte de Montcerf n'était pas un érudit. Il ne lisait pas le latin et ne goûtait pas les joies de la philosophie, et encore moins celles de la poésie. En quinze ans de mariage, Marguerite ne l'avait jamais vu manifester de l'intérêt pour les disciplines intellectuelles, qui entraient pourtant dans l'éducation des gentilshommes de bonne naissance. Cet engouement soudain pour l'architecture la fascinaït. De toute évidence, son mari renfermait encore quelques mystères capables de la surprendre.

— Les fenêtres… Je ne vois pas les fenêtres.

— Elles figurent sur le deuxième plan, monsieur de Razès, répondit l'architecte en s'empressant de lui indiquer leur emplacement. J'ai fait selon les désirs de Mme la comtesse.

— Hum. Bien.

Une bouffée de tendresse envahit Marguerite. Comblée par la vision de son mari s'adonnant à sa nouvelle passion, elle s'avança dans la pièce.

— Madame la comtesse, salua l'artisan en reculant respectueusement d'un pas.

Xavier leva les yeux, distrait par cette arrivée inattendue.

— Je ne voulais pas vous interrompre, s'excusa-t-elle aussitôt. Je peux patienter.

— Nous reprendrons la besogne après le dîner, décida le seigneur. Je veux prendre le temps de tout examiner moi-même.

L'architecte s'éclipsa après avoir fait plusieurs courbettes maladroites.

— Je peux revenir, dit-elle une fois qu'il fut parti.

— Reste, puisque tu es là, répondit Xavier en rangeant méticuleusement les esquisses. En outre, je dois réviser les nouveaux plans. Que puis-je faire pour toi ?

Marguerite ne se formalisa pas de son ton abrupt, qu'elle justifia par ses préoccupations liées aux travaux à venir.

— Si je comprends bien, le chantier débutera, comme prévu, à la fin du mois.

— Peut-être même plus tôt. Avant la fin de la semaine, ils vont commencer à bâtir les échafaudages, répondit Xavier sans hésitation.

— Si vite ? s'étonna-t-elle. Je croyais, enfin, j'avais déduit qu'avec la présence de ta sœur et les troubles dans le comté…

— Il serait mal avisé de prendre du retard inutilement. La menace des braconniers, s'il en est, sera bien vite éliminée. Dès demain, nous organiserons une battue. Je doute qu'avec nos effectifs nous ne puissions pas en venir à bout. Pour ce qui est de mon emploi du temps journalier, Nicolas s'en chargera. Cette tâche lui revient, désormais. Quant à Lutisse, je l'ai avertie que la vie au château serait loin d'être paisible, durant plusieurs mois.

Marguerite leva un sourcil. De toute évidence, Xavier avait paré à toutes les éventualités. Toutefois, elle se rendit compte, avec un mélange de tristesse et de stupéfaction, qu'il ne l'avait consultée sur aucun de ces sujets.

— Ainsi donc, ta sœur ne t'a pas exprimé son malaise face à l'aménagement du château ?

— Au contraire, elle était très optimiste, répliqua-t-il sur un ton catégorique.

Décontenancée, Marguerite ne sut que répondre. Il lui apparut soudain que l'attitude de son mari pouvait être motivée par une rancœur qu'il nourrissait à son endroit.

— Tu l'auras mal comprise, estima Xavier, qui tirait une satisfaction évidente à avoir reçu l'approbation de sa sœur.

— Sans doute… balbutia-t-elle, sans y croire.

— Est-ce tout ou y a-t-il autre chose dont tu souhaitais m'entretenir ?

Marguerite se ressaisit.

— Bien que tu ne m'en aies glissé mot, je présume que ta sœur demeurera désormais à Montcerf. Puisque c'est un membre de la famille, nous devrons lui attribuer des appartements qui siéent à son statut, affirma-t-elle en prenant intentionnellement un ton solennel.

Légèrement embêté, Xavier hocha la tête.

— Pour le moment, Lutisse va demeurer dans sa chambre actuelle.

— Je croyais que tu devais lui offrir des appartements dans notre aile.

— La présence des hommes… semble l'incommoder. Elle aura besoin d'un certain temps pour s'y habituer.

— Bien sûr.

Aussitôt, Marguerite se représenta la cour de Montcerf telle qu'elle serait dans quelques jours : envahie par une troupe de jeunes ouvriers. Comment réagirait Lutisse à cette cohabitation incontestablement empreinte de virilité ? Elle avisa son mari, son front creusé par les soucis. Bien que cette décision lui coûtât, elle choisit de ne rien dire. Marguerite aurait voulu lui faire part de ses pensées, se confier à lui ! Elle avait l'impression d'étouffer, à la fois dans sa demeure et en elle-même.

❧

— Allons, j'attends toujours que tu te mettes en garde, lança Nicolas, mi-agacé, mi-amusé.

Aude regarda la position de sa main, de son bras, de ses cuisses, de ses pieds, cherchant attentivement ce qui provoquait un tel commentaire chez son professeur. Car aujourd'hui, le comte avait enfilé son rôle de maître d'escrime. Son examen resta sans réponse et elle tourna vers lui son regard interrogateur.

— Pfff… soupira-t-il bruyamment.

Pendant les quelques secondes qui suffirent à Nicolas pour la rejoindre, elle se blâma intérieurement de ne pas avoir mieux retenu ses enseignements. Leur dernière leçon remontait à près de trois semaines. Même s'il chérissait comme elle ces moments d'intimité, elle tenait à lui montrer qu'elle prenait ces exercices au sérieux et que ce n'était pas qu'un prétexte pour être seule avec lui…

— D'abord, tu dois tenir ton épée solidement, mais pas de manière rigide, lui indiqua-t-il en posant une main sur son poignet.

Il joignit le geste à la parole et, doucement, l'amena à fléchir son bras.

— Voilà, comme ça. Souplesse et fermeté.

Aude s'était maintes fois demandé quelle serait sa réaction lorsque la peau de son époux rencontrerait la sienne, maintenant qu'ils avaient conclu l'hymen et que l'amour charnel ne faisait plus partie du domaine de l'interdit… Elle avait eu tort de croire qu'elle serait capable de se défendre contre la passion qu'il lui inspirait.

— Si tu tiens ton épée avec autant de raideur, j'aurai vite fait de te désarmer, comprends-tu ? demanda Nicolas en penchant sa tête par-dessus son épaule.

La chaleur de son corps gagna celui d'Aude, qui lutta pour ne pas laisser paraître son émoi. Elle hocha la tête en guise de réponse. Il recula d'un pas et attendit de croiser son regard avant d'ajouter :

— Bien, place-toi en position. Je veux m'assurer que tu as bien saisi avant que l'on ne passe à autre chose.

— Oui.

Sous l'œil patient de son professeur, la jeune femme se remit en position défensive, le corps en biais, les jambes légèrement écartées et un bras tendu présentant son arme. La posture était loin d'être confortable, et elle ne voyait pas comment cela pourrait devenir naturel. Nicolas la considéra longuement, sous tous les angles, suffisamment longtemps pour la mettre mal à l'aise. Profitait-il de l'examen pour s'amuser à ses dépens ? Il est vrai qu'avec ses chausses de toile et sa chemise de cotonnade elle était loin d'être un modèle d'élégance. Pardieu, c'était lui qui avait insisté pour qu'elle se vêtît ainsi ! Le profil busqué d'un autre homme passa furtivement devant ses yeux. L'humiliation qu'elle ressentait trouvait écho dans ce qu'elle avait vécu pendant des années auprès de son maître de musique. Elle se sentait sur le point de céder à sa frustration lorsque enfin il lui lança :

— Fort bien. À mon tour, maintenant !

Nicolas se positionna face à elle. Bien qu'il n'affichât rien d'autre qu'un profond sérieux, elle ne parvint pas à chasser de son esprit l'idée qu'il avait profité de la situation pour se moquer d'elle.

— Maintenant, madame de Razès, imaginez que je ne sois pas votre mari bien-aimé, mais un vaurien qui vous a manqué de respect…

— Ce ne sera pas bien difficile, rétorqua-t-elle du tac au tac, en décrivant de petits cercles avec la pointe de sa lame.

Le visage du comte de Montcerf s'éclaira de surprise. Mais, croyant qu'elle se prêtait au jeu, il ne se formalisa pas de son ton aiguisé.

— Alors, comme la dernière fois, tu vas essayer de me toucher, en alternant d'un côté et de l'autre. Sers-toi de tes jambes pour garder ton équilibre…

Sans attendre la fin, la jeune femme s'élança vers l'avant et le surprit avec un coup d'épée énergique au flanc gauche.

— Holà ! s'écria Nicolas en esquivant l'assaut.

Encouragée, Aude revint à la charge avec une nouvelle attaque. Cette fois, Nicolas l'attendait, et il para habilement du revers de son arme. Elle se replaça aussitôt en position, un demi-sourire malicieux aux lèvres, le visage rougi par l'effort. Nicolas éclata d'un rire amusé. Une telle attitude chez sa femme l'étonnait et l'enchantait à la fois. Contrairement à ce qui s'était produit durant les premières leçons, Aude semblait avoir remisé sa pudeur et se débattait avec fougue. La maladresse avec laquelle elle tenait son arme renforçait l'impression d'acharnement pathétique qui se dégageait de ses coups. Nicolas laissa échapper un petit rire. Aude blêmit sous ce qu'elle perçut comme une offense.

« Allons, ne te laisse pas intimider par son insolence et sois stratégique », se dit-elle.

Elle tenta quelques feintes, se dissimula derrière les arbustes en bordure de la clairière, puis ralentit le pas pour ensuite se mettre à courir subitement. Ses tentatives amusaient grandement Nicolas. Or, sa jeune élève semblait plutôt indifférente à sa gaieté. En effet, Aude escrimait avec un grand sérieux, comme si son honneur en dépendait. Nicolas ne formulait aucun commentaire sur sa façon de tenir son manche ou de lancer ses pointes ; le moment n'était pas propice. Ainsi, lorsque la jeune femme se hissa sur une souche d'arbre pour mieux bondir sur lui, il se contenta de l'attendre, admirant malgré tout la fougue de sa jeune épouse.

— Ah ! poussa-t-elle en fendant l'air.

Nicolas recula de quelques pas. Au lieu d'atterrir gracieusement, Aude perdit pied puis chuta sur ses genoux et s'écroula au sol. Face contre terre, elle émit un gémissement plaintif.

— Aude ! s'alarma Nicolas en se précipitant vers le corps inerte.

La jeune femme attendit qu'il soit assez près d'elle pour pouvoir, en roulant sur le dos, le surprendre garde baissée. Le coup qu'elle lui envoya avait l'énergie de l'orgueil blessé. Le visage de Nicolas passa de la surprise à la colère lorsque la pointe de métal entailla sa cuisse.

— Fouchtra !

— Nicolas ! Oh ! lança-t-elle, blêmissante, en voyant le sang se répandre et créer une forme imprécise sur le tissu.

Aude se dressa sur ses pieds tandis que le jeune homme mettait un genou à terre. Le visage du jeune homme se déforma sous l'effet de la surprise lorsqu'il comprit que sa femme était indemne.

— Je croyais… enfin… Tu m'avais dit que le bout était émoussé…

Nicolas grogna en plaquant sa main sur la plaie. Aude s'approcha de lui et posa une main sur son épaule.

— C'était une idée ridicule, laissa-t-il échapper entre ses lèvres crispées de douleur. Les femmes ne devraient pas porter l'épée…

Animé par la colère, le commentaire de Nicolas atteignit sa cible de plein fouet. Aude recula d'un pas, déstabilisée par l'insensibilité et la vilenie de l'attaque. Son amoureux ne l'avait pas habituée à une attitude comme celle-là. Devait-elle comprendre qu'il renonçait à lui apprendre le maniement de l'épée ? Blessée et incapable de riposter, elle se replia en défensive.

— Puisqu'il en est ainsi, je rends les armes ! Débrouille-toi tout seul. Après tout, je ne suis qu'une femme : quelle aide pourrais-je t'apporter ?

Sur ces paroles, elle jeta son épée à terre, près de Nicolas. Celui-ci la dévisageait, hébété. Affichant une indifférence parfaite, elle lui tourna le dos et commença à se diriger vers le terrain boisé. Nicolas, frappé d'incrédulité, ne bougeait pas. Un tel comportement requérait des excuses. D'un moment à l'autre, Aude reviendrait à la raison ! Il tenta de se mettre debout, se plaignant et geignant, sans se cacher qu'ainsi il espérait éveiller la compassion de la froide créature qu'il avait épousée. Or, Aude s'éloignait toujours, animée d'une inébranlable détermination.

— Aude ! Reviens ! commanda Nicolas, réprimant sa fierté.

La demoiselle se figea aussitôt, et le jeune homme eut la brève satisfaction d'avoir toujours du pouvoir sur elle. Cela ne dura pas. L'instant d'après, il comprit ce qui avait provoqué son arrêt. Une personne l'avait abordée à l'orée de la chênaie. Nicolas déglutit péniblement en reconnaissant l'imposante stature de sa tante Lutisse de Razès. La crainte de devoir expliquer sa blessure le sortit de son inertie, et il réussit assez bien à se faire un garrot de fortune. Alors que Lutisse et Aude venaient vers lui, Nicolas ne put s'empêcher de se demander si sa tante se trouvait là depuis longtemps. Avait-elle été témoin de la leçon d'escrime ? De leur altercation ? Lutisse était une femme intelligente, à n'en pas douter. Sans doute tirerait-elle ses propres conclusions, devant l'accoutrement de la comtesse de Montcerf…

— Mon neveu… Mais ma parole, vous êtes blessé ! s'exclama la femme en fixant la plaie sur sa cuisse.

— Comme vous pouvez le voir, répondit placidement Nicolas, en promenant son regard entre sa tante et Aude.

Cette dernière, loin de lui venir en aide, présentait un visage boudeur. Le jeune homme, au contraire, s'efforçait de paraître serein.

— La comtesse allait justement chercher de l'aide au château, affirma Nicolas sur un ton optimiste.

— Vraiment ? lança Lutisse en se tournant vers la jeune femme.

La mort dans l'âme, Nicolas vit la comtesse hocher imperceptiblement la tête, évidemment à contrecœur.

— Cela me rassure, j'avais l'impression que vous aviez laissé mon neveu à son triste sort. J'ai même cru que vous vous étiez querellés, poursuivit-elle en considérant tour à tour Nicolas et Aude.

Le jeune homme esquissa un sourire sans joie. Essentiellement, il s'agissait de préserver les apparences. Lutisse, rigoureuse quant aux bonnes manières et à la décence, ne pouvait manquer de s'opposer à l'idée qu'une jeune femme, comtesse de surcroît, apprît le maniement des armes. En désespoir de cause, il entreprit d'amadouer sa tante.

— Heureusement que vous êtes là ! Votre arrivée apaise ma douleur et me console, exprima-t-il en s'appuyant sur son bras pour se mettre debout. C'est la providence qui vous a mise sur notre chemin !

— N'exagérez rien, mon neveu…

— C'est vrai, quel étrange hasard a fait que vous vous trouviez dans la forêt ? demanda Aude, sortant de son mutisme pour fixer sur la tante de Nicolas des yeux inquisiteurs.

Cette dernière tressauta et le jeune comte blêmit en constatant que le visage de Lutisse se durcissait sous l'effet de l'insolence. Il lança un regard sévère en direction de sa femme.

— J'étais venue cueillir des champignons, répondit Lutisse, de nouveau imperturbable. Si ma mémoire ne me fait pas défaut, il y en a de belles talles près d'ici. Chacun au château doit fournir sa part, non ? L'oisiveté corrompt les mœurs… Ce qui me fait penser, dame Oksana vous cherchait pour un ouvrage de broderie, il y a quelques heures… Ne savait-elle pas que vous étiez ici ?

— Il y a longtemps que je ne rends plus compte à ma mère de la façon dont j'emploie mon temps, riposta Aude sèchement.

— Sans doute sera-t-elle contente de vous savoir rentrée, intervint Nicolas dans une tentative pour détendre l'ambiance.

— Sans doute, répéta Aude, qui évitait toujours de le regarder.

Le chemin jusqu'au château fut pénible. Heureusement, le garrot de fortune tint bon, et la tension entre Aude et sa tante parvint presque à faire oublier son mal à Nicolas. Lorsqu'ils arrivèrent à proximité de l'écurie, il inventa un prétexte pour s'y arrêter afin de permettre à Aude de se changer. Contrairement à ce qu'il appréhendait, Lutisse ne dit rien et poursuivit sa route jusqu'à la demeure de Razès. Nicolas avait souhaité avoir un entretien avec Aude, mais celle-ci ne lui en laissa pas le temps.

Dès que Lutisse eut le dos tourné, elle s'esquiva dans la bâtisse. Une fois seul, Nicolas rumina sa mésaventure et l'entêtement de sa femme. Il ne mit pas longtemps à s'apercevoir qu'Aude était ressortie de l'autre côté.

༄

Lorsque Aude s'éveilla, son premier réflexe fut de chercher la chaleur de Nicolas. Ensuite, leur altercation lui revint en mémoire ; elle se roula en boule pour prolonger son sommeil et ainsi adoucir la tristesse qui l'envahissait. Nicolas n'avait pas passé la nuit dans sa chambre. Ils étaient mariés depuis moins d'une semaine et, déjà, ils dormaient dans des chambres séparées. Aude croyait pourtant que cela n'arriverait jamais. Depuis leur première rencontre, à Paris, c'était la première fois qu'ils se disputaient de la sorte. La jeune femme repoussa énergiquement les couvertures avec ses jambes, chassant du même coup la colère que lui inspirait la situation. Avoir à prétendre qu'elle n'était pas en froid avec son mari lui avait demandé une énergie incroyable. Pour Nicolas, c'était infiniment plus facile. Il ne portait pas le poids d'être l'étranger dans une nouvelle famille. D'ailleurs, lui n'était pas vraiment fâché contre elle. La jeune femme se leva et entreprit de commencer sa toilette. Paresser au lit lorsqu'on était seule n'était pas très réjouissant. Elle décida que ce jour-là était le bon pour vaquer à ses nouvelles responsabilités de comtesse. Cela aurait le mérite de meubler son esprit. Elle se dirigea vers sa fenêtre et tira les rideaux. Le soleil de l'été, fidèle à son poste, lui répondit aussitôt. Presque au même moment, un bruit de sabots retentit dans la cour du château. Aude baissa les yeux et vit un groupe de cinq cavaliers qui galopaient en direction de la lande. Elle reconnut immédiatement la silhouette leste de Nicolas. Était-ce un jeu de son imagination ou son mari, comme il allait s'effacer derrière la pente du terrain, regardait-il dans sa direction ? Aude se rappela soudain que c'était ce jour-là qu'il devait aller en forêt pour traquer les braconniers.

« Oh non, pensa-t-elle, angoissée à l'idée qu'un incident se produise. Il est blessé, il n'aurait pas dû y aller. Et s'il lui arrivait quelque chose ? Je ne lui aurais pas dit au revoir… »

Sans qu'elle puisse se raisonner, elle multipliait les scénarios, plus horribles les uns que les autres. Ne voulant pas attendre la chambrière, elle se vêtit elle-même et sortit de sa chambre. Elle avait entendu la mère de Nicolas raconter à la sienne que ces chasseurs étaient de dangereux hors-la-loi. Ces bandits n'avaient rien à perdre, ils dépendaient de leurs larcins pour manger. Aude se précipita vers les appartements de Marguerite. S'il arrivait malheur à son époux, elle ne se le pardonnerait pas.

ᥱᥤᴖ

— Vous êtes toute pâle, Aude. Que vous arrive-t-il ?

Le calme de Marguerite avait quelque chose de profondément rassurant. Aude s'assit pour se donner une contenance et remettre ses pensées en ordre.

— Nicolas est parti à la poursuite des braconniers. Croyez-vous que ce soit dangereux ?

Marguerite, qui tenait sa fille Anne-Marie sur ses genoux, leva un sourcil incrédule. La petite gigotait sans relâche et elle se décida à la déposer sur le sol, avant de se tourner enfin vers Aude.

— Vous vous tourmentez inutilement, la rassura-t-elle. Nicolas a l'habitude de ces chevauchées dans la lande. Qui plus est, il n'est pas seul. Si vous devez craindre quelque chose, craignez pour le sort de ces pauvres bougres qu'ils vont traquer…

Aude secoua la tête, incapable de ressentir de la compassion pour ces bandits.

— Nicolas est blessé, il n'aurait pas dû y aller.

— Comment ? Je ne me rappelle pas…

— C'est de ma faute. Je lui ai entaillé la jambe, hier. C'était un accident… Nous faisions de l'escrime, lâcha-t-elle en espérant ne pas le regretter.

Le visage de la mère de son mari refléta l'étonnement, puis son expression fit place à une sorte de curiosité mêlée d'admiration.

— Je n'ai pas cru remarquer de faiblesse dans sa démarche, au souper. Selon moi, la blessure doit être plus légère que vous ne l'estimez.

À demi convaincue, Aude n'osa pas insister davantage.

— Avez-vous tenté de le dissuader de partir avec les autres ? demanda Marguerite, tout en jetant des coups d'œil à sa cadette, qui mâchouillait allègrement une couverture de laine.

— Nous nous sommes disputés, confia Aude sans pudeur.

Habituellement discrète, la jeune femme n'aurait su dire ce qui l'incitait à se livrer de la sorte. La réceptivité de Marguerite ainsi que l'atmosphère qui régnait dans la pièce devaient être pour quelque chose dans son épanchement. Et le fait qu'elle était maintenant liée à Nicolas, qu'elle faisait partie de sa famille, comptait aussi, assurément.

— Je vois, répondit Marguerite. Dans ce cas, il est heureux que vous soyez venue me trouver, au lieu de prendre un cheval et de foncer à sa suite.

— Vous oubliez que je ne suis pas une cavalière très douée, avança Aude sur un ton qui confirma les craintes de Marguerite ; la jeune femme avait effectivement envisagé cette action.

— Venez donc vous asseoir près de la fenêtre, suggéra-t-elle. C'est la meilleure vue de tout le château. D'ici, vous ne pourrez manquer son retour.

Un sourire radieux illumina le visage de la jeune femme, qui se percha dans l'alcôve avec un soulagement indicible. Marguerite se remit à sa lecture en refoulant sa peur, sans doute déraisonnable, qu'un malheur arrive à son fils.

6

Entre époux

La voix fébrile d'Aude extirpa brusquement Marguerite de sa lecture :

— Ils arrivent ! Madame, les voilà !

La journée était bien avancée. Sous l'emprise des souvenirs de sa mère, Marguerite n'avait pas pris conscience qu'Aude était demeurée postée à la fenêtre plus de cinq heures durant.

— Vous voyez, il ne fallait pas se faire de mauvais sang, dit-elle en lançant un petit sourire à sa belle-fille.

Aude était de nouveau immobile. Debout dans l'alcôve, elle aurait aisément passé pour une statue de marbre. Seule la brise qui filtrait à travers un carreau troublait les fils argentés de sa chevelure.

— Nicolas, murmura Aude d'une voix blanche.

Marguerite se dressa instinctivement, tandis que le corps de la jeune femme s'étalait sur le sol dans un bruit sourd.

— Aude !

Elle se précipita vers sa belle-fille. Il ne lui fallut qu'un instant pour s'assurer qu'elle ne s'était pas blessée dans sa chute. Un excès d'émotion l'avait incommodée. Marguerite se dirigea avec appréhension vers la vitre cloisonnée. Les cavaliers arrivaient maintenant au faîte de la colline. En tête, Xavier de Razès, suivi immédiatement par le chevalier de Cailhaut et le baron d'Auzers. Le dernier cheval était monté par Octave. Nicolas n'était pas parmi eux. C'est alors qu'elle aperçut, sur la croupe du chevalier, une masse inerte et ensanglantée.

« Oh non ! » s'affola Marguerite, sentant son cœur se figer dans sa poitrine.

La cour s'emplit rapidement. Incrédule, Marguerite assistait au spectacle des habitants du château qui s'attroupaient autour du seigneur de Razès pour se repaître du récit de ses péripéties. Elle tentait de comprendre ce qui se passait, mais le chaos qui régnait l'empêchait d'évaluer l'état de son fils. Pestant entre ses dents, elle quitta sa belle-fille et son poste d'observation et se rendit aux nouvelles.

෨

Aude ouvrit lentement les yeux et porta aussitôt la main à l'arrière de son crâne.

— Aïe !

Une douleur fugace irradiait le long de son bras. Que faisait-elle allongée sur le sol ? Soudain, tout lui revint en mémoire et elle se leva d'un bond.

— Mademoiselle Aude ! fit une voix marquée par la détresse.

En quelques secondes, Lutisse fut à ses côtés. Son regard soucieux semblait chercher à comprendre ce qui lui était arrivé. À peine remise de son étourdissement, Aude, reprocha à Lutisse le torrent d'émotions qui la secouait de l'intérieur.

— Vous saviez ! Vous saviez qu'il était blessé ! Vous auriez pu l'empêcher, lui lança-t-elle, avant que sa voix ne se brise dans un sanglot.

— Allons, allons… Vous déraisonnez, mon enfant.

— Je ne suis pas votre enfant, protesta Aude en repoussant le bras secourable que tendait la femme vers elle. Où est-il ? Je veux le voir. Où l'ont-ils emmené ?

— Calmez-vous. Vous vous êtes sérieusement heurté la tête, répondit Lutisse.

Le plancher tanguait sous Aude, alors qu'elle parvenait difficilement à s'orienter vers la sortie. Soudain, la porte s'ouvrit toute grande, et Marguerite entra.

— Madame de Razès, se réjouit Lutisse.

— Oh ! Madame ! éclata Aude en se jetant dans les bras de la nouvelle arrivée.

Marguerite accueillit cette dernière avec un mélange d'attendrissement et d'étonnement. Combattant les émotions contradictoires qui naissaient en elle à la vue de cette familiarité, Lutisse se composa un visage serein.

— La comtesse de Montcerf semble croire qu'un incident tragique est survenu, expliqua-t-elle en s'approchant.

Marguerite mit une seconde à se rendre compte que Lutisse ne parlait pas d'elle, mais bien d'Aude. Elle hocha la tête pour lui indiquer qu'elle comprenait et força Aude à lever les yeux vers elle.

— Reprenez-vous, Aude. Nicolas n'est pas blessé.

— Pourtant... Je l'ai vu, sur le cheval, balbutia la jeune femme entre ses larmes.

Émue, Marguerite réprima son désir de la serrer contre son cœur. Le chagrin qui accablait Aude provenait de ce qu'elle avait cru voir, et qui faisait écho à ses peurs.

— Il pénètre dans la cour en ce moment. Allez-vous en assurer par vous-même.

Elle guida la jeune femme vers la fenêtre. Lorsqu'elle eut sous les yeux la preuve que ce que Marguerite disait était vrai, Aude se mit à trembler. Sur son étalon gris favori, Nicolas parcourait la terrasse en caracolant fièrement.

— Là, séchez vos larmes maintenant.

— J'ai eu si peur, murmura Aude, qui pleurait de plus belle.

Marguerite songea combien la découverte de la dépouille du braconnier l'avait rassurée. Ordinairement incommodée par les scènes violentes, elle ne s'était pas retirée avant d'avoir la confirmation que Nicolas était bel et bien indemne.

— Il ne faut plus y penser.

Peu à peu, la vue de son époux agit sur la jeune femme et acheva de la réconforter. Marguerite remarqua l'absence de Lutisse, qui avait quitté les lieux sans se faire remarquer.

— Je dois le voir, décida Aude. Et, joignant le geste à la parole, elle vira sur elle-même. Il doit croire que je n'ai pas décoléré.

Marguerite retint la jeune femme par le bras.

— Attendez, vous ne pouvez paraître dans cet état. Un peu de fard…

Même si elle n'avait cure de montrer son visage défait par les larmes, respectueusement, Aude se plia aux conseils de Marguerite. Mais son empressement à rejoindre son mari rendait la tâche étrangement vaine et futile.

« À quoi bon insister, puisqu'elle veut le retrouver au plus vite, se demanda Marguerite, partagée entre le respect et l'indignité que lui inspirait sa belle-fille. Elle n'a aucun scrupule à exposer sa faiblesse devant lui, ni devant les autres. »

— Ça ira comme ceci, décida Marguerite en tapotant une dernière fois la poudre sur les rougeurs.

— Vous êtes bonne, madame, exprima Aude.

Sans attendre, elle se leva et sortit. Marguerite renonça à la suivre, bien qu'elle fût dévorée de curiosité à l'idée d'assister aux retrouvailles des époux. Pour l'heure, un autre sujet, non moins romanesque, la tenait en appétit : la relation entre Madeleine de Saint-Loup et Alain de Collibret. En parcourant la correspondance entre Anne de Bourbon et sa mère, elle avait mis la main sur un poème signé par son père. Il n'était pas daté, mais le ton donnait à penser qu'il avait été écrit durant les premières années de leur mariage. Les vers étaient louangeurs et rimaient avec l'idéal du parfait amour. Du bonbon pour les salons de Paris. Marguerite aurait facilement pu se laisser aller au cynisme. Mais de lire entre les lignes la tendresse qu'il y avait eu entre ses parents la ramenait subitement à l'enfance. Comme si les mots détenaient le pouvoir d'ouvrir une porte sur le passé.

⁕

Les pièces de bois étaient peintes de couleurs vives et Marguerite les retournait dans ses petites menottes, les yeux débordant d'émerveillement. C'était le présent que son père lui avait rapporté de son dernier voyage.

— Maintenant que Mazarin est en exil, tu ne devrais plus avoir à quitter Mirmille, fit la voix de Madeleine.

— Sauf si mes charges nécessitent que je me rende à Paris. Tu sais bien que je préférerais demeurer ici, avec vous, ajouta Alain avec sincérité.

— À Paris ? Mais alors, je pourrais m'y rendre avec toi, s'emporta Madeleine.

À son ton enjoué, la petite fille leva les yeux. Sa mère aimait beaucoup Paris. Margot souhaitait qu'ils puissent aller vivre dans cette ville ; ainsi, sa mère ne blâmerait plus son père pour ses longues absences.

— Tu oublies les enfants… Ce n'est pas une vie que de se trimbaler de par les routes, opina Alain en jetant un regard à Margot, qui jouait à ses pieds.

— D'autres sont moins scrupuleux que toi… laissa-t-elle échapper sombrement.

— Comme la princesse de Condé ? Demander à son fils de se pavaner de château en château pour gagner les gens à la cause de son époux est indigne d'une mère !

Ignorant ce dernier commentaire, Madeleine revint à la charge :

— Marguerite et Claudine sont assez grandes. Quant à Gabriel, nous pourrions le laisser ici, auprès d'Annette et de sa nourrice.

Margot leva un sourcil en signe de désaccord. Elle avait de grands doutes sur le fait que Claudine soit assez âgée pour voyager jusqu'à Paris. Mais personne ne lui demandait son avis, et elle avait trop à faire avec ses personnages de bois pour se préoccuper davantage du sujet.

— Allons, mon mari…

Cette fois, Madeleine s'était approchée de son mari et s'enhardissait même jusqu'à s'asseoir sur ses genoux. Conquis, Alain posa une main sur sa cuisse.

— Nous verrons, Madeleine. La Fronde est loin d'être finie. Tes amis les Condé ne se laissent pas amadouer facilement. Quant au Parlement…

— Pfff, tous des hypocrites. Je les entends d'ici pousser des « Viva ! » au passage de Condé, comme s'ils avaient toujours été dans son camp.

J'enrage en pensant que ce sont ces bourgeois qui ont convaincu la reine de libérer les princes ! Qu'as-tu donc à te gausser ?

Alain riait, mais d'un rire sombre, presque triste.

— Et moi qui croyais que tu t'étais adoucie.

— Adoucie, moi ? Pourtant, tu devrais me connaître, rétorqua Madeleine fièrement.

— Je croyais que de passer ces derniers mois en Champagne aurait tempéré tes ardeurs frondeuses, mais je constate qu'il n'en est rien, déplora Alain en repoussant sa femme.

Cette fois, c'est le silence qui amena l'enfant à lever les yeux.

— Que veux-tu que j'y fasse ? J'ai le sang chaud des gens du Sud, moi. Puis, je ne suis pas de cette race qui s'empresse au moindre signe de faveur.

Même si elle ne comprenait pas le sens des propos de sa mère et si son timbre de voix demeurait modéré, Margot sentait qu'une dispute se préparait.

— Au moindre signe de faveur ! Alors, c'est comme ça que tu me vois ? Comme un courtisan servile ? Je te préviens, Madeleine, je n'ai plus de patience pour tes médisances !

Margot regarda tour à tour sa mère et son père. Le beau visage de sa mère était défait par le chagrin. Alain poussa un soupir et quitta la pièce. Marguerite sursauta quand la porte percuta violemment le chambranle.

— Mère, murmura-t-elle en passant sa main sur la chevelure sombre de sa mère. Vous verrez, il va revenir. Il revient toujours.

❧

Nicolas sauta en bas du lit. Vêtu d'une simple culotte, il se dirigea vers la table, où l'attendait un appétissant goûter. Ses cheveux noirs tombaient en boucles sur sa nuque et effleuraient à peine ses épaules encore nues. Aude tira sur elle l'édredon, en s'amusant à imaginer à quoi ressembleraient leurs enfants. Auraient-ils la peau sombre comme leur père, ou au contraire, pâle comme une lune d'été ?

— J'aurais aimé que tu les voies, ces pleutres ! s'exclama Nicolas. Ils se sont sauvés comme un troupeau de brebis devant le loup.

Aude s'amusait de la fougue de son époux.

— Je croyais qu'ils avaient imploré votre clémence.

— Non sans avoir offert au préalable une poursuite par le petit bois, répondit Nicolas avec dédain. Lorsque nous les avons rejoints, ce qui n'a pas tardé, ils se sont agenouillés en geignant et en pleurant.

Quand Nicolas revenait de la chasse, elle prenait plaisir à entendre le récit de ses péripéties. Mais la scène qu'il décrivait aujourd'hui lui paraissait moins glorieuse que cruelle. Malgré elle, elle éprouvait de la pitié pour ces gueux.

— Qu'allez-vous faire d'eux ?

— Nous allons les pendre, pardi ! lança-t-il avant de mordre à pleines dents dans un morceau de fromage. Tu verras, les pendaisons à Montcerf, ce n'est pas comme à Paris. Ici, tu auras le loisir de tout voir de près.

Aude détourna les yeux. Elle voulait éviter de montrer son déplaisir à Nicolas. Après la dispute qu'ils avaient eue, elle ne voulait pas risquer un autre conflit.

— Qu'y a-t-il, ma mie ? Tu es toute pâle. Dois-je t'assurer, une nouvelle fois, que je suis bien sain et sauf ? Je croyais pourtant t'en avoir donné la preuve, plaisanta-t-il en s'approchant de sa femme.

— Il n'y a pas là de quoi rire, Nicolas. J'ai vraiment cru que tu étais…

— Chut, je sais, dit-il, soudain grave.

Il s'accroupit près d'elle et lui sourit. Sous ses dehors farouches, sa femme était une douce colombe qui battait encore de l'aile.

— Je te promets que plus jamais nous ne nous fâcherons. Je vais être un mari aimant et indulgent, dès à présent. Et si tu veux toujours de moi comme instructeur…

— Est-ce une bonne idée ? Maintenant que ta tante le sait, elle pourrait nous compromettre.

— Non pas, puisque je l'ai dit à mon père.

À cette pensée, la jeune femme sentit le sang lui monter aux joues.

— Comment ? Nicolas, c'était *notre* secret !

— Je sais, mais la situation était trop pénible, je devais en parler à quelqu'un, expliqua Nicolas. J'étais au plus mal ce matin. Et puis, mon père n'a pas désapprouvé, au contraire. Il prétend que nombre de femmes, du temps de son père, ont porté les armes. Alors vois-tu, il ne sera plus nécessaire de nous cacher.

— Hum. Je préfère tout de même demeurer discrète.

— Il en sera fait selon tes désirs, ma mie.

Aude gloussa. Leur réconciliation mettait Nicolas dans une humeur joyeuse qui la gagnait peu à peu. Comme s'il devinait ses pensées, il alla lui chercher une part de fromage, avec du pain et un verre de vin. Pendant qu'elle avalait le tout goulûment, il s'assit à ses côtés et entreprit de lire une lettre.

— Des nouvelles de Hyacinthe ? demanda-t-elle.

— Non, il s'agit de mon oncle. Il est en Bourgogne avec sa jeune épouse et prévoit faire une halte en Auvergne dans le courant de l'été.

Nicolas poursuivit sa lecture, qu'il ponctuait de ricanements.

— Qu'as-tu à te gausser ainsi ?

— Gabriel de Collibret, voilà ce qui me fait rire. Qui aurait prédit qu'il serait un jour marié ? Et épris de sa femme, de surcroît ! C'est du dernier drôle.

— Bien sûr. Amour et mariage ne font pas bon ménage, ironisa-t-elle.

— Comprends-moi bien, je ne peux qu'être heureux pour lui. Toutefois, mon oncle est de la race des séducteurs, des libertins incorrigibles. Ce n'est pas une âme sentimentale.

— Peut-être s'est-il converti ?

— Je veux bien le croire, dit Nicolas en jetant un coup d'œil vers la missive que Gabriel de Collibret lui avait envoyée.

Selon sa lettre, il devait gagner Montcerf avec sa suite un mois plus tard. Cette visite ralentirait encore les travaux. Son père ne serait pas enchanté d'apprendre cela.

༄

Le retour de Nicolas semblait avoir scellé l'entente entre les jeunes époux. Gagnée par leur gaieté, toute la maisonnée était dans de bonnes dispositions. Xavier œuvrait sur les plans du château, et bien que Marguerite ne le vît pas beaucoup, lui aussi paraissait avoir recouvré sa belle humeur.

— Je dois aller au village. Désirez-vous que je vous rapporte quelque chose ? demanda Oksana à Aude et Marguerite, en déposant son ouvrage de broderie.

Les sorties de son amie étaient de plus en plus fréquentes, et Marguerite se demanda alors si la jeune femme savait ce qui animait véritablement sa mère.

— Bertille et Octave y sont allés ce matin, et je leur ai déjà demandé de nous rapporter des chandelles et du fil, répondit Marguerite. Toutefois, je n'ai plus de papier à lettres. Pourrais-tu voir à m'en quérir ?

Elle avait reçu une lettre d'Annette la veille, dans la journée. Le courrier entre la Champagne et l'Auvergne mettait tant de temps à leur parvenir qu'elles avaient pris l'habitude de rédiger de très longues missives.

Lorsque Oksana fut sortie, Aude se risqua à lancer :

— Vous ne trouvez pas qu'elle se rend souvent au village, ces jours-ci ?

— Je n'ai pas remarqué, répondit Marguerite en feignant l'indifférence.

— Je dois malheureusement me retirer aussi. Nicolas doit déjà m'attendre. Nous allons nous promener sur la lande.

Marguerite, compréhensive, lui fit un signe de tête. La fille, comme la mère, avait les yeux brillants d'émotion. Combien de temps devrait-elle garder le secret d'Oksana ? Son amie aurait-elle l'audace de s'afficher au grand jour avec son galant ? Rien n'était moins sûr. Oksana la courtisane craignait les médisances et elle ne voulait surtout pas que sa fille, nouvellement comtesse de Montcerf, en souffrît.

À son tour, Marguerite déposa son cerceau et ses aiguilles. Depuis le matin, elle songeait à la réponse qu'elle devait envoyer à sa tante. La sincérité des propos d'Annette l'avait émue et légèrement bouleversée. Selon toute vraisemblance, Annette s'était déjà interrogée sur ce qu'il convenait de révéler à Marguerite à propos du passé de sa mère.

« Du vivant de mon père, ma tante n'aurait jamais osé me raconter ses souvenirs de la relation entre mes parents. Du moins, pas avec autant d'honnêteté », songea Marguerite.

Dans sa lettre, Annette mentionnait qu'elle n'était pas étonnée d'apprendre que Madeleine avait eu une relation sentimentale avec Louis de Bourbon, prince de Condé. Si cela s'était déroulé au début du mariage ou pendant la Fronde, Annette ne le précisait pas. Or, Marguerite aurait pu jurer que la baronne de Mirmille en savait davantage que ce qu'elle avait couché sur le papier. Si seulement la Champagne n'avait pas été aussi loin ! Elle aurait eu tôt fait de prendre la route pour connaître la version de sa tante sur le passé de Madeleine. Mais c'était tout un voyage que de se rendre jusqu'aux terres de son oncle.

« Je serais de retour avant la fin de l'été », rêva-t-elle frivolement.

Ce projet lui permettrait de revoir la Champagne et de se recueillir sur la tombe de son père, ce qu'elle souhaitait faire depuis sa mort, l'année précédente. Hormis l'entreprise que constituait ce périple, c'était la petite Anne-Marie qui la retenait à Montcerf. Sa fille était encore très jeune, et il lui paraissait impossible de la quitter pour si longtemps. Et puis, il y avait Xavier… Que répondrait-il à cette extravagance ? Marguerite décida de lui en glisser un mot avant de rédiger sa lettre à Annette.

❧

« Il n'y aura pas de meilleur moment », pensa Marguerite en observant Xavier qui sirotait une liqueur devant l'âtre.

Chose rarissime, la salle commune était déserte. Chacun s'était retiré pour la nuit, laissant à Marguerite et son mari leur intimité. Elle se décida finalement et approcha un tabouret près du fauteuil où était assis Xavier. Celui-ci tressaillit et tourna la tête vers elle. Il paraissait surpris et jeta un coup d'œil furtif autour de lui.

— Où sont les enfants ?

Marguerite lui adressa un tendre sourire. Bien que leur maisonnée se fût considérablement agrandie, il ne perdait pas cette habitude de désigner les membres de leur famille comme leurs « enfants ».

— Élisabeth vient tout juste de monter. Les autres ont pris congé pour la nuit.

— J'étais distrait, dit-il en fronçant les sourcils.

Marguerite ne put s'empêcher d'admirer la ligne de son profil à la lumière diffuse des chandelles. Son teint, doré par la caresse du soleil, démentait toute trace de l'aristocratie qui coulait dans ses veines.

— Je sais. Personne ne t'en tient rigueur. Tu crois que les travaux auront cours pendant tout l'été ?

Xavier haussa les épaules.

— Je voulais justement aborder le sujet avec toi. Je devrai partir quérir les pierres nécessaires à l'agrandissement. Je ne serai pas absent très longtemps. Un mois, un peu plus peut-être… Je voulais emmener Nicolas, mais je répugne à te laisser seule au domaine, avec les travaux en cours.

« Un mois, peut-être plus, calcula-t-elle dans sa tête. C'est presque tout l'été. »

— Où iriez-vous ?

— À Montferrand. Le convoi se rendra là directement, mais je tiens à l'escorter jusqu'ici moi-même ; je préfère être prudent, à cause des braconniers qui rôdent et de l'état des routes, expliqua-t-il. En somme, je me demande si je ne ferais pas mieux de laisser Nicolas auprès de toi.

— Tu te fais du mauvais sang inutilement. Il sera beaucoup mieux avec toi. D'ailleurs, le début de l'été n'est pas la période la plus occupée à Montcerf, répondit-elle aussitôt.

Xavier réfléchit un moment, avant de lancer, mi-figue, mi-raisin :

— C'est juste. Mais je t'avais promis que je ne repartirais pas...

— Allons, je ne suis plus une enfant. Aujourd'hui, la situation est tout autre. Le transport des matériaux est hasardeux, c'est le moins qu'on puisse dire. Si tu ne l'avais pas proposé, je te l'aurais suggéré.

En elle-même, Marguerite se disait qu'elle pourrait compter sur la mansuétude de Xavier lorsque son tour viendrait. Si jamais il venait... Le voyage de son mari l'obligeait à reléguer ses projets de voyage en Champagne au second plan.

— Nous partirons vers la fin du mois, dès que j'aurai reçu la confirmation que le chargement est en route, affirma Xavier, visiblement soulagé du dénouement de la discussion.

En dépit de ce qu'elle avait cru de prime abord, Marguerite eut soudain l'impression qu'il cherchait surtout à obtenir sa bénédiction. Elle se rembrunit. Autrefois, Xavier l'aurait consultée la première au sujet d'une entreprise de cette envergure.

— Nicolas sait-il qu'il devra quitter Montcerf ? lui demanda-t-elle.

Xavier parut étonné de la question.

— Tu crois que cela l'embêtera ? Je n'y avais même pas songé...

Marguerite sourit, rassurée de constater que Xavier n'avait pas encore abordé la question avec leur fils.

— Je ne saurais dire. Notre fils est marié maintenant, il ne faut pas l'oublier. J'estime que nous devrions leur en parler sous peu.

— *Leur* en parler... Tu proposes que...

— Aude est la comtesse de Montcerf. Elle a le droit de prendre part à la conversation, si elle en a envie.

Xavier la dévisagea. De toute évidence, à ses yeux, cette suggestion frôlait l'affront.

— Mon mari, tu en fais une tête ! On ne dirait pas, à te regarder, que tu as choisi une courtisane pour épouse et châtelaine de ton domaine.

— Je connais bien peu de femmes qui te valent, Margot, répliqua-t-il en ronchonnant. Et puis, ce devrait être à Nicolas de choisir s'il veut que son épouse soit présente.

— Tu n'as pas tort.

— Hum. Montons nous coucher, si tu le veux bien.

Marguerite lui tendit la main, qu'il prit avec douceur. Sa paume était chaude et un peu rugueuse. La sensation n'était pas étrangère à Marguerite, mais elle lui fit prendre conscience qu'il y avait longtemps, beaucoup trop longtemps, qu'elle n'avait pas senti le contact de la peau de Xavier sur la sienne.

« Quelle sottise, pensa-t-elle, que nous nous égarions ainsi dans des emportements d'orgueil qui malmènent notre relation. »

— Margot, je... commença Xavier lorsqu'ils furent devant la porte de la chambre de sa femme.

Elle posa son index sur ses lèvres pour le tenir coi et le mena jusqu'au lit. Xavier la dévisagea, un brin confus. Avec une autorité toute sensuelle, Marguerite guida sa main jusqu'aux lacets de son corsage.

— Il va falloir que tu me délaces, lui indiqua-t-elle à voix feutrée.

Se prêtant au jeu avec le plus grand sérieux, Xavier entreprit de la dévêtir délicatement. Marguerite sentit son souffle sur sa nuque lorsqu'il retira sa chemise. Puis, haletant profondément entre ses cuisses, il se baissa pour faire glisser ses bas le long de ses jambes. Elle saisit sa chevelure entre ses doigts et ferma les yeux, pour mieux sentir le plaisir de la caresse. Leurs débats animés n'étaient plus qu'un souvenir lorsqu'ils s'étendirent côte à côte sur le matelas, essoufflés mais heureux.

— Que voulais-tu me dire, plus tôt ? demanda Marguerite une fois qu'elle eut repris ses sens.

— Plus tôt ? répéta-t-il, incapable de détourner son regard de la sueur qui faisait luire les seins de sa femme.

— Lorsque je t'ai empêché de parler.

— C'était une fameuse idée, plaisanta Xavier. En fait, je voulais te dire que tu avais raison, pour Aude. Il est de mise qu'elle participe aux affaires du comté, si Nicolas veut un jour pouvoir se reposer sur elle.

Marguerite lui sourit, ravie de retrouver son mari tel qu'elle l'aimait.

7

Convenances

L'été pointait son nez ici et là, et dans la cour du château, on le voyait poindre à travers des touffes d'herbes vertes et drues. Élisabeth saisit son luth et, sans arrière-pensée, se rendit dans la cour par la porte des cuisines. Sous l'échafaud flottait une agréable odeur de bouillon de volaille. Les hommes, regroupés à l'ombre de la sculpture de bois, bavardaient en vidant leurs écuelles. Une dizaine de têtes se tournèrent lorsqu'elle apparut dans sa robe légère, son instrument à l'épaule. La jeune femme se hâta de distancer les travailleurs, en tentant de ne pas laisser paraître sa gêne. Sous ses semelles, elle pouvait sentir la chaleur qui montait du sol de terre battue. En plein soleil, debout au centre de la cour, se tenaient son père et deux artisans. L'un était l'architecte qui supervisait les travaux. L'autre était beaucoup plus jeune. Élisabeth l'avait aperçu à quelques reprises auprès de son maître. Son visage, hâlé par le grand air, s'illuminait d'un regard vif et vert comme les prés. Il avait de longues jambes et semblait bien portant, contrairement à beaucoup de ses comparses. Lorsqu'elle arriva à leur hauteur, audacieusement, il lui sourit, dévoilant une belle rangée de dents blanches.

— Élisabeth, l'apostropha Xavier au même instant.

Tout en évitant de croiser le regard du jeune homme, elle s'avança vers eux.

— Oui, père, que puis-je ?

Xavier avait déjà sollicité son avis sur ses projets d'aménagement, ce qu'il faisait avec chacun des membres de sa famille. Sa fille se plaisait à lui apporter son opinion et aimait croire que ses aptitudes en arithmétique la prédisposaient à comprendre les concepts auxquels il réfléchissait. Mais c'était la première fois qu'il l'interpellait ainsi, devant témoins.

— Messieurs, voici ma fille, Élisabeth, dit-il à l'intention des travailleurs. Hum, je voulais avoir votre opinion sur quelque chose. Voyez-vous, nous allons...

Tandis qu'il lui décrivait les étapes du démantèlement des mâchicoulis, elle sentait peser sur elle le regard de l'apprenti. Bien qu'elle tentât de se concentrer sur les propos de son père, son attention bifurquait vers le jeune homme aux yeux verts.

— Alors, que pensez-vous de mon idée ? demanda Xavier.

— Je... je ne saurais vous conseiller, avoua-t-elle en rougissant de sa bêtise. Mais votre projet m'apparaît plein de bon sens.

— Hum, fit-il pour toute réponse, et il se remit à examiner le haut des murs.

Comprenant que le sujet était clos, la jeune femme se retira et reprit rapidement sa route vers la lande. Lorsqu'elle aperçut la base du grand chêne, elle modéra sa cadence en se moquant intérieurement de sa faiblesse. Le soir même, elle irait trouver son père afin de lui exposer son opinion. Puis, lorsque l'occasion se présenterait, elle remettrait l'impertinent à sa place. Pour qui se prenait-il, d'ailleurs ? Elle était une fille de comte, pas une simple fille du peuple. Satisfaite de sa décision, Élisabeth s'agenouilla dans l'herbe. Elle posa gracieusement son luth sur ses genoux. Lorsqu'elle leva les yeux, elle aperçut une silhouette qui foulait la verdure en venant vers elle. Elle écarquilla les yeux, reconnaissant le jeune maçon. Aussitôt, elle se redressa et balaya les herbes folles qui collaient à sa jupe.

— Bonjour, mademoiselle Élisabeth, dit-il en arborant un sourire honnête, sans trace d'insolence.

— Monsieur, répondit-elle, réservée. Vous êtes fort hardi...

— Mademoiselle, j'espère que vous ne me tiendrez pas rigueur de mon empressement à venir vous trouver...

— Et pourquoi non ? Vous m'importunez, alors qu'à l'évidence je cherchais une retraite loin des regards indiscrets.

L'apprenti baissa la tête, confus. Élisabeth se félicita de son aplomb ; il n'était pas permis qu'un homme de sa condition nourrisse des sentiments pour sa personne.

— Maintenant, dit-elle, laissez-moi et ne m'ennuyez plus, lui commanda-t-elle en scrutant les environs pour s'assurer qu'il n'y avait personne autour.

La dernière chose qu'elle voulait était que sa conduite alimente les ragots.

— Je suis marri, répondit-il. Loin de moi l'idée de vous offusquer. Si je vous ai suivie jusqu'ici, c'est que votre père…

— Mon père ? s'étonna la jeune femme, déroutée.

— Votre père m'a commissionné de faire un portrait de vous, précisa-t-il en souriant gauchement, comme s'il craignait d'être rabroué à nouveau.

Élisabeth poussa un « Oh ! » de surprise. Était-ce la vérité ? Son réflexe fut de baisser les yeux vers le château, en quête de la confirmation de son père.

« Un portrait de moi ? Quelle drôle d'idée », s'étonna-t-elle.

— J'avoue que j'ignorais que c'était l'ordre de mon père de vous faire courir ainsi à ma suite, rétorqua-t-elle, narquoise. Vous êtes peintre ?

— Je peins à l'occasion, mais je ne prétends pas au titre de portraitiste, répondit-il humblement. Je dessine, surtout. Et j'ai proposé à votre père de restaurer certaines fresques du château. Puis, aujourd'hui, il m'a commandé un portrait de vous. Ce à quoi j'ai été ravi d'acquiescer.

L'admiration manifeste qu'elle lut dans son regard ébranla sa façade d'autorité.

— Hum. Je m'enquerrai auprès de lui pour connaître ses directives quant à ce portrait. Pour le moment, je voudrais que vous me laissiez seule, conclut-elle en faisant un geste de la main qui imitait l'affectation de sa mère.

— Oui, mademoiselle Élisabeth. J'espère vous revoir bientôt, confia-t-il avant de s'éloigner.

Malgré ses préventions, elle se surprit à admirer les reflets du soleil sur sa chevelure châtaine. Quand enfin il fut hors de vue, elle retrouva sa position sous l'arbre. Pensivement, elle gratta les cordes du luth tout en songeant au portrait. « Qu'y avait-il derrière cette singulière commission ? » se demanda-t-elle.

⌁

Devant la complexité de la tâche, Xavier s'interrogeait sur l'ampleur et la durée des travaux. De toute évidence, l'aménagement de la demeure de ses ancêtres ne serait pas aussi simple qu'il l'avait imaginé de prime abord. Il poussa un profond soupir. Si cela n'avait tenu qu'à lui… Mais dans un château comtal, il y avait plusieurs habitants à la routine journalière, qui ne s'accommodaient pas aisément des petits désagréments.

— Mon frère, murmura la douce voix de Lutisse.

Xavier se leva prestement et sourit.

— Entrez, ma sœur, dit-il en désignant les tabourets devant lui. Vos visites sont trop rares. J'ai l'impression de vous avoir délaissée ces derniers jours.

— Vous avez fort à faire. Et j'occupe moi-même assez pleinement mes journées.

— Je suis ravi de l'entendre, répondit-il avec un soulagement évident.

Le visage de Lutisse se détendit et elle lui adressa un petit sourire. Les interrogations suscitées par son arrivée à Montcerf revinrent soudain à l'esprit de Xavier. Pourquoi avait-elle quitté le couvent ? Combien de temps prévoyait-elle demeurer parmi eux ? Quels étaient ses projets ? Il n'avait pas osé aborder ces questions avec elle.

— Vous êtes fort occupés, madame de Razès et vous, constata Lutisse sur un ton qui, sans être soucieux, montrait qu'elle était assurément préoccupée. Depuis quelques jours, je me demande ce que je pourrais faire pour alléger votre tâche…

— Ma chère sœur, après toutes ces années, vous êtes demeurée telle que ma mémoire se souvient. En réalité, vous avez toujours eu les qualités qui siéent à une châtelaine.

— Loin de moi l'idée de vouloir prendre le rôle de qui que ce soit, se défendit-elle.

— Tant mieux. Je n'aurais pas voulu que vous me disiez autre chose. Vous êtes ici comme ma sœur, mais aussi comme une invitée. Il m'indisposerait que vous soyez mal servie par ma femme ou par moi. Alors, si vous avez observé des lacunes ou si vous pensez que les domestiques…

— Il ne s'agit pas de cela, bien au contraire. En fait, pour vous dire vrai, je suis inquiète au sujet d'Élisabeth.

De surprise, Xavier se mit à rire.

— Élisabeth ? Mais, grand Dieu, pourquoi donc ?

— C'est une jeune femme pleine de raison et à l'esprit bien tourné. Sensible aussi, et furieusement romanesque.

— J'en conviens, admit-il, bien que la tournure de la conversation le mît mal à l'aise.

— Mais il m'apparaît qu'elle est souvent laissée à elle-même, et il n'est pas bon qu'une jeune et jolie femme soit aussi libre…

— Ma sœur, coupa-t-il fermement, j'ai pleinement confiance en l'éducation qu'a reçue Élisabeth, et en son jugement. Par ailleurs, il y a bien peu de distractions…

— Pardonnez-moi d'insister. Je ne voudrais pas vous alarmer inutilement, mon frère. Mais j'ai surpris Élisabeth en compagnie d'un jeune homme, un des maçons. Ils étaient seuls, sur la lande, hier.

— Hier ?

Lutisse opina gravement du chef. Embêté, Xavier se passa la main sur le front. Puis, son visage s'éclaira soudain.

— À quoi ressemblait ce jeune homme ? Était-il grand et pourvu d'une abondante chevelure ?

— Je… je ne saurais dire, répondit Lutisse, désarçonnée. Je pense, oui.

— Ah, voilà qui met fin à ce malentendu, conclut Xavier en hochant la tête avec satisfaction. C'est le peintre que j'ai engagé pour faire le portrait d'Élisabeth.

Lutisse le regarda sans comprendre.

— Vous vous êtes fait du souci bien inutilement, ma sœur. Ce jeune artisan n'avait pas d'intentions malhonnêtes. C'est moi qui lui ai accordé la permission de s'introduire auprès de ma fille.

— Vous voulez qu'il fasse un portrait d'Élisabeth ?

— Tout juste.

— Si je puis me permettre, à quelles fins, mon frère ?

Xavier pressa ses lèvres. Emporté par sa volonté de prouver à Lutisse qu'elle s'inquiétait en vain, il n'avait pas mesuré le dénouement de la discussion. Or, jusqu'à maintenant, il avait gardé pour lui-même les motivations réelles de son projet. Marguerite elle-même n'en savait rien. Il décida alors de lui raconter une demi-vérité.

— Dans la prochaine année, Élisabeth atteindra un âge où les propositions de mariage se feront plus sérieuses. Or, lorsqu'il y a entente d'épousailles entre des familles, il est d'usage d'offrir un portrait.

Alors qu'il était certain que cette explication rassurerait sa sœur sur le prix qu'il accordait à la vertu et à la bienséance, la réaction de Lutisse le prit au dépourvu.

— Vraiment ? Élisabeth est pourtant bien jeune. Vous m'étonnez, mon frère. Je vous aurais cru enclin à suivre les tendances modernes en ce qui a trait au mariage.

— Nous ne sommes pas ici comme à Paris. Ma fille est un parti intéressant pour beaucoup d'héritiers de la région, avança-t-il. Vous l'avez dit vous-même, une jeune femme de l'âge d'Élisabeth ne doit pas demeurer libre, sans projet d'avenir. Cela pourrait nuire à sa réputation.

— Je n'ai jamais dit cela, se défendit-elle.

« Que tu es naïf ! » se dit Xavier en voyant dans quelle discussion sa sœur l'avait attiré.

Un débat sur le mariage et les convenances, c'était bien la dernière chose dont il avait besoin. Or, Lutisse poursuivait des fins bien définies et elle ne paraissait pas prête à lâcher prise.

— Je crois seulement qu'il n'y a pas lieu de précipiter les événements. D'autres voies pourraient se présenter à elle.

— Cela doit vous rassurer quant à l'importance que j'accorde à la réputation de ma fille, lança sèchement Xavier. Maintenant, si vous le permettez, je dois reprendre mon travail.

Lutisse s'inclina avec respect et sortit paisiblement, sans bruit et sans proférer un mot. Soulagé, Xavier se replongea dans la paperasse qui occupait le centre de sa table. Les tracés de l'architecte, avec leurs lignes complexes et leurs nombreuses mesures, s'embrouillaient sous ses yeux. Il se leva et se servit un verre de vin. Alors qu'il devait se concentrer sur le plan du château, l'échange avec Lutisse s'imposa à son esprit et, bientôt, il se trouva accablé par un profond malaise. Pourquoi s'était-il renfrogné en entendant ses propos ? De toute évidence, elle ne faisait que se préoccuper du bien-être de sa nièce ; il ne pouvait lui en tenir rigueur.

« Lorsque j'aurai terminé de réviser ceci, j'irai la voir pour clarifier ses motivations », résolut-il finalement.

❧

Les objets, tantôt précieux, tantôt simples colifichets, formaient une sorte de farandole sur la commode. Marguerite en reconnaissait plusieurs ; il y avait une petite poupée dont le visage, finement peint, rappelait vaguement celui d'Oksana. Déjà, à son arrivée dans la rue des Tournelles, elle agrémentait la chambre de son amie. Tout près se trouvait une barrette d'argent ciselé sertie d'une fleur taillée dans de l'améthyste. Un présent que lui avait offert Ninon. Un pot de fard, un sachet de lavande et une partition de musique défilaient ensuite dans un ordre bien précis. Du bout du doigt, elle effleura les premières notes. Elle pouvait presque entendre la musique dans ses oreilles.

— Je suis prête, annonça Oksana en sortant de derrière le paravent.

La voix de son amie la ramena brusquement à la réalité.

— Qu'as-tu donc ? Ah… tu regardais ma collection.

Marguerite sourit, gênée de s'être ainsi laissée aller à l'examen des possessions d'Oksana.

— Navrée, je ne voulais pas…

De sa main, Oksana chassa avec désinvolture l'embarras de Marguerite.

— Tu te souviens de cette pièce ? lui demanda-t-elle en ramassant le morceau de musique. Je te l'avais fait pratiquer pendant des heures. Un vrai tyran !

Marguerite ne put s'empêcher de pouffer de rire à cette évocation.

— Entre ma rencontre avec Xavier et le procès de Fouquet, je ne devais pas être une élève très assidue, admit-elle. C'est tellement loin, tout cela… Est-ce que Paris te manque parfois ? Tu y as demeuré si longtemps.

— Non, mais je dois dire que j'ai mis beaucoup de temps à m'accoutumer à la vie au château. En outre, mon statut qui, avouons-le, était pour le moins ambigu lors de notre arrivée, n'a pas facilité mon intégration. Depuis le mariage, je suis plus attachée à Montcerf que je ne l'ai jamais été à Paris, affirma Oksana. Puis, percevant la surprise sur le visage de son amie, elle ajouta : Cela semble te surprendre.

Marguerite balança la tête, indécise.

— Oui, un peu. Cependant, je sais combien les dernières années n'ont pas été faciles pour toi et ta fille. Paris doit être peuplé de douloureux souvenirs. Je suis ravie que tu te plaises en Auvergne.

— Je suis heureuse, Margot.

Son attitude ne démentait pas ses paroles ; Oksana dégageait une authentique félicité. Heureusement, sa nature discrète, voire secrète, épargnait ceux qui ne pouvaient se vanter d'un sort semblable. Marguerite se réjouissait du bonheur de son amie, conquis de haute lutte.

— Ton idylle avec M. de Cailhaut semble t'avoir rajeunie de quinze ans, ma chère amie.

L'allusion colora les joues de l'amoureuse.

— Je ne te contredirai pas, il est vrai que l'amitié qu'il m'inspire se fortifie de jour en jour. Mais cela n'est que peu de chose en comparaison de ce que je ressens lorsque je vois ma fille ainsi comblée.

Marguerite lui adressa un sourire complice. Elle partageait le sentiment d'Oksana. Bien qu'elle eût toujours souhaité un mariage heureux pour ses enfants, c'était une chose de le désirer, c'en était une autre de le voir s'accomplir.

— Nous devrions descendre, on va nous attendre.

Elles se rendirent ensemble dans la salle basse, où les attendaient le tailleur Millet et son apprenti. Ils venaient présenter à la famille de Razès les nouvelles étoffes qu'ils avaient reçues. Aude s'y trouvait déjà, en compagnie de Nicolas. En s'approchant, Marguerite s'étonna de reconnaître la silhouette de Lutisse, qui circulait entre les rouleaux de tissu.

— Madame de Razès, salua l'artisan en exécutant une courbette. Dame Oksana…

— Maître Millet ! J'avoue que j'ai grande hâte de voir tout cela. Que ne me montrez-vous le nouveau brocart que vous m'avez vanté ?

— Avec plaisir, madame. C'est par ici.

Après la mort de son fils Antoine, le tailleur Millet avait sérieusement considéré l'idée de s'exiler dans une autre ville. Le comte et la comtesse s'étaient montrés très généreux avec lui et sa famille durant son deuil, et il avait finalement décidé de rester à Montcerf. Lors de ses visites, Marguerite se montrait toujours prévenante à son endroit, peut-être même trop, mais cela soulageait à peine sa conscience.

— Ce violet est fort beau. Vous en avez beaucoup ? demanda Oksana.

— Si fait. Mais je dois vous prévenir, votre fille, la comtesse, s'est déjà montrée intéressée.

Marguerite profita de ce qu'Oksana s'entretenait avec le marchand pour s'approcher de sa belle-sœur.

— Les étoffes vous plaisent-elles ?

— Elles sont d'assez bonne qualité, quoique la plupart soient trop raffinées pour mon usage personnel.

— Maître Millet a une sélection beaucoup plus vaste dans son atelier. Sans doute pourrait-il…

— J'étais surtout curieuse. Mes robes me conviennent très bien pour le moment. En outre, je ne suis pas coquette, rétorqua-t-elle.

— Comme vous voudrez.

— Je ne vois pas Élisabeth. Serait-ce qu'elle est souffrante ? demanda Lutisse.

— Elle doit être sortie, répondit mécaniquement Marguerite.

Sa fille évitait le plus possible de se retrouver en présence du tailleur et de sa famille. Les saisons avaient passé, mais la douleur liée à la mort d'Antoine et la responsabilité qu'elle s'attribuait à cet égard demeuraient vivaces.

— Pourtant, je l'ai vue plus tôt, elle était dans le petit salon. Peut-être devrais-je aller la quérir ?

Marguerite sentit sa mâchoire se crisper.

— Si vous y tenez… finit-elle par dire.

Malgré elle, Marguerite se résigna à assister à une embarrassante situation. Puis, tout à coup, Lutisse se lança dans un autre sujet :

— Je me questionne depuis un certain temps sur Élisabeth… Sur son avenir, en fait.

— Son avenir ?

— Le bonheur de ma nièce me tient à cœur, lança Lutisse sans crier gare. Il ne me plaît pas de l'imaginer mariée à l'un de ces hobereaux auvergnats, alors que d'autres voies pourraient s'ouvrir à elle. Mais si la teneur de mon propos vous indispose…

— Il n'en est rien, au contraire. Votre sollicitude est touchante. Toutefois, il est encore précoce de parler d'un mariage pour Élisabeth, en Auvergne ou ailleurs. Nous avons convenu d'attendre quelques années, précisa Marguerite avec une tranquillité d'esprit qui n'était pas feinte.

Il n'avait pas été difficile de convaincre Xavier sur ce point. Après la fugue d'Élisabeth, ils avaient passé un accord tacite sur l'indépendance qu'il convenait d'accorder à leur fille.

— Vraiment? s'étonna Lutisse, dont le visage, habituellement imperméable aux émotions, se transforma brusquement.

— Si fait. Cependant, je serais curieuse de connaître les autres chemins auxquels vous faites allusion.

Lutisse ignora la question.

— C'est que mon frère m'avait laissé entendre… Mais enfin, mon ouïe doit m'avoir joué des tours.

Agacée par les insinuations de sa belle-sœur, Marguerite se résolut à tirer au clair cet imbroglio.

— Peut-être puis-je vous éclairer? Xavier est parfois avare de paroles, et ce ne serait pas la première fois que cela mène à une méprise.

— Je ne voudrais pas être la cause… Ah, que n'ai-je tenu ma langue? Marguerite, je suis navrée…

Feint ou sincère, le malaise de Lutisse commençait sérieusement à énerver Marguerite.

— Si vous me disiez ce qui vous agite, pour commencer?

— Le portrait, pour les fiançailles de votre fille. Voilà ce dont Xavier m'a entretenue.

« Quel portrait? se dit Marguerite. Qu'est-ce que c'est que cette histoire? »

Exposer son ignorance de la situation à sa belle-sœur était tout à fait impensable. Entre les deux, elle préférait encore passer pour une hypocrite.

— Ah! Voilà donc ce qui vous cause du souci, s'exclama Marguerite. Vous vous peinez inutilement, ma chère Lutisse. Vous savez comment sont les hommes! D'incorrigibles impatients!

poussa-t-elle, sachant bien que dans ce domaine, sa belle-sœur était ignorante. Ce n'est, après tout, qu'un portrait. Rien n'a encore été décidé.

« Non, rien. Mais toi, Xavier de Razès, tu ne perds rien pour attendre », poursuivit-elle pour elle-même.

⁓

Marguerite bouillait de rage lorsqu'elle pénétra dans la chambre. Durant tout le jour, elle avait contenu ses émotions. Le souper avait été une ultime épreuve, puisque Xavier, qui ne se doutait encore de rien, était guilleret comme un oiseau de printemps. Il s'était même laissé aller à lui faire des minauderies alors que personne ne les regardait. Signe qu'il était encore étourdi par leurs ébats de la veille.

— Ce voyage à Montferrand semble sourire à notre fils. Nous aurions pu partir dès demain, si l'arrivée de ton frère n'était imminente.

Marguerite ne répondit pas et continua de se dévêtir. Xavier avait un sixième sens pour ses humeurs, et il ne tarderait pas à s'apercevoir qu'elle n'avait pas envie de parler de Gabriel.

— Je n'y peux rien, il est du devoir de Nicolas d'être présent pour le recevoir, conclut-il.

Cette fois, il leva les yeux vers sa femme, étrangement silencieuse. Marguerite s'apprêtait à enfiler sa chemise de nuit, et la vue de ses épaules et de son dos nus l'appâta. Aussitôt, il s'approcha d'elle.

— Non, dit Marguerite en se tournant vers lui.

Xavier eut un petit rire taquin.

— Puis-je être ta chambrière ?

— Xavier, qu'as-tu raconté à ta sœur au sujet d'Élisabeth et d'un certain portrait ?

Le masque de jovialité de Xavier tomba brusquement. Non seulement Marguerite n'était pas réceptive à son badinage, mais il comprit qu'une tempête se préparait.

— Ce n'est pas ce que tu crois, enfin, pas vraiment. Lutisse était inquiète du bien-être d'Élisabeth et j'ai dû la rassurer… Voilà tout. Or, je me suis emporté dans mes élucubrations.

— Elle était… inquiète de son bien-être ? se choqua Marguerite. Qui est-elle pour se mêler de l'éducation d'une jeune femme ?

— Je t'en prie, Margot. Je suis certain qu'elle ne cherche que son…

— Pas de cela. Plus de charité ni d'indulgence. On ne vient pas m'insulter sous mon toit. Broder tout exprès des histoires pour me mécontenter. C'est odieux !

Xavier se mordit les lèvres. Il comprenait la colère de Marguerite, mais c'était un peu tard pour s'amender…

— Lutisse n'a rien inventé, c'est moi qui lui ai parlé d'un projet de fiançailles pour notre fille.

Les yeux verts de Marguerite semblaient lancer des dagues. Xavier disait-il la vérité ou tentait-il de protéger sa sœur ?

— Et si tu me disais de quoi il retourne, murmura-t-elle avec un calme qui ne laissait présager rien de bon.

— Le baron d'Auzers m'a demandé la main d'Élisabeth pour son fils. C'était durant les jours qui ont suivi le mariage. Je lui ai répondu que nous n'avions pas l'ambition d'épousailles pour notre fille dans un avenir proche, mais il a insisté, me faisant voir les nombreux avantages d'une telle alliance.

Il s'arrêta. La fureur de Marguerite semblait avoir escaladé à chaque mot qu'il avait prononcé. Une larme amère glissa le long de sa joue, jusqu'au recoin tremblant de ses lèvres.

— Je sais que j'aurais dû t'en parler. En outre, ajouta-t-il dans l'espoir de se racheter, je n'ai nullement l'intention de lui accorder la main d'Élisabeth. Mais je ne pouvais pas refuser non plus. Pour l'heure, notre relation avec notre voisin est un enjeu trop important. Ce portrait, c'est une idée pour gagner du temps.

— Assez important pour que tu te serves de notre fille comme d'une grossière marchandise ?

— Je savais que tu verrais les choses de cette façon, rétorqua Xavier, désappointé. Essaie de comprendre… Sans son bon vouloir, nous n'aurions pas pu transporter les pierres pour le château sur ses terres.

Blessure après blessure, Marguerite se sentit soudain faiblir. Se pouvait-il qu'elle connaisse si mal l'homme avec lequel elle partageait sa vie ? Celui qu'elle aimait pourtant de tout son être ? Elle passa sa main sur sa joue et n'y rencontra que l'empreinte humide laissée par son chagrin. Puis, lentement, comme si elle ménageait ses forces, elle gagna son lit.

— Tu te couches ? demanda-t-il, décontenancé par le comportement de sa femme.

Pour toute réponse, Marguerite souffla sa chandelle.

8

Devoir et liberté

Marguerite regarda son amie, espérant sa réplique, son conseil et sûrement aussi son appui. Elle lui avait tout raconté : combien elle souffrait depuis l'arrivée de Lutisse, ses différends avec Xavier, son projet de visiter sa tante en Champagne, son envie de revoir Paris et son besoin de connaître la vérité sur sa mère. Elle avait terminé avec ce dernier événement, qui l'avait décidée à partir.

— Cette impulsivité, cela ne te ressemble guère, fit remarquer Oksana. As-tu bien songé à ce que ton absence pourrait avoir pour conséquence ?

— Il y a longtemps que je veux faire un séjour à Paris. Quant à la Champagne, Annette et Charles-Antoine vieillissent eux aussi, et je ne sais combien d'années encore je pourrai reporter ma visite.

Marguerite avait répliqué du tac au tac. Ne venait-elle pas de passer deux nuits blanches à tourner et retourner la question dans sa tête ? L'urgence de partir brûlait sa poitrine comme un feu qui la dévorait de l'intérieur.

— Je sais que cela te paraît soudain, à toi. Mais tu peux me croire quand je te dis que personne n'a mieux que moi pesé les contrecoups de mon départ. Anne-Marie est encore jeune, et elle va me manquer terriblement, mais je vous la confie avec la certitude qu'elle sera bien. Aude y est très attachée. De plus, elle a sa nourrice.

— Je faisais plutôt allusion à Lutisse, lorsque je parlais de conséquences. Si d'ores et déjà tu estimes qu'elle se conduit en seigneur chez toi, imagine ce que ce sera pendant ton voyage. Tu lui laisseras la voie libre pour faire ce qu'elle entend…

Les lèvres de Marguerite s'entrouvrirent pour laisser passer un rire amer.

— Comme tu es sage, mon amie, reconnut Marguerite. Eh bien, soit ! Nous verrons bien ce qu'elle fera du terrain que je lui concède.

En vérité, Marguerite était moins préoccupée de Lutisse que de Xavier, et il ne pouvait y avoir plus grande épreuve pour leur couple qu'une séparation dans pareilles circonstances. Depuis l'aveu de Xavier à propos du mariage de leur fille, ils n'avaient pas échangé une seule parole. Marguerite ne pouvait se résoudre à lui pardonner son geste. Quant à Xavier, il s'était réfugié dans son projet d'aménagement du château, seul rempart contre son impuissance.

« Il a honte, mais il est trop orgueilleux pour reconnaître que ses actions sont un affront à tout ce à quoi nous avons toujours aspiré », se disait Marguerite.

Depuis la naissance de leurs enfants, ne s'étaient-ils pas promis de leur laisser la liberté de s'unir avec la personne de leur choix ? Jusque-là, Marguerite avait été persuadée que l'idée du mariage de raison le choquait autant qu'elle.

— Si tu fais fi de Lutisse, je ne vois pas pourquoi tu t'empêcherais de partir. Xavier et toi avez passé plus de temps sous le même toit que la plupart des époux. Nicolas est un homme et, sans vouloir te manquer de respect, il a beaucoup trop à faire pour pâtir de ton absence. Quant à Anne-Marie, elle est bien entourée, tu n'as pas à craindre pour elle. En ce qui a trait à Élisabeth…

Sans qu'elle eût besoin de prononcer un seul mot, son œil bleu exprimait des chapitres d'inquiétude au sujet de la jeune femme.

— Je vais parler à ma fille. D'ailleurs, il faut qu'elle soit prévenue du projet de mariage, même s'il s'avère être un leurre.

— Lutisse semble avoir beaucoup d'influence sur elle, n'as-tu pas remarqué ?

Marguerite opina du chef. Aussi invraisemblable que cela pût paraître, la jeune femme vouait une adoration à sa tante ;

pour un rien, elle la consultait, et elle recherchait sa présence, en plus de partager son engouement pour les herbes. Toutefois, Marguerite soupçonnait que c'était une réaction de défense par rapport au mariage de son frère. Car si Élisabeth était tout miel et tout sucre avec Lutisse, elle battait froid à Aude.

— Cela lui passera peut-être, lorsqu'elle comprendra qu'elle n'a pas perdu son frère, suggéra Oksana.

Spontanément, Marguerite attrapa la main de son amie et la serra contre elle.

— Merci, Oksana, dit-elle sur un ton chargé d'émotion.

Embarrassée par cette reconnaissance qu'elle ne jugeait pas mériter, Oksana haussa les épaules.

— Une dernière chose, Margot. Après la dispute que vous avez eue, Xavier ne sera-t-il pas furieux ? Comment espères-tu lui faire comprendre ta décision ?

— Je l'ignore encore. Une seule chose est certaine : je pars.

Un nuage passa dans les yeux de Marguerite. Pour la réconforter, Oksana posa sa main sur son épaule.

— Alors, tu salueras Ninon et Claudine pour moi.

⚬⚬⚬

Marguerite avait décidé qu'il valait mieux battre le fer pendant qu'il était chaud. Elle partit donc à la recherche d'Élisabeth, qu'elle trouva en train de mettre des simples à sécher dans une vieille remise.

— Ma foi, c'est toute une récolte ! s'exclama Marguerite en découvrant le rideau de feuillage, délicatement suspendu par la racine.

— Mère ! s'étonna Élisabeth tout en déposant sa corbeille. Que venez-vous faire ici ?

Sa joue était maculée de terre et sa chevelure bouclée s'échappait de son bonnet comme les brins d'un arbuste mal taillé.

« Elle n'est encore qu'une jouvencelle », s'attendrit Marguerite devant l'allure négligée de sa fille.

— J'étais curieuse de connaître l'endroit où tu passais tant de temps, répondit-elle en examinant le résultat des cueillettes d'un œil intéressé.

— Vraiment ? demanda Élisabeth d'un air sceptique.

Marguerite esquissa un sourire. Élisabeth avait toujours le don de la percer à jour, de sentir si quelque chose la tracassait et même parfois d'anticiper ses réactions. Cela découlait sûrement de sa sensibilité toute singulière.

— En fait, je voulais t'entretenir de quelque chose, si tu n'es pas trop occupée.

— Non, bien sûr que non.

— Bien, j'en suis ravie. Il fait beau, nous pourrions aller nous promener sur la lande.

Élisabeth la suivit docilement, tandis que la curiosité éclairait son regard noisette. Elles marchèrent un bon moment en silence, avant de s'asseoir sur un banc de fortune formé d'une pierre oblongue sortant de l'herbe.

— Des nouvelles de Hyacinthe de Cailhaut ?

— Pas depuis sa dernière lettre, répondit Élisabeth d'un ton résigné. Je lui ai répondu, mais… pfff… Parfois, je désespère de ne jamais le revoir.

Marguerite prit la main de sa fille et la tint contre elle.

— Je suis certaine qu'il va revenir. Mais quand ? Cela ne dépend pas de toi, et très peu de lui. La vie d'un militaire n'offre pas beaucoup de répit. Cependant, si tu es prête à l'attendre…

Élisabeth resta songeuse, méditant les paroles de sa mère. Avant que Hyacinthe ne quittât Montcerf, elle n'avait pas mesuré le lien qui s'était tissé entre eux. Et la prise de conscience de son affection pour lui, même si elle était tardive, ne faisait qu'approfondir le vide laissé par son absence.

— Je ne nie pas la tendresse que je ressens pour Hyacinthe. Néanmoins… Je ne sais pas combien de temps encore je pourrai espérer son retour.

La voix d'Élisabeth avait l'accent intransigeant d'une jeune femme qui supporte difficilement d'être esseulée. Elle était à l'âge tendre des premiers émois, ceux qui précipitent souvent la découverte de la passion. Marguerite hésita à renchérir. Faire la morale à sa fille ne servirait pas son but. Cela eût même été contraire à son dessein.

— Le temps met les sentiments à l'épreuve, c'est bien connu. Peut-être que si tu étais certaine de le revoir, disons, l'été prochain, l'attente te serait moins lourde à porter ?

— L'an prochain ! s'exclama Élisabeth. Oh, je n'ai jamais cru que ça pourrait être si long. Pauvre Hyacinthe ! Il me faut pourtant l'admettre, je ne crois pas posséder la force nécessaire pour patienter tout ce temps.

Marguerite inspira profondément avant de lui demander :

— Aviez-vous discuté de l'avenir ? Te sens-tu liée à lui par quelque promesse ?

— Non. Une seule fois, nous avons effleuré le sujet, lorsqu'il m'a dit qu'il voulait devenir mousquetaire. Il prétendait que cela lui permettrait d'amasser assez de pécune pour revenir s'établir ici et fonder une famille. Bien qu'il ne m'ait pas avoué son amour, j'ai pu lire ses sentiments dans son regard.

La candeur d'Élisabeth fit sourire Marguerite. Curieusement, le visage d'Aude lui apparut en pensée. Les deux jeunes femmes avaient tant de points en commun ! Il était impensable qu'Élisabeth nourrisse indéfiniment des préventions à l'égard de sa belle-sœur.

— Si je puis te prodiguer un conseil, risqua Marguerite, c'est de ne pas trop t'assombrir avec tout cela. Heureux s'il continue à t'écrire et si cela t'apporte de l'agrément. Mais n'oublie pas de t'amuser, de te distraire. À ton âge, on devrait bouder la mélancolie et les chagrins.

« Tu n'auras peut-être qu'un été de jeunesse et de liberté », poursuivit Marguerite en elle-même.

— Qu'y a-t-il, mère ? Vous semblez soudain bien affligée.

— Non pas, mentit-elle. Je souhaite simplement ton bonheur. Dis-moi, as-tu toujours le désir d'assister au bal de Montferrand ?

— Oui, mais ce n'est pas avant le mois d'août.

— J'ai demandé à Oksana de t'y accompagner. Je crains de ne pas pouvoir m'y rendre. Je vais voyager quelque temps, aller visiter Annette et Charles-Antoine, et aussi Claudine, annonça Marguerite en tentant de paraître spontanée.

— Vous allez vous rendre à Paris ?

La surprise écarquilla les yeux d'Élisabeth.

— Il y a bien longtemps que je caresse ce projet. Oh, ce ne sera pas un long séjour. Je devrais être de retour avant l'automne.

— Qui se chargera des affaires du château durant votre absence ? Avec les travaux, père a peu de temps à consacrer au quotidien de la maisonnée.

Les préoccupations pragmatiques d'Élisabeth surprirent Marguerite.

— C'est à Aude que reviennent ces responsabilités maintenant, répondit-elle, alors que le visage de sa fille se couvrait. Toutefois, je doute qu'elle parvienne à tout gérer sans ton assistance. À part moi, tu es la seule personne de la famille qui connaisse Montcerf dans ses moindres détails.

Élisabeth se pencha pour cueillir un brin d'herbe. Visiblement, la perspective de jouer les seconds violons ne l'enchantait guère.

— Si Aude a les qualités nécessaires pour être comtesse, cela devrait paraître dans sa conduite, affirma-t-elle, légèrement sarcastique.

Choquée, Marguerite dévisagea sa fille. Peut-être avait-elle sous-estimé la force de sa rancœur ?

— Ce manque de bonté ne te ressemble pas, Élisabeth. Je serai très déçue si tu ne lui prêtes pas ton concours pendant mon absence.

La jeune femme accusa le coup sans mot dire. Un instant plus tard, elle se leva et se tourna vers sa mère.

— Ce sera bientôt le dîner…

Marguerite avait longuement tergiversé avant de se décider à raconter à sa fille les plans de Xavier et ce qu'ils impliquaient pour elle. La crainte d'une réaction impulsive de sa part avait failli la dissuader ; la douleur causée par sa fugue était encore vive dans son souvenir.

— Attends, il y a autre chose dont je veux parler avec toi.

Finalement, elle jugea préférable qu'elle l'apprît d'elle plutôt que d'une rumeur qui ne manquerait pas de venir à ses oreilles. Élisabeth fronça les sourcils et se rassit.

— Avant toute chose, je veux que tu saches que ton père et moi avons ton bien-être à cœur. Or si, pendant mon absence, il t'arrivait d'ouïr le bruit d'un mariage te concernant, je veux que tu saches que ce ne sont que des racontars, sans plus.

— Un mariage ? Mais avec qui ?

Marguerite avait résolu de ne prendre aucun détour. Elle répondit donc aussitôt :

— Il s'agit de l'aîné du baron d'Auzers. Notre plus proche voisin et allié, si j'en crois ton père. Il a demandé ta main pour son fils. Mais console-toi, nous n'avons nullement l'intention de donner suite à cette offre d'alliance.

Malgré le ton catégorique de sa mère, Élisabeth ne semblait pas entièrement rassurée.

— Père lui a-t-il répondu ?

— Xavier croit qu'il serait malséant de refuser sa proposition sans faire mine de la considérer. Il craint que cela nous brouille avec eux. Je tenais à t'en parler, dans l'éventualité où cela viendrait à tes oreilles. Je voulais que tu saches la vérité.

— Je me souviens de lui. Il m'a parlé lorsqu'il était au château avec son père, se souvint Élisabeth avec un demi-sourire. Il avait l'air timide, quoique poli. Il savait ce qui se préparait, je suppose.

— Maintenant, tu le sais aussi, c'est tout ce qui importe. En outre, ton père ignore que je t'ai entretenue de ses plans. Libre à toi de lui dire que tu le sais.

— Tu crois que cela pourrait causer quelque mésentente avec le baron ?

— Je n'en suis pas certaine. Mais cela ne devrait pas te tourmenter. Ton père verra à cela en temps et lieu.

Nicolas ferma la porte de sa chambre et se dirigea vers les appartements de sa mère. Il n'était plus qu'à quelques pas de ceux-ci lorsqu'il avisa un jeune homme qui venait dans sa direction. Sa chemise roulée montrant ses avant-bras musclés ainsi que sa peau basanée révélaient sa condition de roturier. Mais c'est surtout sa démarche assurée qui attira l'attention de Nicolas. Il avait déjà vu ce bellâtre quelque part... Il tressaillit en reconnaissant un des apprentis. Que venait-il faire ici ?

— Holà ! Puis-je t'aider, mon brave ?

Loin d'être intimidé, le jeune homme s'approcha du comte.

— Je cherche Mlle Élisabeth de Razès. Nous avons eu notre première séance de pose ce matin et elle a oublié son écharpe.

Il présenta le morceau de vêtement en question. Nicolas leva un sourcil en remarquant les fleurs coupées qu'il tenait de l'autre main.

— Donne-les-moi, je les remettrai personnellement à ma sœur, intima-t-il à l'artisan.

Mathias obtempéra. Cependant, il était manifestement déçu de la tournure des événements. Nicolas plaça le châle sous son bras et attrapa le bouquet avec désinvolture.

— Tu connais le chemin ?

— Oui, monseigneur, fit le peintre en souriant sardoniquement.

— « Monsieur le comte » sera suffisant, répondit Nicolas sans broncher.

Le jeune homme tourna bride et disparut dans l'angle du couloir. Le comte secoua la tête en signe de désapprobation. La dernière amourette de sa sœur avait coûté la vie à l'un des villageois et Élisabeth avait bien failli subir le même sort. Même s'il n'imputait pas à sa sœur la responsabilité du décès d'Antoine Millet, Nicolas voyait d'un très mauvais œil la présence de l'artisan dans les murs de son château. Comment Élisabeth pouvait-elle tolérer un tel comportement de la part d'un homme du commun après ce qui s'était produit ? Désormais, c'était lui qui était garant des habitants de Montcerf et il entendait bien faire sentir son autorité.

☙

Le cocher, accroupi depuis un moment près des roues du carrosse, se releva enfin. Il adressa un hochement de tête à la comtesse.

— En ce qui me concerne, tout est en ordre, madame.

Marguerite ne cacha pas sa joie devant cette bonne nouvelle.

— Alors, nous pourrons partir dès que je serai prête ?

— Vous devriez peut-être changer les tentures de cuir, car elles sont usées. De plus, la poussière pourrait vous incommoder… Sinon, cette voiture est en bon état.

— Merci, Paul, répondit-elle en souriant de plus belle.

Paris ne lui semblait plus aussi loin maintenant. Quelques jours plus tard, elle serait sur la route. Bien sûr, elle aurait apprécié le luxe des nouveaux carrosses, pourvus de véritables fenêtres, qui empêchaient les odeurs et la saleté d'entrer, mais ce n'était, après tout, qu'une commodité. Puis, si le temps était clément, le voyage ne serait pas si long.

— Ninon n'aura pas reçu ma lettre, murmura-t-elle à haute voix.

Trois jours auparavant, elle s'était enfin résolue à écrire à Ninon pour lui annoncer son arrivée. Or, en raison des délais des courriers, il y avait peu de chances pour que sa lettre parvienne à Paris avant elle. Elle avait attendu, hésité peut-être trop longtemps. Mais prévenir Ninon de son séjour revêtait une signification toute particulière : ses derniers doutes s'étaient envolés lorsqu'elle avait scellé le pli.

Par ailleurs, elle comptait séjourner chez Claudine. Tant d'années s'étaient écoulées depuis qu'elle avait vu sa sœur et ses neveux ! Il lui tardait de les voir. Elle était certaine que son irruption inopinée ne gênerait pas Claudine. En sortant de l'écurie, Marguerite se força à retrouver un pas mesuré et à faire disparaître l'expression béate écrite sur son visage. Malgré sa jubilation, elle se devait de faire montre de tempérance. Sans cela, dans un élan d'impulsivité, elle pourrait aisément heurter ses proches, et cela serait bien vain.

— Madame, madame, entendit-elle appeler alors qu'elle s'approchait des dépendances du château.

Elle reconnut la voix de Jeannette, la nourrice d'Anne-Marie. La femme tenait la petite contre elle alors que cette dernière caressait la crinière d'un poulain. Amusée, Marguerite bifurqua dans leur direction. Elle n'était plus qu'à quelques pas d'elles lorsqu'elle aperçut la silhouette de Xavier qui sortait des cuisines. Il se dirigeait lui aussi vers l'enfant. Le ventre de Marguerite se noua. Il lui était impossible de reculer maintenant, son geste serait trop flagrant. Si les membres de sa famille avaient deviné qu'ils étaient en froid, elle tentait de ne rien laisser paraître dans sa conduite. La dernière chose qu'elle souhaitait était que la rumeur de leur dispute soit colportée jusqu'au village.

— Voyez, madame, comme votre fille est douée avec cette bête ! s'exclama Jeannette.

Marguerite acquiesça avec fierté, et tandis que la nourrice reportait son attention sur sa pupille, elle hasarda un regard vers son mari. Celui-ci était figé. De toute évidence, il venait juste de remarquer sa présence. Marguerite le vit faire demi-tour pour repartir dans la direction opposée. Elle déglutit péniblement.

— Papa est allé chercher une carotte pour le bébé cheval, affirma la domestique, qui n'avait rien remarqué.

— … eval, répéta Anne-Marie en battant des mains.

Marguerite demeura auprès de sa fillette, mais ne parvint pas, en dépit de ses simagrées enfantines, à chasser entièrement son sentiment de désarroi. Xavier devait connaître son projet de voyage… C'était la seule explication à une attitude aussi offensante. Un de leurs enfants s'était vraisemblablement ouvert à lui.

« Qu'ai-je fait ? se demanda-t-elle en éprouvant de la culpabilité. J'aurais dû lui dire moi-même. Il doit m'en vouloir furieusement. »

Nicolas entra dans les appartements de sa mère alors qu'elle tentait de mettre de l'ordre dans ses affaires.

— Assieds-toi, je n'en ai plus pour très longtemps, dit-elle, les sourcils froncés.

Elle avait passé la journée à tenter de boucler ses malles. Tout lui semblait à la fois important et futile. Elle regardait les vêtements qu'elle tenait à la main comme s'il se fût agi d'objets insolites provenant du Nouveau Monde.

— Je peux revenir, indiqua Nicolas à sa mère.

— Non, je… Ah ! Comme cela est navrant. Je n'arrive pas à me décider. Voyons…

Nicolas passa la main sur son menton. Il avait envie de rire, mais jugea plus sage de se retenir. Finalement, Marguerite opta pour un morceau de tissu vert, une écharpe, qu'elle lança dans le coffre encore ouvert. Elle poussa un profond soupir.

— Il me semble que vous avez beaucoup d'effets pour quelqu'un qui ne part que pour quelque temps, fit-il remarquer. Êtes-vous certaine de vouloir revenir avant l'automne ?

Le ton était badin. Toutefois, Marguerite perçut une pointe d'inquiétude derrière la question de son fils.

— Mes bagages, je vous l'accorde, sont trop lourdement chargés, répondit-elle. Coquetterie féminine, peut-être. Ou, plus certainement, crainte de passer pour une provinciale…

— Mais vous êtes une provinciale, mère ! s'exclama Nicolas en riant.

Marguerite fit la moue.

— Votre présence a sûrement un autre but que celui de vous moquer de moi ?

— Je vous rends visite pour le plaisir que cela m'apporte. Vous n'êtes pas encore partie et votre absence m'attriste déjà, exprima Nicolas avec un sourire navré. Et je ne suis pas le seul, ma femme aussi.

Elle s'approcha de lui. Dès le sortir de l'enfance, sa force de caractère, sa nature indépendante avaient fait sa fierté. Le temps s'était chargé de faire de lui un fils respectueux, un homme honnête et, aujourd'hui, un seigneur que tous respectaient.

— Vos propos me touchent, je suis flattée de savoir que vous m'aimez si fort. Toutefois, je vous rassure, l'été ne sera pas encore un souvenir que je serai de retour en Auvergne.

— Fort bien. Montcerf ne saurait se passer de vous bien long-temps. En fait, je doute qu'il n'y parvienne…

— Est-ce bien de notre domaine que vous parlez, mon fils ?

Nicolas attendit quelques secondes avant de saisir la question et d'y répondre, et il le fit avec une infinie délicatesse :

— Je n'ai pas souvenir de Montcerf sans vous. Mon père, certes, s'est souvent absenté. Mais vous… Cela m'apparaît impossible. Savoir que je ne pourrai compter sur votre sagesse et votre discernement me désole.

Lorsque Nicolas leva les yeux vers sa mère, il vit qu'elle le couvait d'un regard à la fois confiant et maternel. Il n'y avait pas dans ses yeux la moindre trace de doute sur sa capacité à gouverner le comté.

— Il m'en coûte de vous faire un tel discours alors que ce voyage vous enchante. Mes craintes ne sont peut-être que des chimères, mais la vérité est que, malgré tout mon bon sens, je me défie d'une certaine personne… Qui ne cesse de se trouver partout, et surtout auprès de père. Vous devinez de qui je veux parler…

Marguerite hocha la tête. Subitement, les confidences de Nicolas venaient d'alléger ses tourments. Elle éprouva un tel réconfort, après s'être sentie fautive, qu'elle se laissa aller à étreindre son fils.

— Je vous savais déjà l'esprit plein de finesse, Nicolas, mais aujourd'hui, votre lucidité vous honore, dit-elle en se détachant de lui. Cependant, je n'ai pas de conseils à vous prodiguer. Votre père est un homme bon, qu'un sentiment de responsabilité exacerbé peut toutefois égarer. Si cela arrivait, votre vigilance ne pourrait pas nuire.

— Je répugne à l'idée de surveiller mon père, dit Nicolas en baissant la voix, avant d'ajouter : Et ma tante…

Marguerite comprenait. Pour Nicolas, son père était un gentilhomme sans faille, et même s'il était désormais comte de Montcerf, l'image de Xavier n'avait pas terni à ses yeux d'enfant.

— Cela va de soi. De plus, le devoir du comte de Montcerf s'étend à toute la famille, sans exception.

Nicolas ne répondit pas, mais opina gravement de la tête. Il prit congé de sa mère sans effusion, mais Marguerite eut alors l'impression qu'il souffrirait de son absence davantage que les autres membres de sa famille. Après son départ, elle réussit à terminer ses bagages. Elle y glissa quelques lettres de la correspondance de sa mère, certaines venant du prince de Condé et d'autres de la sœur de ce dernier, Anne de Bourbon. Ces missives, témoins du passé de Madeleine de Saint-Loup, lui paraissaient avoir leur place dans ses affaires. Après tout, c'était cela qui avait provoqué son désir de partir. Or, la veille de son voyage vers Paris, Marguerite était loin de soupçonner jusqu'où ces écrits l'entraîneraient.

9

Pèlerinage

En entendant la porte grincer, Marguerite sentit son cœur bondir dans sa poitrine. Elle n'avait plus aucune raison d'espérer la visite de son mari, d'autant que les deux nuits précédentes il avait boudé sa chambre. Mais, au moment de son départ, un élan de tendresse l'amena à souhaiter une réconciliation miraculeuse avec Xavier. Elle tourna sur elle-même en retenant son souffle.

— Bonjour, dit Lutisse. Tout est prêt pour le grand voyage ?

Marguerite baissa rapidement les yeux et, pour se donner une contenance, désigna les deux malles à ses pieds.

— Tout y est. Il ne reste plus qu'à les porter à la diligence.

— Alors, vous partez, constata Lutisse avec un air si serein que Marguerite faillit s'étouffer. Je voulais vous faire mes adieux. Après les bontés que vous avez eues à mon endroit, c'est la moindre des choses.

Il y eut un silence, pendant lequel Marguerite se surprit à se demander si sa belle-sœur était sincère.

— Vous savez, lorsque j'ai appris votre projet, j'ai été étonnée. Puis, cela m'a causé du souci.

— Du souci ? répéta Marguerite, incrédule.

— J'ai craint d'être la cause de votre départ. Je sais… c'est ridicule, exprima-t-elle en s'approchant de Marguerite, les mains tendues. Mais pour un peu… Enfin, n'ai-je pas bouleversé vos vies en arrivant ici ?

Le talent d'actrice de Lutisse stupéfiait Marguerite. Décontenancée par son habileté à feindre les bons sentiments, elle se livra, sans résistance, à une accolade. Les domestiques se présentèrent par la suite pour quérir ses bagages. Marguerite retrouva son aplomb. Il n'était pas question de donner à Lutisse la satisfaction de croire qu'elle quittait Montcerf à cause d'elle.

— À mon tour d'être surprise, déclara-t-elle. Si j'avais su que mes projets vous causaient ces tourments, croyez bien que je vous aurais expliqué plus avant mes desseins. Pardonnez ma franchise, blâmez l'imminence de mon départ, mais je ne vous croyais pas capable de tant de vulnérabilité !

« Tu veux jouer la comédie ? Jouons, alors ! » pensa Marguerite en décochant cette flèche unique mais ô combien savoureuse !

Lutisse accusa le coup et rétorqua rapidement :

— Heureusement, Élisabeth a eu l'obligeance de mettre fin à mes doutes. Selon elle, il y a certaines questions auxquelles vous vous devez de trouver des réponses. Elle fit une pause avant d'ajouter, à mi-voix : Quelque chose qui concerne votre mère, Madeleine de Saint-Loup.

Marguerite tressaillit en entendant Lutisse prononcer le nom de sa mère. « Impossible ! Élisabeth n'aurait jamais… Sauf si sa motivation était d'apaiser la culpabilité de Lutisse. » Sa fille était toujours prête à voler au secours des plus fragiles.

— J'espère que je ne vous vexe pas. Je vous assure que ce n'était pas mon intention.

— Non, non, il n'y a pas d'offense. Élisabeth a dit juste. Ma mère, hélas, a trépassé lorsque je n'étais qu'une enfant. Elle possédait un tempérament fougueux et avait une grande volonté d'indépendance. Alors, on peut dire qu'elle m'a insufflé l'idée de ce voyage.

— C'est une sorte de quête ? renchérit Lutisse.

— On pourrait dire cela, répondit Marguerite, volontairement énigmatique.

— Hum. La vie et la mort de nos parents dictent nos pas beaucoup plus que nous ne sommes prêts à le croire. Ma mère est décédée lorsque j'étais très jeune, et peu de temps après mon père a été emporté, dans les circonstances ignobles que vous connaissez, dit-elle gravement.

Marguerite aurait voulu éviter que la conversation prît cette tournure intime. Au cours de leur mariage, Xavier n'avait effleuré le sujet du meurtre de son père qu'à quelques reprises, et toujours avec une douleur poignante. En conséquence, les confidences spontanées de Lutisse la troublaient, non seulement à cause du tabou entourant son propos, mais aussi parce que leur relation n'était pas au mieux. Se sentant l'obligation de faire un geste, de dire un mot, Marguerite posa la main sur l'épaule de Lutisse. À son désespoir, celle-ci vit cela comme un encouragement et reprit de plus belle.

— Pendant des années, j'ai voulu trouver un sens à sa mort. Non, c'est faux, dit-elle en secouant la tête.

Puis, une fois qu'elle eut clarifié ses pensées, elle poursuivit :

— Je n'en ai jamais voulu à Dieu. Ce n'est pas à nous de décider du moment où le Seigneur nous rappelle à lui. Le trépas de mon père, aussi horrible qu'il fut, m'obsédait moins que son aspect aberrant. J'aurais voulu qu'il ne soit pas mort en vain.

En prononçant ces derniers mots, Lutisse dévisagea Marguerite avec intensité, comme si elle espérait que celle-ci en tirât une sorte de révélation ou de réponse. Perplexe, Marguerite soutint son regard, incapable de dire quoi que ce soit.

— Je ne voulais pas vous incommoder avec mes réflexions, confia Lutisse. Je souhaite simplement vous épargner la quête stérile du grand mystère du décès de nos parents. Votre mère… Ne cherchez pas trop à comprendre. Nous sommes du royaume des vivants, et l'abîme de la mort est beaucoup plus profond que ce que nous pouvons en distinguer là où nous sommes.

Sur ces paroles, Lutisse quitta la pièce. Marguerite mit quelques instants à se ressaisir. La diligence pour Paris l'attendait dans la cour, et elle n'avait ni le temps ni l'inclination de songer à l'étrangeté des propos de sa belle-sœur. D'ailleurs, bientôt, Lutisse serait derrière elle, loin derrière elle.

❦

Marguerite ne se rappelait pas la dernière fois où elle avait eu autant de temps pour elle-même. Évidemment, le voyage en diligence n'était pas de tout confort, si bien qu'elle lisait très peu. En fait, les soubresauts causés par la route lui valaient un seul divertissement, celui de la contemplation du paysage.

La diligence finit par quitter l'Auvergne, ses pâturages et la majestueuse chaîne des Puys. L'impatience de Margot de gagner Paris commença alors à se faire sentir. Pour la première fois depuis une éternité, elle s'autorisa à songer à la foule de badauds déambulant sur le pont Neuf, aux bateleurs et aux colporteurs envahissant la foire Saint-Germain, aux embarcations sillonnant les abords de la Seine. On racontait que la place Royale n'avait plus son lustre d'antan mais que les rues de Paris étaient claires comme le jour à la tombée de la nuit, et aussi qu'on avait érigé des hôtels sur le Pré-aux-Clercs et que les bourgeois comme les nobles se pressaient au faubourg Saint-Honoré pour déguster une tasse de chocolat, ce nouveau breuvage à la mode. Il lui tardait de découvrir tous ces changements. À la fin du voyage, elle meubla ses journées en se réfugiant dans ses souvenirs. Des mémoires profondément enfouies surgissaient spontanément. Bribes d'une enfance peuplée par la joyeuseté de Claudine mais aussi par la langueur de sa mère, dans le cadre rustique de Mirmille, qui s'égayait à chaque passage de son père. À cette époque, Margot aimait la Champagne et la vie rurale. Elle chérissait l'arrivée de l'été, qui annonçait les escapades avec ses cousins, ainsi que la fête de Noël, où elle était entourée d'Annette et de Charles-Antoine. C'est en parcourant les lettres de Madeleine, emplies de blâmes et de nostalgie, que Margot avait eu une révélation d'importance : son animosité envers la campagne lui venait de sa mère. À quel âge exactement avait-elle fait sien le ressentiment qu'entretenait Madeleine contre la baronnie de Mirmille ? Elle l'ignorait. Toutefois, elle se souvenait qu'après la mort de sa mère elle avait naturellement embrassé ce sentiment d'animosité, ajoutant la perte de sa mère à la liste des reproches déjà existants. Margot se souvenait que lorsque les beaux jours arrivaient, elle faisait des cauchemars à l'idée des mois qu'elle devrait passer à Mirmille. Au contraire, leur hôtel dans le Marais était pour elle synonyme de bonheur. Alain l'avait acquis un peu avant la mort de Madeleine, mais sa mère n'avait jamais eu la chance d'y habiter. Dans une de ses lettres, Anne de Bourbon en faisait mention. Margot ne pouvait la relire sans ressentir un serrement au cœur.

> *Ma chère amie,*
>
> *Vous me confiez les espérances que vous nourrissez de revenir à Paris et de résider en cet hôtel du Marais que votre mari a reçu de l'Italien. Hélas ! Je sais quelle hâte vous aviez de nous rejoindre, et c'est avec beaucoup d'amertume que je vous informe que plusieurs jours de voyage me séparent désormais de Paris. Vous n'ignorez pas que mes frères et mon mari ont été jetés en prison. La princesse de Condé elle-même est sous bonne garde à Chantilly. Pour moi, la seule issue reste la province, où je compte rallier les troupes et nos amis. Si je prends le risque de vous écrire, c'est pour vous implorer de demeurer en Champagne. La capitale est une fosse aux serpents où chacun est prêt à trahir chacun. Pis, mensonges et calomnies accablent mes frères, mon mari et moi-même, ainsi que tous ceux qui se disent nos amis. Je vous sais fidèle, mais je crains que d'ouïr pareilles ignominies vous mortifie. Dans votre hâte de regagner Paris, vous risquez bien des déconvenues. Un jour prochain, si Dieu nous entend, la reine chassera Mazarin et rendra la liberté à mes frères. Alors, nous serons de nouveau réunies. Malgré la distance qui nous sépare, je pense à vous et à votre fils, qui a eu le bonheur de voir le jour. Bientôt, j'espère le bercer contre mon cœur.*
>
> *Votre amie et votre sœur,*
>
> *Anne*

Margot rangea le pli dans ses bagages et ferma les yeux. Combien d'années sa mère avait-elle espéré, en vain, revoir Paris ? Or, Madeleine de Collibret n'avait jamais revu les murs de la capitale. Cette pensée tragique troublait Margot à plus d'un égard. Elle-même avait, comme sa mère, quitté Paris pour se marier et avoir des enfants. Trois enfants. Mais, contrairement à elle, Margot reverrait Paris. À l'instar de Madeleine, elle avait passé sa jeunesse dans le Marais, fréquentant ses salons, ce lieu de mondanités. Et bien qu'elle fût loin de ressentir l'accablement de sa mère, Margot avait l'étrange sentiment que son voyage scellerait une sorte de testament légué par sa mère.

ᴄᴏ

Claudine s'allongea sur le divan tout en agitant frénétiquement sa main devant son visage. Les domestiques lancèrent un coup d'œil à Margot, qui leur répondit par un hochement de tête propre à apaiser leurs craintes. Rassurés quant à l'état de leur maîtresse, ils se retirèrent en silence. Margot avait un demi-sourire amusé lorsqu'elle tendit un verre d'eau à sa sœur.

— Si j'avais su que mon arrivée te ferait pâmer de la sorte…

— Ma sœur, chez moi ! répéta pour la énième fois Claudine. Elle saisit le breuvage que lui offrait Margot.

— Tu aurais pu annoncer ta visite, lui reprocha Claudine après s'être désaltérée.

— Je pensais que tu aimais les surprises. En outre, quand bien même je l'aurais voulu, je n'aurais pas eu le loisir de le faire.

Claudine lança un regard intrigué à son aînée.

— J'avais pris ma décision et je ne pouvais attendre beaucoup plus longtemps, expliqua Margot. Sincèrement, Claudine, si ma présence vous contrarie, ton mari et toi…

— Non, non, voyons ! objecta cette dernière. C'est un réel plaisir de te recevoir chez nous, au contraire. Seulement, si j'avais su, je me serais préparée pour te recevoir avec plus de faste. Notre hôtel est dans un de ces états !

Un coup d'œil rapide suffit à convaincre Margot que Claudine exagérait grandement ses embarras domestiques.

— Je vais demander qu'on te prépare des appartements convenables. Mes servantes sont quelque peu empotées, il va falloir que tu sois indulgente. Oh ! Margot, je ne t'ai même pas invitée à t'asseoir !

Claudine ramena ses jambes vers elle et désigna la place à ses côtés.

— Je suis heureuse de te revoir, chère sœur, exprima Margot en enlaçant sa cadette.

Elle sentit le petit nez de Claudine sur son cou tandis que celle-ci répondait à son étreinte avec une fougue à peine contenue.

— Tu m'as tant manqué, murmura Claudine.

Lorsque Margot s'écarta de sa sœur, elle eut une bouffée d'émotion. Les yeux noisette, les joues roses, les boucles blondes et surtout le parfum de fleur qui émanait d'elle… Claudine était là, sous ses yeux, et c'était elle, maintenant, qui ne parvenait pas à y croire !

— Tu as à peine changé, fit remarquer Margot.

Claudine sourit, de ce sourire candide qui creusait des fossettes dans ses joues, le même qui faisait le charme d'Élisabeth.

— Henriette est-elle là ? demanda Margot avec un soudain transport de joie. Il y a si longtemps, je doute que je la reconnaîtrai.

La dernière fois qu'elle avait vu sa nièce, celle-ci n'était encore qu'un bébé. C'était lors de son passage à Paris, durant la maladie de son amie Geneviève. Déjà à cette époque, Claudine avait perdu la coutume de passer l'été à Montcerf.

— Je vais la faire chercher. Elle sera enthousiasmée par ta visite. Reste ici et sers-toi quelque chose à boire, je reviens.

Margot regarda Claudine s'éloigner dans un frou-frou d'étoffe pervenche. Margot avait peine à croire qu'elles ne s'étaient pas vues depuis plus de dix ans, même si elles échangeaient des lettres avec assiduité depuis des années. Claudine lui avait écrit maintes et maintes fois que sa vie parisienne lui laissait bien peu de répit, et que l'Auvergne était si loin ! Mais elle-même, que lui était-il arrivé durant les dix années précédentes pour que jamais elle ne soit venue visiter sa sœur ?

∽

Sous les yeux amusés de Margot, la jeune fille, qui compterait bientôt onze printemps, se dandinait joyeusement sur un air de branle[2]. Ses boucles blondes bondissaient candidement sur ses épaules. Pour toute parure, sa grâce juvénile se contentait d'un ruban de dentelle noué à son cou.

— Vous dansez mieux que votre mère à votre âge, commenta Margot en lançant un regard espiègle à sa sœur.

Claudine fit la moue. Encouragée par les flatteries et l'attention qu'on lui prodiguait, la demoiselle virevolta sur elle-même en soulevant ses jupes.

— Voyons, Henriette ! intervint Claudine, choquée par les manières de sa fille.

Henriette pouffa et, d'audace, agita son jupon de plus belle. Margot pinçait ses lèvres pour ne pas rire, sous les coups d'œil scrutateurs de Claudine, qui lui interdisait de prendre parti pour la jeune fille.

— Voyons, Claudine, plaida Margot.

— Je t'en prie, ne l'encourage pas ! Henriette, cesse de te conduire de la sorte, ce n'est pas digne d'une demoiselle !

Le sourire d'Henriette s'envola tout net. Elle tenta de freiner son élan, mais perdit l'équilibre et se retrouva sur le sol.

— Oh, fit-elle. Maman…

— Voilà qui te montrera à jouer les baladins, semonça Claudine. Je pense que ta tante n'est pas près d'oublier ton spectacle !

Margot tendit la main à sa nièce pour l'aider à se relever.

— Ce soir, je pourrais encore danser pour vous. Cela vous agréerait-il ? suggéra Henriette, que les reproches de sa mère ne démontaient guère.

— Cela me plairait grandement, répondit Margot, conquise par le charme de l'enfant.

— Allons, Henriette, laisse-nous maintenant.

Lorsqu'elle fut sortie, Claudine poussa un soupir à fendre l'âme.

---

2. Danse ancienne.

— Elle me désespère ! Je tenais tant à lui épargner les rigueurs du couvent, mais aujourd'hui, je ne suis plus sûre que c'était une bonne idée.

— Que dis-tu ? Henriette est charmante. Un peu indisciplinée peut-être, mais après tout, c'est ta fille, ironisa Margot.

Claudine baissa la tête en empruntant cet air buté qu'elle avait, enfant, lorsque quelque chose la contrariait.

— C'est l'âge, Claudine. Tu ne devrais pas t'en faire pour si peu.

— Je doute qu'Élisabeth se soit jamais montrée aussi irrespectueuse, maugréa Claudine.

Soudain, Margot comprit d'où provenait l'humeur fâcheuse de sa sœur. De toute évidence, la disposition d'Henriette pour la danse flattait son orgueil, et cette petite séance de danse improvisée visait à l'impressionner. Déçue par l'attitude infantile de sa fille, Claudine n'avait pas mesuré sa réaction.

— Tu es injuste. Comparer Élisabeth à ta fille ! Elles n'ont pas du tout le même tempérament, fit remarquer Margot.

— Henriette n'a aucune patience pour la musique, se désola Claudine. J'aurais aimé lui apprendre à jouer du luth, comme tu l'as fait pour Élisabeth.

— Soit, Élisabeth a toujours été une enfant obéissante, docile même. Quant à son intérêt pour la musique, je n'y suis pour rien, vraiment. En outre, je crois que cela te revient.

Cette dernière remarque attendrit Claudine.

— En vieillissant, Élisabeth est devenue plus secrète. Elle craint trop de me décevoir pour être tout à fait sincère avec moi.

Ces derniers mots s'étaient échappés de ses lèvres dans un élan de spontanéité déconcertant. Claudine la dévisagea, muette de surprise. Toutefois, des deux, c'est Margot qui était la plus troublée.

— J'aurais dû me montrer plus douce, moins exigeante. J'étais surtout soucieuse de faire de ma fille et de mon fils des enfants modèles, irréprochables. Mais je ne crois pas m'abuser en disant que c'est Élisabeth qui en a le plus souffert.

— Tu as épousé un comte, tu ne pouvais pas te soustraire à certaines convenances, plaida Claudine avec empathie.

L'ombre d'un sourire passa sur les lèvres de Margot.

— Si, j'aurais pu. Xavier n'a jamais attendu de moi autant de rigueur envers nos enfants. Ce que j'ai fait, je l'ai fait de mon plein gré. Cependant, tu peux me croire, si c'était à refaire, j'agirais différemment.

— Margot, mais que vas-tu inventer ? Tu n'as rien à te reprocher, tu es une mère admirable.

« Si tu savais, ma chère Claudine, songea Margot. Pendant des années, j'ai traîné le poids de mon passé. Je voulais que personne ne pût dire que ma fille était l'enfant d'une courtisane. Je voulais qu'elle soit irréprochable, parfaite, pour qu'ainsi elle me lavât de la honte que je ressentais. »

Claudine affichait un visage défait. Sans le vouloir, elle avait ouvert la porte d'une armoire où Margot entassait depuis quelque temps regrets et amertume. Depuis l'enfance, Margot avait été le modèle de Claudine. Elle décida que le temps était venu de confronter cet idéal à la réalité.

— Xavier et moi, nous nous sommes disputés au sujet d'Élisabeth. Lorsque j'ai quitté Montcerf, plusieurs jours s'étaient écoulés sans que nous ayons échangé un regard. Il s'est engagé à promettre sa main au fils d'un seigneur voisin, pour gagner son amitié. Sans me consulter, sans même m'en souffler mot. C'est Lutisse, la sœur de Xavier, qui me l'a appris. Claudine, je suis sortie de mes gonds. J'étais en furie. Il fallait que je parte. Je ne pouvais pas croire qu'il puisse seulement envisager de prendre une telle décision sans mon concours. Bien sûr, il a tenté de se justifier, il m'a dit que ce n'était qu'une feinte, qu'il voulait retirer la proposition une fois ses desseins accomplis. Peu importe ! J'étais offusquée, parce que je n'ai jamais voulu que ma fille se marie dans de telles circonstances. Je sais que toi, tu l'as vécu, et que cela n'a pas été aisé.

— Je comprends que tu lui en veuilles, opina Claudine en lui tendant la main.

— J'ai réagi promptement, sans réfléchir, parce que j'étais heurtée. Or, ce qui me préoccupe surtout, c'est que je ne suis pas certaine de savoir ce qu'Élisabeth, ma fille, souhaite véritablement. Qu'importe que moi et Xavier ayons un différend ! C'est mon orgueil qui a été blessé. Alors que ma fille... Vois-tu, je pense la connaître, mais, au-delà de l'influence que j'exerce sur elle, je ne suis pas sûre de savoir ce qu'elle désire.

Margot se tut. La perspective que sa fille s'éloignât d'elle, non physiquement, comme lorsqu'elle-même s'était enfuie, mais mue par une quête de liberté, lui était douloureuse ; néanmoins, elle l'envisageait avec lucidité. Déjà, Élisabeth ne se confiait-elle pas naturellement à Lutisse ? Or, il était difficile de présumer de l'ascendant qu'une telle femme pouvait avoir sur elle. Désarçonnée par ces aveux, Claudine lança sur un ton exagérément joyeux :

— Que dirais-tu d'un peu de distraction ? Non, ce n'est pas la peine de me répondre. Viens, nous allons te choisir une mise pour le salon de Ninon.

⁓

La vie parisienne se comparait aisément au torrent qui coulait en lisière des sommets auvergnats. Elle était tumultueuse. Claudine naviguait dans ces courants agités comme une authentique citadine ; si Margot parvenait à la suivre, elle n'en déplorait pas moins son rythme effréné.

— Veux-tu toujours aller au théâtre demain ? demanda Claudine à Margot, qui s'était déchaussée avec bonheur et sirotait une liqueur.

— Nous verrons... Je profiterais plutôt de la matinée pour aller faire un tour dans le Marais.

— Ne préférais-tu pas attendre la réponse de Ninon ?

— Si fait, mais j'ai d'autres raisons qui me poussent à m'y rendre, expliqua Margot. T'arrive-t-il parfois de passer devant notre hôtel ?

Claudine hésita avant de lancer :

— L'hôtel de notre père ?

Margot devinait ce qui occupait l'esprit de Claudine : d'où provenait cette nostalgie qui accablait sa sœur, elle pourtant si rationnelle ?

— Ma foi, il m'arrivait, autrefois, de faire un détour... Mais c'était lors de ma première année à Paris. J'avoue ne pas y être allée depuis fort longtemps.

Si elle avait eu de nombreux moments seule à seule avec sa cadette, Margot n'était pas parvenue à aborder le principal motif de son voyage, les lettres que leur père lui avait remises à sa mort. Elle ne pouvait prédire la réaction de Claudine et ignorait si ces souvenirs auraient pour elle la même portée. Cependant, elle considérait comme son devoir de lui en faire part.

— Si tu souhaites t'y rendre, Margot, je veux bien t'accompagner.

— Claudine, je dois te faire un aveu. À sa mort, père a donné un certain nombre de lettres à Élisabeth, pour qu'elle me les remette. Elles appartenaient à notre mère... Ces lettres sont issues d'une correspondance qu'elle entretenait depuis sa jeunesse.

Margot fit une pause. Subitement, elle se rendit compte qu'elle ne pouvait pas dire à quand remontait la dernière discussion qu'elle avait eue avec Claudine au sujet de leur mère. Cela précédait vraisemblablement l'arrestation de leur père.

— Je ne les ai pas toutes apportées avec moi, mais si tu veux les lire...

— Toi, les as-tu lues ? demanda Claudine.

— C'est un peu pour cela que je fais ce voyage, confirma-t-elle.

Un éclat de curiosité illumina les yeux noisette de Claudine. Devait-elle révéler à sa sœur les découvertes qu'elle-même avait faites ?

— Ce sont des lettres de notre père ?

— Certaines, oui. D'autres proviennent de ses amis, et il y en a même de notre tante.

— Annette ! s'étonna-t-elle. Pourquoi père te les a-t-il remises, selon toi ?

Margot réfléchit avant de répondre. Jusqu'à présent, elle n'avait pas repensé aux paroles qu'Élisabeth lui avait rapportées. En lui remettant les lettres et le loquet en argent, qui de toute évidence avait appartenu à Madeleine, Alain avait dit à sa petite-fille « qu'il devait à sa fille la vérité à son sujet ». Or, cela pouvait avoir maintes significations. D'ailleurs, Élisabeth lui avait dit que son grand-père était très souffrant… « Souffrait-il au point de délirer ? » se demanda-t-elle. Margot secoua la tête : « Non, ce n'était pas les agissements d'un homme sénile. »

— Margot, murmura Claudine, qui redoutait le silence de son aînée.

— Je peux me tromper… Mais ce doit être lié aux amitiés qu'elle a entretenues avec les princes pendant la Fronde. Avec le prince de Condé, particulièrement.

L'idée ne mit pas longtemps avant de faire son chemin dans l'esprit de Claudine.

— Ils auraient été amants ! Pendant la Fronde ? Cela voudrait dire… Oh !

Margot sentit soudain un accablement la gagner. Elle aurait pu blâmer la personnalité romanesque de Claudine, mais alors elle se serait menti à elle-même. Car dès l'instant où elle avait posé les yeux sur le billet doux signé par Louis de Bourbon-Condé, elle avait su, avec une fabuleuse certitude, que sa mère avait été adultère.

10

Intrigues à Montcerf

La petite gigotait en tétant goulûment le sein de sa nourrice. Avant de demeurer à Montcerf, Aude n'avait été en contact avec des bambins qu'en de très rares occasions. Et elle n'avait jamais côtoyé un bébé d'aussi près. À Paris, on envoyait les poupons en nourrice dans les campagnes, là où l'air était le meilleur, pour qu'ils forcissent. Anne-Marie se tenait désormais solidement sur ses jambes, mais la jeune comtesse continuait à s'extasier sur la délicatesse de ses petits membres. La bouche rosée lâcha soudainement le téton et poussa un grognement comique.

— Cette enfant tient son tempérament des Razès, pour sûr ! Voyez comme elle est obstinée, commenta la nourrice en présentant le sein à l'enfant. Là, là…

Aude sourit béatement. Bientôt, elle aussi aurait un nourrisson à cajoler. Cela ne devrait plus tarder, à présent… Si la providence se décidait à donner un fruit à ses amours avec Nicolas, elle serait grosse à la Noël.

— Du père comme de la mère, Anne-Marie a de qui tenir, opina la comtesse en effleurant la joue rebondie de l'enfançon.

Jeannette, la nourrice, risqua un petit rire, rapidement étouffé. Aude savait qu'elle ne devait pas entretenir de liens aussi familiers avec les domestiques et les villageois. Néanmoins, cela lui venait si spontanément et lui apportait tant d'agrément qu'elle s'oubliait très souvent.

— Bientôt, elle sera sevrée, souligna la jeune nourrice avec tendresse.

Aude ignorait l'âge exact de Jeannette ; elle devait avoir dans les vingt ans. Mère d'un garçon de deux ans, bien portante, elle serait la nourrice idéale pour son premier-né. De plus, elle connaissait déjà les usages de la maisonnée.

— Cela vous désole-t-il ?

— Bah, il faut bien qu'ils grandissent, les poupons ! Madame la comtesse, euh, l'ancienne comtesse a été bien bonne et généreuse avec moi. Mais je ne serai pas en peine de retourner vivre chez moi. Ce château... Ce n'est pas que je n'apprécie pas mes logis, loin de là. Mazette ! On m'avait avertie... Mais il ne faut pas être craintif pour y passer des nuits.

Sous le regard intrigué de la comtesse de Montcerf, Jeannette rougit.

— L'endroit vous effraie-t-il ?

— Bien... Oui, un peu. Vous savez ce qu'on raconte.

Piquée de curiosité, Aude s'avança sur le bout de son fauteuil.

— J'avoue que l'on ne m'a jamais rien raconté... À moins que vous ne parliez du fantôme de la comtesse Adélaïde ? lança-t-elle, se souvenant tout à coup de ce qu'elle avait vu la nuit précédant ses noces.

Les épaules de Jeannette tremblèrent comme un fanion par un jour de grand vent.

— Je n'y croyais pas, au début, madame. Mais je l'ai vu, de mes yeux vu ! L'apparition toute de blanc vêtue, le fantôme de la malheureuse !

Pleins de perplexité, les yeux verts de la petite Anne-Marie se tournèrent vers le visage de la nourrice.

— Quand était-ce ?

— La première fois, je me trouvais dans le couloir, près de la chambre de la comtesse. Il était tard et j'allais me retirer pour la nuit. Ce soir-là, j'ai pu m'abuser, croire à quelque chose qui n'était pas là. Mais pas la deuxième fois ! C'était juste après que le comte et les seigneurs furent allés pourfendre les hors-la-loi. Je m'étais assoupie dans la chambre de la petite. Quand je me suis réveillée, il faisait nuit noire. J'ai allumé un bougeoir pour regagner mes appartements et emprunté le couloir, le même couloir. Tout à coup, la flamme de ma chandelle s'est éteinte, sans qu'il y ait l'ombre d'une brise. C'est à ce moment que j'ai vu la silhouette de la malheureuse comtesse apparaître devant moi. Je l'ai vue comme je vous vois. J'ai imploré la Vierge de me venir en aide, termina Jeannette, le souffle coupé par l'émotion.

— Qu'est-il arrivé ?

— La forme blanche a disparu ! L'instant d'après, elle n'était plus là.

— Incroyable, murmura Aude. Vous l'avez vu se dissiper dans l'air ?

— Nenni. C'est plutôt comme si elle était entrée dans le mur.

La nourrice déposa l'enfant repue. La petite attrapa sa poupée et se mit à courir.

— Je crois qu'elle habite les pierres du château pendant le jour, confia la nourrice avec une voix d'outre-tombe. Elle attend la nuit pour se promener dans la demeure, où elle est captive.

— Vous pensez qu'elle est prisonnière ?

— Dame ! Pourquoi, sinon, resterait-elle dans ce lieu qu'elle détestait tant ? Depuis cette nuit-là, je ne mets les pieds ici qu'avec ma médaille bénite par le roi, confia la jeune femme en montrant à Aude l'effigie de la Vierge suspendue à une cordelette à son cou.

Aude hocha respectueusement la tête. Les porte-bonheur, amulettes et autres talismans auxquels on attribuait le pouvoir d'éloigner les mauvais esprits et de protéger du mauvais sort n'étaient pas rares. Mais une relique touchée par la main du roi était certes plus efficace.

— En avez-vous parlé à Mme de Razès ? demanda la comtesse.

— Oh non, je n'aurais pas osé. D'ailleurs, on m'a dit, hésita la nourrice, qu'elle ne croyait pas à toutes ces choses. Elle n'est pas d'ici…

— Moi non plus, répliqua Aude sans réfléchir.

L'Auvergnate détourna les yeux, confuse.

— Je ne voulais pas vous offusquer, madame la comtesse. Par ici, nous avons nos coutumes, nos légendes, que les gens de Paris ne comprennent pas bien.

— Il n'y a pas de mal, Jeannette, la rassura Aude.

— Je vais conduire la petite dans la cour, annonça la nourrice en se levant. Soyez prudente si vous vous promenez la nuit, madame.

Tandis qu'elle s'éloignait, Aude la suivit du regard en essayant de se représenter l'image que la nourrice avait d'elle. Que pensait Jeannette de sa nouvelle comtesse ? Et les villageois, l'imaginaient-ils, à l'instar de Marguerite, comme une citadine émancipée ? Elle ne pouvait pas blâmer Jeannette. Il lui faudrait du temps pour se faire à la vie à Montcerf. Adélaïde de Razès, elle, n'y était jamais parvenue.

« Et moi qui croyais avoir imaginé ce fantôme, songea la comtesse. C'est intrigant. Si seulement je connaissais la vérité sur cette Adélaïde de Razès. »

L'idée qu'une comtesse, la grand-mère de son époux, ait souffert en ces lieux où elle était si heureuse piquait sa curiosité. Elle savait que Nicolas connaissait bien peu l'histoire de sa grand-mère. Quant à Xavier, il n'en parlait presque jamais. Interroger les domestiques eût probablement été instructif, mais Aude ne pouvait se résoudre à une telle inconvenance. Assurément, la tante de Nicolas serait la mieux placée pour la renseigner. Elle se remémora la lueur dans le regard perçant de Lutisse lorsqu'elle l'avait rencontrée dans la clairière ; cette femme était perspicace et beaucoup plus rusée qu'il n'y paraissait. Mais Aude ne tenait pas à lui expliquer son intérêt subit pour Adélaïde de Razès. Toutefois, sans doute quelqu'un risquant moins de la compromettre pourrait-il l'éclairer...

« Le chevalier de Cailhaut ! » pensa-t-elle tout à coup.

De père en fils, les Cailhaut étaient rattachés au service des comtes de Razès. Mais le chevalier, ayant quelques années de plus que Xavier, était un témoin de premier ordre. C'était un homme amène et, d'après ce qu'Aude avait pu juger les quelques fois où elle l'avait rencontré, il ne se ferait pas prier pour raconter les histoires de son pays.

❧

La vieille servante se courba si bas qu'Aude crut qu'elle allait se fendre en deux. Ce n'était pas la première fois qu'on la traitait avec une telle déférence à l'extérieur du château, et cela l'incommodait profondément.

— C'est bien rare que nous ayons le plaisir de recevoir une aussi charmante personne ! s'exclama joyeusement le chevalier de Cailhaut.

— Monsieur le chevalier, j'espère ne pas vous importuner. Je passais par là et j'ai pensé venir vous exprimer ma gratitude pour le présent que vous nous avez offert, à mon mari et à moi.

— Vous êtes venue seule ? demanda-t-il, étonné.

Aude opina du chef alors qu'il s'approchait, le sol vibrant sous les talons de ses bottes à panier. Le chevalier comptait aisément deux têtes de plus qu'elle. Sa chevelure blonde et abondante, à faire rougir les perruquiers de Paris, tombait en cascade jusqu'à ses épaules puissantes. Tout chez lui était large, jusqu'à son sourire, qui n'était pas dénué de charme.

— Hé bien ! Entrez, vous êtes la bienvenue chez moi, madame la comtesse.

— C'est très aimable à vous de me recevoir, monsieur le chevalier.

— Appelez-moi Gontran, la pria-t-il tout en la menant vers la pièce centrale du manoir.

Aude prit place sur une chaise qu'on avait recouverte d'un lainage. Il était impossible de ne pas remarquer la fierté qu'éprouvaient les Cailhaut à l'égard de leurs ancêtres ; tout autour, des ornements témoignaient de leur passé glorieux. Il y avait des étendards, un vieux blason, des épées suspendues et, au centre du mur, le portrait d'un aïeul arborant une éclatante cuirasse.

— C'est votre grand-père ? demanda Aude en désignant le tableau.

— Non, mon père. Il servait sous Louis XIII, et sous Richelieu. Il a connu une grande carrière dans les armes, conta le chevalier en bombant le torse. Donc, vous êtes venue afin de me remercier ? Le cadeau vous a-t-il plu ?

— Grandement.

Bien que sa visite fût surtout un prétexte pour interroger le chevalier au sujet de feue la comtesse de Montcerf, Aude ne mentait pas en disant que son présent de mariage l'avait réjouie.

— Croyez bien que j'en suis ravi ! J'ai pensé que cela pourrait vous être agréable, vous qui connaissez si peu l'Auvergne.

— C'est une charmante attention. Nicolas, qui adore les livres, comme vous le savez, a beaucoup de plaisir à m'en faire la lecture.

Le chevalier hocha la tête en souriant, et Aude eut l'impression qu'il se les figurait, lisant l'épopée des comtes d'Auvergne, blottis au coin de l'âtre.

— Je dois dire que j'ai hésité avant de vous l'offrir, et pour cause ! Mon présent tranchait singulièrement avec les bibelots, draperies et autres ornements que vous avez reçus ce jour-là. C'est votre mère qui m'a guidé dans mon choix. Il semble qu'elle vous connaisse bien.

Aude s'étonna légèrement de l'allusion à sa mère. Toutefois, le moment était propice pour relancer le chevalier sur la véritable raison de sa présence.

— Vous-même paraissez bien instruit sur l'histoire de l'Auvergne et de Montcerf, dit-elle en jouant habilement de flatterie.

— Je m'y emploie, admit-il avec bonheur.

— Votre famille a-t-elle toujours habité ce manoir ?

— Depuis que mon grand-père a été nommé chevalier, s'attachant ainsi au comté de Montcerf. À partir de ce jour-là, notre famille est demeurée en Auvergne.

La servante leur apporta du vin clair, du pain et des confitures. Aude prit quelques bouchées pour faire honneur à son hôte.

— Vous ne trouvez pas trop difficile d'être loin de chez vous ? demanda Gontran de Cailhaut.

Aude fit non de la tête.

— Paris ne me manque pas. Ma mère est ici, ainsi que tous ceux que j'aime ; il n'y a rien qui me rattache à mon ancienne vie. J'aspire à devenir une comtesse de Montcerf digne de ce nom, comme celles qui l'ont été avant moi.

— Vous êtes en bonne voie, constata-t-il. Votre mère et vous avez une noblesse qui outrepasse nos frontières et ses gens. Le jour de votre mariage, vous n'avez eu qu'à paraître pour que les invités soient conquis.

L'éloge était fortement exagéré, et Aude éprouva un profond malaise. À l'époque où elle avait été cantatrice à Paris, elle recevait des compliments similaires à foison, murmurés entre deux sourires lascifs. Les hommes venaient se repaître de sa candeur sous le couvert d'un intérêt pour la musique. Elle se demanda soudain si ce tête-à-tête était une bonne idée.

« Calme-toi, il voulait simplement te faire un compliment. C'est tout naturel, tu es sa comtesse », se raisonna-t-elle.

— Madame de Razès, vous sentez-vous bien ? Ai-je dit quelque chose qui vous aurait déplu ?

Aude reprit son sang-froid et fit un geste pour apaiser ses craintes.

— J'ai eu un étourdissement, probablement à cause de la chaleur. Je ne devrais pas m'attarder davantage, on pourrait s'inquiéter de mon absence, dit-elle en déposant sa tasse de vin.

— Bien sûr, je comprends, dit-il, à demi rassuré.

Il se leva et Aude l'imita. Elle regrettait de s'être laissée envahir par ses mauvais souvenirs, alors que le chevalier n'avait eu que des amabilités à son endroit. En outre, son départ précipité la privait d'obtenir des informations concernant la comtesse Adélaïde.

— J'aurais aimé prolonger notre entretien, j'ai rarement le loisir de discuter avec des gens qui ont côtoyé la famille de Razès. Même mon mari…

Aude s'interrompit en entendant arriver la vieille servante. Elle se retourna et sursauta en apercevant la silhouette de sa mère derrière la domestique.

— Mère ?

La première pensée qu'eut Aude fut qu'un malheur était survenu au château. Elle chassa bien vite cette idée : personne ne savait qu'elle était venue rencontrer le chevalier de Cailhaut. Tandis qu'Oksana s'avançait vers elle, certains détails captèrent l'attention d'Aude. D'abord, ses cheveux retombaient en cascade sur ses épaules ; elle ne se rappelait pas la dernière fois qu'elle avait vu sa mère coiffée ainsi. Ensuite, l'expression de surprise sur son visage, qui s'éclipsa derrière une sorte d'apaisement bienheureux.

— Aude, murmura Oksana avec un sourire.

Le chevalier de Cailhaut avait fait trois enjambées et se tenait auprès de sa mère. Aude porta sa main à sa bouche pour étouffer un petit cri de stupéfaction.

~ ∘ ~

Aude était partagée entre la joie et l'irritation. Pouvait-elle vraiment en vouloir à sa mère de lui avoir caché son idylle avec le chevalier ? Elle était consciente que sa réaction était enfantine et se la reprochait. Après tout, Oksana était libre de faire ce qu'elle voulait, elle n'avait pas de comptes à lui rendre.

— J'aurais dû t'en parler plus tôt. La vérité est que j'ai inventé mille prétextes pour ne pas le faire, et aujourd'hui, je le regrette. Je craignais une rebuffade, avoua-t-elle finalement.

Aude sourit et prit la main de sa mère, la forçant à s'arrêter au milieu du sentier qui les menait au château.

— Je ne pourrais être plus heureuse pour toi. Bien sûr, j'aurais souhaité que tu me le dises toi-même… Cela m'aurait épargné mon trouble devant M. de Cailhaut.

— Je suis certaine qu'il comprend, renchérit aussitôt Oksana.

— Il semble très attaché à toi.

La remarque fit rougir Oksana, qui haussa les épaules avec une feinte désinvolture.

— Pour l'heure, il consent à ce que nous nous voyions en secret. Il se prête au jeu comme si c'était un caprice d'amoureuse, mais je sais que, tôt ou tard, sa fierté prendra ombrage de cette mascarade. Alors…

— Tu l'épouseras. Rien n'est plus simple.

Oksana jeta un regard en coin à sa fille, cette incorrigible sentimentale. Si seulement elle avait pu avoir la certitude d'Aude ! Quelle lutte elle avait imposée à Gontran avant d'admettre ce qui, pourtant, crevait les yeux : ses intentions étaient honnêtes et ses sentiments, sincères.

— Nous verrons, nous verrons. Il n'y a pas de presse. En attendant, j'aimerais bien savoir d'où te vient cet intérêt soudain pour la comtesse de Montcerf. Pourquoi toutes ces questions au chevalier ?

Une fois la surprise passée et pour chasser l'inconfort que cela avait suscité, Aude avait relancé le chevalier sur l'histoire de la famille de Razès. Rapidement, elle avait orienté la conversation vers la personne d'Adélaïde de Razès, en se gardant bien de mentionner, toutefois, la légende qui courait au sujet de son fantôme.

— La pauvre me fait pitié. Quand on sait à quel point elle a été malheureuse ! répondit Aude en lançant à sa mère un regard à la dérobée.

Il était difficile pour Aude de savoir si Oksana acceptait son explication.

— Hum. Les alliances familiales sont rarement un gage de bonheur, et l'histoire d'Adélaïde de Razès n'est guère pire que toutes celles que j'ai déjà entendues.

— C'est vrai, admit-elle. Cependant, j'ai parfois l'impression… hésita Aude. Enfin, c'est comme si son destin était lié au mien, d'une certaine façon.

— Parce que vous êtes toutes deux comtesses de Razès ? Sinon, quelles similitudes existe-t-il entre vous ? Selon le chevalier de Cailhaut, tu l'as entendu toi-même, elle avait un caractère fort mélancolique. Sa relation avec le comte, son mari, était peu cordiale, distante. La seule joie qu'elle avait était ses enfants et…

— Je sais, l'interrompit Aude. Mais il s'agit d'autre chose. Je crois avoir reçu la visite de son fantôme, le soir précédant la journée de mes noces.

La jeune comtesse ressentit un profond ridicule à confesser son secret. Après tout, avant que la nourrice ne lui raconte ses mésaventures dans le château, elle avait presque oublié son étrange vision. Comme Oksana ne disait mot, Aude poursuivit :

— Tu dois penser que je perds la raison, mais je t'assure que ce n'est pas le cas. D'ailleurs, je ne crois pas que la comtesse Adélaïde, ou son fantôme, me veuille du mal.

— Mais non, je ne pense pas cela du tout. Seulement, ce château est terriblement impressionnant, surtout la nuit, et tu ne serais pas la première future épousée à se tourmenter la veille de son mariage, répondit Oksana avec empathie.

Aude secoua vivement la tête en signe de déni.

— Où l'as-tu aperçue ?

— Par la fenêtre de la chapelle. Aussitôt, je suis sortie pour voir de quoi il s'agissait. Même si c'était la nuit et si je n'y voyais à peu près rien à cause de l'orage, j'ai bien vu qu'il y avait là une forme sombre au visage blafard. Puis, j'ai glissé au sol, et lorsque je me suis relevée, elle avait disparu.

— As-tu discerné son visage ?

Aude réfléchit avant de répondre. Ce soir-là, elle n'avait eu aucun doute sur l'identité de l'apparition spectrale. Cependant, la distance et l'obscurité l'avaient empêchée de distinguer les traits de la personne. Pouvait-elle affirmer avec certitude que c'était une femme ?

— Peut-être que quelqu'un voulait pénétrer dans la chapelle afin d'y commettre un vol ? se hasarda Oksana. Beaucoup de gens savaient qu'une cérémonie s'y déroulerait le lendemain.

— C'est possible, admit Aude à contrecœur. Mais c'était une femme. De cela, je ne démordrai pas.

La perspective que l'esprit de la comtesse Adélaïde de Razès se fût manifesté à elle avait beaucoup plus de charme à ses yeux qu'un simple face-à-face avec un rôdeur nocturne. Elle reconnaissait que son imagination pût avoir un grand rôle dans l'interprétation de cet incident. Toutefois, un élément précis et bien réel l'avait marquée dans cette rencontre : la démarche éthérée de la silhouette. Seule une femme pouvait être à la fois aussi grande et aussi leste.

☙

Élisabeth n'avait jamais eu d'affection particulière pour Clémence Mignerot. Lorsqu'elles étaient enfants, la jeune fille avait l'habitude de traiter les autres gamins du village avec supériorité, un caprice qu'on imputait à la position de son père, le notaire de Montcerf. Contrairement à elle, qui se savait choyée et en concevait un embarras envers les moins bien nantis, Clémence affichait ses parures avec une fierté qui frôlait le ridicule. Avec sa chevelure fauve et son teint de lait, elle était, aux dires de tous, la plus belle fille de la région. Pas étonnant qu'au printemps de l'adolescence, dès les premiers bourgeons, son frère Nicolas en soit tombé amoureux. La rumeur sur leur idylle avait fait le tour du comté, et lorsque Xavier avait compris que les parents de la jeune femme ne feraient rien pour décourager les rencontres clandestines, il avait mis fin à la relation. Quelques jours plus tard, Nicolas s'en portait fort bien, mais Élisabeth soupçonnait que l'ambitieuse jeune femme, qui avait surévalué ses chances de porter le nom de Razès, ne réagît mal. À son retour de Mirmille, elle avait su que la belle avait épousé le brasseur d'un village voisin. Elle ne l'avait donc pas revue. Lorsque Bertille l'informa que la jeune femme était au château et demandait à la voir, la curiosité d'Élisabeth fut piquée au vif.

— A-t-elle mentionné la raison de sa visite ?

Bertille répondit par la négative. À son regard buté, Élisabeth devina qu'elle ne tenait pas la jeune femme en grande estime.

— Mais si vous voulez mon avis, elle a une faveur à vous demander.

Élisabeth pénétra dans le salon, où la jeune femme l'attendait. Aussitôt, Clémence se précipita vers elle les bras ouverts, comme si elles étaient de vieilles amies qui ne s'étaient pas vues depuis des lustres.

— Mademoiselle de Razès ! Comme c'est agréable de vous retrouver !

La mise de Clémence dégageait une sobriété classique, et la qualité des étoffes était indiscutable. Elle était coiffée en hauteur, selon la mode, et des bijoux fantaisistes ornaient sa chevelure luxuriante. Avec un tel faste, Élisabeth ne doutait pas qu'un attelage l'attendît dans la cour.

— Il y a si longtemps ! lui dit Élisabeth en l'invitant à s'asseoir. Les années ne vous ont pas été cruelles. J'ai su que vous aviez eu le bonheur de vous marier !

Clémence sourit, révélant une rangée de petites dents blanches comme des perles. De toute évidence, il ne lui déplaisait pas que la conversation tournât autour d'elle.

— Je suis heureuse, Benoît est un homme respectable. Et très bientôt, je connaîtrai la joie d'être mère.

Élisabeth laissa échapper un rire joyeux. Voilà qui lui avait échappé ! Et pour cause : la robe de Clémence était un modèle à taille ample, qui ménageait suffisamment d'espace pour les inconvénients de la maternité.

— Félicitations ! Quel grand bonheur, en effet !

— Merci, mademoiselle de Razès. Vous avez toujours été si sincère, pleine d'amabilité. Je regrette seulement de ne pas habiter aussi près qu'autrefois. Nous aurions pu alors nous voir plus souvent.

Élisabeth sourit. Apparemment, l'ancienne flamme de son frère avait gardé un bon souvenir de sa personne.

— Vous attendez le bébé pour quand ? s'enquit-elle.

— Il devrait arriver en août, s'il n'est pas trop pressé.

— Oh ! Mais c'est pour bientôt ! Et vous avez fait le voyage jusqu'ici… N'est-ce pas imprudent ?

Clémence leva la main dans un geste impérieux qui rappela à Élisabeth ses anciennes manières.

— Tsss… Je devrais rester allongée ? Allons, c'est insensé ! Pensez-vous qu'aux champs les femmes cessent de travailler lorsqu'elles sont grosses ? Non ! Alors pourquoi devrait-il en être ainsi pour nous ? D'ailleurs, je devais venir vous rencontrer.

— Soit, je vous écoute, répondit Élisabeth, quelque peu refroidie.

— Assoyez-vous près de moi, ici.

Intriguée, Élisabeth obéit sans protester.

— Voilà, je voulais vous demander si vous accepteriez d'être la marraine de mon enfant. Ce serait pour nous un grand honneur.

Il n'était pas rare que des habitants demandassent à leurs seigneurs d'être parrain ou marraine de leurs enfants. Toutefois, comme Élisabeth avait été tour à tour fille et sœur du comte, on ne l'avait jamais sollicitée personnellement. Or, Nicolas pouvait difficilement être le parrain. Dans les circonstances, ce serait délicat. Quant à Aude… Cette dernière n'en entendrait probablement même pas parler. Sans y accorder davantage de réflexion, Élisabeth s'empressa d'accepter.

— Quelle joie pour notre enfant ! Merci, vous êtes trop bonne.

11

Amies et ennemies

Tout était tellement semblable ! Pourtant, les années avaient donné un relief singulier aux objets qui l'entouraient. Elles avaient magnifié la petite demeure de la rue des Tournelles, tout comme elles avaient magnifié le visage de Ninon, auquel le temps avait finalement rendu justice. Margot retira lentement ses gants. Ses doigts frémirent en caressant le bois du clavecin. Il lui sembla entendre la voix de Sabine résonner dans le boudoir :

« La musique est un prétexte pour mettre la grâce féminine en valeur. Rien n'est moins séduisant qu'une musicienne figée derrière cette machine. Je ne vois pas pourquoi tu tiens tant à apprendre à en jouer. »

Margot sourit. Elle était la première surprise de l'émotion qui la gagnait. Furtivement, elle sécha le coin de ses yeux.

— Mes amis te le diront : je t'ai tancée pour ton exil, pour tes lubies de châtelaine repentante, pour ta parcimonieuse amitié…

— Ninon ! objecta Margot à cette accusation, qu'elle jugeait injuste.

La courtisane ricana sans amertume.

— Avec le temps, je me suis lassée de me répéter, admit-elle en exécutant un geste de désinvolture.

— J'ai peine à te croire. Personne n'était moins jaloux que toi en amitié. Comme il serait fâcheux que cela ait changé…

Ninon ébaucha un demi-sourire et prit les mains de son amie dans les siennes.

— Puisque tu es revenue, je me dédis. Laisse-moi seulement espérer que ton séjour sera plus long cette fois-ci.

Celle-ci n'eut pas le courage de décevoir Ninon et rétorqua :

— Si Paris n'est pas trop impitoyable envers moi, je considérerai la possibilité de m'y attarder, répondit-elle avec humour. Tout est si différent de mon souvenir, Ninon ! Mais il est vrai que mon regard a bien changé depuis ma dernière visite...

Ninon prit place sur un fauteuil et l'invita à faire de même. Margot nota que ses gestes étaient plus lents qu'autrefois, bien que sa conversation fût aussi vive.

— Paris a revêtu une autre robe, plus austère, qui sied mieux aux événements et, surtout, qui plaît à l'Église. Le roi boude la ville et se cantonne à Versailles, mais son influence et celle de la cour se font sentir jusque dans le Marais.

La première fois que Margot avait ouï qu'une fièvre de dévotion s'était emparée de la cour, elle était demeurée sceptique. D'aucuns croyaient que c'était une répercussion du retentissant procès de l'affaire des poisons. Qui eût dit qu'un jour viendrait où elle pourrait juger elle-même de cette prétendue ferveur religieuse ?

— Heureusement, mon amie, que vous refusez de suffire aux demandes de ces faux dévots, qui de tout temps se sont fait vos ennemis, affirma Margot avec une admiration sincère.

— Faux ou vrais dévots, je n'ai qu'une certitude : les temps changent et je m'assagis avec l'âge.

— Fi ! Claudine n'a pas cessé de me rebattre les oreilles sur les jeunes hommes qui se pressent ici pour se faire instruire sur la manière de faire l'amour.

La remarque fit sourire la courtisane.

— Ces rumeurs sont joliment exagérées, ma chère amie. La vérité est que mon hôtel ne contrarie personne, pas plus les tartuffes que les autres. Et, autant l'avouer, j'en suis la première ravie.

— Je ne te blâme pas. Mais j'ai peine à concevoir qu'un siècle à défendre ta liberté avec acharnement n'ait pas eu raison de ton enthousiasme.

— Un siècle, répéta Ninon, en dardant sur Margot ses petits yeux noirs pleins de lucidité.

Celle-ci détourna la tête. Il lui plaisait de retrouver son amie d'antan, sa maîtresse, sa protectrice, tout comme il lui plaisait de jauger la profondeur des libertés et des privilèges que lui permettait cette amitié de naguère.

— Ta sœur n'a-t-elle pas justement un fils ? Un jeune gentilhomme qui s'apprête à faire ses premières armes dans le monde ? insinua Ninon avec un regard coquin.

Margot s'empourpra à la simple évocation d'un tête-à-tête intime entre Ninon et son neveu.

— Ninon ! s'écria-t-elle avant d'éclater de rire.

⁓

— Ce n'est pas la première de ces lettres, précisa Margot en tendant le pli à Ninon. Je dois l'avoir laissée à Montcerf.

La courtisane saisit la feuille pliée avec une infinie délicatesse. Margot avait hésité avant de révéler à Ninon l'existence de la correspondance. Cet héritage renfermait une partie de la vie de sa mère et, par respect pour elle, Margot n'avait montré son contenu à personne. Mais bien qu'il lui semblât sacrilège de faire lire une lettre à Ninon, elle ne pouvait imaginer quelqu'un de mieux placé pour en apprécier pleinement la valeur. Margot ressentait plus que jamais l'impérative envie de confier ses réflexions à une amie.

— Leur amitié semble dater de leur jeunesse. Mais de toute évidence, et les lettres d'Anne le confirment, leur liaison était très tendre.

— Hum… fit Ninon. Je ne peux qu'imaginer les jardins de l'hôtel de Condé et la troupe de demoiselles, comme des nymphes, récitant des vers tout le jour et fêtant toute la nuit.

— Mon frère me vantait Chantilly, non seulement pour sa table, qui était réputée, mais aussi pour tout ce qui avait trait à la célébration des plaisirs de la vie.

— À cette époque, il n'y avait pas de cour plus recherchée que celle du prince de Condé. La princesse était précieuse, et sa fille, Anne de Bourbon, la plus belle demoiselle du royaume de France.

— Tu l'as connue ? demanda Margot, curieuse.

Elle avait lu de nombreuses lettres écrites de sa main, et s'était fait une image d'elle, mais l'opinion de Ninon serait aussi une source d'éclaircissement appréciable.

— Non. À peine l'ai-je croisée à une ou deux reprises. Toutefois, le rôle qu'elle a joué, dès le début des troubles, a fait d'elle une figure de proue de la Fronde et quelqu'un dont on ne cessait de parler. Son rang, sa jeunesse, sa beauté en ont fait une héroïne.

— Je croyais qu'elle était mal-aimée, victime des médisances du peuple, s'étonna Margot, qui faisait référence à la lettre où elle mettait Madeleine en garde d'aller à Paris.

Ninon hocha la tête d'un air entendu.

— La Fronde était une scène de théâtre. Un lieu où les acteurs étaient contrefaits, grossis, parfois avec une certaine justesse, mais le plus souvent il s'agissait de calomnies visant à influencer l'opinion générale. Chaque camp usait de diffamations. Pendant un temps, Anne de Bourbon était une héroïne, mais, lorsque le vent a tourné et que le clan des princes s'est retrouvé seul contre tous, elle a essuyé maintes offenses. Davantage que ses frères et son mari.

— Parce que c'était une femme ?

Ninon fit la grimace.

— On se plaît à dépeindre les amazones de cette époque fières sur leur monture, un pistolet dans une main, un tricorne dans l'autre. Or, elles sont descendues de leur étalon plus vite qu'elles n'y étaient montées. Le pouvoir se partage entre mâles, et le rôle des femmes était surtout de leur insuffler la vanité, pour qu'ils s'imaginent y avoir droit.

« Quelle épopée incroyable ! » se dit Margot, qui aurait bien aimé voir ces guerrières soulever les foules et chausser des éperons.

— Qu'est-elle devenue ensuite ?

— Anne de Bourbon ? Je crois qu'elle a pris le voile.

Margot écarquilla les yeux.

— Elle serait toujours vivante ?

— Euh… Je ne pourrais l'affirmer. Pourquoi ?

De toute évidence, cet intérêt pour la sœur de Condé confondait la courtisane. Pourtant, si quelqu'un pouvait se vanter d'avoir connu Madeleine, c'était bien elle ! Margot décida que, si elle était vivante, elle tenterait de la rencontrer.

— Après la Fronde, les femmes ont compris qu'elles avaient plus à gagner dans les ruelles, en dentelles, qu'en émulant les hommes dans leur violence et leur faiblesse, philosopha Ninon. Le pouvoir n'est plus dans les provinces, ni au Parlement, il est à la cour ; là, les femmes sont reines.

                                                   ✎

Ce désir, non, ce *besoin* de savoir, Ninon le comprenait, même si, contrairement à Margot, elle avait bien connu sa mère, une femme pieuse et pusillanime qui n'avait aucun mystère à ses yeux. Arrivée au tournant de sa vie, Margot se débattait avec un questionnement très profond. Déjà, lorsque Margot habitait sous son toit, Ninon avait le sentiment, en observant sa protégée, de se revoir, avec la fougue de ses dix-sept ans. Près de vingt ans plus tard, et bien que la vie de Marguerite de Razès n'eût plus rien en commun avec la sienne, Ninon établissait encore cette comparaison. Il y avait quelque chose chez son amie qui faisait écho à sa propre personnalité. Avant de devenir la femme respectable qu'elle était désormais, Ninon avait vécu une vie de libertinage. Les épreuves l'avaient forcée à s'amender, du moins en apparence, tout comme Margot, qui s'était créé une façade de châtelaine. Ninon ne doutait pas que, dès le début de son mariage, Margot avait usé de ses habiletés de courtisane pour devenir une comtesse exemplaire à tous les égards. Son apprentissage à l'hôtel des Tournelles lui avait servi. Ninon, quant à elle, avait mis un certain temps à comprendre qu'il ne fallait pas tout dévoiler.

                                                   ✎

Ninon grattait son luth. Il venait pour l'entendre jouer du luth, du moins en était-elle convaincue. Derrière le rideau de ses longs cils noirs, elle observait son amant. Qu'il était beau ! Tous les autres hommes pâlissaient en sa présence. Ce soir, elle le voulait et elle serait à lui. Ninon entendit un bruit de verre brisé et quelques têtes se retournèrent. On n'écoutait plus sa musique, l'attention s'était dirigée ailleurs. L'hôtesse de la soirée pénétra dans la chambre, un verre de vin rouge à la main. Ninon pinça ses lèvres déjà trop minces. La chevelure était claire, d'un châtain parfait. Les yeux étaient petits et brillants, parfaits aussi. Les mains, blanches, comme sa gorge. Marion de Lorme était parfaite. Ninon aurait bien voulu qu'il en soit autrement, mais elle avait appris à composer avec la beauté de sa rivale. À la dérobée, elle la suivit des yeux tandis que Marion ondulait gracieusement entre les hommes. Pour l'œil exercé de la jeune femme, il était aisé de voir que sa rivale venait de se disputer avec son amant en titre. Les hommes, eux, n'y voyaient rien, obnubilés par la blancheur du décolleté révélant un bouton de rose. Et lui ? Obnubilé, comme les autres. Ils lui tournaient autour comme un essaim d'abeilles. D'agacement, Ninon déposa son instrument. Aucun des gentilshommes ne leva les yeux vers elle. Horreur ! C'est Marion qui, la première, s'aperçut que la mélodie ne jouait plus. Elle s'approcha de Ninon avec, dans ses beaux yeux, cet air compatissant de grande sœur.

— Tu ne joues plus, Ninon ?

— À quoi bon jouer si personne ne sait apprécier ? Ces militaires n'ont d'oreilles que pour les tambours ! Pfff…

— Tu as raison, mais moi, j'aime t'entendre, lui dit Marion en caressant le bois du bout des doigts. Hélas, les hommes ont un appétit pour autre chose. Ils s'échauffent vite mais se lassent aussi vite si tu ne les combles pas.

— Cela ne devrait pas être ainsi. Ils devraient être plus patients !

Marion éclata de son rire de gorge.

— Tu es adorable, petite Ninon. Moi, je ne me lasserai jamais de toi.

Ninon sourit, mi-amère, mi-flattée. Il lui était bien difficile de résister au charme de Marion.

— Alors, mesdemoiselles, que faut-il faire pour que vous vous joigniez à nous ? demanda Louis de Bourbon-Condé en penchant son profil d'aigle vers les deux courtisanes.

— Nous en débattions justement, répondit Marion en lançant un clin d'œil complice à Ninon.

— Nanon ? C'est bien comme cela qu'on vous appelle ? s'enquit le jeune militaire.

— Ninon, rectifia-t-elle. Ninon de Lenclos.

— Louis de Bourbon-Condé, duc d'Enghien. À votre service.

— Je vous croyais au service du roi, se moqua Ninon avec un petit sourire.

Marion s'amusa de la répartie, tandis que les traits aquilins du futur prince de Condé s'illuminaient de l'aplomb de la demoiselle.

— Pour tout mon malheur ! s'exclama-t-il d'une voix de ténor. Si j'étais à votre service, mademoiselle de Lenclos, j'aurais plus de chance de voir mes exploits décorés à juste titre.

Ninon lui fit un sourire appréciatif. Louis de Bourbon-Condé n'était pas aussi beau que celui avec lequel elle espérait passer la nuit, soit. Mais c'était l'homme du moment ! On le comparait déjà aux plus grands maréchaux et militaires de France, et même d'Europe ! Il n'était donc pas, à proprement parler, un prix de consolation.

— Alors, puis-je vous tenir compagnie ?

Ninon s'empressa d'accepter. Ce gentilhomme avait des manières ; Marion s'était éloignée sans subtilité et il n'avait pas bronché.

— Vous jouez fort bien du luth, la complimenta-t-il.

— Je n'ai pas envie d'en jouer à nouveau, je vous préviens.

— Alors, ne le faites pas. Il est assez rare que j'aie une compagne spirituelle, qui a de la répartie. Je ne vais pas m'en plaindre.

— Si vous souhaitez converser, vous devriez aller à l'hôtel de Rambouillet. On y converse beaucoup, paraît-il, lança audacieusement Ninon.

Louis leva un sourcil surpris puis se mit à rire.

— Ma foi, mademoiselle, vous êtes inimitable.

— On le dit, rétorqua Ninon, bien que ce fût le premier homme qui lui en fît la remarque.

— Vous savez, je n'avais guère le goût d'être en présence de ces demoiselles, ce soir, avoua-t-il avec une sorte de tristesse.

— Pourquoi ? demanda Ninon, curieuse.

— L'une d'elles a volé mon cœur et s'est sauvée avec, en Champagne…

— Oh… Et vous l'avez laissée partir ? s'étonna la jeune femme.

Le militaire scruta sa compagne des yeux. Quel âge pouvait-elle avoir ? Elle paraissait à peine vingt ans. Qui était-elle pour donner des leçons d'amour ?

— Eh bien, l'ennui, c'est qu'elle va se marier.

Ninon fit une pause et regarda intensément Louis.

— On vous dit courageux. Pourtant… y a-t-il pire lâcheté que la lâcheté en amour ?

La gaieté de Louis quitta son visage, qui redevint dur. Un moment, il considéra avec froideur cette petite gourgandine qui aurait bien mérité de se faire remettre à sa place. Puis, enfin, il se leva.

— Vous partez déjà ? Lorsque vous reviendrez à Paris, venez me saluer, lui dit Ninon en essayant de se faire la plus aimable possible.

— Je reviendrai sans doute chez Marion, lança-t-il, la bouche crispée. On se reverra sans doute là.

⁓

Le parfum de cannelle et de girofle embaumait la cuisine du château. En vue de la visite de Gabriel de Collibret et de son épouse, Aude évaluait l'état des réserves pour planifier l'approvisionnement. Contre toute attente, elle appréciait cet aspect de son rôle de châtelaine ; chaque fois qu'elle passait près de la grande cheminée, elle ne résistait pas à l'envie de jeter un coup d'œil aux plats qui mijotaient dans leurs gros chaudrons. Dans les placards, des bocaux dissimulaient des pâtes de fruits onctueuses, des confitures, des épices précieuses, qu'Aude se faisait un devoir de compter en songeant au moment où ils seraient dégustés.

— Bertrande, il nous manque un pot de confiture de coings et un autre, de confiture de groseilles, affirma-t-elle en vérifiant le cahier du dernier inventaire.

— Euh, ils sont ici, fit la cuisinière en désignant la tablette supérieure du placard, qui ne contenait que trois bocaux, dont un de miel.

— Hum, il vaudrait mieux les garder ensemble, suggéra Aude. Cela nous faciliterait la tâche.

— C'est Mlle Élisabeth qui les a placés là-haut. Elle les garde pour un autre usage, si ma mémoire est bonne.

— Ah bon, répondit Aude, sans y porter trop d'intérêt.

Après tout, si Élisabeth avait des péchés de gourmandise, ce n'était pas elle qui la blâmerait. Dans l'heure qui suivit, Aude continua de faire le tour de leurs victuailles. Assistée de Bertrande, elle dressa ensuite la liste des achats. Elle terminait sa tâche lorsque Élisabeth pénétra dans la pièce.

— Alors, Bertrande, les pains d'épices sont-ils prêts ? lança Élisabeth sans s'apercevoir que la cuisinière n'était pas seule.

— Ils sont sur le comptoir, mademoiselle.

Élisabeth se pencha sur les fournées encore fumantes.

— Merci, Bertrande, dit-elle en se retournant.

Lorsqu'elle aperçut Aude, son sourire se figea brusquement. Elle avait l'air d'un enfant pris à manger des friandises pendant le carême.

— Bonjour, Élisabeth.

— Bonjour, Aude, répondit Élisabeth en se ressaisissant aussitôt. Je ne vous avais pas vue.

— Je terminais l'inventaire avec Bertrande, expliqua-t-elle en considérant sa belle-sœur avec curiosité. Vous aviez faim pour du pain d'épices ?

La question était candide et Aude espérait que la réponse le soit tout autant. Après tout, elle ne voyait pas en quoi cela pouvait embarrasser Élisabeth.

— Je… Ce n'est pas pour moi. Mais il y en a beaucoup, nous devrions en garder un pour le souper.

Cette fois, Aude fronça les sourcils. Qu'est-ce qu'Élisabeth cachait ?

— Vous préparez un goûter ? Bertrande m'a montré les pots de confiture.

Dans la cuisine, l'ambiance s'était gâtée. Les deux femmes se faisaient face, toutes deux droites comme des piquets.

— C'est pour une nouvelle maman, qui vient de mettre au monde, affirma Élisabeth.

En dépit de l'expression embêtée qui trahissait Élisabeth, sa réponse n'était pas sans bon sens. Il était commun d'offrir des présents de cette sorte aux femmes après leurs couches. Aude commença à soupçonner de qui il pouvait d'agir.

— Clémence Mignerot ?

❧

— J'aurais aimé que tu la voies ! s'emporta Aude en prenant de grandes enjambées qui forçaient Nicolas à courir à sa suite. Je ne peux pas croire qu'elle soit si sotte qu'elle a cru que je n'apprendrais pas la nouvelle ! Qu'est-ce qui lui a pris ?

— Je t'en prie, essaie de te calmer. Je suis certain qu'elle n'a pas agi pour te faire du tort, avança Nicolas.

— Comment peux-tu la défendre ? cria Aude, exaspérée.

Ils étaient loin du château à présent, et Nicolas se félicita de lui avoir offert d'aller marcher sur la lande.

— Je ne... Bien, j'admets qu'elle aurait dû te le dire.

— Elle aurait surtout dû refuser d'être la marraine. C'est un affront, pour moi comme pour toi. Tout le village est au courant de ton idylle avec Clémence !

— C'est du passé, voyons, nous n'étions que des enfants. D'ailleurs, je n'ai pas l'intention de me rendre au baptême, affirma Nicolas, en grande partie pour apaiser sa femme.

— Pourquoi ? Tu vois ! C'est justement ce que je disais ! Même si je sais qu'il n'y a plus rien entre elle et toi, que tu n'es plus amoureux d'elle...

— Depuis longtemps, l'interrompit-il.

— Alors, te présenter à son baptême ne devrait pas avoir cette importance.

Il aurait été si facile de lui pardonner, si seulement Aude avait pu croire qu'Élisabeth regrettait sincèrement son geste. Or, il était devenu évident, aux yeux de la jeune comtesse, que sa belle-sœur ne nourrissait aucun sentiment de la sorte. En outre, Aude soupçonnait la jeune femme d'avoir sciemment voulu lui occasionner ce malaise. Quand elle repensait à la scène dans la cuisine… Devant la cuisinière, de surcroît ! Alors qu'elle faisait de son mieux pour épouser son rôle de comtesse, voilà qu'Élisabeth l'humiliait devant les domestiques. Non, il n'était pas question qu'elle laisse Clémence et Élisabeth la tenir à l'écart du baptême, auquel, en tant que comtesse, elle se devait d'assister.

❧

En évoquant la possibilité qu'Anne de Bourbon soit toujours en vie, Ninon avait fait germer chez Margot le projet de rencontrer cette amie de sa mère. Dans ses lettres, Anne louait l'atmosphère calme et sereine qui caractérisait le couvent des carmélites. Contrairement à Madeleine, la jeune femme n'éprouvait pas d'aversion pour le voile des religieuses. En cela, les deux amies étaient profondément différentes l'une de l'autre. En dépit de la vie mondaine qui l'attendait, la future duchesse de Longueville éprouvait une nostalgie sincère pour le cloître de la rue Saint-Jacques. C'est ce sentiment doux-amer qui avait mis Margot sur la piste. Si l'étonnant destin de la duchesse l'avait amenée à se retirer dans l'ombre de la piété, il y avait de fortes chances que ce soit parmi les sœurs du Carmel.

— Voilà, madame, nous y sommes, déclara l'homme qui conduisait la chaise à porteurs.

Margot passa son visage entre les tentures. Le temple, une construction ancienne, attirait les regards, tandis que la porte principale, intimidante avec son imposante voûte d'ogives, décourageait les curieux de s'y aventurer sans raison. En pénétrant sous l'arcade de pierre, Margot espéra que son instinct ne l'avait pas trompée et qu'Anne de Bourbon résidait bien entre ces murs. Elle attendit un long moment que l'on vienne lui ouvrir. Il y avait un peu plus d'une quinzaine de sororités de religieuses à Paris. Or, la dernière fois qu'elle avait pénétré dans l'une d'elles, c'était accompagnée de Geneviève, qui avait coutume de venir offrir des dons charitables sous le couvert de l'anonymat. Margot ignorait tout du protocole à respecter pour rencontrer une des pensionnaires. Finalement, c'est une jeune postulante qui l'invita à entrer.

— Ma sœur, je vous remercie de me recevoir, exprima-t-elle avec humilité.

La postulante lui fit un signe de tête l'invitant à poursuivre.

— Je suis Marguerite de Razès, comtesse de Montcerf. J'ai une requête, si je puis m'exprimer dans ces termes. Je voudrais rencontrer une des sœurs de votre communauté. Ma requête est singulière… Je ne suis pas certaine que la personne que je cherche soit bien chez vous. D'ailleurs, j'ignore sous quel nom elle a pris le voile, ajouta Margot, souhaitant que sa demande soit prise au sérieux.

— Attendez là, je vais quérir la sous-prieure, elle pourra vous répondre, murmura la jeune femme avec bienveillance.

Un long moment s'écoula. La tranquillité des lieux était apaisante. Il aurait été possible de croire le couvent désert. Margot, qui se livrait à un examen silencieux de l'endroit, se permit de faire quelques pas. Elle songeait à sa mère, qui avait passé plusieurs années entre ces murs. Son mariage avec Alain de Collibret lui avait épargné cette retraite pieuse, pour laquelle elle n'avait que peu d'inclination.

— Madame de Razès, fit une voix.

Margot se retourna.

La femme qui venait vers elle avait un maintien et un port de tête qui trahissait son appartenance à la noblesse. Outre les donations des aristocrates, les couvents parvenaient à survivre grâce à l'appui des familles des postulantes, qui offraient une rente généreuse lorsque leur fille prenait le voile. Margot n'était donc pas surprise de rencontrer une de ses pairs dans cet endroit.

— Bonjour. Je suis la mère Agnès, sous-prieure de l'abbaye de Notre-Dame-des-Champs. J'espère ne pas vous avoir fait trop attendre. Parlez, je vous écoute.

— Premièrement, je vous sais gré de m'accorder cet entretien, ma mère. Je vais tenter de ne pas vous retenir trop longuement. Je cherche une femme qui fut l'amie de ma mère jusqu'à sa mort, il y a de cela plusieurs années. On m'a laissé entendre qu'elle avait pris le voile, alors, sachant qu'elle avait une affection particulière pour votre communauté, je suis venue vous demander si cette dame se trouve parmi vous.

— Je vois. Vous savez qu'il n'est pas toujours possible de rencontrer les sœurs qui ont prononcé leurs vœux. Cela dépend de leur volonté et des motifs de votre démarche, répondit la sous-prieure en invitant Margot à faire quelques pas.

Elles traversèrent le vestibule et s'engagèrent dans une large galerie supportée par des colonnes de pierre.

— Votre couvent est magnifique, admira Margot.

— Merci. Alors, quel est le nom de cette dame qui fut, vous m'avez dit, l'amie de votre mère ?

— Anne de Bourbon-Condé, duchesse de Longueville.

La sous-prieure regarda Margot et celle-ci comprit, à son expression peinée, que la duchesse n'était plus.

— Malheureusement, je suis navrée de vous apprendre que cette dame a rejoint notre Seigneur, confirma la mère Agnès. Elle demeurait bien dans notre couvent et menait une vie d'une grande piété.

— Ah, soupira Margot, déçue. Que son âme repose en paix.

Cependant, la sous-prieure la dévisagea avec un intérêt nouveau, comme si l'allusion avait réveillé un souvenir lointain.

— Quelles raisons aviez-vous de vous enquérir de sa personne ?

— Comme je l'ai mentionné, la duchesse avait noué des liens solides avec ma mère, Madeleine de Collibret. J'avais souhaité discuter avec elle de leur relation, de leur jeunesse, de… enfin, vous comprenez.

— Bien sûr, exprima la religieuse. Il n'est pas rare que l'on cherche à comprendre certains gestes qu'ont faits nos parents, même plusieurs années après leur trépas.

— Euh, c'est un peu cela, avoua Margot. À l'image de ma mère, Anne de Bourbon m'est apparue comme une femme singulière.

— Elle a eu une jeunesse tumultueuse, pendant la Fronde. Toutefois, la fin de sa vie a été marquée par une ferveur religieuse propre au repentir. Plusieurs péchés pesaient lourdement sur sa conscience.

Margot la gratifia de remerciements sincères, puis, en ayant une pensée pour sa mère, fit un don généreux à la communauté.

12

Rencontre pour une mazarinade

Malgré la grande différence d'âge qui les séparait, Margot n'avait jamais considéré son amie autrement que comme une femme de son temps. Ninon évoluait au gré des époques, avide d'idées nouvelles et de rencontres. Toutefois, en l'écoutant raconter les événements qui s'étaient déroulés plus de trente ans auparavant, Margot mesura toute l'étendue du vécu qui les séparait. Ninon était devenue une femme plusieurs années avant sa naissance.

— Il y avait de l'effervescence dans l'air. L'appréhension avait gagné les grands qui calculaient, désiraient et, las de patienter, intriguaient. Pour Marion comme pour moi, qui appartenions au peuple, la mort du cardinal de Richelieu ou celle du roi ne changerait pas notre quotidien. En revanche, pour les princes qui venaient régulièrement chez Marion de Lorme, ces décès laissaient des sièges vacants et nous devinions aisément ce que chacun convoitait…

Elle sourit et trempa ses lèvres dans son verre de vin. Margot s'amusait de la voir ponctuer son récit de courtes pauses qui prolongeaient l'attente.

— La reine Anne d'Autriche se retrouva seule avec le petit roi, qui n'avait que six ans. Elle avait été tenue à l'écart du pouvoir par son époux suspicieux, mais le destin s'était vengé des préventions de Louis XIII. Jusqu'à la majorité de son fils, elle serait la régente et détiendrait ainsi le pouvoir de faire la fortune de quiconque. Dans ce contexte, les familles rivalisaient pour obtenir sa faveur. Plus d'un avait raison d'espérer sa place au soleil : le duc d'Orléans, les Vendôme, la duchesse de Chevreuse, le coadjuteur de Paris, les Condé. Lorsque la reine a désigné Mazarin, cet Italien, qui s'était distingué sous les auspices de Richelieu, comme son premier ministre et conseiller, c'est toute la noblesse qui a reçu un retentissant soufflet.

— Le duc d'Enghien revenait de Rocroi couvert de lauriers, souligna Margot.

— Hum, acquiesça Ninon. Il était jeune et courageux, et son intrépidité enflammait les imaginations. Toute la France célébrait ses victoires militaires. Mais il n'était pas le premier à avoir brigué des charges et des rentes. Sa tête était à la guerre plus qu'à la cour. Le premier coup a été porté par les parlementaires. Ils aspiraient à un Parlement à l'anglaise, pour obtenir un rôle déterminant dans l'administration du royaume. La conjoncture politique leur fournissait un tremplin idéal pour risquer leur va-tout.

Margot, qui n'avait jamais ouï parler de cette facette de la Fronde, prêta une oreille attentive.

— Pendant les cinq années qu'ont duré les troubles, ces messieurs du Parlement se sont alliés tour à tour aux princes ou à Mazarin. Pour Condé et ses amis, détenir l'appui du Parlement était un enjeu de taille. Mais ils n'étaient pas les seuls dans ce jeu des alliances. La reine, les princes, les maréchaux, les provinces, tout le pays y participait. Si je devais résumer la situation en peu de mots, je dirais qu'une confusion totale régnait à Paris. Il était donc malaisé de suivre le cours des choses. Dans la même journée, on pouvait aisément entendre dire que Mazarin avait été embusqué, que son carrosse avait pris feu, qu'il avait quitté la ville…

Ninon ricana et Margot opina d'un air entendu.

— Cela me rappelle l'arrestation de Fouquet. Alors, il était ardu de départager les rumeurs des faits véritables.

— Durant la Fronde, Paris a été au cœur des conflits : assiégé plus d'une fois, éprouvé par des disettes, par des émeutes. C'était une période sombre. Si la coalition entre la Fronde du Parlement et la Fronde des princes avait tenu, le pouvoir aurait très bien pu échapper des mains de la reine.

— Tu étais du camp des princes ? présuma Margot.

— Au début, nous soutenions nos amis, nos amants. Mais le conflit s'est prolongé, et lorsque Condé a signé une entente avec l'Espagne, j'avoue que je ne le tenais plus en grande estime. Cependant, personne ne se souciait de savoir de quel côté étaient les petites gens. Nous avions peine à nous nourrir, Marion et moi. C'est d'ailleurs au plus fort de la Fronde que ma protectrice et amie a trépassé.

⁓

Ninon, grimpée sur une grosse barrique, observait la foule qui traversait le pont Barbier. Là, un chiffonnier tirait les rênes d'un mulet chargé de hardes, ici, un charbonnier noir des pieds à la tête achetait une oublie à une commerçante au jupon troué, plus loin, un groupe de marmots bousculaient un bourgeois gras comme un moine. Lasse des badauds, elle se mit à compter les bateaux sur la Seine tout en balançant ses jambes minces. Elle avait eu vent que, ce matin-là, des mazarinades toutes fraîches seraient distribuées sur le quai. Le pamphlétaire ne devrait plus tarder maintenant. Un jeune citadin, possiblement un étudiant, s'appuya contre la barrique voisine à la sienne. Un sourire de triomphe étira ses lèvres. Comme elle, il venait pour mettre la main sur le nouveau libelle.

— Hé l'ami, tu peux me dire par où je dois prendre pour gagner l'hôtel de Condé ? demanda alors un gentilhomme monté sur un cheval alezan.

Ninon considéra le cavalier. Plutôt beau, il portait les cheveux courts, et une petite barbe bien taillée encadrait son visage, dont l'attrait principal était un regard sombre et perçant. Ses vêtements poussiéreux et sans raffinement attestaient son état de provincial. Une épée, signe de sa noblesse, pendait à sa ceinture.

— Euh… bredouilla le jeune homme en rougissant. Je ne…

— Allons ! le pressa le noble en ébauchant un geste vers sa ceinture.

L'étudiant bondit de peur et fila en prenant ses jambes à son cou.

— Ça alors ! s'exclama le cavalier, ahuri.

Ninon éclata de rire. De toute évidence, le fuyard avait craint que le gentilhomme dégainât son arme contre lui.

— *Mademoiselle ?*

Ninon se pencha légèrement vers le gentilhomme.

— *Vous pouvez m'indiquer le chemin pour l'hôtel de Condé ?*

Elle le toisa d'un regard espiègle avant de répondre :

— *Je vous le dirai si vous me dites ce que vous comptez y faire.*

— *Fouchtra ! Que faut-il faire dans cette ville pour se faire aider ?* lança le gentilhomme avec un demi-sourire.

Ninon, qui s'attendait à se faire rabrouer pour son insolence, se réjouit de découvrir que ce cavalier était d'humeur plaisante.

— *Vous avez beaucoup voyagé ?*

— *On ne peut rien vous cacher,* dit-il en donnant deux tapes sur le torse, qui firent soulever la poussière. *Allons, soyez gentille et menez-moi jusque-là. Ensuite, je vous inviterai à souper.*

— *Que cela est généreux, monsieur. Mais gentilhomme comme vous l'êtes, vous serez sûrement convié à souper avec le prince de Condé.*

Elle avait poussé cela avec une fausse désinvolture, et son regard noir brillait tandis qu'elle surveillait sa réaction.

— *Hé bien ! Si j'ai ce bonheur, je vous inviterai demain soir.*

Ninon fit la moue. Sa ruse n'avait pas fait mouche. Était-il prudent ou simplement chanceux ? Elle se demandait quelle conduite adopter lorsqu'une agitation capta son attention. Le pamphlétaire faisait enfin son apparition. Elle hésita à quitter son perchoir pour se mêler à la foule. En agissant ainsi, elle ne manquerait pas de divulguer ses allégeances.

— *Pourquoi tout ce chahut ?* demanda le gentilhomme à Ninon.

— *Les mazarinades,* rétorqua-t-elle avec désinvolture.

— *Les… mazarinades,* répéta-t-il.

Le visage du gentilhomme s'éclaira subtilement alors qu'il devinait ce que cachait cette appellation peu flatteuse.

Il descendit alors de sa monture et se fraya un passage entre les curieux. Ninon le suivit des yeux jusqu'à ce qu'il ait mis la main sur un des tracts. Lorsqu'il le tint, il le brandit dans les airs comme si c'eût été un drapeau ennemi. Ninon se dit qu'elle venait de se faire un ami.

— *Je peux vous conduire jusqu'à l'hôtel de Condé,* lui proposa Ninon tandis qu'il revenait. *Ce n'est pas très loin d'ici, rue Neuve-Saint-Lambert.*

Mais si c'est le prince de Condé ou son frère, le prince de Conti, que vous désirez voir, j'ai le regret de vous dire qu'ils ont été jetés en prison.

Le provincial perdit son sourire.

— Comment ! Quand ?

— Il y a trois jours à peine. Le duc de Longueville est aussi du lot. Quant à la duchesse, elle se serait sauvée en province.

— Fouchtra !

Ninon avait été moins surprise que lui lorsqu'on lui avait appris la nouvelle. Depuis quelque temps, tout Paris murmurait que la relation entre Condé et Mazarin était tendue.

— Alors, ce qu'on raconte est donc vrai ? lui demanda-t-il en agitant le bout de papier. Sur Mazarin et la reine…

Ninon haussa les épaules.

— Raconte bien qui veut. Si on devait croire tout ce qu'on dit sur la reine… insinua-t-elle, goguenarde. Cette invitation à souper, elle tient toujours ?

Il ne cacha pas son étonnement devant son attitude cavalière.

— Vous connaissez une bonne hôtellerie qui accommoderait mon cheval ?

— Certes, répondit-elle, ravie. Je me nomme Anne de Lenclos, mais mes amis m'appellent simplement Ninon.

— Heureux de vous connaître, Ninon. Je suis Hector de Razès, comte de Montcerf.

☙

Hector de Razès étendit ses jambes sur une chaise et se passa une main sur le ventre. Ninon en aurait bien fait autant si cela lui eût été possible, car elle était repue !

— Maintenant que j'ai bien mangé et bien bu, il ne me reste plus qu'à rentrer chez moi ! Ha ! s'exclama-t-il sur un ton ironique.

— Vous voulez repartir si vite ?

— Hélas, que puis-je faire d'autre ?

Ninon agita la tête. Elle commençait à regretter les circonstances de sa rencontre avec le comte de Montcerf. Même si elle lui avait assuré son appartenance au clan des princes, sa parole n'avait pas grand crédit à ses yeux. Pouvait-elle le blâmer ? Les frondeuses étaient toutes des duchesses, et de telles dames ne passaient pas leurs journées grimpées sur des tonneaux.

— Par ailleurs, si je reste, j'aurai tôt fait de me ruiner.

— Si c'est le logis, le problème, je peux peut-être vous accommoder. Enfin, si vous ne voyez pas d'inconvenance à dormir sous le même toit que moi et mon amie Marion, suggéra-t-elle. Je suis certaine que les Condé vous sauraient gré de les aider à sortir de là.

— Hé bien ! Ninon, je peux difficilement refuser votre invitation.

Le sourire aux lèvres, elle se leva et lui fit signe de la suivre. Après avoir remercié généreusement le tenancier, Hector alla quérir son cheval. Il monta puis lui tendit la main pour la faire asseoir derrière lui. Ninon grimpa sur l'animal avec l'assurance de quelqu'un qui a une habitude de l'exercice.

— Vous avez grandi à Paris, m'avez-vous dit ?

Ravie qu'il ait remarqué son aisance, elle hocha la tête en signe d'assentiment.

— C'est mon père, qui était gentilhomme, qui m'a appris les usages de l'équitation. Vous devez prendre à gauche, là.

— Hue ! cria-t-il en empruntant le chemin qu'elle lui indiquait.

La fougue du départ la projeta contre lui. Elle s'empressa de nouer ses bras autour de sa taille.

— Ça va, mademoiselle Ninon ? s'enquit-il en ricanant.

Elle bredouilla un « oui » et reposa sa tête sur le tissu de sa cape. Elle aurait voulu lui signaler qu'il n'y avait pas de presse, mais de toute évidence, il prenait plaisir à mener sa monture au galop.

— Vous allez devoir ralentir, lui dit-elle lorsqu'ils approchèrent d'un embranchement. Nous y sommes presque.

— Vous habitez un beau quartier, mademoiselle Ninon.

— J'habite dans la maison de mon amie Marion de Lorme, crut-elle devoir préciser. Vous allez voir, c'est une femme remarquable.

— Si elle vous ressemble…

Ninon voulut répliquer que son amie était, aux dires de certains, la plus belle femme de la capitale, lorsqu'elle avisa un homme en uniforme qui faisait le pied de grue devant sa porte.

« Tudieu ! Ils vont arrêter Marion ! » s'alarma-t-elle.

— Continuez tout droit, lui commanda-t-elle à mi-voix.

Elle enfouit son nez dans les replis de son vêtement en espérant que Hector de Razès n'était pas trop gentilhomme pour dédaigner un peu de subterfuges. L'étalon trotta un bon moment et elle se dit, soulagée, qu'ils avaient doublé le mousquetaire quand soudain elle entendit :

— Mais c'est la Ninon ! Holà ! Coquine !

Toute à sa ruse, Ninon fit celle qui n'avait rien entendu. En revanche, son accompagnateur se raidit sur son séant. Elle n'eut pas le temps de le retenir que déjà il sautait à terre et fondait sur le garde.

— Retire tes paroles !

Ninon, demeurée en selle, saisit les rênes de la bête comme on dissimule un stylet sous sa jupe ; au cas où les choses tourneraient mal… Prudent, le mousquetaire avait dégainé, mais affichait un manque d'entrain à l'idée d'en découdre avec le gentilhomme.

— Si j'étais vous, monsieur, je ne me compromettrais pas pour une telle fille…

— Quand je croise un scélérat qui se mêle de tendre une embûche à une femme, je n'hésite pas à me battre, monsieur. Vous méritez une leçon !

Grave, Ninon fronça les sourcils. C'était bien la première fois qu'un différend éclatait à cause d'elle. La plupart du temps, les duels se terminaient fort mal. En outre, elle n'appréciait guère les hommes qui donnaient de la rapière pour un rien. Dans les présentes circonstances, toutefois, elle devait admettre qu'à part la fuite, qui était peu honorable, il n'y avait pas d'autre moyen de se tirer de ce mauvais pas. Elle cligna des yeux lorsque le mousquetaire porta le premier coup. Le comte para habilement et enfila une attaque, puis une deuxième. Le combat était brutal et sans artifice. Contrairement aux bretteurs qui profitaient de ces situations pour briller devant témoin, le comte de Montcerf ne visait qu'une chose : se débarrasser promptement de son adversaire. En outre, hormis Ninon, il n'y avait personne d'un bout à l'autre de la rue. Le mousquetaire perdait peu à peu du terrain. Lorsque l'épée du comte déchira son haut-de-chausse, le mousquetaire lança un ultime assaut et fila sans demander son reste.

— Lâche, murmura Hector en rengainant son arme.

Il fit de grandes enjambées pour rejoindre Ninon et, une fois arrivé à sa hauteur, lui reprit la bride des mains.

— Il ne vous aurait pas suivi. Il m'est ridiculement fidèle. Alors, cette maison où vous me menez, c'est un lieu de débauche ?

— Vous regrettez d'avoir engagé votre honneur pour moi ?

— Non. Mais j'aimerais bien savoir ce que ce mousquetaire vous voulait.

— Je présume qu'il cherchait Marion. C'est une amie des Condé, comme je vous l'ai dit.

Le comte de Montcerf écarquilla les yeux.

— Il aurait voulu la mettre aux arrêts ?

— Quoi d'autre ? Allons, ne perdons pas de temps, lança-t-elle avant de lui indiquer le porche.

— Je ferais mieux de passer devant, affirma-t-il, protecteur.

Ninon lui ouvrit la porte et, d'un signe de la main, le pria d'entrer. « Beau, galant, honorable… On oublie rapidement qu'il est un peu provincial », jugea-t-elle, certaine que Marion prendrait goût à sa compagnie.

Hector pénétra sans hésiter, la main au fourreau. Ninon attendit qu'il ait traversé le vestibule avant de s'avancer à son tour. C'est alors que Marion surgit dans son dos avec un plat en argent et, sans crier gare, lui asséna un violent coup à la tête. Ninon s'élança vers eux.

— Marion ! Il est avec moi !

— Fouchtra ! tonna-t-il en se retournant.

— Ninon ?

— Hector de Razès, voici Marion de Lorme.

— Argh… se plaignit-il, avant de se laisser tomber sur le sol.

— Navrée, répondit-elle, je croyais que vous étiez avec ce mousquetaire.

— Il a pris la fuite. Le comte l'a chassé. Tu n'as pas entendu ?

— Quoi donc ?

— Le duel !

Marion considéra le gentilhomme avec un regain d'intérêt avant de répondre :

— Je m'étais cachée dans l'armoire. Vous voulez vous asseoir, monsieur de Razès ?

— Ce serait un début. Je prendrais bien quelque chose à boire, si vous me l'offrez.

— Ninon, va tirer le verrou, je m'occupe de notre invité. Mon pauvre ami, j'espère que vous me pardonnerez cette déplorable bévue.

Ninon roula des yeux.

— Du vin ? Ou… un brandy ?

— Va pour du brandy, accepta le comte en massant son crâne.

— Laissez-moi voir cette blessure, susurra-t-elle en lui donnant le gobelet d'alcool.

Elle se pencha sur lui et glissa ses doigts dans sa chevelure noire.

— Ça ne fait déjà plus mal, assura-t-il en agitant nerveusement la tête.

— Bon, répondit Marion, refroidie par son abord farouche. Dites-moi, qu'est-ce qui vous amène à Paris ?

— Le prince de Condé, que j'ai eu l'honneur de servir à Rocroi et qui, dans une lettre, me disait vouloir s'entourer d'hommes aussi courageux qu'habiles.

— Vous arrivez un peu tard, se moqua-t-elle en se versant un verre de liqueur.

Ninon, qui observait la scène depuis son tabouret, aurait pu jurer qu'elle avait vu le comte tiquer. Elle rit sous cape. C'était bien la première fois que la beauté de Marion ne lui assurait pas une conquête facile.

— J'ai cru qu'on pourrait l'introduire auprès de nos amis. Ils seraient sûrement ravis de compter un gentilhomme de plus dans leurs rangs.

— En attendant, où dormira-t-il ? demanda Marion avec un air qui signifiait clairement « pas dans mon lit ».

— Je n'y avais pas pensé, avoua la jeune femme.

☙

Février était plus froid et plus coriace que d'habitude. Ninon portait deux et parfois trois chemises pour se tenir au chaud la nuit. Marion avait accepté la présence d'Hector sans maugréer, mais restait trop fière pour le remercier. Toutefois, Ninon savait que c'était grâce à la générosité du gentilhomme qu'elles mangeaient chaque jour.

« En outre, elle ne tire de ce commerce que des avantages, c'est moi qui partage ma chambre avec cet ours », jugeait-elle.

Ils avaient convenu qu'elle garderait le lit et qu'il prendrait le fauteuil. Cet arrangement lui avait semblé juste et même douillet ; après tout, la plupart des auberges n'étaient guère plus confortables et demandaient vingt sols la nuit. Toutefois, ces jours-ci, elle ressentait un petit pincement au cœur lorsqu'il s'étirait en grimaçant de douleur. Le comte de Montcerf était le seigneur d'un domaine immense, avec un château, des villages, des forêts et des terres.

« Mais si son manoir lui manque tant, personne ne le retient ici ! » se justifiait-elle.

Les semaines passaient et la Fronde était plus désorganisée que jamais. Les rivalités, les jalousies, les doutes attisaient les cœurs qui s'échauffaient au plus fort de l'hiver. Le lit de Marion, lui aussi, restait chaud. Presque tous les soirs, elle y conviait un nouvel amant. Hector semblait peu impressionné par ce défilé de justaucorps qui se succédaient sans accroc. Il n'émettait jamais de commentaire, se contentant de lever un sourcil, chose qui agaçait Ninon. L'Auvergnat était trop réservé à son goût. Elle aurait bien voulu pouvoir débattre de la question, de n'importe quelle question, avec lui. Tout ce qu'elle savait de sa vie était qu'il était veuf et père de deux enfants. Comme plusieurs militaires, il ne montrait que peu de disposition à la répartie mondaine.

— Ninon, tu veux bien m'aider avec ma coiffure ? lui demanda Marion en la tirant du lit au milieu de l'après-midi.

— Tu attends quelqu'un ? demanda Ninon en bâillant.

— Je crois, oui.

Elle portait une robe dont le large col en dentelle décorait le haut de ses manches bouffantes. Ninon la suivit jusqu'à sa chambre.

— Tu n'as pas dormi la nuit dernière ? s'enquit Marion avec un regard coquin.

— Hector ronfle ! Un vrai ours !

— Oh ! fit Marion, déçue. Tu sais que Gaspard croyait que tu l'avais pris comme amant ?

Ninon ébaucha un sourire ravi.

— Que lui as-tu dit ?

— Que c'était bien possible, avec tout ce temps passé seuls ensemble…

— Certaines personnes croient que la nuit est faite pour dormir, Marion. Du reste, n'est-ce pas toi qui arguais que Hector avait un penchant pour le vice d'Italie ?

— Simplement parce qu'il résistait à mes attraits, rétorqua Marion. Maintenant, je comprends pourquoi. Il n'en a que pour toi.

— Comment ? réagit Ninon. Que vas-tu inventer, ma pauvre amie ! Si c'était le cas, il ne me tambourinerait pas les oreilles avec ce fâcheux ronron !

Marion rigola.

— Je crois que tu l'impressionnes. Il est plus timide qu'il en a l'air. Cependant, le désir qu'on lit dans ses prunelles lorsqu'il te regarde ne saurait tromper.

⤮

Ninon ferma les yeux lorsqu'il poussa la porte de la chambre.

— Fouch… marmonna-t-il avant d'apercevoir le corps de la jeune femme sous les couvertures.

Elle l'entendit approcher à pas feutrés de la bassine de métal où s'éteignaient les dernières braises de la maison. Il grogna et sortit de la pièce. Ninon ouvrit les yeux à demi. D'un moment à l'autre, Hector reviendrait, bredouille, car il ne restait rien à brûler dans tout le logis. L'huis grinça sur ses gonds. Comme elle l'avait prédit, il n'avait rien trouvé. En dépit de la température glaciale, il entreprit de se dévêtir. Il y eut d'abord un bruit sourd, suivi d'un cliquetis de métal. Ces sons étaient devenus familiers aux oreilles de Ninon. Hector retirait d'abord son épée et ses bottes à éperons. Elle exprima un petit geignement.

— Ninon, vous êtes réveillée ?

La jeune femme émit un « oui » étouffé par les draps épais qui la recouvraient.

— Il fait un froid mortel ici. Comment se fait-il qu'il ne reste plus de bois ?

— Marion devait en rapporter, mais elle n'est pas encore revenue, répondit Ninon avant d'enfouir à nouveau son minois sous la literie.

173

— Je vois, dit-il avant de délacer son pourpoint.

— Vous pouvez dormir dans son lit, si le cœur vous en dit, proposa-t-elle.

— C'est ici qu'il fait le plus chaud. Et vous ? Vous êtes bien… Je veux dire, vous n'êtes pas transie ?

— Je prendrais bien une couverture de plus, répondit-elle.

— J'ai mieux que cela. Faites-moi une place.

— Comment ? Ce n'est pas ce que je voulais dire…

— Allons, ne faites pas la mijaurée. À deux, nous aurons plus chaud.

Elle protesta pour la forme, mais céda à ce qui lui parut un commerce sensé et avantageux. Une fois le corps du gentilhomme collé au sien, elle se sentit immédiatement revivifiée.

— Merci, Ninon.

Son visage n'était qu'à quelques pouces du sien, mais, dans la pénombre, elle ne distinguait que ses yeux noirs et brillants.

— Il ne faudra pas y prendre goût, l'avertit-elle.

— Et si c'était le cas, que se passerait-il alors ?

— Le lit et sa demoiselle, cela vous coûterait tous les écus de votre bourse, et plus encore, plaisanta-t-elle.

Hector poussa une expiration profonde, une sorte de râle.

— Est-ce que c'est vraiment une question d'argent, Ninon ?

Le ton, sérieux et peiné, émut la jeune femme. Elle avança sa main sur sa joue. Les poils de sa barbe piquèrent sa peau.

— Ninon, chuchota-t-il en parcourant l'espace qui les séparait encore.

Son corps brûlant dégageait une odeur virile et agréablement puissante. Sa bouche chercha et trouva son cou, puis son menton et ses lèvres. Elle se laissa emporter par le baiser, tandis que sa silhouette souple s'alanguissait contre les membres musclés du gentilhomme. En la voyant s'abandonner contre lui, Hector s'empressa de retirer ses chausses et sa chemise. Au contact de ses épaules robustes et de son sexe dressé, Ninon frémit d'excitation. À son tour, elle se dévêtit. Ses boutons rosés étaient dressés au point d'en être douloureux, et elle échappa une plainte lorsqu'il s'en saisit.

— On m'avait vanté vos seins comme les plus beaux du monde, lui confia-t-il. J'avoue que je désespérais de pouvoir un jour les admirer.

Ninon eut le réflexe de s'offusquer, mais Hector compensa son manque de tact par une si grande disposition à lui donner du plaisir qu'elle lui pardonna ce dernier trait.

Déjà savante des choses de l'amour, elle arguait qu'il fallait retarder le plus possible la jouissance afin d'en tirer le plus de satisfaction. Avec la majorité de ses partenaires, cette leçon donnait des résultats bien décevants. Hector, toutefois, se révéla patient et, comme il était d'une nature généreuse, Ninon ne fut pas déçue. Après une étreinte passionnée, ils se réfugièrent l'un contre l'autre, à la recherche de tendresse et de chaleur.

— Pourquoi avoir attendu si longtemps avant de vous manifester ? lui demanda-t-elle.

Hector demeura silencieux, comme s'il cherchait les mots pouvant exprimer ce qu'il ressentait.

— Avant de te rencontrer, je ne croyais pas possible qu'une femme comme toi existât, avoua-t-il en la tutoyant spontanément. Non seulement es-tu belle, mais en plus tu as de l'esprit, tu es gaie, intrépide, et tu possèdes une... une sagesse déconcertante.

— Je suis sage, moi ?

— Si fait, Ninon. Je t'ai bien observée, crois-moi.

Elle rit. Il avait démontré du courage et une honnêteté qui l'eût conquise si cela n'avait pas déjà été le cas. Un sourire béat sur les lèvres, la jeune femme se blottit contre son torse et s'endormit. Ils furent réveillés par des bruits de pas et une plainte aiguë.

— Ninon ! appela Marion depuis sa chambre.

Elle se leva et passa une chemise. Avant d'avoir atteint la porte de son amie, celle-ci avait crié son nom à deux autres reprises. Alarmée, elle pénétra dans la pièce illuminée par un bout de chandelle.

— Qu'y a-t-il ? Tudieu ! Marion ! Qu'as-tu fait ?

— Ferme la porte ! commanda-t-elle avant de se laisser choir sur son lit.

La courtisane haletait. Sa jupe était rougie par un sang clair et vif comme la vie. Ninon s'approcha doucement, une expression d'horreur sur le visage.

— La dame m'a dit que les saignements étaient normaux, qu'ils arrêteraient d'eux-mêmes, murmura Marion, qui soulevait les paupières avec peine.

— Tu es allé voir une faiseuse d'anges… Mais pourquoi ?

Les lèvres pulpeuses de la courtisane s'entrouvrirent. Elles étaient aussi pâles que son visage.

— Les femmes comme nous ne peuvent pas se permettre d'avoir un enfant…

— Chut. Garde tes forces, lui intima Ninon en prenant sa main.

Elle était froide et sans vigueur. Un sanglot monta dans la gorge de Ninon.

« Non, ce n'est pas vrai », protesta-t-elle.

Quelques instants plus tard, Marion de Lorme rendait son dernier souffle.

13

Le fils du prince

Tous les habitants du village de Montcerf s'étaient attroupés sur la route du château pour admirer le défilé. En plus de deux carrosses somptueux, cinq cavaliers suivaient le convoi, indifférents au regard des paysans qui s'attachait à leurs longs manteaux et à leurs feutres empanachés. Deux jeunes filles se détachèrent de la cohue pour lancer des fleurs coupées sous les sabots des chevaux. Leurs courbes juvéniles et leurs yeux admiratifs émoustillèrent un des gentilshommes, qui ralentit sciemment la cadence de sa monture.

— Mesdemoiselles, l'une d'entre vous aurait-elle l'amabilité de m'offrir une fleur des champs ?

Les demoiselles gloussèrent, ravies de mériter l'attention d'un noble aussi élégant. La plus hardie, une brunette au teint mat, se détacha de sa compagne pour répondre à l'appel du gentilhomme. Sa silhouette gracile contrastait avec les jambes musclées de l'étalon. Lorsqu'elle fut assez près de lui, le jeune homme se pencha pour recevoir l'églantine qu'elle lui tendait.

— Ah ! La campagne ! fit-il, en approchant son profil des pétales odorants.

Sans le quitter des yeux, elle se plia en une révérence gracieuse. Elle était toujours courbée lorsqu'un fougueux pur-sang surgit à ses côtés. La jouvencelle hoqueta de surprise et s'échoua disgracieusement au sol. Méprisant, le cavalier à la monture impérieuse esquissa un rictus qui enlaidit davantage son visage au nez busqué.

— Allons, Guichard, on ne va pas attendre que tu finisses de butiner, lança-t-il à l'adresse du jeune noble.

La villageoise se releva, embarrassée, en frottant ses vêtements.

— Vous n'avez rien, mademoiselle ? s'empressa de demander Guichard en tendant vainement une main gantée dans sa direction.

Celle-ci secoua la tête en silence, intimidée par le regard hautain que lui lançait le nouveau venu. Sa compagne, qui l'avait rejointe, l'attrapa par le coude et la tira vers l'arrière.

— La boue n'a jamais eu raison des manants, c'est bien connu ! s'exclama l'autre. Pressons-nous. Plus tard, si le cœur t'en dit, tu reviendras cueillir toutes les fleurs que tu veux.

Le jeune homme lui jeta un regard noir, avant de commander à sa monture de rejoindre l'escorte des gentilshommes. Avant de détaler dans un nuage de poussière, le cavalier au nez en bec d'aigle décocha un dernier regard aux jouvencelles. Dans son visage maigre aux traits irréguliers, ses yeux brillaient d'un éclat sauvage.

⤐

Aude révisait les derniers préparatifs dans sa tête. Si les domestiques avaient prouvé leur efficacité lors des festivités entourant le mariage, c'était à elle, cette fois, que revenait la responsabilité du bon déroulement de la réception, et elle tenait à ce que tout se déroule sans anicroche. Une douleur aiguë la tira violemment de ses réflexions.

— Aïe !

— Je suis navrée, madame la comtesse, s'excusa aussitôt la domestique.

Bertille se remit à la tâche en redoublant de délicatesse. Même si elle paraissait sincèrement désolée, Aude avait le sentiment que sa maladresse n'était pas le fruit du hasard.

— Qu'y a-t-il, Bertille, vous sentez-vous bien ? demanda-t-elle à travers la glace.

La mâchoire de la servante se crispa.

— Le mieux que l'on peut, madame la comtesse.

Aude fronça les sourcils, loin d'être convaincue. La main, habituellement agile, était pleine de gaucherie tandis que le corps de Bertille tout entier était tendu comme le fil d'un rouet. Il était rare qu'Aude requît les services de la domestique, mais l'arrivée de Gabriel de Collibret étant imminente, elle l'avait fait mander à ses appartements pour l'aider à s'occuper de sa toilette. Elle tenait à être irréprochable pour recevoir ses premiers invités. *Leurs* invités, à Nicolas et à elle. Car c'était bien pour venir leur présenter leurs souhaits de bonheur que Gabriel et sa jeune épouse avaient fait le voyage depuis la Bourgogne. Ils arrivaient avec leurs suites respectives, une dizaine de personnes dont elle avait personnellement organisé les logements. L'absence de Marguerite lui donnait l'occasion d'embrasser pleinement son rôle de châtelaine.

— Je trouve que cette coiffure vous sied fort bien, n'êtes-vous pas de mon avis ? demanda la servante, une lueur d'espoir dans les yeux.

La comtesse de Montcerf contempla le résultat avec incertitude. Une myriade de petits rubans retenait vertigineusement sa chevelure neigeuse. Soit, la mode préconisait les épaules dégagées et la tête généreusement parée, mais n'était-ce pas un peu excessif ? Or, Bertille, dont elle ignorait les motivations, espérait manifestement être dégagée de ces fonctions.

— Hum. Ça ira, vous pouvez partir.

Aude l'entendit lâcher un soupir de soulagement.

« Quelle mouche l'a piquée ? » s'offensa-t-elle.

Tout à coup, elle comprit ce qui tracassait la chambrière. Bien sûr, elle aurait dû s'en douter !

— Bertille !

— Oui, madame la comtesse, répondit-elle en se retournant, la main toujours posée sur la poignée de la porte.

— Je me ressouviens que vous avez bien connu M. de Collibret, lorsqu'il vivait au château.

La bouche de Bertille s'ouvrit, mais elle ne proféra aucune parole. Le rouge monta à ses joues alors qu'elle se rendait compte que la jeune femme avait percé à jour son passé. Aude hésita un petit instant avant de lui lancer, impérieuse :

— N'oubliez pas que M. de Collibret est maintenant un homme marié. Je ne tolérerai aucun écart sous mon toit.

Penaude, Bertille fit la révérence et sortit. Aude sourit avec satisfaction à son reflet dans le miroir. La dernière chose dont elle avait besoin, c'était un scandale. Elle entreprit de retirer les rubans superflus de sa chevelure.

∽

La comtesse de Montcerf resta en arrière, les bras ballants, lorsque son époux se détacha d'elle pour faire l'accolade à son oncle, qui descendait de son carrosse.

— Mon neveu, comme il est bon de vous revoir ! déclara Gabriel de Collibret avec une joie réciproque.

Aude nota qu'elle n'était pas la seule à demeurer à l'écart : aidée par l'un des gentilshommes, la jeune mariée posait le pied sur le marchepied. Mue par une sympathie spontanée, Aude lui adressa un sourire accueillant. La baronne de Lugny n'était pas beaucoup plus âgée qu'elle. Sa robe de voyage, quoique froissée, était taillée dans un superbe brocart cramoisi qui seyait à son teint pâle. À l'instar de tous les membres de la suite du baron, elle était d'une rare élégance. Aude se félicita intérieurement du choix de sa mise. Si son plastron brodé et ses manchettes de dentelle avaient attiré la désapprobation muette de Lutisse de Razès, ils lui vaudraient sans doute l'assentiment de ses invités.

— Voici ma femme, Catherine de Collibret, baronne de Lugny, dit Gabriel en désignant son épouse, qui se tenait en retrait.

La jeune femme était grande, mais plutôt fluette. Ses yeux, d'un bleu très pâle, ressortaient à peine contre la pâleur de sa peau. Ses cheveux, d'un beau châtain, dégageaient un front bombé qui donnait à son visage un air enfantin. Sans être belle, elle avait un charme inusité.

Nicolas se tourna vers Aude, qui s'approchait de lui au même instant.

— Madame la baronne, c'est pour nous un honneur de vous recevoir à Montcerf. Soyez assurée de mon amitié et de celle de mon époux, dit Aude en tendant la main à la jeune femme.

Cette dernière sourit et murmura un « je vous remercie » à peine audible au milieu du tapage occasionné par la troupe qui se rassemblait dans la cour du château.

— Quel bonheur de vous revoir, madame la comtesse. Vous êtes aussi agréable pour les yeux que dans mon souvenir, complimenta le pétulant baron. Si vous permettez, je vais aller de ce pas saluer ma nièce et mon beau-frère.

Nicolas et Aude se contentèrent d'acquiescer, tandis que Gabriel et sa jeune épouse allèrent présenter leurs hommages au reste de la famille. Pour l'occasion, Xavier s'était départi de son humeur maussade et Aude jugea qu'il faisait un réel effort pour être courtois envers les arrivants. Elle ressentit alors pour lui un élan de reconnaissance mêlé d'admiration ; Aude sentait que, sous son apparente impassibilité, il était sincèrement atterré par l'absence de Marguerite.

Déjà, les domestiques s'activaient pour prêter main-forte aux valets et aux cochers du baron. D'un rapide coup d'œil, Aude examina le groupe. Il y avait en tout cinq gentilshommes, deux demoiselles et une femme plus âgée. Elle avait craint de devoir accommoder un plus grand nombre de gens. En hôte averti, Nicolas l'entraîna à sa suite pour souhaiter la bienvenue à l'escorte des nouveaux mariés. Ils commencèrent par les politesses d'usage aux dames de compagnie, puis se tournèrent vers les gentilshommes. Aude récolta quatre baisemains et une guirlande de compliments, tous mieux tournés les uns que les autres. Nicolas exultait de fierté, et elle devait admettre que pareilles galanteries ne lui déplaisaient pas à elle non plus. Décidément, ces flagorneurs avaient été choisis pour leur élégance et pour leur verve. Aude aurait été tentée d'ajouter « pour leur beauté », mais se retint en avisant le cinquième gentilhomme. Sa toilette élaborée ne parvenait pas à occulter son physique ingrat ; celui-ci était rabougri et disgracieux. Sa bouche charnue arborait une moue dédaigneuse qui gâtait son profil aquilin. Lorsqu'ils arrivèrent à sa hauteur, et malgré Nicolas à ses côtés, Aude sentit qu'il la reluquait comme le premier des goujats.

— Henri-Jules de Bourbon Condé, duc d'Enghien, lança-t-il avant même que le comte de Montcerf n'ait eu le temps d'ouvrir la bouche.

« Cet homme, le fils du prince de Condé ! » s'étonna Aude.

De toute évidence, son nom ne surprit pas Nicolas ; peut-être avait-il reconnu le nez busqué, apanage des hommes de cette illustre famille ? Quoi qu'il en soit, il répondit aussitôt :

— Monsieur le duc, vous me voyez enchanté de vous recevoir chez moi. Voici ma femme, la comtesse de Montcerf.

Surmontant sa réticence, Aude lui tendit la main.

— Madame, fit-il en collant ses lèvres humides sur sa peau.

L'arrivée opportune de Gabriel de Collibret lui fournit un prétexte pour se libérer de cette proximité désagréable.

— Je vois que vous avez fait connaissance avec mon neveu, le comte de Montcerf, constata-t-il en posant familièrement sa main sur le bras du duc. Puis il ajouta à leur intention : J'ai l'insigne privilège de compter le duc d'Enghien parmi mes amis.

Les propos de Gabriel paraissaient naître de la plus grande sincérité. Toutefois, en tapinois, Aude avisa la baronne de Lugny. Cette dernière exhibait le même maintien poli qu'auparavant, mais Aude crut déceler, au fond de son regard limpide, une sorte de malaise. Aversion ? Hostilité ? Peur ? Elle n'aurait su dire précisément, ce qui n'était pas pour la rassurer.

Dans l'heure qui suivit l'arrivée du baron de Lugny, le château de Montcerf se retrouva sens dessus dessous. Malgré la prévoyance d'Aude, les serviteurs mettaient un temps fou à répondre aux demandes des invités. Les déplacements étaient gênés par l'étroitesse de l'escalier en colimaçon, qui constituait le seul accès aux chambres. Toutefois, l'architecture moyenâgeuse ne pouvait être tenue responsable de tout. En effet, la nouvelle châtelaine ne mit pas beaucoup de temps à se rendre compte que les gens de Gabriel de Collibret étaient exigeants, jusqu'à la limite du caprice. Depuis qu'elle avait quitté Paris, près d'un an plus tôt, c'était la première fois qu'elle devait composer avec les mondanités de la haute aristocratie, et force lui était d'admettre que cela ne lui avait pas manqué. Sous ses apparences de comtesse, elle ne pouvait s'empêcher de ressentir de la sympathie pour ses serviteurs.

— En somme, c'est une chance que mon oncle ait choisi d'honorer notre invitation maintenant et non lors de notre mariage, glissa Nicolas à l'oreille de sa femme.

Elle lui répondit par un demi-sourire forcé. Malgré ses efforts pour la rassurer, il la sentait tendue, sensible au moindre accroc. Peu à peu, les convives gagnaient leur rang à table. Débarrassés de leurs mises de voyage poussiéreuses, les demoiselles et les gentilshommes avaient revêtu des toilettes dont le raffinement jurait avec l'archaïsme de la salle basse. Comme une chatte à l'affût, Aude surveillait les allées et venues des domestiques qui servaient le vin.

— Tout se déroule très bien, commenta Nicolas d'une voix sereine. Prends un peu de ce bourgogne que nous a offert mon oncle, cela égayera ton humeur.

Aude porta machinalement la coupe à ses lèvres. Henri-Jules de Bourbon Condé, duc d'Enghien, fit alors son entrée dans la pièce. Dans son long justaucorps gris cendre, il affichait une élégance austère qui renforçait son air de rapace. Le majordome s'approcha de lui et d'un geste poli lui indiqua le siège qui lui avait été attribué. Bien qu'elle fût trop loin pour comprendre ses paroles, Aude déduisit, par son expression dédaigneuse, qu'il rejetait l'invite du serviteur.

Il se tourna vers le groupe, les yeux plissés, comme s'il cherchait quelque chose ou quelqu'un. Puis, une expression de satisfaction transforma ses traits. Aude leva un sourcil et demeura immobile, attentive à la suite des événements. D'un pas vif et autoritaire, le duc d'Enghien gagna l'extrémité de la table. Aude n'eut pas le temps de faire un geste que déjà il avait délogé un gentilhomme et pris sa place, à la droite d'Élisabeth.

— Quel toupet !

Nicolas s'amusa de l'indignation de sa femme.

— Les gens du baron doivent s'accommoder de son tempérament. Ils ont l'habitude des grands de ce monde. C'est un duc, ne l'oublie pas... Il a tous les privilèges.

La comtesse de Montcerf dévisagea son mari avec incrédulité. Comment pouvait-il être indifférent à tant d'insolence ? Aude se rembrunit. Nicolas avait raison ; le duc était leur invité, et même si elle ne ressentait que de la répulsion pour sa personne, les lois de l'hospitalité et l'étiquette ne lui laissaient pas d'autre choix que d'accepter ses exigences.

Subtilement, elle se remit à l'observer. Que cachait son manège ? En dépit de ses préventions à l'égard d'Élisabeth, elle la plaignait de devoir s'accommoder de ce déplaisant voisin. Néanmoins, la conversation paraissait suivre son cours et, quelques instants plus tard, elle fut surprise de voir sa belle-sœur se couvrir la bouche pour réprimer une envie de rire. Sa coiffure en hauteur et sa robe rouge vin soulignaient sa beauté voluptueuse ; Aude ne s'étonnait pas qu'un peintre l'ait choisie pour modèle. Contrairement à elle, qui avait un corps de sylphide, Élisabeth incarnait l'idéal de la beauté des princes de la Renaissance. Celle-ci eut un rire de gorge, cette fois bien audible. Aude se demanda malicieusement si Élisabeth aurait été aussi guillerette si Lutisse avait pris part au repas. Cette dernière avait prétexté une migraine et s'était retirée sitôt les invités arrivés. Son absence ne peinait personne, pas même Xavier, qui devisait avec Gabriel et sa femme, lesquels avaient finalement rejoint le groupe.

Avec un certain soulagement, Aude remarqua qu'aucun de leurs convives n'affichait de mauvaise humeur vis-à-vis des lacunes des gens de la maison.

« Je dois me tracasser vainement », se dit Aude en reprenant une lampée du savoureux vin rouge que lui avait servi son mari.

Le premier service fut accueilli avec une satisfaction qui n'était pas feinte, et la comtesse se félicita d'avoir suivi les conseils de sa mère, qui l'avait guidée dans le choix des mets. Peu à peu, l'atmosphère se relâcha et devint presque festive.

— Mon mari m'a conté que vous avez demeuré à Paris, l'interpella la baronne de Lugny de sa voix douce.

Aude opina du chef. Assise en face d'elle, la jeune femme semblait avoir rassemblé tout son courage pour lui adresser la parole.

— C'est juste. J'y ai passé toute ma jeunesse. Vous-même, vous êtes de Bourgogne, n'est-ce pas ? Nous avons traversé votre région lors de notre voyage pour gagner Montcerf, et je dois dire que l'hospitalité de ses hôteliers est sans pareil.

— Mon père était baron de Lugny, confirma-t-elle, avec un haussement qui trahissait éloquemment l'ennui que lui inspirait sa région natale. Avant mon mariage, je n'avais jamais voyagé à l'extérieur de la Bourgogne. Au printemps, nous prévoyons nous rendre à Paris.

Elle avait prononcé ces dernières paroles comme si elle annonçait un sort enviable, qui lui était destiné exclusivement. Pour Aude, qui avait évolué au sein de l'aristocratie parisienne à titre de musicienne, une telle fascination était difficile à concevoir. Cependant, la joie de la jeune baronne était contagieuse, et spontanément Aude lui répondit :

— Paris est magnifique en cette saison.

— Nous irons à Versailles ! Nous verrons le roi ! s'exclama la baronne de plus belle, les yeux brillants.

Son enthousiasme était tel que son mari se retourna et lui adressa un sourire bienveillant. Décidément, la fortune souriait à

Gabriel de Collibret. Depuis toujours gentilhomme de la suite du prince de Condé, sa position lui avait permis de parvenir à porter le titre de baron par son mariage avec cette jeune héritière de Bourgogne. Et bientôt, il serait reçu à Versailles. Son amitié avec le duc d'Enghien ne pouvait que lui être profitable. Quoique… Aude avait des doutes quant à la faveur que ce dernier devait inspirer au roi. En effet, si le duc était bien à la cour, que faisait-il ici, à sillonner la campagne à la suite d'un baron en voyage de noces ? Cette pensée, jugeait-elle, méritait d'être approfondie. Or, déjà, les serviteurs apportaient l'entremets : de généreuses assiettes de fruits gorgés des meilleurs alcools de la région. C'était le signal qu'Aude attendait. Elle avait décidé de jouer un morceau de luth en l'honneur des nouveaux époux. Encouragée par l'exemple d'Élisabeth lors de leur banquet de mariage, Aude avait surmonté ses craintes de passer pour une vulgaire musicienne. En tant que comtesse de Montcerf, il était de bon goût qu'elle maîtrisât un instrument prisé par la noblesse ; en outre, il n'y avait personne pour lui rappeler que la musique avait autrefois été son moyen de subsistance. Sous le regard amoureux de son époux, elle marcha jusqu'à l'âtre, où des chandeliers disposés en arc ménageaient une scène intime. Un prélude silencieux l'accueillit lorsqu'elle posa son luth entre ses genoux. Toutes les têtes étaient tournées vers elle. Son cœur cognait dans sa poitrine et ses lèvres tremblaient, mais ses doigts retrouvèrent naturellement le chemin qu'ils avaient maintes fois parcouru. C'était une pièce de Gaultier, qu'elle aurait pu jouer les yeux fermés. Or, pour la première fois depuis longtemps, elle trouvait plaisir à sentir la musique naître du pincement des cordes. Lorsque les dernières notes furent jouées, la salle basse retentit des applaudissements de l'audience. Nicolas, souriant, se leva de table et vint la trouver. La jeune comtesse sentit un frisson de bonheur la traverser et, lorsqu'il lui tendit la main, elle s'empressa de la saisir. Ce n'était pas pour s'attribuer les honneurs de son talent qu'il se tenait à ses côtés, mais bien pour lui témoigner son amour et la fierté qu'il éprouvait à être son époux.

— Madame la comtesse, vous êtes une interprète accomplie, lui témoigna une des dames de compagnie de la baronne. Vous m'avez émue aux larmes.

— Quel talent ! Vous êtes un homme comblé sur tous les plans, monsieur le comte, fit un gentilhomme.

Les compliments, évidemment, étaient un peu convenus, puisqu'elle était l'hôtesse et les spectateurs étaient ses invités, mais cela, Aude s'en souciait comme d'une guigne.

— Nous avoir privés de votre talent pendant si longtemps, c'est impardonnable ! lança Élisabeth depuis l'extrémité de la table. Décidément, je n'oserai plus effleurer un luth, je crains trop de souffrir de la comparaison.

Malgré le ton badin de cette répartie spirituelle, Aude y décela une pointe d'amertume. L'orgueil d'Élisabeth s'accommodait mal de son succès, et pour cause. La musique était sa passion, et elle n'avait jamais eu à disputer à quiconque les honneurs de la scène. Aude tenta de rencontrer le regard de la jeune femme, mais déjà cette dernière s'était détournée. Que n'avait-elle pas anticipé la réaction d'Élisabeth ? Elle se demandait si Nicolas avait remarqué le dépit que manifestait sa sœur quand soudain, une voix s'exclama :

— Vous commettriez une faute grave ! Je n'ai pas eu le bonheur de vous ouïr jouer, mais, à votre voix, je devine que vous chantez divinement. Qui d'entre nous n'a pas rougi en entendant les violons du roi ? Je vous le demande, devrions-nous cesser toute prétention à faire de la musique sous prétexte que certaines personnes en font un métier ? lança Henri-Jules de Bourbon.

Le temps qu'Aude mit à comprendre que l'insinuation du duc d'Enghien évoquait sa carrière de musicienne, déjà le bruit se propageait parmi les convives. Atterrée, elle vit Élisabeth se pencher à l'oreille de sa voisine pour lui chuchoter ce que la fourberie du duc avait révélé.

— La comparaison se comprend aisément, le talent de la comtesse de Montcerf est remarquable, émit candidement la baronne de Lugny.

Rapidement, Gabriel de Collibret musela son épouse avec une douce fermeté. Aude eut un moment de pitié pour la jeune femme. Comme elle, la jeune Bourguignonne n'était pas de ce monde. Et c'était sa douceur qui la distinguait des autres aristocrates. Quant à Aude, c'était sa naissance ambiguë et sa vie passée qui la séparaient du reste de la noblesse. Pour toujours.

— Vous avez une bien étrange façon de tourner les compliments, monsieur le duc, l'interpella Nicolas en élevant la voix afin que tous l'entendent. Assurément, votre propos voulait flatter la virtuosité de la comtesse...

— Cela va de soi, répondit le duc en fixant la jeune femme. C'était déjà un rare privilège de l'avoir vue se produire une fois, mais aujourd'hui, ce récital intime...

Aude sentit ses joues s'embraser tandis qu'à ses côtés, Nicolas bondit sur ses pieds.

— Vos allégations nous offensent, ma femme et moi ! clama-t-il fougueusement. Je vous rappelle que vous êtes ici sous mon toit et que vous jouissez de mon hospitalité.

La menace était à peine voilée. Aude vit Gabriel de Collibret pâlir sous son fard et Xavier se leva à son tour. Les poings de Nicolas étaient fermés et appuyés sur la table, comme si c'était la seule façon pour lui de les garder loin de sa lame. Jamais Aude n'avait vu son mari dans un tel état. Ce fut Xavier qui, en posant une main sur son épaule, parvint à le calmer.

— Allons, la journée a été lassante pour tout le monde, affirma Xavier avec une maîtrise qui ne laissait rien paraître des émotions conflictuelles qui l'habitaient. Les domestiques seront ravis de servir à leur chambre ceux d'entre vous qui désireraient se retirer.

Les têtes se tournèrent vers le duc d'Enghien qui, par bonheur, comprit qu'il était dans son intérêt de saisir le message de Xavier.

— Monsieur le comte, madame la comtesse, je vous souhaite le bonsoir. Mademoiselle de Razès, dit-il en se penchant pour faire un baisemain à Élisabeth.

La courbette accentua sa silhouette chétive.

« Si par malheur Nicolas avait tiré son épée contre lui… », s'inquiéta Aude en se mordant les lèvres.

Les duels étaient exceptionnels et interdits. Le petit homme, elle en était sûre, aurait constitué un bien piètre adversaire pour son robuste époux.

14

Entre chien et loup

— Mademoiselle… fit doucement la voix de Mathias, le peintre.

Élisabeth tourna les yeux vers lui tandis qu'une expression de gêne se lisait sur son visage. Le jeune homme se passa la main sur le front pour écarter une mèche indocile. Comme elle, il avait chaud. Elle pouvait voir la sueur perler sur ses joues hâlées, piquetées de poils clairs.

— Je suis navrée, répondit-elle, sincère, en corrigeant sa position. Cette chaleur…

Il se redressa, le pinceau à la main, les sourcils froncés.

— Hum… Voulez-vous boire un peu d'eau ? demanda-t-il, secourable.

Élisabeth lui répondit par l'affirmative, puis posa le bouquet de fleurs à ses pieds et se dirigea vers la table, où était posée une carafe remplie du breuvage convoité.

— Nous devrions peut-être arrêter pour aujourd'hui ?

— Non ! objecta-t-elle avec force. Puis elle ajouta, plus calme : Non, nous avons pris beaucoup de retard, et je sais que mon père tient à ce que la toile soit prête pour la semaine prochaine.

— Bien, mais seulement si vous n'êtes pas incommodée.

Elle lui adressa un sourire pour le rassurer. Le souci qu'il avait de sa personne la troublait ; elle se plaisait à le voir froncer les sourcils ou s'enquérir de son état lorsqu'elle posait. Élisabeth s'assit sur le tabouret et récupéra les fleurs. Le portrait était très flatteur ; sa mise se composait de trois épaisseurs de jupes, dans des tons et des étoffes différentes. Avec les fleurons sauvages dans sa main et ses cheveux coiffés à la mode de la cour, elle avait tout d'une demoiselle en quête d'un époux. Bien que le projet de fiançailles irritât la jeune femme, elle appréciait ces séances de pose, non seulement parce qu'elles l'amenaient à côtoyer l'apprenti maçon, mais aussi parce que ces moments lui fournissaient un prétexte pour se soustraire à la trop envahissante société du château de Montcerf.

— Qu'y a-t-il ? interrogea le peintre en cherchant des yeux ce qui avait provoqué la réaction de son modèle.

— Ce n'est rien, vous pouvez poursuivre, annonça Élisabeth d'une voix tendue.

Elle regretta aussitôt ses paroles ; la présence du duc d'Enghien lui enlevait toute envie de poursuivre la séance. Le maçon opina respectueusement du menton et se replongea dans sa création, livrant ainsi Élisabeth à la double observation dont elle faisait l'objet. Le noble se tenait immobile, discrètement, dans un coin de la galerie, sa silhouette sombre envahissant, telle une souillure informe, son angle de vue. Élisabeth devina vite qu'il n'avait pas le dessein d'intervenir, qu'il demeurait en retrait afin de la contempler à loisir.

« Que désire-t-il ? Quelles sont ses intentions ? » se demanda la jeune femme une fois de plus.

Depuis quatre jours, et donc en somme depuis son arrivée à Montcerf, Henri-Jules de Bourbon lui faisait une cour assidue. Au départ, elle n'y avait accordé qu'une attention distraite ; soucieuse d'éviter un esclandre entre son frère et cet invité insolent, elle s'était accommodée du rôle de pacificatrice qui lui était échu. Puis, petit à petit, la manie du duc de se retrouver sur son chemin à tout moment du jour, à épier ses moindres gestes, était devenue impossible à ignorer. Ce qui l'avait flattée au début, qu'un homme d'âge mûr, grand seigneur, de surcroît, lui portât de l'intérêt, se révélait un péché d'orgueil chèrement payé. Élisabeth tenta de se concentrer sur Mathias, sur le pinceau imprégné de pigment foncé, sur le bruissement ténu que faisait le crin en effleurant la surface de la toile. Il en était à colorer sa chevelure.

« Vos cheveux… ils ont la couleur d'un crépuscule d'automne. Sombre. Ils ont l'odeur de la forêt », avait murmuré le duc en passant trop près d'elle, la veille au soir.

Elle avait tressailli et son trouble n'avait pas échappé à Nicolas, qui se trouvait non loin d'eux. Moins par pudeur que par fierté, Élisabeth avait nié que le duc l'eût offensée lorsque Nicolas s'était enquis de la teneur de son propos. Élisabeth voulait éviter de se trouver dans la mire de sa belle-sœur qui, croyait-elle, verrait là une occasion en or pour la déconsidérer aux yeux de son frère. En outre, Élisabeth était convaincue que ces attentions ne pouvaient qu'être le fruit du tempérament fougueux qu'on prêtait au duc. En effet, son âge, sans compter le fait qu'il était marié, ne l'empêchait-il pas d'avoir des prétentions galantes ?

— Quel est ton nom, jeune homme ? demanda Henri-Jules sur ce ton hautain qui le caractérisait.

— Mathias Chandeleur, répondit l'apprenti, sans quitter la jeune femme des yeux.

Élisabeth déglutit. Le peintre ignorait-il à qui il avait affaire, pour se comporter avec autant d'audace ? C'était la première fois qu'elle le voyait agir de la sorte… Avait-il perçu le malaise que la présence du noble lui causait ?

— Tu es peintre ?

— Non. Maçon, monsieur. Cependant, M. de Razès m'a commandé ce portrait.

Son impassibilité fit dresser le sourcil du duc d'Enghien.

— À qui est-il destiné ? demanda le duc, sa voix vibrant d'une convoitise évidente.

— Je l'ignore, affirma Mathias en haussant les épaules. Vous feriez mieux d'interroger M. de Razès.

Ce dernier propos était d'une familiarité déconcertante ; l'artisan se permettait de donner des conseils au duc d'Enghien ! Élisabeth n'attendit pas que celui-ci réagît. Elle se redressa subitement. Son mouvement interrompit l'entretien et les deux hommes se tournèrent vers elle.

— C'est assez pour aujourd'hui. Vous pouvez ranger vos pinceaux, nous reprendrons demain, ordonna-t-elle avec raideur.

Le maçon s'inclina avec respect. Du coin de l'œil, elle aperçut le duc qui souriait. Élisabeth jura intérieurement.

— Je vous pensais à la chasse, avec mon frère, lança-t-elle, faussement désinvolte.

— Vous vous êtes enquise de ma personne ? Puis-je prétendre à un si grand bonheur ?

La réplique était mielleuse, mais le ton acéré : ils avaient beau préserver les apparences, les dispositions d'Élisabeth à son égard ne le trompaient pas.

— Vous êtes friand de peinture ? demanda-t-elle, tandis que Mathias quittait la galerie.

— Je m'intéresse à tout ce qui vous touche, mademoiselle, et vous ne l'ignorez pas.

La déclaration la choqua. Cet homme appartenait à la haute noblesse, certes, mais que son père soit cousin du roi lui donnait-il le privilège de la goujaterie ?

— Vous me flattez, monsieur le duc, mais vous oubliez…

Le noble fit quelques pas vers elle. Il lui sembla plus agile, tout à coup. Comme si sa démarche bancale s'était envolée. Élisabeth recula d'un pas. En découvrant sa méfiance, il fit la moue. Élisabeth se blâma pour sa sottise ; le duc n'oserait jamais…

— Ma nièce, vous voilà enfin ! s'exclama Lutisse en faisant irruption dans la pièce.

— Ma tante, bredouilla-t-elle en ressentant un vif soulagement.

— Je vous ai cherchée dans tout le château. Monseigneur d'Enghien, salua-t-elle machinalement.

Élisabeth retrouva son calme. Sa tante avait effectivement le souffle court. Le duc la détaillait avec une intensité troublante, mais Lutisse paraissait ne pas s'en apercevoir.

— Madame, je vous la confie, dit-il une fois son examen terminé. Prenez-en bien soin.

La jeune femme émit un petit soupir lorsque le bruit singulier de son pas inégal se perdit dans le couloir.

— Ma tante, vous me vouliez voir ?

Lutisse fronça les sourcils en signe de désapprobation.

— Que faisiez-vous, seule en *sa* compagnie ?

— Je… balbutia-t-elle. Que puis-je y faire ? Il me suit partout, où que j'aille. Il est duc, et notre hôte.

« C'est vrai, mais n'ai-je pas aussi demandé à Mathias de nous laisser seuls ? » se rappela-t-elle.

Élisabeth releva la tête avec un brin de défiance, jugeant le reproche de sa tante excessif. Le duc était certes déplaisant, mais rien ne justifiait ces signaux d'alarme.

— Les princes estiment que tout leur est dû, se révolta Lutisse. Le privilège du sang royal ! Crois-moi, il vaut mieux les éviter. Le plus vite ils seront partis, le mieux Montcerf se portera.

Élisabeth exprima son accord en hochant la tête, même si les propos de sa tante la laissaient perplexe. Lutisse avait une expression étrange, presque mélancolique, qui cadrait fort peu avec la situation présente. De toute façon, Gabriel de Collibret devait partir deux jours plus tard, et avec lui, toute sa suite. Les assiduités du fils du prince de Condé ne lui manqueraient pas.

∽

Les yeux d'Aude s'écarquillèrent de surprise et de joie à la vue de la rapière.

— Elle est mienne ? demanda-t-elle un peu candidement, connaissant pourtant déjà la réponse.

Nicolas lui sourit. C'était la plus belle façon qu'il avait trouvée de lui témoigner son admiration.

— Essaie-la. L'armurier l'a conçue selon mes recommandations. Comme tu vois, le manche est identique au mien.

Aude retira l'arme de son fourreau. Le métal capta la lumière, qui transforma l'acier en vif-argent.

— Regarde ! dit Nicolas, impatient comme un enfant.

Il lui désigna la naissance de la lame. Elle lut : *Pour Aude, ma bien-aimée*. Aussitôt, ses yeux papillotèrent et s'embuèrent de larmes à la vue de ce présent aussi estimable qu'inattendu.

— Aude… murmura Nicolas en relevant doucement le menton de sa femme avec sa main. Je voulais attendre pour te l'offrir, mais il me semble que c'est le bon moment. N'es-tu pas d'accord ?

Elle savait qu'il faisait référence à sa réaction à la suite de la divulgation de son secret.

Ce soir-là, après le banquet, les efforts combinés de Xavier, d'Oksana et du chevalier de Cailhaut n'avaient pas eu raison de la colère de Nicolas, colère qui menaçait d'éclater contre le duc d'Enghien, un invité de marque. Finalement, c'est Aude qui était parvenue à l'apaiser. Après le départ du duc d'Enghien, un lourd silence s'était abattu sur la salle basse. Aude avait eu le temps de méditer les effets des sous-entendus vitrioliques du duc d'Enghien. Tout à coup, son passé de cantatrice n'était plus anonyme. Le statut de comtesse s'effaçait derrière la vie d'artiste qui avait été la sienne. Le scandale, véritable épée de Damoclès, menaçait de tomber sur elle, Nicolas et les siens.

— Non ! avait-elle protesté, coupant court aux supputations de tous ceux qui s'étaient rassemblés autour de Nicolas. Je ne me laisserai pas asservir. Toute sa vie, Marguerite a tenté de cacher le triste sort qui avait été le sien. Elle a compromis des amitiés, elle a menti, tout cela pour vous épargner la vérité sur son passé de courtisane. Non, merci. Je ne le laisserai pas me faire cela !

Nicolas l'avait alors dévisagée avec incrédulité.

— Aude, je ne comprends pas…

— Je ne veux pas me cacher pour jouer du luth. Je ne veux pas avoir honte. La musique, c'est mon héritage.

Pudique, Oksana s'était levée pour dissimuler ses émotions. Malgré cela, Aude savait que sa mère appuyait, même si c'était silencieusement, sa décision. Quant à Xavier, il était ébahi par sa réaction.

— Es-tu bien certaine de ce que tu dis ? lui avait demandé Nicolas, le visage décomposé.

Sa main, posée sur le fauteuil, tremblait. Avec douceur, Aude l'avait prise dans la sienne.

— Demain soir, je chanterai. Ils seront tellement captivés qu'ils ne pourront médire.

Nicolas, qui se tenait accroupi à ses côtés, avait manqué de tomber à la renverse. Une telle attitude le désarmait. Cherchant chez les autres un signe d'assentiment, il avait croisé le regard de son père.

— Écoute ta femme, mon fils. Elle vient de nous donner une bonne leçon de courage, avait lancé Xavier avec une franche admiration.

Aude examinait la rapière, qu'elle faisait tourner d'un mouvement du poignet.

— Ne pourrions-nous pas nous dérober à nos obligations, pour l'essayer vraiment ?

Nicolas poussa un soupir contrit.

— C'est malheureusement impossible. Je dois faire visiter le haras aux gentilshommes de mon oncle. N'avais-tu pas l'intention d'emmener la baronne et ses dames en promenade après le dîner ?

— Si fait, répondit-elle à contrecœur. Ah ! Quelle mauvaise hôtesse je fais !

— Ils seront bientôt partis, sois patiente.

Nicolas ricana. Pouvait-il vraiment lui reprocher quoi que ce soit après ce qu'elle venait de subir ?

— Je croyais que tu appréciais la baronne de Lugny.

Aude haussa les épaules. C'était pourtant vrai. La jeune femme l'avait charmée par la douceur de son tempérament et son esprit sensible. De plus, ses bonnes dispositions à son endroit n'avaient pas vacillé, malgré les révélations sur son passé de musicienne. Aude se surprenait à penser qu'elle s'était peut-être fait une amie parmi les dames de la noblesse.

— Elle est fort aimable, mais ce n'est pas elle que j'ai épousée.

— Heureusement pour moi, plaisanta-t-il. Puis, voyant que le visage de sa femme ne se déridait pas, il lui demanda : Pourquoi cette humeur maussade ?

— Dès qu'ils seront partis, ce sera ton tour. Je ne supporterai pas de rester seule ici, avec pour seule compagnie ta tante et ta sœur...

Afin de ne pas retarder les travaux, Xavier et Nicolas avaient convenu de quitter Montcerf aussitôt que leurs invités auraient plié bagage.

— Ce projet de voyage à Montferrand est prévu depuis de début de l'été. Tu sais que nous ne pouvons attendre davantage, plaida-t-il. Nous devrons être de retour pour les moissons. J'ignorais que la perspective de mon départ te déplaisait à ce point, dit-il d'un air sombre.

Entre Élisabeth et elle, la tension était à couper au couteau depuis le soir du banquet. Aude était persuadée que sa belle-sœur se réjouissait de son humiliation publique. Toutefois, Élisabeth s'était habilement posée en médiatrice auprès du duc d'Enghien et, aux yeux de tous, elle les avait tirés d'un mauvais pas. Aude pouvait donc difficilement lui reprocher son hypocrisie.

— Nous ne serons absents que pour quelques semaines. Et puis, tu ne seras pas seule, ta mère est ici. Tu voudrais nous accompagner ?

— Non, ce n'est pas ma place, affirma-t-elle. Par ailleurs, ta mère compte sur moi pour veiller sur Anne-Marie.

Le départ de Marguerite avait renforcé son attachement à la petite. Nicolas savait que sa mère n'avait rien demandé à Aude, que c'était elle qui s'était donné cette responsabilité. Son lien avec l'enfant était une source de bonheur pour la jeune comtesse, qui se languissait de connaître à son tour les joies de la maternité.

— Bien sûr. Quant à moi, je suis certain que tout se déroulera très bien pendant notre absence.

Aude fit la moue. Elle aurait aimé avoir cette confiance, mais elle savait ce qui taraudait Élisabeth. Nicolas ne pouvait se résoudre à voir sa sœur pour ce qu'elle était : une louve qui défendait son territoire. Elle était l'intruse. Que ferait-elle si les rapports avec Élisabeth s'envenimaient encore davantage ?

❧

Élisabeth trancha délicatement la tige de la plante et la lança dans le panier placé à ses pieds. Les nouvelles feuilles atterrirent sur les autres avec un bruissement ténu. Elle jeta un coup d'œil à sa récolte. Elle avait assez de verveine pour subvenir aux besoins des Hospitalières pendant tout l'hiver. La nature était généreuse en cette fin d'automne, et il lui suffisait de tendre la main pour en profiter. La jeune femme sépara gentiment les tiges du buisson à la recherche de pousses matures. Même si sa cueillette était déjà plus que satisfaisante, elle ne désirait pas encore rentrer. L'air était doux et la forêt, particulièrement sereine. Le paysage revêtait sa robe verdâtre de saison, habillant le sol jusqu'aux premières branches des troncs massifs.

En vérité, elle se sentait mieux ici que partout ailleurs. Le départ de son père et de son frère n'avait rien arrangé, bien au contraire. Au château, entre les maçons et sa belle-sœur, elle parvenait difficilement à respirer à son aise. Il lui semblait que la demeure de son enfance était aux mains d'étrangers. Elle poussa un soupir et se pencha pour saisir l'anse de sa banne. Quelques jours plus tard, les autres plants seraient à maturité, ce qui lui donnerait un prétexte pour revenir. Absorbée par sa cueillette, Élisabeth ne remarqua pas la forme qui se déplaçait dans les hautes herbes. Elle s'éloignait du talus lorsqu'un craquement sec s'éleva jusqu'à la cime des arbres, provoquant l'envol d'un groupe d'oiseaux. La jeune femme se tourna, surprise, et scruta le terrain boisé. Derrière elle, à moins de vingt pas, les ramures des fougères ondulaient, trahissant ainsi la présence d'un intrus.

« Probablement un animal qui se sera aventuré près du ruisseau », pensa-t-elle en commençant à monter la pente qui menait au plateau de la lande.

Elle souleva le bas de sa jupe jusqu'aux mollets pour pouvoir se déplacer sans gêne. Cette fois, l'éclat caractéristique du bois qui se fend se répercuta sous le dais de la chênaie. Élisabeth se retourna aussitôt, juste à temps pour apercevoir une silhouette massive se tapir dans les branchages.

« Voilà une grosse bête, si même c'en est une », jugea-t-elle en reculant prudemment d'un pas.

Inquiète à l'idée qu'il pût s'agir d'un brigand, elle posa sa main sur le manche de son petit couteau.

— Qui vive ? dit-elle d'une voix qui se voulait assurée.

Comme s'il répondait à sa question, le buisson frémit. La personne était là, dissimulée derrière le feuillage. La jeune femme prit alors conscience de sa vulnérabilité, et une vague de panique s'empara d'elle. Elle était à des lieues de toute habitation. Aucune oreille amicale ne pourrait l'entendre crier à l'aide. Peut-être était-ce un braconnier qui craignait d'être dénoncé et pendu ? Certes, son père en avait attrapé plusieurs, mais combien en restait-il qui erraient de par la forêt ? Élisabeth s'accrocha à cette idée, qui lui paraissait plus rassurante. Si elle s'éloignait calmement, en feignant de croire qu'il s'agissait d'un animal, il y avait peu de chances pour que le chasseur se lance à sa poursuite. Calmée et passablement fière de son raisonnement, Élisabeth se décida à reprendre sa route. Elle serra son panier contre elle et se retourna lentement, présentant son dos à l'observateur. La pente, inclinée et inégale, requérait toute son énergie. Malgré cela, la jeune femme demeurait à l'affût du moindre bruit. Mais en dehors des petits cailloux crissant sous sa semelle, seule sa respiration troublait le silence de la forêt. Élisabeth était parvenue à mi-chemin de la côte lorsqu'elle s'arrêta. Elle posa son panier sur le sol et replaça quelques mèches dans sa coiffe. Bien qu'elle fût à peu près certaine que le guetteur s'en était allé, elle jeta un coup d'œil furtif par-dessus son épaule. Nicolas lui avait raconté la battue qui avait été menée contre les braconniers et combien il avait été impressionné par leur aisance à se dissimuler dans la nature. L'importun sauta par-dessus un arbuste, dans un mouvement qui rappelait celui d'un chat bondissant pour attraper sa proie. Sa crinière hirsute couvrait ses yeux, accentuant l'impression bestiale qui se dégageait de l'homme. Instinctivement, la jeune femme plaqua ses mains au sol pour gravir la butte. Celui qui l'avait prise en chasse poussa un grognement animal tout en gravissait le versant à la manière des bêtes; contrairement à elle, qui se démenait maladroitement, il était habile. Son genou buta contre une racine proéminente. Alors qu'elle cherchait à trouver un appui avec son pied, celui-ci entra en contact avec la main de l'homme, qui tentait d'attraper sa cheville. Élisabeth pouvait presque sentir son souffle sur sa nuque. Elle émit une plainte gutturale, à mi-chemin entre le cri et le rugissement. Si elle n'atteignait pas le haut de la côte bien vite, il l'attirerait à lui. Les ongles de la jeune femme creusaient la terre à la recherche d'une prise, et ses jambes battaient violemment dans tous les sens. Dans son affolement, elle ne perçut pas la voix familière qui l'appelait.

ᔪ

Même si plus de vingt ans s'étaient écoulés depuis que ses pieds avaient foulé le sol du terrain boisé, Lutisse le retrouvait presque inchangé. La mousse avait verdi les troncs, la fougère avait gagné du terrain, mais tout cela faisait partie du cours naturel des choses. Les sentiers de naguère étaient toujours là, ces mêmes sentiers où elle venait, enfant, ramasser des champignons, des marrons et des noisettes. La main de l'homme avait transformé le château de Montcerf, mais la forêt était heureusement intacte. Lutisse s'assit sur un rocher pour contempler le paysage. L'air était doux. Elle inspira profondément. Elle baignait dans la félicité propre à ceux qui voient l'œuvre de Dieu dans les merveilles de la nature. Le temps n'avait pas de prise ici; ce lieu lui rappelait ses premières années au couvent, lorsqu'elle se réfugiait dans la contemplation. Lorsqu'elle était jeune, la méditation lui procurait un apaisement réel, la libérait de ses doutes et de ses pensées. Depuis combien d'années n'avait-elle pas ressenti cette paix intérieure ? La vérité était que, hors des murs du couvent, elle n'avait jamais pu ressentir cette sérénité. Poussées par la bise, les voix de la forêt, qui fredonnaient un chant à son oreille, changèrent tout à coup d'intonation. Dans la mélodie forestière, Lutisse perçut un son discordant. Elle se dressa aussitôt. Oui, c'était bien un cri. Elle se précipita aussitôt vers l'endroit d'où venait ce bruit.

⁓

— Élisabeth ! Mon Dieu ! Vous n'avez rien ? demanda Lutisse.

Lutisse considéra sa nièce. La terre avait noirci sa jupe, ses joues et ses bras. Son bonnet s'était défait et ses cheveux étaient en désordre. Mais, dans la lueur de ses yeux noisette, la peur s'éloignait peu à peu pour faire place à un soulagement profond.

— Oh ! Ma tante ! s'écria Élisabeth en se jetant littéralement sur elle.

Un sanglot s'étouffa dans sa gorge. Lutisse lui passa maladroitement la main dans les cheveux.

— Voilà, il n'y a plus rien à craindre, murmura-t-elle, la voix tremblante d'émotion. Il est parti…

En disant cela, elle leva les yeux vers la forêt profonde. Nul doute qu'à la vitesse à laquelle il avait déguerpi, il était déjà loin.

— C'était un brigand ? Un braconnier ? hoqueta Élisabeth entre deux gémissements.

Lutisse fronça les sourcils. Ainsi, sa nièce ne connaissait pas l'identité de son poursuivant.

— Je l'ignore, je ne l'ai aperçu qu'un instant, mentit-elle. Venez, ne restons pas ici.

Elle entraîna la jeune femme en haut de la côte. Encore étourdie, Élisabeth se laissa faire. Lutisse la guida jusqu'à un tronc d'arbre et lui demanda de s'asseoir.

— Que s'est-il passé ?

— Je cueillais de la verveine quand j'ai aperçu une silhouette dans les hautes herbes. J'ai bien vu qu'il ne s'agissait pas d'un animal, mais je n'ai pas cru qu'il pouvait… Oh ! s'exclama-t-elle avant de se remettre à pleurer.

— Là, là… C'est fini maintenant.

Lutisse se retint de faire la leçon à sa nièce sur les dangers de se promener seule en forêt. Élisabeth aurait pu lui adresser le même reproche, ignorant que Lutisse se savait à l'abri du prédateur qui l'avait pourchassée aujourd'hui.

— En l'absence de votre père, nous allons devoir avertir le chevalier de Cailhaut. C'est lui qui assure la protection du domaine. Vous êtes sûre que vous n'avez pas vu son visage ?

— Si, je l'ai vu, affirma Élisabeth. Il avait l'air d'une bête. D'un chien, peut-être… ou d'un loup.

— Ces hommes en viennent à ressembler aux animaux qu'ils côtoient, répondit Lutisse en prenant un air grave. Nous devrions rentrer, c'est bientôt le soir. Vous allez pouvoir marcher jusqu'au château ?

Élisabeth se leva. Elle était déjà beaucoup plus calme. Lutisse la laissa cheminer devant elle ; ses pensées se bousculaient dans sa tête. Devait-elle révéler à Élisabeth la vérité au sujet de son poursuivant ? Non… Même si elle avait tissé un lien de confiance avec sa nièce, il était peu probable que cette dernière la crût. Cela ne lui laissait guère qu'un choix : elle devait garder ses informations pour elle. Lutisse frissonna en dépit de la chaleur. Sous ses dehors assurés, la perspective d'un face-à-face avec cet homme l'angoissait.

15

La nuit des princes

Oksana noua l'écharpe à son cou et se retourna vers Gontran.

— C'est inutile, vraiment, répéta-t-elle. Le château est au bout du chemin.

Celui-ci la considéra, incertain. Devait-il insister ? S'ils se fréquentaient depuis plusieurs mois déjà, il craignait encore de commettre un faux pas qui mettrait un terme à leur relation. En fait, il n'arrivait toujours pas à croire que la providence eût placé une telle femme sur son chemin, lui, un veuf quadragénaire qui n'avait jamais cru à l'amour.

— Tu ne dois pas t'inquiéter pour moi, je connais une façon de me protéger des hommes-loups. Ma nourrice, en Russie, m'avait enseigné une comptine qui est censée les faire fuir.

— Si elle est en russe, ta chanson, je doute que cela ait l'effet voulu sur un loup-garou d'ici, précisa Gontran à moitié sérieusement.

Oksana leva un sourcil amusé et inclina la tête, signifiant par là qu'il avait marqué un point.

— Ne me dit pas que tu accordes du crédit à ces contes ? renchérit-elle.

— Non. Je ne crains pas les garous, mais les rôdeurs, oui. Mlle de Razès a eu la mauvaise fortune d'en rencontrer un, et je m'en voudrais si la même chose t'arrivait.

Le récit d'Élisabeth s'était répandu comme une traînée de poudre, trouvant écho parmi les paysans, se plaignant déjà d'un gros animal qui terrorisait le bétail. Comment ces deux anecdotes s'étaient-elles fondues en une seule ? C'était l'une des énigmes de la vie rurale qui intriguaient tant Oksana. Or, avec l'approche de la pleine lune, les tranquilles habitants de Montcerf semblaient s'être métamorphosés en paysans superstitieux, avec un appétit démesuré pour les récits d'épouvante. Elle n'aurait pas prêté attention à ces divagations si elle n'avait surpris deux servantes accuser l'un des palefreniers d'être lupin, sous le simple motif que ses sourcils se rejoignaient. En l'absence du comte, Aude était intervenue et les deux commères avaient été averties de ne plus se livrer à pareilles médisances. Oksana considéra son amoureux. Les derniers mois, elle avait appris à le connaître. Homme de peu de mots, il ne s'engageait pas dans un débat sans bonne raison. Or, Gontran paraissait sincèrement inquiet. En guise de capitulation, elle lui adressa un hochement de tête, suivi d'un sourire.

— À la bonne heure !

Il attrapa son chapeau et son épée, puis lui emboîta le pas à l'extérieur. En le voyant prendre son arme, Oksana eut un mouvement de surprise. Elle avait entendu Élisabeth raconter son incident en n'y accordant qu'une attention distraite. Elle-même ne s'aventurait jamais aussi loin dans les bois, et elle estimait donc que ses chances de rencontrer des brigands étaient bien minces. Elle observa les buissons autour d'eux. La forêt était auréolée de cette lueur bleutée qui accompagne le crépuscule. Le chemin reliant le manoir de Gontran au château, Oksana aurait pu le parcourir les yeux fermés. L'idée qu'elle devrait dorénavant limiter ses sorties ne l'enchantait guère.

— Tu crois qu'un brigand se risquerait jusqu'ici ? demanda-t-elle.

Gontran haussa les épaules.

— On ne sait jamais, affirma-t-il.

Oksana leva vers lui un regard soucieux. Aussitôt, il regretta de ne pas pouvoir rester près d'elle pour la rassurer.

— Je pourrais passer la nuit à Montcerf ce soir, suggéra-t-il. Personne ne s'y opposerait…

— Gontran… Déjà, nous sommes de moins en moins prudents. Ce n'est pas une bonne idée. La dernière chose que je souhaite, c'est d'être le sujet des bavardages de la maisonnée.

Le chevalier de Cailhaut resta silencieux. Aussi longtemps qu'Oksana craindrait d'afficher leur liaison, il ne pourrait être tout à fait disponible pour elle.

⁓

Lutisse s'approcha de la fenêtre qui surplombait la cour du château. Au loin, la forêt formait un rempart de noirceur dentelée d'où émergeaient les sommets des Puys, emprisonnés dans leur cape de brume. Où que l'on fût en Auvergne, il était impossible de ne pas apercevoir ce royaume majestueux, à l'allure impressionnante. Et quand les regards convergeaient vers ses hauteurs, l'imaginaire était au faîte de sa stimulation. Parce qu'elles étaient inhabitées, les lutins, les sorcières, les boucs et autres créatures du malin en avaient fait leur maison. Parmi les êtres de ce peuple maléfique, les loups-garous étaient les rois. Dans sa jeunesse, Lutisse avait tremblé en entendant les légendes de ces créatures qui avaient pris une forme humaine et qui vivaient parmi les hommes mais se métamorphosaient en monstres la nuit, afin de se repaître de leur sang. Les nuits de pleine lune, le majordome de son père avait l'habitude d'aller couper des branches de sorbier et de les suspendre au-dessus des fenêtres et des portes du château. La protection ainsi offerte avait toujours tenu les créatures à l'écart de leur domaine. Or, le majordome était décédé depuis longtemps, et l'usage s'était perdu avec lui. Le vent balaya un gros nuage et l'astre lunaire apparut dans sa plénitude. Pour les gens de la maisonnée, ce n'était pas de bon augure. En effet, même si la sorcellerie était bannie du pays, la campagne française était loin d'être au diapason des édits royaux. Lutisse dressa l'oreille. Un hurlement sinistre s'élevait à travers la forêt. En dépit de ses souvenirs d'enfance, elle ne prêtait pas foi à la croyance voulant qu'une malédiction pût transformer un homme en loup. En revanche, elle était certaine que la pleine lune affectait les esprits faibles et vulnérables.

Lutisse s'arrêta pour reprendre son souffle et regarda derrière elle. Le couloir était désert. Xavier avait dû tourner à gauche. Ainsi, elle avait tout son temps pour se cacher, il mettrait bien plusieurs minutes à s'apercevoir de son erreur. La jeune fille considéra les portes closes, alignées comme d'imposants hallebardiers le long du mur de pierre. Cette aile du château étant inhabitée, on ne pouvait y demeurer très longtemps sans prendre froid. Néanmoins, malgré le printemps peu clément, une tiédeur agréable emplissait le corridor. C'était ici que son père avait installé leurs invités. La princesse, son jeune fils et leurs gens.

Ils étaient arrivés la nuit précédente, en faisant tout un tapage. En les apercevant, Lutisse avait cru qu'ils étaient des comédiens ambulants. Les jeunes femmes portaient des justaucorps qui cintraient leurs poitrines et, comme leur maîtresse, la princesse de Condé, elles dissimulaient leurs cheveux sous des tricornes. Quant aux gentilshommes, armés de pied en cap, ils avaient plutôt l'air de spadassins dans leurs mises défraîchies. Malgré cela, le comte de Montcerf leur avait fait un grand accueil. Contrairement à Xavier, qui s'enthousiasmait à l'idée de recevoir les frondeurs, Lutisse voyait d'un très mauvais œil ce débarquement nocturne. En offrant le gîte à ces rebelles, le comte de Montcerf ne se déclarait-il pas fidèle à leur cause ? Lutisse tenta d'ouvrir les deux premières portes, sans succès. Elle se faufila sans bruit vers la troisième.

— Il a toute confiance en vous, c'est un grand honneur…

— Mais il ne s'agit pas d'une mince faveur, madame de Collibret, l'interrompit le comte de Montcerf. Ces documents pourraient me valoir la prison, ou même pis, si on venait à apprendre que je les détiens ! Je ne suis pas le dernier des sots. Je reviens de Paris, je sais ce qui agite le peuple.

Lutisse tressaillit en entendant la voix de son père. Que faisait-il ici ? Elle s'approcha de l'huis et y jeta un œil en catimini. La personne qui s'entretenait avec son père était l'une des dames de compagnie de la princesse. Elle avait troqué son haut-de-chausse pour une toilette féminine qui épousait ses rondeurs voluptueuses. Ses cheveux sombres tombaient en cascade sur ses épaules, dont la blancheur laiteuse brillait à la lumière des chandelles.

— Alors, vous savez comme moi que c'est dans des temps comme ceux-là que des alliances se forment. Le prince de Condé n'oubliera point ce que vous ferez pour lui… et pour toute la France, renchérit Mme de Collibret. Il pourrait se montrer généreux, très généreux envers vous et votre famille.

Tout en discourant, ses doigts traçaient une courbe imaginaire sur l'édredon du lit.

Malgré l'expérience négligeable que Lutisse avait des hommes, elle comprit instinctivement que cette femme tentait d'attiser le désir de son père. Cette pensée la bouleversa. Le corps de sa mère reposait en terre. Son père ne pouvait déshonorer sa mémoire avec cette catin !

— Le prince de Condé sera-t-il seulement en position d'honorer ses promesses ? À Paris, des gens bien informés m'ont assuré que Mazarin n'était pas en aussi mauvaise posture qu'on pourrait le croire.

Ce dernier trait fit réagir la femme. Elle balaya un coussin du revers de la main, comme s'il se fût agi du cardinal lui-même.

— Ne vous mettez pas dans cet état, ma chère, on pourrait croire que vous en voulez personnellement à l'Italien, badina le comte de Montcerf tout en posant ses larges mains sur son ceinturon.

— Je ne m'en cache pas, rétorqua-t-elle avec une vive fierté.

— Fouchtra ! Vous méritez votre réputation, madame de Collibret. Vous êtes aussi flamboyante qu'on le dit, s'exclama Hector de Razès, comte de Montcerf.

Madeleine de Collibret lui répondit par un sourire mystérieux.

— J'aimerais bien connaître le nom de cette personne qui vous a si bien renseigné sur moi et sur la faveur du prince…

— Ah ! Mais, on vous le dira, je ne trahis jamais mes amis, madame.

— Je sais, vous avez cette réputation d'honnêteté. Le prince ne tarit pas d'éloges à votre endroit, affirma-t-elle avec une pointe de dépit.

— Madame, qu'est-ce que ceci ? De la jalousie ? Pourtant, il m'apparaît que vous n'avez rien à envier à personne. N'êtes-vous pas sa maîtresse ?

— Vous vous abusez, le coupa-t-elle. Je ne jalouse pas l'estime que l'on vous porte, mais tandis que chacun vante vos mérites, moi, je désespère de ne jamais vous compter parmi mes amis. Hélas, j'étais venue dans l'espoir de vous gagner à notre cause, et voilà que je vais devoir me résigner à baisser pavillon, se plaignit-elle en penchant la tête, créant ainsi un voile avec ses beaux cheveux.

Lutisse vit avec stupeur son père s'approcher de la femme et poser sa large main sur son épaule.

— On ne vous résiste pas aisément… Je vous promets de considérer votre demande. Au nom de la Fronde. Maintenant, montrez-moi que vous tenez à mon amitié.

Lutisse plaqua ses paumes ouvertes contre le mur. Elle maîtrisa avec peine un haut-le-cœur devant le spectacle de cette femme qui appuyait sa bouche contre celle de son père. Soudain, un cri bestial déchira le silence dans lequel baignaient les deux amants. Lutisse n'eut que le temps d'apercevoir une forme se ruant sur son père avant que celui-ci ne la repoussât puissamment dans un coin de la pièce.

— Non ! intervint, trop tard, Madeleine de Collibret.

— Que… Qu'est-ce que cela signifie ? demanda le comte, déconcerté.

Madeleine se précipita vers le jeune garçon, qu'elle entoura aussitôt d'un bras protecteur. Lutisse reconnut alors le fils de la princesse en l'assaillant qui se tenait maintenant en retrait, poussant de petites plaintes d'animal blessé.

— Fouchtra ! Qu'est-ce qui t'a pris, petit ? s'écria le comte, perturbé.

— Chut… chut… fit Madeleine, qui tenait toujours l'enfant dans ses bras. Henri a dû mal interpréter votre geste. Ce n'est pas sa faute, il a parfois des épisodes…

À l'instar de Lutisse, Hector de Razès dévisageait le jeune Condé avec un mélange de pitié et de dégoût. Le garçon s'était mis à lécher, à la manière des chiens, la nuque de Madeleine. De toute évidence, il était fou.

❧

Aude se dressa dans son lit, capitulant une fois pour toutes devant l'insomnie qui la rongeait. En maugréant, elle attrapa sa robe de chambre et s'en enveloppa. Comme lors des deux nuits précédentes, le sommeil la fuyait. Un bol de lait chaud était le seul remède efficace qu'elle connût pour soulager ce mal. Elle s'encouragea en se disant que plusieurs heures la séparaient encore de l'aube et, munie d'une bougie, se rendit aux cuisines d'un pas traînant. Elle traversait la salle basse lorsqu'un courant d'air froid la fit frissonner. Machinalement, Aude regarda autour d'elle. D'où venait la brise ? Elle avisa l'âtre dénudé de ses flammes. En été, il était peu probable qu'une rafale s'y engouffrât. Insatisfaite, elle poursuivit son chemin. Quand elle entrouvrit la lourde porte, elle hoqueta de surprise. Un vent froid tourbillonnait dans l'office, agitant les ustensiles, qui s'entrechoquaient en produisant un vacarme. La châtelaine leva son bougeoir. Le carreau avait été fracassé violemment, répandant tout autour une multitude de fragments de verre. Les croisillons de bois pendaient autour du trou béant. Prenant garde de ne pas poser le pied sur la vitre, elle scruta le sol à la recherche de ce qui pouvait avoir causé le dommage. C'est alors qu'un grognement menaçant se fit entendre. Épouvantée, Aude n'eut que le temps de faire demi-tour avant qu'une silhouette ne surgisse de la pénombre en bondissant vers elle. Elle fut renversée par la créature et sa tête heurta le sol. Le battant de la porte s'ouvrit brutalement, cédant la voie à l'intrus, qui poursuivit sa course. Aude sentit alors une odeur de saleté et de viande avariée qui souleva son estomac.

« Mon Dieu... Il est en liberté dans le château », songea-t-elle soudain en faisant un effort pour se remettre sur pied.

Une sorte de hurlement lui parvint depuis la salle basse et le sang de la jeune femme se figea dans ses veines. Le loup-garou dont tout le village parlait ! Qu'il s'agisse ou non d'une de ces bêtes maléfiques, ce qui l'avait renversée était un être féroce. Sans réfléchir, elle s'élança à sa poursuite. Ce n'était pas le moment de déplorer l'absence de Nicolas ou de Xavier. Il fallait agir, et vite.

« Je suis la seule qui puisse s'opposer à lui », conclut-elle en gravissant l'escalier à vis.

Celui-ci ne lui avait jamais paru aussi interminable. Lorsqu'elle atteignit l'étage, elle dressa l'oreille, attentive. Le couloir qui menait aux chambres baignait dans un silence de mort. Aude déglutit. Sa rapière était dans ses appartements, situés à l'extrémité de l'aile. Il lui serait aisé de l'attendre, tapie dans l'obscurité… Cette idée la fit frissonner des pieds à la tête. Sans perdre une seconde, elle retourna décrocher le flambeau qui illuminait le bas des marches. Puis, brandissant la torche, elle se rua vers le corridor. Son cœur battait follement lorsqu'elle pénétra dans son boudoir. Aussitôt, elle ouvrit le cabinet où se trouvait son arme. Le pommeau de l'épée flamboyait, comme si un feu magique l'animait. Elle saisit son baudrier et le passa à l'épaule, puis, rassemblant tout son courage, s'enfonça dans la noirceur du corridor.

« Où peut-il se cacher ? » se demanda-t-elle, les sens en alerte.

À sa droite se trouvait la porte des appartements de son mari. Il y avait ensuite celle des appartements de Xavier, puis, un peu plus loin, celle qui donnait chez Marguerite. Un cri de terreur retentit. Aude reconnut immédiatement la voix de sa belle-sœur. Des visions cauchemardesques se bousculaient dans son esprit. En deux enjambées, elle avait atteint l'entrée de la chambre d'Élisabeth. Soudain, une apparition surgit de l'ombre derrière elle. Aude pivota et, dans son excitation, faillit heurter Lutisse.

— Élisabeth, chuchota-t-elle en lui désignant la porte.

Lutisse semblait désemparée. Aude lui répondit par un hochement de tête déterminé et s'enhardit à lui tendre la torche.

— Tenez-vous derrière moi, ordonna-t-elle.

⤫

Élisabeth s'éveilla en sursaut, le cœur battant, sans savoir ce qui l'avait tirée de son sommeil. Sa chandelle s'était depuis longtemps consumée. Seule la pleine lune inondait sa chambre d'une lumière cendreuse. En entendant le grincement de sa porte, la jeune femme devina que quelqu'un s'était glissé dans la pièce.

— Qui est là ? murmura-t-elle en rabattant son édredon.

Elle perçut un souffle rauque, tandis qu'une odeur bestiale se répandait dans la pièce.

— Grrr…

Pétrifiée, Élisabeth vit une créature s'élever lentement du sol pour escalader son lit. Ce mouvement lui fit penser à un animal sur ses gardes. C'était la seule analogie qui lui venait à l'esprit devant cet être qui, s'il avait des contours vaguement humains, se comportait en tout point comme une bête. Elle retint le cri de panique qui montait en elle en s'accrochant à l'idée de réussir à l'amadouer, ce qui lui permettrait d'atteindre le chandelier en argent se trouvant sur sa table.

— Doux... fit-elle d'une voix tremblante.

Elle sentait maintenant son poids, sous lequel s'affaissait le matelas autour de ses jambes. Il ne bougeait plus, mais derrière ses cheveux hirsutes, elle pouvait apercevoir son œil rivé sur elle.

— Éli... abeth, balbutia-t-il d'une voix saccadée.

Cette fois, la jeune femme ne put retenir un cri d'horreur. Immédiatement, le monstre posa ses mains puissantes sur ses cuisses et, malgré les couvertures, tenta de les ouvrir. Élisabeth lui asséna un coup de poing à la mâchoire en hurlant :

— À l'aide !

Il grogna en encaissant le coup, puis, cédant à ses pulsions, s'allongea sur elle. Élisabeth le repoussa de toutes ses forces et tenta d'atteindre le chandelier, mais en vain. Il fourra son visage crasseux contre sa nuque en glapissant de plaisir. Soudainement, une lumière vive remplit la chambre. Élisabeth répéta sa supplique, déduisant qu'on venait enfin à son secours. Son assaillant, toutefois, persistait dans ses tentatives sans se soucier des gens qui venaient d'entrer dans la pièce. Élisabeth sentit les paumes de ses mains qui remontaient sur ses jambes et le devinait prêt à la pénétrer.

— Le chandelier ! s'écria-t-elle en se débattant comme une furie.

Tout à coup, il poussa un glapissement de douleur. Du sang gicla sur l'édredon. Avec une agilité incroyable, il pivota pour faire face à son attaquant.

Aude se tenait à quelques pas du lit, l'épée à la main. La main tremblante, elle le dévisageait avec mépris. Derrière elle, Lutisse tenait une torche à bout de bras.

— Arggg…

Aude tenta de l'intimider en lançant un coup dans sa direction. Désarmé, le monstre n'en demeura pas moins imprévisible et résolument plus fort qu'elle. Il ne réagit pas à sa feinte et porta son attention sur Élisabeth, qui tentait d'échapper à son emprise.

— Les hommes du comte ne tarderont pas à arriver, annonça Lutisse avec autorité. Partez, si vous ne souhaitez pas être inquiété !

Malgré la saleté qui maculait son visage et bien qu'il fût méconnaissable, Élisabeth, sidérée, comprit qu'il s'agissait du duc d'Enghien. Aude ne semblait pas avoir fait le rapprochement et s'avança, menaçante. Sous le regard ébahi des deux femmes, la lame de la comtesse de Montcerf fendit l'air et manqua de peu la jambe du prédateur, qui bondit hors du lit et s'élança vers la porte. Élisabeth se redressa promptement et, dans un geste désespéré, attrapa le chandelier. Lutisse s'écarta du chemin, livrant ainsi le passage au duc d'Enghien, dont le grognement envahit bientôt le couloir. Aude fit un mouvement pour s'élancer à sa suite.

— Non, madame la comtesse ! intervint Lutisse en essayant de la retenir par le bras.

— Mais… nous ne pouvons le laisser s'enfuir ! protesta-t-elle, tremblant à la fois de rage et de peur.

— Il ne s'avisera pas de revenir, déclara Lutisse, qui était d'une pâleur cadavérique.

— Oh ! Mon Dieu, ma tante ! dit Élisabeth en trouvant refuge dans ses bras.

Aude considéra les deux femmes avec une fierté mêlée de tendresse protectrice. C'était grâce à elle si elles étaient sauves. Leur assaillant avait décidé de traquer Élisabeth, et Aude ressentait une sympathie sincère à son égard. Elle ne se méprenait pas ; dans la position où elle était, la jeune femme n'aurait pu tenir tête à un si féroce opposant.

— Je vais prévenir ma mère et alerter les domestiques, déclara Aude sans ambages. Je veux m'assurer que tous soient en sécurité.

Elle sortit, confiant à Lutisse le soin de consoler Élisabeth.

— Ma tante, avez-vous reconnu le duc d'Enghien ? Quel mal s'est emparé de lui ? Comment est-ce possible ?

— Chut, ne pleurez plus, dit Lutisse en caressant les cheveux de sa nièce.

Elle devrait bientôt confier la vérité à sa nièce, mais le moment n'était pas venu d'ouvrir la porte sur le passé du château de Montcerf.

— L'homme qui était… commença-t-elle.

Une plainte, immédiatement suivie d'un cri d'alarme, retentit dans le couloir. La première idée qui vint à Lutisse fut que le duc leur avait tendu un piège. Mais lorsqu'elle se précipita à la suite d'Élisabeth, elle découvrit qu'Aude était seule au milieu du passage. La comtesse de Montcerf ne bougeait pas, la pointe de son épée traînant au sol. Elle fixait avec perplexité ses doigts couverts du rouge écarlate qui assombrissait le devant de sa robe de nuit. Puis, son expression se mua en horreur lorsqu'elle comprit que le saignement provenait d'une blessure dans le creux de son ventre. Elle se plia en deux comme pour empêcher la vie de quitter sa matrice blessée. La plaie était invisible, mais la douleur d'Aude percuta Élisabeth de plein fouet.

16

Avec Benjamin et ce qui s'ensuivit

Margot considéra, un sourcil levé, la façade cossue de la bâtisse. Sur l'écriteau, elle pouvait lire : « Doucet, imprimeur ». À l'époque où Benjamin, aussi connu sous le pseudonyme de Langue sale, s'était lancé dans l'imprimerie, personne n'aurait pu prédire qu'il afficherait un jour sa raison sociale sur une enseigne. Par ailleurs, les presses frappaient davantage de nuit que de jour, une contrainte dictée par leurs fonctions principalement clandestines. Le nom de « Langue sale » étant dangereusement notoire, et il avait trouvé ce moyen pour poursuivre la mission qu'il s'était donnée : décrier les aristocrates et les ministres.

— M. Doucet n'est pas ici, lui répondit l'imprimeur sans cérémonie. Vous devriez essayer à la corporation, vous auriez plus de chances de l'y voir.

— Bien, merci, répliqua-t-elle en dissimulant sa déception.

« À la corporation… Ça alors, Benjamin ! s'étonna-t-elle en pensée. Qui l'eût cru ? »

S'ils entretenaient une correspondance régulière, son ami ne s'était pas vanté de son engagement dans la guilde, ni d'ailleurs de sa réussite commerciale. Était-ce par excès d'humilité ou parce qu'il préférait taire les hauts faits de sa vie bourgeoise ? Margot regagna la rue en ruminant ses interrogations. Malgré l'insuccès de sa visite impromptue, elle ne renonçait pas à revoir l'ancien pamphlétaire. Benjamin figurait en haut de la liste de ses amis de longue date. Or, quelques jours plus tard, elle devait prendre la route de la Champagne. Une fois de plus, elle maudit le peu de temps qu'elle avait consacré à préparer son voyage.

— Puis-je vous aider, madame ? Vous êtes-vous égarée ? demanda un jeune homme bien vêtu qui venait vers elle.

Margot s'interrompit pour considérer le citadin qui l'avait abordée. Son visage agréable paraissait pétri de bonnes intentions, et elle prit conscience qu'elle errait devant l'imprimerie sans parvenir à décider d'un cours d'action.

— Je... balbutia-t-elle, embarrassée.

Deux hommes plus âgés, dont les habits révélaient leur condition de bourgeois prospères, s'approchèrent du jeune homme.

— Baptiste, n'as-tu pas une demoiselle à aller rejoindre ? Laisse donc les dames aux soins des hommes mûrs... dit l'un des deux.

Il s'arrêta brusquement de taquiner son confrère pour dévisager Margot d'un air ébahi, qui fit rougir cette dernière.

— Benjamin, bonjour.

— Margot... Margot ! s'écria-t-il haut et fort avant de s'élancer vers elle.

Il posa ses mains sur ses épaules et l'attira contre lui dans une accolade chaleureuse.

— Doucement... fit-elle en aspirant une bouffée d'air.

— Que fais-tu ici ? lui demanda-t-il lorsque enfin il s'écarta.

Elle considéra ses grands yeux pétillants d'intelligence, sa bouche expressive, son nez un peu long, sous lequel se trouvait une moustache bien taillée, et conclut que, derrière son masque, Benjamin était toujours le même.

— Euh... il s'agit d'un pamphlet que je voudrais faire imprimer. Le contenu est sensible... lança-t-elle, taquine.

Cette allusion à leur première rencontre fit éclater de rire Benjamin. Margot sourit à son tour, tandis que les deux hommes, le vieux comme le jeune, les dévisageaient, perplexes.

— Je suis de passage à Paris. Une lubie qui m'a prise, avoua-t-elle haussant les épaules. Je repars dans quelques jours...

Benjamin se tourna vers ses compagnons et leur fit signe d'approcher.

— Messieurs, j'ai le bonheur de vous présenter une excellente amie, Mme Marguerite de Razès, comtesse de Montcerf. Puis il ajouta, sans la consulter : Je crains de devoir vous faire faux bond pour le dîner, car Margot et moi avons du temps à rattraper.

Malgré leur surprise, les deux hommes balbutièrent les formules d'usage. Margot leur répondit par un sourire courtois. Le plus âgé des deux s'aventura à tenter un baisemain, mais Benjamin s'interposa aussitôt :

— Bas les pattes, vieux coq !

Il s'éloigna en poussant un rire gras et lança à Benjamin un clin d'œil complice, qui n'échappa pas à Margot.

— Croit-il que nous sommes... murmura-t-elle, gênée.

Benjamin s'amusa de la rougeur qui colorait ses joues.

— Allons donc ! En bon bourgeois, il aime à s'imaginer que je puisse avoir une dame de ta qualité pour maîtresse. Mais si tel était le cas, on ne s'afficherait pas en plein jour, non ? Et puis, tu as toujours été inaccessible, et certaines choses ne doivent pas changer...

— Voyons, Benjamin, s'offusqua-t-elle.

— Par ailleurs, continua-t-il, imperturbable, le jeune homme qui t'a si courtoisement abordé est mon futur gendre, si j'en crois ma femme... Il ne faudrait pas lui donner le mauvais exemple.

— Il épouserait Agnès ?

Benjamin hocha la tête d'un air morne. Son aînée, Agnès, n'avait pas encore seize ans. À travers ses lettres, Margot s'était forgé une image peu flatteuse de la demoiselle. Elle lui semblait entêtée, frivole et précieuse. Or, Benjamin la chérissait comme la prunelle de ses yeux.

— Il a plutôt bonne mine. Qu'est-ce que tu lui reproches ?

— C'est un bourgeois, affirma-t-il, pince-sans-rire.

Benjamin ne pouvait pas être vraiment sérieux. Néanmoins, Margot se mordit les lèvres pour ne pas éclater de rire.

— Allons, ne restons pas plantés là. Tu as faim, tu veux dîner ?

— Comment se fait-il que tu doives repartir si vite ?

Ils se rendirent dans une hôtellerie accueillante, près du faubourg Saint-Laurent, un lieu où se côtoyaient bourgeois, artisans, mousquetaires et tous les Parisiens qui aimaient la bonne chère. Margot se régala d'un ragoût de faisan en songeant avec nostalgie aux tavernes où l'ancien pamphlétaire avait l'habitude de l'entraîner. Déjà, à cette époque-là, Benjamin choisissait des tables bien pourvues.

— Je te le répète, ce n'est qu'une halte. Je dois rendre visite à ma tante et mon oncle, à Mirmille.

— Si on a de la chance, tu reviendras avant que je ne sois arrière-grand-père, maugréa-t-il en plantant son couteau dans la volaille fumante.

— Chacun son tour... Ninon m'a déjà houspillée, alors surtout, ne te gêne pas pour faire de même, répliqua-t-elle, agacée de se justifier sans cesse. Vous n'avez pas, ce me semble, pris davantage le temps de venir me rendre visite.

L'imprimeur leva la tête de son assiette et conclut que l'irritation de son amie était bien réelle.

— C'est vrai, je te l'accorde. Et je n'ai aucune excuse pour cela. Ninon, tu dis, t'a fait des reproches ? J'espère que tu lui as remis la pareille ! Elle n'a pas d'enfants, non ? Alors, quelle raison t'a-t-elle servie ?

— Arrête un peu. Ninon a l'âge d'être mère-grand. D'ailleurs, je ne lui fais pas de remontrances. Pfff... soupira Margot. Je mériterais qu'on me fasse la morale, je sais bien que je n'ai pas été une amie dévouée...

— Que me racontes-tu là ? s'exclama Benjamin. Tu mènes une vie paisible auprès de ton mari et de tes enfants, tu ne fais rien de mal, bien au contraire. Si on te sermonne un peu, c'est bien parce que tu nous as manqué.

Une fois de plus, la franchise de Benjamin déconcerta Margot. Elle baissa les yeux, gênée mais ravie. Être avec Benjamin s'apparentait à la caresse d'un vent vif et piquant.

— Promets-moi seulement que tu viendras souper à la maison. Lorsque Thérèse apprendra que j'ai dîné avec toi, elle sera verte de jalousie. Que veux-tu, je n'ai qu'une amie digne d'être fréquentée, et c'est toi, la grande comtesse de Montcerf !

— Je t'en prie, Benjamin, plaida Margot. Je n'ai pas abandonné mon titre et mon rang en province pour venir le subir à Paris.

Elle s'imaginait la scène : l'épouse bourgeoise lui détaillant le contenu des plats, du premier service au dixième, tandis que les enfants, endimanchés et forcés de se tenir coi, la regarderaient avec curiosité.

— Bon, bon, je peux t'épargner de souper chez moi, à une condition cependant : que tu m'accompagnes ce soir au théâtre.

— Ce soir ?

— Si fait. Mais peut-être as-tu d'autres engagements ? C'est jeudi… Ninon reçoit, je suppose, conclut-il, déçu.

La perspective de manquer le salon chez Ninon ne lui agréait pas, mais cela l'eût peinée de décliner la proposition pleine d'enthousiasme de Benjamin. Si les invités de l'illustre courtisane n'étaient pas reconnus pour être pointilleux sur l'étiquette, l'envie de se faufiler incognito dans les gradins du peuple se fit tout aussi impérieuse que soudaine.

— Ninon va me haïr…

— Nous irons la saluer après la pièce, proposa Benjamin.

— Qu'allons-nous voir ? Racine ?

Il fit la grimace.

— Non. Je t'emmène au vaudeville. C'est un de mes amis qui présente la comédie qu'on y joue. On y rit beaucoup, à ce qu'on dit.

⁓

— Laisse-moi te faire un compliment, tu es absolument radieuse. Pas tout à fait comtesse, mais pas tout à fait courtisane non plus.

Margot était vêtue d'une robe de couleur crème qu'elle avait dénichée chez un tailleur que connaissait Claudine. La coupe avait subi quelques modifications : les manches avaient été raccourcies et la jupe du dessus était relevée, laissant voir sa doublure rose corail. Pour mettre du piquant à l'ensemble, elle portait des accessoires rouges : un ruban noué à son cou, des boucles d'oreille, une fleur en pierreries épinglée à son corsage.

— Cesse de me taquiner. Je n'ai pas eu plus d'un après-dîner pour me faire belle.

Margot n'avait pas eu besoin d'arguments pour se laisser convaincre. Plus encore que de revoir Ninon, passer du temps avec Benjamin lui avait fait voir à quel point ses années passées comme châtelaine l'avaient éloignée de la personne qu'elle était quand, à dix-neuf ans, elle avait frondé Colbert dans son cabinet. Peu de temps après, elle avait été reçue par le roi. Se préoccupait-elle d'être irréprochable aux yeux de son souverain ? Nenni. Elle ne se ressouvenait pas de s'être sentie honteuse, ni à ce moment-là ni plus tard, jusqu'à la libération de son père. Certes, elle ne pouvait pas lui faire porter tous les blâmes, ni à lui, ni à sa noblesse, ni à Xavier. C'eût été trop facile. En outre, la culpabilité et l'humiliation étaient derrière elle. Vingt ans plus tard, alors qu'elle tenait le bras de Benjamin Doucet, l'imprimeur, une bienfaisante euphorie se répandait en elle, la grisant tout entière.

« J'aurai attendu vingt ans avant de me sentir aussi bien. Qu'importe si je rencontre quelqu'un que j'ai connu, quelqu'un avec qui j'ai fait l'amour. C'était il y a si longtemps. D'ailleurs, mes enfants connaissent la vérité, maintenant », pensait-elle.

Sur les paliers du théâtre, des femmes coquettement habillées dissimulaient leurs traits sous des masques de velours. Margot les désigna du menton à Benjamin. En habitué de l'endroit, il lui sourit d'un air entendu.

— Celle dont le collier de perles s'agite sur une opulente poitrine, c'est la femme du parlementaire Trépanier. Je doute fort que son mari la sache ici. Tiens, tiens, de la grande visite, là-haut… Tu aperçois la femme vêtue d'indigo ? C'est Madame, la belle-sœur du roi en personne.

Margot risqua un œil dans la direction que lui indiquait Benjamin. Comme eux, les nobles de la cour accouraient à ces distractions légères.

— Elle est immense ! cancana-t-elle à son oreille.

— Son mari et elle forment un couple pour le moins singulier, renchérit-il. Allons, dépêchons-nous de nous assurer d'une place au premier rang.

Margot se laissa guider. Benjamin évoluait avec l'assurance de quelqu'un qui connaissait l'endroit. Lorsqu'il s'arrêta, satisfait, tout prêt du tréteau, elle se risqua à lui demander :

— Ta femme t'accompagne-t-elle ici parfois ?

— Thérèse ? À aucun prix. L'hôtel de Bourgogne est le seul endroit où elle accepte de mettre les pieds, et encore… Agnès doit beaucoup insister pour s'y rendre.

— Je suis navrée, se désola Margot, qui ne pouvait imaginer être mariée à quelqu'un d'aussi différent d'elle.

— Pourquoi ? C'est de ma faute, j'ai épousé une femme bien au-delà de ma condition. Mais je ne suis pas à plaindre. J'ai fait un bon mariage, tout bien considéré.

La salle ne cessait de se remplir. On aurait dit que les foules disparates qui peuplaient la ville avaient décidé de se déverser dans l'amphithéâtre comme l'eau de pluie dans la Seine.

— Dans tes lettres, il me semble que… Enfin, j'ai l'impression que les sentiments que tu as pour elle ne sont pas très…

— Que veux-tu dire, Margot ? Tu n'as pourtant jamais eu l'habitude de me ménager.

Le ton était sec. Elle se rembrunit. Était-il froissé par ses tergiversations ?

— Je t'assure que, malgré mes doléances, je suis très satisfait de mon sort. D'abord, nous avons trois beaux enfants. Mais tu sais, je n'ai jamais envisagé de me marier par amour, lui confia Benjamin.

— On peut difficilement être déçu, alors, admit-elle en se jugeant soudain puérile.

— Tu as tort, on peut tout à fait l'être. Il y a plus que l'amour dans une relation entre un homme et sa femme. Il y a le respect, l'honnêteté, la complicité, la bonne entente.

— Et l'amour, tu l'abandonnes aux maîtresses ?

Benjamin la dévisagea avec, sur son visage habituellement spirituel, une expression indéchiffrable.

— Peut-être… L'amour, c'est d'abord un idéal inaccessible, n'es-tu pas d'accord ?

Margot voulut répliquer lorsque retentirent les trois coups annonçant le début du spectacle. Le rideau se leva sous les applaudissements de l'audience. Benjamin se tourna vers la scène. Elle fit de même. Un peu plus tard, après les premiers quiproquos de la pièce, l'assistance était rivée au jeu des acteurs, qui l'entraînèrent dans une satire comique n'étant pas sans s'apparenter à celles de Molière. L'histoire mettait en scène un bigot qui tentait de suivre les enseignements d'un prêtre ivrogne et défroqué. Le thème, assurément sensible, choquait par son audace. Margot s'amusait malgré la qualité des vers, qu'elle jugeait un peu faible. Lorsque la pièce fut terminée, Benjamin se tourna vers elle et lui demanda, assez fort pour couvrir le bruit des applaudissements :

— Alors ?

— Ça m'a plu, mais, tu sais, il y a si longtemps que je n'avais pas vu de théâtre. Le dernier acte m'a étonnée. Je n'aurais pas cru que le bigot se laisserait convaincre de dire la messe à la place du prêtre.

Benjamin approuva en hochant la tête. Margot remarqua l'éclat de fierté qui éclairait ses pupilles. Juste après, le bigot lui fit signe et Benjamin l'entraîna par la main vers l'arrière-scène. Elle pénétra à sa suite, mais ils furent séparés par la jubilation de la troupe.

— Alors ?

— Ils ont adoré ! s'exclama l'imprimeur. Le dernier acte, surtout.

— Benjamin, comment tu m'as trouvée ? demanda la première actrice, une rousse plutôt jolie.

— Sublime ! Margot, approche. Je veux te présenter.

Impressionnée par le revers du rideau, qu'elle traversait pour la première fois, Margot s'avança timidement, jusqu'à ce que son ami l'attire à lui.

— Voici les membres de la troupe qui daignent déclamer mes humbles vers : Simone, Patrice, Claude, Laurent, Édith et Thierry. Laissez-moi vous présenter Marguerite de Razès, une amie de jeunesse.

« Benjamin, auteur ! » s'étonna-t-elle en elle-même.

Mais était-ce vraiment si surprenant ? Certainement moins que de découvrir qu'il était engagé au sein de la corporation qu'il avait tant décriée autrefois. Après tout, Benjamin avait tenu la plume contre vents et marées.

— Petit cachottier ! Depuis combien de temps cela dure-t-il ?

— C'est la deuxième pièce que l'on monte, mais la première n'a pas tenu l'affiche deux semaines.

— Celle-ci a l'air d'être bien reçue, fit-elle remarquer.

Ils furent interrompus par le metteur en scène, qui sollicita Benjamin pour faire le partage des recettes. Margot se retrouva entourée des acteurs de la troupe. Patrice, débarrassé de sa perruque de bigot, lui tendit un verre de vin rouge en lui adressant un sourire charmeur.

— Madame de Razès, votre présence nous honore. À quoi la devons-nous ?

Elle accepta le vin sans broncher, mais esquiva la tentative d'approche du séducteur aux dents longues.

— À qui ? voulez-vous dire. Mais à mon bon ami Benjamin ! Le connaissez-vous ? lança-t-elle, brutale.

L'homme accusa le coup et, penaud, esquissa un demi-tour. Ses compagnons échangèrent des regards amusés, et Margot s'aperçut qu'à l'exception d'un seul ils étaient tous beaucoup plus jeunes qu'elle.

— Je ne dédaigne pas un peu de compagnie… honnête, fit-elle, plus amène.

Bon joueur, il se retourna en souriant.

— Comment l'avez-vous connu, notre auteur ?

La question soutira un sourire à Margot.

— Disons simplement que la providence a joué un grand rôle dans notre amitié.

Comme s'il avait senti que l'on parlait de lui, Benjamin s'approcha à cet instant.

— Margot, ne te laisse intimider par ce Don Juan. Puis, il ajouta : Désolé de t'avoir faussé compagnie.

Elle lui prit le bras, résolue à ne plus le laisser filer sans connaître le fin mot de l'histoire.

— Pardonnez-moi, messieurs, leur dit-elle, en le conduisant à l'écart. Il a fallu que je vienne à Paris pour savoir que tu t'étais remis à écrire. C'est impardonnable !

Benjamin ricana. Malgré les pattes d'oie autour de ses yeux, il semblait avoir rajeuni de quelques années.

— Doucement ! Je ne voulais pas te tenir dans le secret…

Margot fit la moue. En dépit de son ton badin, elle se sentait meurtrie dans son amitié. Les années, la distance et les différences qu'il y avait entre eux avaient-elles finalement eu raison de leur relation ?

— En venant ici, j'apprends que tu es mêlé aux activités de la corporation, je découvre que tu écris des pièces ! Que me caches-tu encore ?

— Margot… Tu n'as pas changé. Je baisse les armes, je me rends. Je souscris à toutes tes plaintes.

— Pfff…

— Toujours insatisfaite ? Fort bien. Suis-moi.

Benjamin se détourna et fendit le groupe d'un pas impatient. Margot mit quelques secondes à réagir et s'élança à sa suite. Il s'arrêta au fond de la salle et attendit qu'elle l'ait rejoint. Là, il gravit un escalier grinçant et empoussiéré, jusqu'à un palier sous les combles, où Margot découvrit un simulacre de cabinet. Dans un coin, un grand secrétaire émergeait des amas de costumes et des pièces de décor. Sur sa surface éraillée, feuillets et lumignons de toutes grandeurs formaient une sculpture inusitée.

— Oh ! s'émerveilla-t-elle. C'est ici que tu écris…

Tandis qu'elle s'approchait respectueusement du pupitre, Benjamin ramassa une bouteille de vin et deux gobelets. Il versa deux doigts d'alcool dans chaque verre et en tendit un à Margot.

— C'est ici que Langue sale revit un peu, répondit-il, détendu et serein.

Elle s'assit sur la chaise et considéra avec admiration les plumes, l'encrier et les feuilles devant elle. L'écriture pour Benjamin était son échappatoire, sa fuite devant les contraintes familiales et son mariage. Les rires des comédiens, atténués, montaient jusqu'à eux comme un feu qui réchauffe les cœurs.

— Je ne… commença-t-elle.

— Attends, je vais te montrer ce que j'ai écrit dernièrement, annonça-t-il en finissant d'allumer les chandelles, qui jetèrent une lumière sur ses essais.

Benjamin se dirigea vers un meuble à trois tiroirs. Margot calma son impatience en sirotant son verre. Langoureusement, elle tira jusqu'à elle un papier couvert de gribouillis. Déçue, elle repoussa le ramassis de ratures et de taches d'encre. De son côté, Benjamin était toujours occupé à rapatrier les pages de son œuvre. Curieuse, elle fit glisser d'autres feuilles jusqu'à elle. Son œil s'attacha à l'ébauche d'un poème. Les premières lignes la firent sourire.

Belle femme, belle fleurette,
Sous ton regard émeraude…

— Je l'ai, voilà ma nouvelle pièce, lui présenta son ami, interrompant sa lecture.

— Benjamin… Tu ne m'avais pas dit que tu avais une muse, lâcha-t-elle, coquine.

— Comment ça ?

Pour toute réponse, Margot récita :

— « Belle femme, belle fleurette, Sous ton regard émeraude… »

— Donne-moi ça ! la somma-t-il, soudain visiblement angoissé.

Margot eut un petit rire et se pencha sur le madrigal. Elle termina sa lecture et son sourire s'évanouit. Benjamin lui retira la feuille des mains.

— J'ai écrit ça un soir où j'avais bu, plaida-t-il, l'air piteux.

— Vraiment ? lança-t-elle en le dévisageant, redoutant sa réponse.

— Oui, affirma-t-il, déployant son meilleur jeu d'acteur.

Margot s'approcha de lui, assez près pour sentir le souffle sortir de ses lèvres. Elle n'avait jamais remarqué auparavant à quel point il était grand. Il la couvait d'un regard soucieux, chargé de questions. Elle posa un doigt sur sa bouche pour le faire taire. Il ne devait pas parler, il ne fallait pas qu'il parle, sinon…

« Benjamin, prends-moi, pensa Margot. Que ton étreinte me renverse et me fasse toucher le ciel. Je t'en prie, dépêche-toi ! »

Délicatement, il prit son doigt entre ses lèvres. Elle ferma les yeux, appréciant la sensation de sa bouche sur sa main. Il guettait sa réaction, à l'affût d'un signe qui lui ferait abandonner la prétention de vouloir lui faire l'amour. Mais il n'y en eut pas. Margot se laissa enlacer et entraîner vers un grabat. Une fois qu'il l'eut déposée sur celui-ci, elle passa ses bras autour de son cou et l'embrassa fougueusement sur la bouche. Un cri de détresse surgit de son cœur et monta à sa tête ; Margot le fit taire immédiatement. Elle mit ses peines et ses doutes en veilleuse et, comme si c'était la chose la plus naturelle au monde, se laissa emporter par les mains adroites de son ami. Benjamin consentait à être son amant, avec l'impatience de quelqu'un qui a mué ses désirs en tendresse pendant des années. En un tournemain, il l'avait dévêtue, lui laissant seulement sa chemise de batiste et ses parures. Margot rejeta sa tête en arrière, lui présentant son cou.

— Margot… chuchota-t-il. Ma courtisane, ma fleur…

Son adoration muette caressait Margot, provoquant une réaction encore plus vive et intense que celle de sa bouche sur sa gorge. Benjamin ne ménageait aucun effort pour lui faire plaisir ; il la lécha avidement, avec une fougue qui la laissa pantelante de jouissance. Lorsqu'il se glissa en elle, Margot ferma les yeux. La pensée de Xavier lui fit monter les larmes aux yeux. Non ! C'était son moment, son moment à elle. Plus tard, elle s'emploierait à expier ce péché. Benjamin ne parut pas voir son trouble. Il passa ses mains dans ses cheveux. Margot gémit et posa ses mains sur les fesses de Benjamin. Encouragé, il vint cueillir sa bouche puis lui murmura des mots cajoleurs au creux de l'oreille. Au plus fort de son plaisir, elle poussa un cri guttural, puissant, comme si elle exhumait une partie d'elle-même.

17

Lendemains

Ces lèvres gonflées, ces pupilles brillantes, cet air épanoui, sinon par le sentiment, du moins par l'acte de l'amour, Ninon les connaissait intimement. Elle n'eut besoin que d'un coup d'œil pour reconnaître cet état énamouré chez son amie.

— Bonsoir, Margot, dit-elle en ouvrant tout grand la porte de l'hôtel des Tournelles.

La comtesse pénétra dans la demeure presque modeste, sobrement décorée, que certains nostalgiques se plaisaient à appeler école de la galanterie. Avant même qu'elle n'ouvrît la bouche, Ninon lui souriait déjà avec indulgence. Or, sa sagacité prodigieuse, loin d'apaiser Margot, décupla son trouble.

— Quitte cet air doucereux, je t'en prie ! Au nom de notre amitié, semonce-moi !

— J'ignore ce qui te tourmente, mon amie. Toutefois, si tu crois avoir besoin qu'on te fasse la morale, je doute que tu sois au bon endroit. Viens dans ma chambre. Mes invités sont partis depuis longtemps.

— Il est tard, je n'aurais peut-être pas dû venir, dit Margot en entrant dans la pièce faiblement éclairée.

— Il est vrai que je t'attendais plus tôt. Assieds-toi.

Margot n'avait jamais repensé à cette habitude qu'avait Ninon d'entretenir ses amies dans la ruelle de sa chambre ou tout bonnement sur son lit. Les femmes du Marais en faisaient tout autant lorsqu'elles tenaient salon. Chez la courtisane, cette atmosphère stimulait les confidences. Ce jour-là, toutefois, Margot n'avait besoin de rien d'autre qu'une oreille attentive pour se mettre à parler; les mots se bousculèrent.

— Je l'ai fait, j'ai trahi Xavier ! J'ai peine à le croire. Jamais je n'aurais cru qu'une telle chose m'arriverait à moi, avoua-t-elle en ralentissant le flot de ses paroles. En dépit de mes certitudes, cela m'a été aisé. Ce n'est pas comme si j'avais perdu la maîtrise de moi-même, non. C'était… un état second. Lorsqu'il a posé ses mains sur moi, je n'ai eu ni le besoin ni l'envie de l'arrêter. Rien. Aucune voix pour me dire que je posais un acte condamnable. Et même après, lorsque nous nous sommes rhabillés… j'étais rouge, de gêne et de malaise. Mais des regrets, point.

Ninon la regardait calmement, sans souffler mot.

— Je suis une mauvaise épouse, déclara-t-elle. Mon mari m'attend à la maison pendant que moi, je vais à Paris et que je lui fais porter des cornes ! Sans compter que mon infidélité, je l'ai commise avec un de nos plus chers amis.

Comme si Ninon avait deviné de qui il s'agissait, elle lui lança :

— Et lui ? Tu l'aimes ?

— Non ! Enfin, oui, comme on aime un ami. Tout cela était tellement soudain…

— Les amis font parfois de bons amants de passage, à condition toutefois que chacun y trouve son compte… Ses sentiments sont-ils semblables aux tiens ?

— Il prétend qu'il m'aime, telle une égérie, un idéal… Il me l'avait d'ailleurs toujours caché, jusqu'à ce que je découvre un poème que je lui avais inspiré.

— Hum. Heureux hasard, conclut Ninon avec un sourire coquin.

— Ma raison m'avait abandonnée, et je n'ai pas envisagé que je pouvais ruiner notre amitié. Loin de moi l'idée de blesser Benjamin… Cependant, la possibilité de le perdre m'importe moins que d'avoir déshonoré mon mari.

— Ton mari est à des lieues de Paris, il n'aura pas vent de ta petite incartade, déclara Ninon. Puis, voyant l'expression atterrée de Margot, elle ajouta : À moins que tu commettes la folie de la lui avouer.

Ninon avait raison sur un point : Benjamin ne parlerait pas. Ne l'avait-il pas poussée dans les bras de Xavier, juste avant leur séparation ? Margot ferma les yeux pour mieux évoquer les instants qui avaient suivi son étreinte avec Benjamin. Une fois les vapeurs du plaisir dissipées, la réalité avait rattrapé Margot avec une rapidité foudroyante. Alors que Benjamin semblait flotter sur un nuage, elle était sous le choc de son retour sur terre.

— Que va-t-il se passer maintenant, Benjamin ? lui avait-elle demandé en tentant de dissimuler l'angoisse qui grandissait en elle.

— Moi, je vais rester ici et continuer à tenir le rôle de l'ami, tandis que toi, ma belle Margot, tu vas retourner auprès de ton héros, celui que ton cœur a choisi depuis le premier jour. Entre l'héroïne et le comparse de service, il ne peut y avoir que des quiproquos, jamais de romance.

Elle avait eu envie de le remercier pour ses bons mots, mais s'était retenue, de peur de le froisser. Pour Benjamin, l'amour qui l'unissait à Xavier et qui perdurait en dépit de son infidélité s'imposait avec la force de l'évidence. Pourtant, elle-même n'arrivait pas à retrouver cette certitude, tandis que les lambeaux de volupté se dissipaient autour d'elle. Et la perspective de traîner le poids du mensonge, en plus de celui de l'adultère, l'horrifiait.

— Pourquoi tiens-tu tant à souffrir pour ce que tu as fait, Margot ? demanda Ninon.

— Parce que ce que j'ai fait est mal. Même toi, tu dois en convenir !

— Je suis très attachée à Xavier, tu le sais. Mais aucune doctrine ne doit nous dicter ce que nous ressentons dans nos cœurs. Chaque personne est maître de sa conscience. Or, ton mari est fier, et la vérité risquerait de l'ébranler, ou, pis, de l'anéantir.

« Peut-être est-ce justement la réponse que je cherche ? pensa-t-elle tout à coup. S'il m'aime autant qu'au premier jour, il ne pourra pas supporter l'idée qu'un autre m'ait rendue heureuse, ne serait-ce que durant une nuit. »

— Veux-tu que je te parle comme je te parlais naguère, lorsque tu habitais sous mon toit, lorsque je me plaisais à vous appeler toutes mes rescapées de la mauvaise fortune ?

Margot esquissa un sourire. Elle avait oublié ce terme qui décrivait, sans doute mieux que « protégées », ce qu'elles étaient réellement pour Ninon. Elle murmura un « oui » à peine audible. Ninon passa une main dans ses cheveux ébène et feignit de ne pas voir les fils blancs qui s'y mêlaient.

— Une bonne épouse… Un bon mari… Tu uses de ces termes comme une bourgeoise qui garderait sa chemise pour accomplir son devoir auprès de son époux. La qualité d'une bonne femme ou d'un bon mari se limite-t-elle aux vertus de la fidélité ? Si la passion est rarement féconde dans le mariage, nous savons toutes deux que ton mariage est né d'une très forte passion. Plus encore que des galants, des époux aimants se doivent d'entretenir la passion. Car, sans elle, l'amour faiblit et se meurt, et alors l'on devient vulnérable aux faiblesses auxquelles le cœur et le corps sont malheureusement sujets. À tout prendre, si l'un des deux époux se laisse emporter par une passion étrangère, la responsabilité de la faute lui revient-elle entièrement ? Ton époux a-t-il manqué à son devoir de galant ? Je vois ton regard si vert se teinter de jaune clair… Benjamin t'adore, toi, sa muse… N'est-ce pas tentant de se voir élever au même rang que les déesses de l'Olympe ? Et si tu ne souffres pas de ce péché, c'est que tu avais besoin de cet amour comme d'air frais. Tu ne pouvais vivre sans cela, et tu ne dois pas t'en vouloir. Margot, mon amie, tu as peut-être rendu un bien grand service à ton mariage en commettant cette bêtise. L'amour sage n'est pas pour les galants. Il faut des tempêtes et des orages pour faire fleurir les pommiers.

— Il n'est pas le seul à blâmer, Ninon.

— Tut, c'est assez d'enseignement pour une nuit.

La course de la lune était déjà bien entamée, et le matin, comme un soupirant empressé, serait bientôt à leur porte. Margot battit des paupières. La fatigue et les émotions l'avaient terrassée.

Silencieusement, comme si cela leur était coutumier, elles se dévêtirent et se glissèrent sous les couvertures.

⁓

— Il est navrant que vous deviez partir si vite, ma tante, dit Olivier.

Attendrie, Margot sourit à son neveu. Ce dernier n'était plus tout à fait un enfant, sans encore être véritablement un homme. Ses épaules, ceintes par un long manteau, étaient athlétiques, tandis que son visage, encadré de boucles claires, conservait un air angélique.

— J'en suis la première peinée, répondit Margot, qui s'efforçait de ne pas montrer sa tristesse. Vous allez devoir convaincre vos parents de venir nous visiter à Montcerf.

La réplique fit sursauter Claudine, qui se tourna vers sa sœur en lui jetant un regard lourd de reproches.

— Ce n'est pas moi qu'il s'agit de persuader, intervint Pierre de Roquesante. Je serais plus que ravi de revoir votre belle région. Par ailleurs, féru d'architecture comme je le suis, je trouve que les travaux entrepris par votre époux seraient une raison suffisante pour justifier ce déplacement.

— Si vous ne craigniez pas le bruit des maçons, bien sûr, répondit-elle, enthousiasmée. Ce serait une merveilleuse surprise pour Nicolas que de revoir sa tante chérie !

— Nous verrons, trancha Claudine, agacée. Maintenant, nous devrions goûter ce gâteau, car Mlle Henriette devra bientôt monter pour la nuit.

Margot n'insista pas davantage et savoura le dessert en devisant gaiement, tout en souhaitant que sa sœur accueillît favorablement sa proposition. Lorsque son beau-frère et son neveu se furent retirés à leur tour, les laissant seules, elle ne se contint plus et récidiva :

— Pouvons-nous espérer votre présence en Auvergne ? Les enfants seraient si heureux !

Claudine agita sa main dans les airs, comme pour chasser l'ennui qui naissait à l'idée de reprendre cette conversation.

— Nous pourrions en profiter pour aller prendre les eaux à Vichy. Je sais que tu en as toujours éprouvé le désir.

En guise de réponse, Claudine poussa un soupir d'exaspération, ce qui fit réagir Margot.

— Qu'y a-t-il, Claudine ? Je ne comprends pas…

— En dix-huit ans, c'est la deuxième fois que tu viens à Paris et tu ne restes que quelques jours, alors que Pierre et moi nous avons séjourné à Montcerf des dizaines de fois ! Par ailleurs, il ne t'importe pas de connaître les raisons pour lesquelles je ne veux plus aller en Auvergne. En revanche, tu m'interpelles devant les enfants… C'est honteux !

— Je ne… commença Margot. Puis, elle se résigna : Tu as raison, j'aurais dû faire un effort pour te visiter plus souvent. J'ai bien souvent allégué mon passé et la honte qui s'y rattachait, et cela m'a éloigné des gens que j'aimais. Mais si j'avais su que cela te blessait au point de bouder Montcerf pendant des années, j'aurais trouvé la force de surmonter mes peurs.

Claudine secoua rageusement la tête.

— Tant pis. Je m'étais promis de ne jamais t'en parler, mais voilà… Te rappelles-tu, l'été où j'étais enceinte d'Olivier ? Nicolas devait avoir cinq ans et nous avions passé un mois à Montcerf.

— Oui, je m'en souviens très bien. Tu étais grosse de six mois et il faisait très chaud cet été-là, se remémora Margot, pleine d'appréhension.

— Un jour, je t'ai confié que j'avais un amant et que je me doutais qu'il était le père de mon enfant à venir. Te rappelles-tu ce que tu m'avais dit, toi, ma sœur, mon amie ?

Margot, la gorge nouée par l'émotion, se contenta d'articuler un « oui » à peine audible. Bien sûr, elle n'avait pas oublié. Elle tendit la main vers Claudine, mais celle-ci se détourna pour essuyer les larmes qui brillaient au coin de ses yeux.

— Je t'en ai tellement voulu ! À tes yeux, j'étais une personne sans cœur, une égoïste. Alors, pour te punir, j'ai décidé de ne te jamais présenter ton neveu, celui dont tu condamnais impunément la naissance par ton attitude méprisante et ta haute morale.

— Claudine ! Je te demande pardon, implora Margot. Si j'ai agi de la sorte envers toi, c'est par culpabilité. Je ne supportais pas l'idée que tu ne fusses pas heureuse auprès de ton époux ! Je détestais notre père de t'avoir forcée à contracter ce mariage ! J'aurais souhaité que tu sois aussi heureuse que je l'étais.

— Mon bonheur était différent du tien. Pendant quelque temps, avoir un amant m'a rendue heureuse. Mais il t'aurait fallu être indulgente pour l'apprécier. Or, tu n'as pas pu…

Margot se tut. Elle comprenait la réaction de Claudine. À la place de sa cadette, elle n'aurait pas été aussi modérée dans ses propos et l'aurait carrément traitée d'hypocrite.

— Je regrette de t'avoir blessée. Il t'a fallu du courage pour m'avouer cela, et je n'ai pas su être ton amie. Mais le passé ne se change pas. Il faut que tu passes outre ta rancœur… Tu as une âme généreuse, Claudine. Si tu ne le fais pour moi, fais-le pour nos enfants.

↬

Lorsque Aude ouvrit les yeux, il faisait noir comme dans une nuit sans lune. Avant même qu'elle ne ressentît la douleur dans ses entrailles, la certitude qu'elle avait perdu son enfant la happa de plein fouet. Très vite, ses larmes se transformèrent en sanglots puissants, qui la secouèrent tout entière. Elle distingua une suite de pas précipités qui venaient à elle, mais demeura blottie dans le lit, roulée sur elle-même, à l'instar des nouveau-nés.

— Aude, je suis désolée, murmura Élisabeth en lui effleurant l'épaule.

Le contact fit tressaillir Aude. Elle poussa une longue plainte, qui se répercuta jusque dans le couloir du château.

— Aude, balbutia Élisabeth, qui pleurait à son tour. Je voudrais tant…

Le reste de ses paroles se confondit avec ses lamentations. Aude devina que d'autres personnes avaient pénétré dans sa chambre. Les bougies formaient de petits halos dansants autour de sa couche.

— Sortez ! hurla-t-elle avec une rage mêlée de désespoir. Je ne veux voir personne !

Ses ordres furent suivis de chuchotements ténus. Puis, ce fut le calme. Dans l'obscurité, profitant de ce qu'elle ne voyait rien, Aude glissa ses mains sous sa chemise. Malgré les épaisses couvertures, sa peau était froide. Sa respiration, bruyante, résonnait dans ses oreilles. Elle palpa son ventre, qui lui parût étrangement creux.

— Mon bébé, bredouilla-t-elle en sentant un torrent de tristesse affluer à ses yeux.

Quelques jours plus tard, Nicolas serait de retour. Que dirait-il ? L'idée que son chagrin s'ajoutât au sien était une perspective à la fois réconfortante et tragique. Serait-il dévasté d'apprendre, en même temps, qu'elle avait porté son enfant et qu'elle l'avait perdu ? Aude en était certaine. Dès qu'il pénétrerait dans les murs du château, on lui annoncerait la nouvelle. En effet, toute la maisonnée connaissait désormais les affreux événements qui s'étaient déroulés le soir de la pleine lune. Elle ferma les yeux. Son corps lui semblait lourd d'épuisement. Elle n'aurait su dire si c'était là les effets de la fausse couche ou ceux d'une faiblesse émotive. Un peu avant le lever du soleil, elle sombra dans le sommeil.

❧

— Je m'en serais voulu de partir sans vous avoir saluée, dit Margot lorsqu'elle fut assise dans le petit salon.

— Vous êtes trop gentille, madame de Razès, répondit Isabelle de Coulonges en déposant une assiette garnie de biscuits salés et de charcuteries. Après toutes ces années, quelle lubie vous a pris de venir mettre le bout des pieds à Paris pour repartir aussitôt ? L'Auvergne n'est pas à quelques lieues près…

Margot avait toujours eu une affection particulière pour la fille de Geneviève. Peut-être parce qu'elle ressemblait de façon si marquée à son amie aux traits fins ? La jeune femme avait beau avoir les cheveux plus clairs et être de plus grande stature que l'ancienne courtisane, lorsqu'elle parlait, c'était comme si Geneviève du Roux avait été de nouveau à ses côtés.

— J'étais nostalgique. Et cette halte m'a convaincue que je ne devrai plus rester si longtemps sans revenir à Paris.

Isabelle lui répondit par un sourire réjoui.

— Nous serions heureux de vous avoir à souper, la prochaine fois que vous passerez par ici.

— J'oubliais, comment se porte Vincent ? Mon mari a reçu, quelque temps avant mon départ, sa lettre concernant la pauvre duchesse de Fontanges…

Le frère d'Isabelle avait été éprouvé par le décès de la favorite du roi. Depuis sa jeunesse, il nourrissait de tendres sentiments pour la jeune femme.

— Il est parti pour Coulonges, répondit-elle tristement. S'il est vrai que le bon air de l'Auvergne est parfois tonique, je crains pour ma part que ce voyage ne ravive de douloureux souvenirs dans son cœur meurtri. Mais il ne m'écoute jamais. Une vraie tête de mule ! Qu'importe, je prie pour que son cœur trouve enfin la paix.

La jeune femme sourit et porta une tasse de thé fumant à ses lèvres. Margot ne put s'empêcher de remarquer qu'Isabelle avait le sourire facile et les yeux brillants. Guidée par une sorte d'intuition, elle se permit de lui faire une remarque :

— Vous me paraissez être d'humeur fort agréable. Est-ce ma visite qui vous rend si joyeuse ?

La jeune femme parut d'abord surprise, puis elle baissa les yeux, gênée.

— Bien sûr, votre présence est une heureuse surprise, rétorqua-t-elle. Elle posa ensuite ses mains sur ses joues rougissantes. Ah ! Madame, je suis confuse. Je côtoie trop rarement le bonheur. Il semble qu'il ait sur moi des effets que je ne peux réprimer.

Margot éclata de rire.

— Vous n'avez pas à vous excuser, chère Isabelle. En outre, je suis ravie d'apprendre que vous avez une raison de vous réjouir. Oserais-je vous demander de quoi il retourne ?

La scène qui suivit fut si touchante que Margot songea aussitôt au plaisir qu'elle aurait à la relater à Oksana en se remémorant les amours secrètes de Raymond et Geneviève à l'époque des Tournelles. Il s'avérait qu'Isabelle avait un soupirant et qu'elle en était furieusement amoureuse !

— En dehors de ma pauvre servante, vous êtes la première personne à qui je me confie à ce sujet, avoua-t-elle, embarrassée. Mon prétendant m'a fait une cour assidue, et s'il a prouvé sa valeur à mes yeux, il n'en demeure pas moins de naissance modeste. C'est pourquoi il souhaite que nous soyons discrets, jusqu'à ce que mon père ait consenti à nos fiançailles.

— C'est merveilleux ! Quand cela doit-il se faire ?

— Dès qu'il aura son congé des gardes françaises. Cela pourrait être au printemps. Comme moi, il est Auvergnat. Peut-être connaissez-vous son père ? Il est chevalier et réside dans votre région.

Margot déglutit. Elle eut un horrible pressentiment.

— Peut-être, en effet…

— Il se nomme Gontran de Cailhaut.

— C'est un chevalier de mon époux, répondit-elle mécaniquement, comme si elle avait préparé sa réplique.

— Vraiment ? Alors, vous le connaissez ! Par tous les saints, est-ce possible ?

« Pauvre Élisabeth », pensa-t-elle, en se demandant par quel coup du sort Hyacinthe s'était amouraché de la fille de Geneviève.

Bien qu'en son cœur de mère elle ressentît une pointe d'amertume, elle ne pouvait en vouloir à la fille de Geneviève. Pour la jeune femme, cette idylle avec Hyacinthe était l'appel que son tempérament romanesque, hérité de sa mère, attendait depuis toujours. Or, Margot avait toujours nourri un doute quant à une union entre Élisabeth et le compagnon d'enfance de son fils. Confiante, elle savait qu'un jour viendrait où quelqu'un saurait susciter chez sa fille des sentiments aussi puissants que ceux que ressentait Isabelle pour Hyacinthe.

— Vous comprenez maintenant pourquoi mon bonheur est si grand ! s'exclama Isabelle. Il me tarde de le présenter à mon père.

— Il ne pourra que lui plaire, affirma Margot.

Elles prirent le goûter tout en devisant de Hyacinthe et de sa jeunesse à Montcerf. Lorsqu'elle apprit que l'ami dont ce dernier parlait abondamment n'était autre que Nicolas de Razès, Isabelle fut au comble de la joie. Margot s'amusa à penser que si Oksana se décidait à épouser le chevalier de Cailhaut, la fille de Geneviève deviendrait, à peu de chose près, membre de sa propre famille. Sans se douter de l'impact que son bonheur aurait sur la vie d'Élisabeth, la jeune femme s'enquit de cette dernière.

— Dans votre dernière lettre, vous m'avez entretenue abondamment d'Aude et de Nicolas, mais vous ne m'avez pas dit comment se portait votre fille Élisabeth. A-t-elle toujours un intérêt pour les simples et leur utilisation ?

Margot poussa un soupir résigné.

— Plus que jamais. Elle passe des journées entières dans la forêt.

Le visage d'Isabelle s'illumina.

— Je conviens qu'il s'agit d'un passe-temps original, pour une femme de la noblesse. Au fait, depuis que vous m'aviez mentionné cela, j'ai pris l'initiative de rassembler les ouvrages dont ma mère avait fait l'acquisition. Elle me les avait légués dans l'espoir qu'un jour l'herboristerie vînt à m'intéresser, mais je dois de vous avouer que ces volumineux herbiers ne m'inspirent guère que de l'ennui. Je vais les chercher.

Margot écarquilla les yeux en voyant Isabelle revenir les bras lourdement chargés.

— Mais il ne s'agit pas de quelques livrets !

Isabelle les déposa sur la table, et cela provoqua un petit nuage de poussière qui la fit éternuer.

— C'était devenu une véritable passion pour ma mère ! En dépit des boutades de mon père, elle y consacrait des heures chaque jour. Il y en a un qui est entièrement consacré aux plantes de l'Auvergne et du Bourbonnais, affirma-t-elle en étalant les documents sur la table. C'est celui-ci, dit-elle en tendant un cahier à Margot.

Respectueusement, Margot tourna quelques pages du livre. Celui-ci abondait en dessins et en notes manuscrites rédigées avec un grand soin.

— Mais c'est l'écriture de Geneviève ! s'exclama-t-elle en reconnaissant la calligraphie de sa défunte amie.

Isabelle se pencha sur les pages avec une curiosité détachée.

— Vous avez raison, reconnut-elle. Lors de nos séjours à Coulonges, elle avait coutume de passer beaucoup de temps avec une guérisseuse de la région. J'ignorais toutefois qu'elle avait consigné ses expériences par écrit.

— Isabelle, c'est un présent estimable ! Je ne suis pas certaine…

— Justement, cela ne doit pas rester dans un placard. Ma mère serait heureuse que votre fille en profite, j'en suis persuadée.

18

Le retour du comte

Ils laissaient derrière eux le bourg de Mauriac, où ils s'étaient arrêtés pour prendre un léger goûter. Nicolas avait très hâte de rejoindre Montcerf, et Xavier ne pouvait le blâmer pour cela. Lui-même avait ressenti cet enthousiasme chaque fois qu'il anticipait ses retrouvailles avec Marguerite. Il fut frappé de mélancolie en se remémorant les premières années de leur mariage, à l'époque où elle avait coutume de l'attendre à la fenêtre de sa chambre, comme les princesses dans les contes de nourrice. L'image se transforma et il imagina Marguerite montant en amazone à la poursuite de ses chimères. Il se rembrunit.

« Que me reproche-t-elle, au fait ? N'ai-je pas été un mari honnête et dévoué, plaçant toujours le bien-être des miens au premier rang ? Jusqu'à ces pénibles travaux qui me causent des maux de tête. »

Xavier avait beau se dire que son épouse était partie pour aller visiter son oncle et sa tante, il n'y croyait pas trop. Il savait qu'il y avait davantage, derrière ce projet, qu'une banale affaire de famille. Bien qu'il ne lui eût pas adressé la parole au sujet de son voyage, Élisabeth lui avait révélé que le motif de sa visite en Champagne avait un lien avec les lettres de sa mère.

— Je vois le château ! s'exclama Nicolas en éperonnant son cheval.

Xavier lança un dernier regard en direction du convoi de pierres qui les suivait avec une cadence monotone, avant de s'élancer à la suite de son fils. Ils traversèrent le village sans ralentir leur cadence, sous les yeux ébahis des habitants. La fougue contagieuse de Nicolas l'entraînait à oublier les convenances. Le vent lui fouettait le visage et l'ivresse de la chevauchée l'enivrait. Depuis combien de temps n'avait-il galopé ainsi ? La dernière fois qu'il était monté à cheval par pur plaisir, c'était peu après la naissance de sa fille Anne-Marie. Cela faisait bien un an, donc. Il était en train de méditer ces pensées lorsqu'il pénétra dans la cour, au milieu d'un nuage de poussière. Nicolas, plus intrépide, l'avait distancé de quelques minutes et il ne le vit pas. Plusieurs de leurs gens sortaient encore de sa demeure lorsqu'il sauta à terre. Xavier nota l'absence du maître des maçons, ce qui ne l'étonna point ; il était tôt et l'homme devait être en plein labeur. Il y avait beaucoup de points sur lesquels il désirait consulter l'artisan et puisque sa femme n'était pas là pour l'accueillir, il décida de se rendre au chantier sur-le-champ. Il eut à peine le temps de faire quelques pas qu'une voix familière l'apostropha.

— Père !

En entendant la voix de sa fille, Xavier se sentit soudain plus joyeux. Quel idiot il faisait, vraiment ! Élisabeth ne manquait jamais de venir l'embrasser lorsqu'il était de retour à la maison. Il se retourna, décidé à s'excuser pour son manque de délicatesse, lorsqu'il comprit que quelque chose n'allait pas. Le visage d'Élisabeth était marqué par la tristesse et le désarroi. Il ouvrit aussitôt les bras et elle alla se réfugier contre lui.

— Qu'y a-t-il, ma chérie ?

Il connaissait la sensibilité de sa fille, qui était peut-être davantage exacerbée que celle de la majorité des femmes. Contrairement à sa mère, qui avait un sang-froid hors du commun, la jeune femme défaillait parfois pour des bagatelles. Néanmoins, il se sentit blêmir dès qu'elle commença le récit des événements qui s'étaient déroulés durant son absence.

— Le chevalier de Cailhaut a réuni des hommes du village et ils ont fouillé la forêt, sans résultat, conclut-elle finalement.

— A-t-il alerté les seigneurs des environs ?

— Non. Nous avons décidé d'attendre votre retour, avoua Élisabeth, qui craignait que son père lui reprochât cette décision, car c'était bien la sienne.

Depuis l'incident, Aude était devenue rétive et passait la journée à l'extérieur ou dans ses appartements. La tâche de régir le domaine avait donc échu naturellement à Élisabeth.

— Hum. Ton frère sera de mon avis, j'en suis sûr. Nous enverrons un messager leur transmettre la nouvelle, affirma Xavier.

Élisabeth se mordit les lèvres. Il lui restait encore à lui annoncer le pire, et elle aurait préféré souffrir mille morts plutôt que de se faire porteuse d'une nouvelle aussi accablante. Pourtant, cela ne pouvait attendre. Déjà les domestiques s'écartaient de leur chemin, et Élisabeth comprit que, par ce geste de pudeur, ils voulaient préserver l'intimité de la famille de Razès.

— Bonjour, Marthe, fit Xavier en s'adressant à la vieille nourrice. Comment se porte ma petite Anne-Marie?

— Bien, monsieur de Razès, balbutia la servante, déconcertée par l'attitude de son maître.

Xavier fronça les sourcils, ce qui ne manqua pas d'alarmer Élisabeth.

— Il y a autre chose que je me dois de vous dire, père. Suivez-moi à l'intérieur, nous serons plus tranquilles.

Xavier lui emboîta le pas et ils gagnèrent le petit salon. Lorsqu'elle eut fermé la porte, Xavier lui demanda:

— Quelqu'un a-t-il été blessé? Un des serviteurs?

Élisabeth secoua la tête.

— Cela concerne la comtesse. Je vous avais dit qu'elle avait tiré son arme pour me défendre contre un intrus... Cette altercation l'a bouleversée et elle a...

— Allons! Que lui est-il arrivé?

— Elle a perdu son fruit. Elle attendait un enfant.

Élisabeth retint son souffle. Xavier laissa tomber sa tête, comme si elle lui était soudain devenue trop lourde à porter.

— Nicolas le sait-il?

— Je n'ai pas eu le temps de le lui dire, il s'est précipité dans sa chambre. Mais il doit le savoir, à présent. Père, je suis navrée, tout cela est de ma faute.

Xavier lui prit la main avec chaleur.

— Ne dis pas cela. Et Aude, comment se porte-t-elle ?

— Je suppose qu'on peut dire qu'elle se porte bien, compte tenu des circonstances. Elle n'a pas voulu parler de l'incident… J'ignore si elle savait qu'elle attendait un enfant.

« Elle ne m'en aurait de toute façon pas parlé », ajouta-t-elle en elle-même.

— Mais savons-nous si… esquissa Xavier avec un regard douloureux. Euh, sa santé est-elle compromise ?

— La femme Bonnet l'a vue. Elle a affirmé qu'elle pourrait encore porter des enfants et que son état n'était pas inquiétant. Et j'ai aussitôt envoyé Octave quérir un médecin. Il ne devrait plus tarder maintenant.

Xavier passa une main dans ses cheveux. Il ressentait un énorme sentiment de culpabilité. Cependant, la situation, bien que dramatique, aurait pu l'être encore davantage. Élisabeth, Aude, Lutisse, Anne-Marie… À quoi avait-il pensé en laissant les femmes seules au château ? Alors qu'il croyait Montcerf une forteresse imprenable, voilà qu'on l'assaillait ! Quelle triste ironie !

— Comment a-t-il fait pour entrer ? demanda subitement Xavier.

Surprise que son père s'intéressât à ce détail, Élisabeth marqua un temps avant de répondre :

— Avec le branle-bas causé par les maçons, personne n'a remarqué le rôdeur. Il lui aura été facile d'atteindre la bâtisse. Il a défoncé le carreau d'une fenêtre dans la cuisine.

— Tudieu ! Il n'était pas discret…

Élisabeth vit un nuage passer dans les pupilles noires de son père. Se morfondait-il en imaginant cet homme se promenant librement dans leur maison ? Ou est-ce que son esprit perspicace commençait à entrevoir le mystère qu'Élisabeth escamotait sciemment dans son récit ?

— Vous devriez peut-être aller voir Nicolas, suggéra Élisabeth.

Elle redoutait qu'il lui posât des questions qui la forceraient à dévoiler la véritable identité de l'assaillant.

— Oui, oui, tu as raison. J'y vais de ce pas.

Il s'apprêtait à sortir lorsqu'il se troubla soudainement et lui lança :

— À quoi ressemblait cet homme, Élisabeth ? Était-ce celui de la forêt ?

Elle pâlit en se remémorant la chevelure hirsute du duc d'Enghien, son visage sale et couvert d'une barbe inégale, ses loques empestant le crottin.

— Je suis navré, s'empressa d'ajouter Xavier. Je n'ai pas pensé que cela pourrait te répugner. Fouchtra ! Ta mère a bien raison, je peux être indélicat lorsque je m'oublie.

⁓

Nicolas avait épuisé toutes ses paroles réconfortantes. Aude avait fermé les yeux, mais il savait qu'elle ne dormait pas. Lentement, il se leva et s'éloigna du lit. Étrangement, il ne ressentait pas la douleur qu'il aurait dû éprouver. Celle de sa femme l'avait terrassé, le laissant insensible à son propre mal. En revanche, il savait qu'un terrible besoin de vengeance grondait en lui. Ses pas le conduisirent mécaniquement vers la fenêtre de sa chambre. Le ciel s'était couvert, le vent s'était levé et les nuages projetaient des ombres fugitives sur les pâturages verdâtres. Il lui semblait que ces silhouettes grises fuyaient son courroux en se réfugiant aux limites de l'horizon. Nicolas savait qu'Aude espérait qu'il demeurât à ses côtés, et son désir était bien légitime. Or, il avait un besoin pressant de prendre l'air et de fouetter ses sens. Las, il retourna à son chevet et caressa sa chevelure argentée.

— Veux-tu que je t'apporte un petit goûter ? Il faut que tu manges si tu veux reprendre des forces.

Aude émit une petite plainte en levant la tête. Son visage était pâle et émacié. Pourtant, une semaine seulement s'était écoulée depuis la funeste soirée. Nicolas eut un serrement à la poitrine en imaginant combien l'attente de son retour avait dû être intolérable.

— Je veux bien, murmura-t-elle. Si cela te fait plaisir.

— Je reviens tout de suite.

Il referma doucement la porte derrière lui. Son père l'attendait à l'extérieur. en compagnie d'Oksana. C'était cette dernière qui avait conduit Nicolas auprès d'Aude. Elle ne souffla mot, mais son regard s'accrochait à l'espoir que Nicolas lui apportât des nouvelles consolantes.

— Elle m'a demandé de lui apporter de la nourriture, affirma-t-il, déguisant la vérité pour ne pas lui causer de déception.

Le visage d'Oksana s'éclaira d'un sourire subtil.

— Mon fils, je suis profondément désolé, dit Xavier avec gravité.

En guise de réponse, Nicolas hocha la tête.

— Je vais demander aux serviteurs…

— Non, laissez, je vais le faire moi-même, affirma Nicolas en s'éloignant dans le corridor.

Il descendit en courant l'escalier qui menait à la salle basse. Sans prêter attention aux servantes, il entra dans la cuisine et ramassa un quignon de pain, du fromage et de la confiture de groseilles. Il cherchait une assiette où mettre tout cela lorsqu'il aperçut la toile épaisse qui recouvrait la grande fenêtre. Il fronça les sourcils.

— C'est donc par là qu'il s'est infiltré dans le château ? lança-t-il.

— C'est ce qu'on m'a dit, monsieur, répondit la cuisinière d'une voix assurée.

Nicolas se tourna vers la femme qui le nourrissait depuis l'enfance. Tandis que les autres évitaient son regard, cette dernière le soutenait avec une compassion assumée.

— Merci, Bertrande.

Il emporta les victuailles à sa femme, l'esprit préoccupé par la vision du carreau défoncé. Il s'agissait d'un geste démesuré :

au lieu de forcer une porte, l'homme avait défoncé les fenêtres à croisillons, sans se soucier du bruit et des risques de blessures.

« Il devait être désespéré ou complètement lunatique », songea Nicolas en retournant auprès de sa femme.

Aude était assise sur le lit lorsqu'il entra. Elle avait revêtu un pantalon de drap, une chemise et une veste au style masculin. Nicolas se contenta de lever un sourcil et déposa le plat devant elle.

— Merci, fit-elle en attaquant le fromage et le pain.

En la voyant manger avec appétit, Nicolas se dit que son épouse était moins fragile que la plupart des jeunes femmes de la noblesse. Par ailleurs, elle avait démontré un courage exceptionnel en se portant à la défense d'Élisabeth. Confrontés à une situation aussi périlleuse, plusieurs hommes de sa connaissance n'auraient pas fait meilleure figure.

— Ta sœur a été ébranlée par l'événement, plus qu'elle ne le laisse paraître. Crois-moi, si tu avais vu ce monstre, tu comprendrais pourquoi. Sans notre empressement, qui sait dans quel état nous l'aurions retrouvée ?

Si l'intention d'Aude n'était pas d'alourdir le fardeau de sa culpabilité, Nicolas fut frappé par l'ampleur de la responsabilité qui était désormais la sienne : en tant que comte de Montcerf, c'était lui qui devait protéger sa famille.

— Nicolas ? murmura Aude en le dévisageant. À quoi penses-tu ?

Il prit conscience qu'il serrait les poings avec une telle force que ses jointures étaient devenues blanches.

— À cet homme. Je dois le retrouver.

— Je t'aiderai, affirma-t-elle, les yeux brillants de détermination.

Ému, Nicolas lui prit la main.

— J'entends poursuivre cet homme, et lorsque je l'aurai trouvé, je le ferai pendre haut et court.

— Je vois… Tu crois que le rôle d'assister son époux à rendre la justice sur ses terres est indigne de la femme…

La voix d'Aude faiblit légèrement lorsqu'elle prononça ces mots. Nicolas savait sa femme fière et non moins ombrageuse quant à son habileté à porter l'épée. Or, même s'il redoutait de la blesser, il ne voulait plus qu'elle s'expose à un danger susceptible de compromettre une future grossesse.

— Je sais que tu seras la première à me soutenir lorsque je partirai pour le débusquer. Toutefois, je serai plus rassuré de te savoir ici.

Elle fit la moue.

— Tu ne fais pas de commentaire sur ma toilette ? lança-t-elle.

— Si, c'est fort réussi, opina-t-il le plus sérieusement du monde. Il faudra que tu me donnes le nom de ton tailleur.

La veste de drap gris était de bonne facture, et, à la façon dont elle cintrait sa poitrine, il ne faisait pas de doute qu'elle avait été taillée sur mesure pour Aude. La chemise à jabot ressemblait aux chemises que Nicolas portait tous les jours. L'ensemble aurait constitué la mise parfaite d'un gentilhomme s'il n'avait pas été complété par un pantalon un peu ample en cotonnade épaisse.

— À une époque pas trop lointaine, les femmes osaient encore monter à cheval et porter l'épée, et même le pistolet !

— Hum. Si je ne m'abuse, les femmes de ma famille sont de bonnes cavalières.

— Ta mère monte en amazone !

— C'est vrai, admit Nicolas. Cela dit, je ne pense pas qu'on l'ait forcée à le faire. Où veux-tu en venir exactement ?

— Je pense que tu devrais enseigner à ta sœur, à ma mère et à toutes les autres femmes de la maison qui le désirent le maniement de l'épée.

Aude avait lancé cela sur le ton de la bravade, en affichant un sourire triomphant. De toute évidence, elle était ravie de son idée, mais se doutait que cela ne lui ferait pas plaisir. Soucieux de ménager son épouse, Nicolas décida de ne pas s'offenser.

— Ainsi, elles sauront se défendre si une autre situation se présente ! Après le dîner, nous irons ensemble le proposer à Élisabeth et, pourquoi pas, à ma tante. Pour elle, je devrai adapter un peu la botte secrète de Razès, car elle risque de s'empêtrer dans ses jupes…

Le sourire d'Aude s'envola.

— Ce n'est pas une mauvaise idée !

— Non, mais les femmes ne sont pas toutes comme toi, Aude. Je sais que tu n'as que de bonnes intentions, mais je ne crois pas que ton idée serait aussi bien reçue que tu l'imagines.

— Ces femmes pourraient te surprendre, Nicolas.

Il grommela, mais finit par baisser les bras.

— Soit. Si tu réussis à les convaincre, je veux bien essayer.

— Merci, dit Aude en l'embrassant. Je t'aime.

Nicolas la regarda sortir, satisfait que ce projet lui rendît son humeur joyeuse et lui fît oublier sa fausse couche. Pour le moment, c'était tout ce qui comptait à ses yeux.

◦◦◦

Le vent caressait le faîte de l'arbre, entraînant ses innombrables feuilles dans une valse au bruissement agréable. Xavier inspira un bon coup. À cet endroit, il ne pouvait entendre le vacarme des maçons qui démolissaient, pierre après pierre, la tour d'angle. Un tapis de folle verdure s'étendait à ses pieds, jusqu'à l'enclos où galopaient les chevaux d'élevage, qui profitaient de la tiédeur de la fin du jour pour se dégourdir. Le regard de Xavier s'arrêta sur la silhouette de sa sœur, debout près d'un monticule rocheux, au bas de la colline. Au bout de quelques enjambées, il fut derrière elle.

— Lutisse ?

Celle-ci se retourna vivement et son visage austère s'éclaira.

— Mon frère ! Je vous savais de retour, mais j'ai jugé que vous auriez fort à faire, s'empressa-t-elle de répondre.

Xavier affichait un air pensif et, comme s'il n'avait pas entendu ses propos, il lâcha :

— Il est mort en tentant de protéger Nicolas. J'ai fait transporter sa dépouille depuis Paris… Je me souvenais de l'avoir vu escrimer avec père sous ce peuplier.

Lutisse exécuta un pas de côté. Derrière les pans de sa robe apparut la pierre centrale du tertre, plutôt modeste, qui portait l'inscription suivante :

« Ci-gît Médéric Vannheimer, écuyer fidèle d'Hector de Razès et de Nicolas de Razès. Mort au combat en l'an mille six cent quatre-vingt-un. »

— J'ignorais qu'il était décédé, affirma-t-elle un peu froidement.

— J'ai dû omettre de le mentionner dans mes lettres. J'espère que vous n'êtes pas offusquée d'apprendre que je l'ai fait enterrer sur nos terres.

— Pourquoi le serais-je ?

Xavier considéra sa sœur un moment avant de lui répondre. Il lui avait délibérément caché le décès de Médéric, car il n'aurait pas pu l'en informer sans lui annoncer son intention de le faire ensevelir à Montcerf. Or, Lutisse avait toujours éprouvé une vive antipathie à l'égard de l'écuyer de leur père.

— Soyons francs, vous n'avez jamais eu beaucoup d'affection pour M. Vannheimer.

Les joues de sa sœur se colorèrent légèrement. Elle avait toujours détesté qu'on exposât le moindre de ses travers.

— J'étais une enfant à l'époque. Je ne comprenais pas que notre père pût porter de l'intérêt à un tel homme, un modeste soldat étranger qui ne parlait pas notre langue. Et son absence lorsque père a été abattu n'a que renforcé ma position.

— Je sais que vous le soupçonniez d'avoir quelque chose à voir dans cette affaire. Mais je croyais, enfin, j'espérais que vous ayez changé d'avis. Qu'importe, maintenant, puisqu'il est mort lui aussi.

— Il serait trop aisé d'imputer la faute à Médéric. Hélas, notre père était seul responsable de son malheur. En prenant part à la Fronde des princes, il s'était attiré le courroux de gens beaucoup plus importants que lui.

Lutisse regarda à nouveau l'inscription sur la pierre.

— Toutefois, Médéric aurait dû se trouver là au moment de sa mort. C'était son devoir.

Xavier se rappela soudain les propos étranges que Médéric avait eus avant d'expirer, au sujet de cette dette qu'il avait envers son maître, Hector de Razès.

— Il est mort à la place de Nicolas. À mes yeux, il est quitte de tout engagement qu'il aurait pu avoir gardé envers notre père.

Pendant des années, Lutisse avait insisté sur le rôle qu'avait joué Médéric dans l'assassinat de leur père, avec un acharnement qui avait failli les brouiller. Influencé par l'opinion de sa sœur, Xavier avait été jusqu'à interroger Médéric sur ses gestes le jour de la mort de son père.

— Sincèrement, je souhaite paix et repos à son âme, dit-elle.

～

— *Nicolas, cesse de tourmenter ta sœur ! Tu vas la faire pleurer !* ordonna Marguerite à l'adresse du petit garçon.

Xavier leva un sourcil amusé vers sa femme, qui tentait bien vainement de brider les emportements de son fils. Au soleil, ses longs cheveux ébène paraissaient plus sombres encore, comme si la lumière n'y avait pas de prise.

— *Peut-être aurais-je dû lui offrir un autre présent ? lança Médéric à moitié sérieusement.*

— *Non, au contraire, répondit Xavier. Il y a longtemps que je lui promets une grande épée. Il ne contient plus sa joie, voilà tout !*

Ils restèrent un moment à regarder les enfants jouer, Nicolas avec son arme de bois et Élisabeth avec sa poupée. Puis ils s'éloignèrent et se dirigèrent vers les écuries.

— *Tes visites sont trop rares, mon cher Vannheimer. Marguerite commençait à douter de ton existence.*

— *Ha ! Ha ! Ha ! Votre femme est pleine d'esprit, en plus d'être d'une rare beauté. Vous êtes un homme comblé, monsieur le comte. Votre père serait bien fier de vous.*

Xavier sourit.

— *Comment se porte votre sœur ? Toujours au couvent ?*

— Oui. Elle nous écrit fréquemment, mais n'a pas voulu quitter le cloître, ni à l'occasion de mon mariage, ni pour le baptême des enfants. Je me demande ce qui la retient de prendre le voile une fois pour toutes.

L'expression de Xavier avait changé ; l'allusion à Lutisse paraissait l'avoir chagriné.

— Les femmes sont si complexes ! clama Médéric gaillardement.

Xavier fut tenté de lui dire que Marguerite n'était ni capricieuse ni ennuyeuse, mais se ravisa. Se vanter de son bonheur matrimonial n'eût pas été de très bon goût, d'autant plus que celui-ci éclatait au grand jour. Par ailleurs, il y avait autre chose dont il désirait discuter avec l'ancien écuyer.

— Lutisse n'a pas accepté la mort de notre père, dit-il. Elle est encore dans le passé, à ressasser les événements qui se sont produits il y a quinze ans.

— La mort du comte est une horrible tragédie, répliqua Médéric, grave.

— Ma sœur croit que tu sais quelque chose. Il hésita avant de poursuivre : Elle prétend que tu avais été informé du complot qui se préparait et que c'est la raison pour laquelle tu n'étais pas présent au moment où les hommes sont arrivés.

— Vous n'êtes pas de son avis ?

— Non. Et je ne m'étais jamais posé la question au sujet de ton absence, jusqu'à ce que Lutisse m'assaille de ses doutes. Je ne te tiens responsable de rien. De toute façon, aurais-tu été présent que tu n'aurais rien pu faire pour empêcher ce qui s'est passé…

— Vous voulez savoir où j'étais ? demanda Médéric.

Xavier jura intérieurement contre sa sœur. La dernière chose qu'il voulait était d'interroger son invité sur une question d'honneur.

— Votre père m'avait chargé de délivrer un paquet à Paris. J'étais parti depuis la veille. Je me doutais que quelque chose se tramait… Votre père n'était pas dans son état habituel. Il m'avait demandé de faire double train, de ne pas ménager mon cheval, et m'avait donné suffisamment d'argent pour que je puisse me procurer deux autres montures de qualité. Mais les choses ont suivi un autre cours. Peu après le déjeuner, j'ai croisé un groupe d'hommes armés qui se dirigeaient vers Montcerf. Ils étaient au nombre de dix. Certains étaient des militaires, mais… il y avait aussi *des gentilshommes parmi eux. J'ai compris qu'ils étaient là pour votre père. J'ai alors décidé de retourner à Montcerf, par la forêt, espérant y parvenir avant eux. Mais ces hommes étaient en chasse. Ils n'avaient pas de temps à perdre. Lorsque je suis arrivé à Montcerf, votre père était déjà mort. C'est là que je vous ai recueillis, votre sœur et vous.*

Pendant qu'il racontait son histoire, Xavier revoyait les événements qui avaient marqué sa jeunesse et déterminé le cours de sa vie.

— J'ai tenté, par la suite, de retrouver l'homme qui était à leur tête. Il avait un regard intense, que je n'oublierai jamais. Mais je n'aurai jamais pu, hélas, venger mon maître.

— Et le paquet ? s'enquit Xavier. Que contenait-il ? Qu'en as-tu fait ?

Médéric Vannheimer fit une pause, comme s'il méditait sur ce qu'il devait dire.

— Je l'ai livré, comme promis. Les documents étaient en français, et je ne pouvais donc pas les lire. Votre père était malin, affirma-t-il. Puis il ajouta : Toutefois, je ne vous dirai pas à qui je les ai remis. Votre père est mort pour protéger ce secret.

— Cela fait tant d'années, la Fronde n'est plus depuis si longtemps… glissa Xavier pour tenter d'amadouer Médéric.

Médéric fit la sourde oreille.

19

Mirmille

Margot redoutait le trajet jusqu'à Mirmille. Elle laissait Paris le cœur en proie à des émotions que sa raison ne parvenait pas à apaiser. Il subsistait trop de questions, de doutes, d'incertitudes... Dans un moment de désespoir, elle avait raconté son infidélité à sa sœur. Peut-être était-ce pour obtenir son pardon tant désiré ? Quelle qu'en fût la raison, Margot regrettait cette soudaine faiblesse. Pourtant, Claudine ne l'avait ni blâmée ni réprimandée. L'attitude de sa cadette, pleine de délicatesse, avait peut-être marqué un tournant dans leur relation. Apprendre qu'elle avait trompé Xavier avait probablement terni l'image que Claudine avait de son couple, et si cela chagrinait Margot, elle devait s'avouer que cela rendait son image plus conforme à la réalité. Toutefois, les regrets de Margot portaient sur un tout autre aspect, et elle ne parvenait pas à chasser de son esprit les paroles que Claudine avait lancées en apprenant son incartade :

« Crois-tu que nous soyons vouées, l'une comme l'autre, à marcher dans les traces de notre mère ? Tu es heureuse avec Xavier, pourtant, de même qu'eux l'étaient, il me semble... Nous glorifions peut-être l'amour au point de devenir victimes de nos idéaux. »

Margot aurait voulu avoir l'esprit serein. Or, les paysages bucoliques ne parvenaient guère qu'à lui faire oublier momentanément ses soucis. Ainsi, lorsqu'elle s'allongeait pour la nuit, elle était de nouveau assaillie par les idées fatalistes invoquées par Claudine. Évidemment, elle n'avait pas eu besoin de sa sœur pour se souvenir que, tout comme elles, leur mère avait eu une liaison sentimentale avec un autre homme. Mais les circonstances étaient en tout point différentes, et elle pouvait difficilement comparer cette passade avec Benjamin au lien qui unissait Madeleine de Saint-Loup et Louis de Bourbon-Condé depuis leur jeunesse. En somme, que savait-elle de cette idylle ? Bien peu de choses qui ne fussent pas du domaine des conjectures. Outre les lettres d'Anne de Bourbon qui faisaient allusion au tendre sentiment les unissant, il n'y avait dans toute la correspondance qu'un seul billet doux qui fût signé par Louis de Bourbon-Condé. Ce n'était pas une chose surprenante, puisque le mariage de Madeleine et Alain datait du début de la Fronde. Même un prince n'était pas au-dessus d'une accusation d'adultère ; il n'y avait donc aucun doute qu'ils s'étaient efforcés de tenir leur amour secret. Sans cela, le sort de Madeleine aurait pu connaître un tour tragique. Combien de femmes étaient forcées d'entrer au couvent pour expier un péché de chair ? Cela faisait partie des prérogatives du mari, qui l'exerçait selon sa conscience et son inclination. Margot doutait qu'Alain eût été capable d'infliger un tel châtiment à sa mère. En dépit de leurs différends, et même s'il avait dû souffrir de la situation, il n'était pas de cet acabit. Non, son père n'aurait pas fait intervenir la loi ou le clergé dans le but de punir sa femme.

« Xavier ne le ferait pas non plus », conclut-elle sans l'ombre d'une hésitation.

Toutefois, la comparaison ne s'arrêtait pas là, loin s'en fallait. Si Xavier décidait de la châtier, il pouvait se montrer inflexible, voire cruel. Son propre père n'avait-il pas isolé sa mère en Champagne, la laissant aux soins de sa famille alors qu'il partait parfois pour des mois entiers sans donner signe de vie ? Cette pensée la mortifiait et lui coûta plusieurs heures de sommeil. La veille de son arrivée à la baronnie de son oncle, Margot avait les traits tirés et de profonds cernes. Heureusement, l'enthousiasme de ses retrouvailles avec Charles-Antoine, avec ses cousins, avec leurs enfants et surtout avec Annette succéda à ses angoisses morales. Depuis qu'elle était mère, Margot estimait plus justement les qualités incroyables et la bonté dont avait fait preuve cette dernière après la mort de Madeleine. Par ailleurs, elle espérait que sa tante pourrait lui fournir des éclaircissements à propos des lettres qu'elle avait reçues de son père.

∽

— Allons, allons, les enfants, on cède le passage aux aïeules, avertit Annette en scindant le groupe qui s'était réuni autour de la visiteuse.

Ses cheveux gris frisottaient autour de sa coiffe, donnant une touche de sagesse à son visage astucieux. Margot enlaça fougueusement sa tante.

« Enfin ! » pensa-t-elle en fermant brièvement les yeux et en savourant ce moment.

Lorsqu'elle les rouvrit, ce fut pour voir la silhouette de son oncle Charles-Antoine, amaigrie par les années, s'avancer vers elle.

— Mon oncle !

Charles-Antoine lui donna une accolade plus réservée et se détacha rapidement, les yeux brillants d'émotion. Margot était émue de lui trouver, sans son ventre rebondi, une ressemblance troublante avec Alain. Elle embrassa son cousin Julien et sa femme et leurs enfants, qui lui avaient fait un si chaleureux accueil.

— Vous avez fait bon voyage ? demanda Annette, toujours aussi pragmatique.

— Je ne peux pas me plaindre, le temps était si clément, répliqua-t-elle en remarquant un homme aux yeux bleu vif qui marchait droit vers elle.

— Vous paraissez ne pas avoir dormi depuis des semaines, ma chère Margot, lui lança ce dernier avec un air malicieux.

— Grégoire ? s'étonna-t-elle en reconnaissant son jeune cousin.

Il s'arrêta et exécuta une courbette gracieuse.

— Pour vous servir, ma charmante cousine.

Annette poussa un soupir.

— Cesse de fanfaronner et va embrasser Marguerite, ordonna Annette en poussant Grégoire vers elle.

Il s'exécuta avec un plaisir non feint, et tandis qu'il posait ses lèvres sur sa joue, Margot se souvint qu'Annette nourrissait l'espoir que son fils s'assagisse et mette fin à sa vie de célibataire, riche en galanteries. Elle attendit qu'il s'écartât avant de lancer :

— C'est bon d'être de retour, après toutes ces années !

— Bon, ne restons pas là à nous regarder ! Rentrons ! Je vais demander qu'on monte les bagages dans votre chambre, et vous pourrez vous reposer un peu avant le souper, lui dit Annette en la guidant vers le salon principal.

— Merci, ma tante, mais je n'ai guère le goût de m'allonger. Cependant, je prendrais volontiers un verre de vin.

Charles, le fils aîné de Julien, se dirigea vers la desserte dans l'intention de lui faire le service.

— Laissez, je m'en occupe, fit Grégoire en remplissant deux coupes de vin rouge. Il lui en offrit une et prit place sur un tabouret, à sa droite.

Dans l'intervalle, la pièce s'était remplie. À l'exception de Julien et de Marie-Louise, sa femme, tous les membres de la famille de Collibret étaient présents. Les quatre enfants étaient particulièrement excités par son arrivée. Margot considéra la plus âgée des deux petites-filles ; elle devait avoir treize ans, et ses cheveux blond cendré, qu'elle tenait de sa mère, étaient retenus par une boucle. En son honneur, Julien l'avait prénommée Marguerite. Lors de son dernier passage à Mirmille, la petite n'était qu'un bambin potelé, mais Margot se rappelait qu'elle était déjà pleine d'allant. Consciente d'être observée, l'enfant rougit et baissa les yeux.

— Comment vont les enfants ? s'enquit Charles-Antoine en s'assoyant à son tour.

— Tout le monde se porte à merveille.

— Et la femme de Nicolas ? Quel est son nom déjà ? Aude ! Elle n'est toujours pas grosse ? demanda Annette.

— Non, mais cela ne saurait tarder. Ils ne se quittent jamais…

— Alors, vous serez bientôt grand-mère ? lâcha Grégoire, goguenard. On en douterait volontiers, à vous voir. En grâce et en beauté, vous valez bien toutes les demoiselles de la région !

Margot fut piquée par le ton désagréablement familier et, plus encore, par l'insinuation de son cousin quant à son âge et à sa capacité de séduction. Elle voulut rétorquer, puis se ravisa. Le moment était mal choisi pour faire la leçon à Grégoire.

— Grégoire ne s'est jamais remis de son amourette avec notre chère Margot, intervint Julien, qui faisait son entrée dans le salon.

La répartie fit rire les plus jeunes, et Annette esquissa un sourire. Grégoire joua l'indifférent, mais Margot devina qu'il n'appréciait pas d'être la cible des railleries de son aîné. Ce dernier adressa un clin d'œil complice à Margot, qu'elle lui rendit.

— Allons, le souper sera bientôt servi. Allez rejoindre votre mère, elle vous attend dans la grande salle.

— Moi aussi, père ? plaida l'aîné en faisant de son mieux pour paraître plus sérieux que ses cadets.

— Oui, toi aussi, Charles.

∽

Peu de temps après le souper, Julien, Charles-Antoine et Grégoire se retirèrent pour prendre un brandy, tandis que Marie-Louise mettait les enfants au lit. Le vieux manoir de Mirmille baignait dans une étrange atmosphère festive, et si cela n'avait été des volets qui laissaient pénétrer une douce chaleur, on se serait cru à la Noël.

— Cessez de vous mortifier, cela ne vous ressemble guère, Margot. D'ailleurs, les regrets ne donnent rien de bon. Ils ne font qu'empoisonner le foie et l'estomac, c'est mon médecin qui me l'a dit, affirma Annette.

— Je n'y peux rien… Depuis plusieurs mois, je ne pense qu'à mon père. Toutes ces années sans l'ombre d'une visite… Il a dû me juger bien ingrate.

— Vous exagérez ! Vous êtes venue nous voir avec vos enfants. Quand était-ce donc ?

— Nicolas devait avoir treize ans… Cela faisait presque six ans ! Mon Dieu, déjà !

— Alain n'a pas fait davantage d'efforts de son côté, Margot. Quant à gagner Mirmille avant son décès, quand bien même vous l'auriez voulu, vous n'auriez jamais pu, avec la neige que nous avons eue cet hiver-là. Non, ces remords sont bien vains. D'ailleurs, je peux vous dire que ni Charles-Antoine ni moi n'avons blâmé votre conduite un seul instant. À plus d'un égard, c'est votre père qui a été injuste envers vous. Après tout ce que vous avez fait pour lui et pour Claudine et Gabriel, montrer si peu de reconnaissance !

Margot se força à sourire, malgré son chagrin. Même si elle se taisait, elle avait longtemps nourri le même sentiment qu'Annette envers son père.

— Heureusement que votre mariage a bien tourné, sans quoi j'aurais eu des raisons de lui en vouloir ! s'exclama Annette en remplissant à nouveau son verre de clairet. S'imaginait-il que vous ne trouveriez pas un autre parti ? Vous, Margot ? Quel benêt ! Oh, excusez-moi, mes paroles ont dépassé ma pensée. Qu'importe, maintenant, puisque vous êtes heureuse avec Xavier. Mais je n'en démordrai pas, vous auriez pu épouser n'importe qui… Un prince, tiens ! Si, bien sûr, cela avait été votre souhait.

C'était la première fois que Margot voyait Annette boire aussi copieusement. Devant cette soudaine loquacité, elle saisit l'occasion de la questionner au sujet de sa mère et du prince de Condé.

— Vous savez, j'aime croire que la présence d'Élisabeth a allégé ses souffrances des derniers instants. Ma fille m'a confié qu'il était parti l'âme en paix.

— Élisabeth ne l'a pas quitté une seule fois durant toute cette longue nuit. Elle est dotée de qualités humaines exceptionnelles, témoigna Annette.

Même si Margot aurait souhaité entendre le récit qui avait valu à Élisabeth l'estime de sa grand-tante, elle dirigea la conversation vers son principal intérêt.

— Vous savez, il m'a fait don de certaines choses qui appartenaient à ma mère.

Annette leva les yeux, intriguée. Elle ignorait, de toute évidence, à quoi Margot faisait allusion.

— Un vieux pendentif en argent et une correspondance qu'elle avait entretenue.

— Un pendentif ? Vraiment ?

— Tenez, le voici, dit Margot en retirant le bijou, qu'elle avait placé dans les plis de sa robe.

Annette le prit, les yeux brillants de curiosité.

— Étrange... Je ne me souviens pas du tout de cette parure. Elle n'est pourtant pas banale.

Margot haussa les épaules et rangea le loquet. Elle aborda ensuite le sujet de la correspondance :

— Je ne vous cacherai pas que la lecture de ces lettres m'a rendue perplexe. Les événements auxquels elles font allusion ont été, à une certaine époque, déterminants pour destin de la France.

Malgré le faible éclairage des chandelles à moitié consumées, Margot aurait pu jurer qu'Annette avait pâli.

— Je ne peux m'empêcher de me demander les raisons qui l'ont poussé à vous remettre ces lettres, dit-elle.

— Le désir que je connaisse la vérité sur ma mère, je suppose. S'il y a une autre raison, je serais bien en peine de dire laquelle.

L'air grave, Annette secoua la tête.

— Toutefois, j'ai beau mettre ces lettres bout à bout, elles ne forment qu'une partie de l'ensemble que constitue Madeleine de Saint-Loup.

— Ce sont des lettres... d'amour, je présume, lança Annette, résignée.

Margot eut alors la conviction que sa tante pourrait lui fournir les éclaircissements qu'elle souhaitait.

— La plupart sont de la main d'Anne de Bourbon, la duchesse de Longueville. Il n'y a qu'un seul billet signé par Louis de Bourbon-Condé. Ma mère a dû disposer des autres missives… Car il y en a eu d'autres, n'est-ce pas ?

— Alain, murmura Annette sombrement. Fallait-il à tout prix réveiller cette affaire ?

— Il devait avoir ses motifs. Mais je ne suis pas fâchée de son geste, cela me permet, entre autres, de mieux connaître ma mère…

— J'aurais pu vous parler de Madeleine, moi, sans pour autant vous révéler ces détails avilissants. Et quoi que je vous dise maintenant, vous aurez beaucoup de mal à croire que votre mère et votre père s'aimaient véritablement.

La voix d'Annette était à peine un murmure, et il était impossible de rester sourd à la tristesse qui se dégageait d'elle. Étonnée et émue à la fois, Margot sentit s'accroître sa soif de connaître l'histoire de ses parents, par tous les moyens.

— Au contraire, je ne demande qu'à vous entendre, ma tante. Racontez-moi comment ils se sont aimés, je vous en prie.

— Soit. Mais demain, car je suis trop vieille et trop lasse. Venez, je vais vous conduire à votre chambre.

Margot savait qu'il était inutile de protester et suivit donc posément Annette sans mot dire. Elle se coucha, mais ne put fermer les yeux avant le petit matin.

⁓

Le contraste entre les paysages vertigineux de l'Auvergne et les plaines de la Champagne était frappant et aurait donné le mal du pays à n'importe quel Auvergnat. Toutefois, la baronnie de Mirmille avait pour Margot le caractère familier des lieux fréquentés dans la tendre enfance et, malgré les années qui avaient passé, elle s'y sentait tout à fait chez elle. Peu après le déjeuner, Annette lui proposa de faire une promenade, ce qu'elle s'empressa d'accepter. Sa tante s'appuya sur son bras et elles se mirent à longer le filet d'eau qui coulait en bordure de la cour.

— Votre mère avait coutume de dire que tout ici était à l'image de ce ruisseau : insignifiant et boueux. Elle avait grandi près de la Dordogne, là où le paysage et les habitants prennent des proportions grandioses.

— Elle ne s'est jamais résignée à passer sa vie en Champagne. Jeune, moi non plus, je n'appréciais guère la campagne.

Annette s'assit sur un banc constitué de deux pierres plates surmontées d'un dais. Puis, comme si ses pensées suivaient un cours prédéterminé, elle poursuivit :

— Je l'ai toujours soupçonnée d'être beaucoup plus sensible aux charmes de Mirmille qu'elle ne le laissait paraître. Lorsque vous étiez petite, et même après la naissance de Claudine, elle passait ses journées à jouer dans l'herbe avec vous. Votre père et elle vous emmenaient en promenade et vous disparaissiez jusqu'au soir. Ils étaient amoureux, très amoureux.

Margot sourit. Elle n'avait jamais douté des sentiments que son père ressentait pour sa mère. Des années après sa mort, il y avait toujours cette douleur intime dans ses yeux verts lorsqu'il évoquait son souvenir.

— Votre père avait terminé ses études chez les jésuites, mais, cadet sans titre et sans responsabilités, il n'avait point de dispositions pour le travail. Avant que son père ne le pousse à se marier, il passait son temps libre en compagnie de poètes et de comédiens. Ce mariage avec une fille issue de la vieille noblesse d'épée aurait dû chasser son insouciance. Or, il n'en fut rien, révéla Annette. Vos parents, en apparence dissemblables, s'alliaient dans leur soif de vivre. Peu fortunée, la famille de Saint-Loup avait néanmoins la fierté de son rang. Le tempérament de votre mère s'était forgé au contact des nobles que fréquentait son père, notamment la cour des Condé. La jeunesse de Madeleine ne l'avait en rien préparée à une vie en province, et encore moins à celle d'une femme de commis. Votre père le comprit tout de suite. Ainsi, il s'efforçait de lui plaire, l'entraînait dans les salons parisiens, dans les bals. Ensemble, ils fréquentaient la plus belle société. Celle de Mlle de Scudéry et de Paul Pélisson, de l'hôtel de Rambouillet. Votre mère avait échappé au couvent, qui lui faisait horreur, et, contre toute attente, elle se découvrait un sort plus enviable que celui de la plupart de ses amies.

— Pour elle, tout était préférable à l'austérité du couvent, conclut Margot.

Annette opina du chef.

— Elle y avait passé les deux années précédant son mariage. Le décès de sa mère était venu bouleverser sa destinée, qui paraissait pourtant scellée définitivement. Ce n'est pas sa mère qui avait négocié l'alliance avec Alain, c'est son frère aîné.

— Ma mère avait un frère ! se rappela soudain Margot.

— Fromondin de Saint-Loup, répondit Annette. Un jeune jésuite ambitieux, pourvu d'un don certain pour la politique et les finances. Ton père l'avait rencontré pendant ses études. C'est lui qui avait approché ton grand-père avec cette idée de fiançailles. Malgré le jeune âge des époux, l'occasion était trop belle pour ne pas la saisir. S'unir au prestigieux nom des Saint-Loup représentait la poule aux œufs d'or pour le baron de Mirmille. Il voyait déjà les maréchaux que compterait sa descendance.

Annette eut un petit rire.

— Le pauvre homme ! Il est mort avant que vous ne voyiez le jour. Il n'aura jamais eu à confronter ses illusions à la réalité.

— Ainsi, c'est cette idylle avec Condé qui s'est interposée entre eux ?

Durant un moment, le bruit d'enfants en train de jouer au loin parut troubler le fil de ses pensées.

— C'était son amour de jeunesse, bien sûr, mais ces sentiments avaient fait place à de nouvelles passions : la guerre pour lui, la famille pour elle. Non, ce qui les a divisés, c'est la Fronde. Lorsqu'elle s'est fomentée, votre père servait déjà Mazarin. Votre mère aimait Alain plus que tout, mais détestait cette position de financier qui était la sienne. Lorsque Mazarin est devenu ministre, narguant les Condé et les autres princes par le fait

266

même, votre père a pratiquement abandonné Madeleine pour son travail. Votre mère a alors trouvé du réconfort auprès de ses amis, dont la duchesse de Longueville, qui était au cœur des complots contre l'Italien.

༄

— *Madame la baronne, madame la baronne, appela la voix de la servante. Réveillez-vous, ils vont nous briser toute la vaisselle !*

Annette se dressa dans son lit et se frotta les yeux.

— *Ils sont encore debout ?*

La domestique haussa les épaules dans un geste d'impuissance, tandis que son air scandalisé trahissait l'indécence des débordements qui se déroulaient dans le manoir.

— *C'est bon, je viens !*

Annette se glissa hors du lit et enfila une robe de chambre. Elle avisa Charles-Antoine, qui dormait profondément à ses côtés, et résolut de ne pas le réveiller. En outre, son époux était trop intimidé par les nobles qui avaient usurpé leur demeure et leur tranquillité pour lui être d'une aide quelconque. Lorsqu'elle sortit de sa chambre, le tapage des fêtards irrita son ouïe encore ensommeillée. Elle se dirigea vers la grande salle, sa servante sur les talons. Un bruit de verre brisé retentit et Annette pressa le pas, bien décidée à mettre fin à ces inconduites.

— *À la santé de Mazarin, alors ! clama une voix d'homme qu'Annette reconnut être celle du prince de Conti.*

Ce dernier était le frère cadet d'Anne et de Louis de Bourbon. Il n'avait ni les grâces de sa sœur, ni le charisme de son frère.

— *Votre frère a l'esprit de contradiction, vous devriez peut-être lui parler, ma chère, fit une autre voix, plus grave et plus masculine.*

Annette s'arrêta à l'entrée de la pièce. Un regard lui suffit pour comprendre que sa servante n'avait pas exagéré. Les bottes des gentilshommes reposaient négligemment sur la table, au milieu des restants de repas, tandis qu'autour d'eux s'accumulaient les bouteilles vides.

« Ils se croient dans la dernière des tavernes ! » s'enragea Annette en se préparant à secouer cette bande de princes décadents.

— Vous ne voyez pas la poésie derrière son geste, Nemours ? lança Anne de Bourbon qui se tenait à la tête de la tablée. Détendez-vous un peu, mon ami, nous sommes tous dans le même camp ici. Je vous assure que personne plus que moi ne souhaite la mort de l'Italien.

En entendant le mot « mort », la baronne de Mirmille recula silencieusement dans l'obscurité du couloir. Que se passait-il ici ? D'un signe, elle ordonna à sa domestique de s'éloigner.

— Il faudrait cesser d'en débattre et agir une bonne fois pour toutes ! renchérit le duc de Nemours.

— Qu'est-ce qui vous retient, mon cher Nemours ? persifla le duc de Longueville.

— La reine serait atterrée ! ricana Conti.

— Allons, mes amis, vous ne gagnerez rien à vous narguer de la sorte. Écoutez notre douce Anne, comme toujours la voix de la raison ; nous sommes dans le même camp et nous défendons le même étendard.

Le prince de Marcillac avait parlé calmement, sans emphase, et chacun s'était calmé. Annette poussa un soupir, prête à imputer à l'alcool l'ombre du complot qui se dissipait. Elle avisa Madeleine. Celle-ci était assise à la droite d'Anne, absorbée par le vin qui tanguait dans sa coupe, indifférente aux grands seigneurs qui discutaient autour d'elle.

Annette avait rencontré toute la bande lorsqu'ils étaient arrivés à Mirmille ; il y avait d'abord le mari de la duchesse, le duc de Longueville, qui se distinguait par son âge, une vingtaine d'années de plus que tous les autres. Venaient ensuite le duc de Nemours, vêtu avec ostentation et qui parlait haut et fort, puis le prince de Marcillac, héritier des La Rochefoucault. Les deux autres seigneurs étaient à la fois parents avec la duchesse et bossus, mais là s'arrêtaient les similitudes ; si le prince de Conti passait pour un enfant dans cette coterie, François de Montmorency, lui, se démarquait par son maintien et sa force de caractère.

— Mazarin a peur. Il a peur de nous. C'est maintenant qu'il faut agir, déclara Anne de Bourbon.

Annette déglutit péniblement. Elle s'était laissé convaincre par Madeleine de convier ces gens chez elle.

— Ce qu'il nous faudrait, c'est prendre Paris, lança le prince de Conti de sa voix fluette.

— Assiéger la ville ? Vous êtes fou, Conti ! s'emporta le duc de Nemours.

— Tut, tut, tut, fit le prince de Marcillac.

— Vous voulez tuer Mazarin, mais pas prendre la ville, ironisa le duc de Longueville.

— Rien ne serait plus simple que d'assassiner l'Italien. Un coup de pistolet... Ou, mieux, on fait attaquer son carrosse. Personne ne pourra retrouver le coupable, argumenta Nemours en débouchant une bouteille de vin.

— Assassiner Mazarin et oublier le soutien du Parlement ! Faites cela et vous pouvez être assuré du ressentiment du roi, lança Madeleine en quittant brusquement sa langueur. Ne vous en déplaise, Nemours, pour une fois, le prince de Conti a eu une illumination qu'il vaudrait la peine d'écouter. Nul besoin de tactique militaire, de siège, pour prendre Paris. Il suffit que la royauté quitte la ville de son propre gré.

Tous les regards se tournèrent vers elle. Tandis que le duc de Longueville la dévisageait avec hauteur, le regard du prince de Marcillac était plutôt admiratif. L'œil du duc de Nemours brillait de la même lueur lascive qui ne l'avait pas quitté de toute la soirée.

— Bravo ! s'emporta Conti en battant des mains. Qu'en dites-vous, ma sœur ?

— Il nous faudrait le soutien des Parisiens, répondit-elle. Ah ! Quel affront ce serait pour la reine et son ministre !

— Vous l'aurez ! prédit le prince de Marcillac. La reine partie, il vous sera facile de la remplacer. Le peuple vous aime déjà !

De tous les hommes présents, c'était de loin le plus louangeur. Sa conduite ne paraissait pas déplaire au duc de Longueville, et pourtant, Annette savait que le prince de Marcillac était l'amant de la belle duchesse.

— Si Mme de Collibret est si maligne, elle pourra sans difficulté rallier Condé à notre cause, opina François de Montmorency.

— Mon frère a choisi son camp, maugréa Anne, dont la mine s'était subitement assombrie. Il est à la reine. Tant qu'elle flattera son orgueil, il n'en démordra pas.

— Madeleine a toujours eu une grande influence sur Louis, renchérit le prince de Conti qui, dans son enthousiasme, monta sur une chaise et dégaina son épée. Elle arrivera à le convaincre. Il ne sera pas dit que la reine sera parvenue à nous diviser !

Anne de Bourbon avait le visage cramoisi, et Annette comprit que l'idée que Madeleine pût réussir là où elle avait échoué la rendait malade de jalousie. Elle tenta vainement de s'opposer, mais tout à leur stratagème, les hommes ne s'écoutaient plus. Dans les minutes qui suivirent, Annette assista, consternée, à ce qui fut peut-être le moment le plus pénible de sa vie : celui où sa belle-sœur adhérait au camp des frondeurs.

20

Preuves d'amour

La reine se retrouvait face au roi, qui, lui, était devenu impuissant à cause des manœuvres précédentes. Assailli de toutes parts, il n'avait d'autre choix que de s'avouer vaincu. Margot considéra un moment l'échiquier et, finalement, fit tomber la pièce sur le côté.

— Bravo, dit-elle au jeune homme qui lui souriait de satisfaction.

Jacquelin de Collibret était aussi grand que son aîné, mais plus svelte. Avec ses yeux marron vert et ses pommettes hautes, il ressemblait assez à son père.

— Si je ne te connaissais pas autant, je dirais que tu nous as laissé gagner, inspira Charles-Antoine en tirant sur sa pipe.

Margot fit la moue.

— Je n'ai pas suffisamment l'occasion de m'exercer, à Mont-cerf. Outre Nicolas, personne ne joue aux échecs.

Marie-Louise fit au garçon un signe de la tête et celui-ci se pencha gracieusement en disant :

— Merci, ma cousine, j'ai bien aimé vous disputer cette partie.

— Tout le plaisir fut pour moi, jeune homme.

Tour à tour, les enfants vinrent lui souhaiter le bonsoir. Puis, ce fut au tour de Charles-Antoine de s'étirer en bâillant.

— Annette, je suis las.

Margot la vit poser son ouvrage de broderie et se lever pour venir assister son mari, qui se déplaçait de plus en plus difficilement. Son dos était voûté, et, lorsque Annette n'était pas à ses côtés, il se déplaçait à l'aide d'une canne.

— Margot, tu éteindras en partant ?

— Oui, ma tante. Bonne nuit.

Ils s'éloignèrent bras dessus, bras dessous, comme ils le faisaient lorsqu'ils avaient vingt ans de moins. À cette époque-là, Margot estimait qu'ils étaient déjà vieux, et pourtant elle avait cet âge aujourd'hui et était loin de se considérer comme âgée. Si elle se fiait jugement de Grégoire, elle était toujours aussi belle. Mais l'était-elle vraiment ? Elle se toucha le visage ; son front, le contour de ses yeux. Elle sentait à peine les rides qui s'y creusaient, lentement mais sûrement. Elle expira bruyamment.

« Si tu admettais ce qui te préoccupe réellement ? se dit-elle en pinçant la peau de ses joues. Xavier te manque et tu te demandes si tu auras le bonheur de vieillir à ses côtés, à l'instar d'Annette et Charles-Antoine. »

— Mais que faites-vous, ma foi ?

Margot sursauta. Grégoire se tenait appuyé au chambranle de la porte, un sourire malin sur les lèvres.

— Je… Et vous, que faites-vous à m'épier ? C'est fort discourtois.

— Pardon. La dernière chose que je désire est bien de vous manquer de respect. J'ai vu de la lumière et j'étais curieux de voir qui était encore debout à une heure aussi tardive.

Contrairement aux autres membres de la famille, Grégoire avait jugé qu'il avait mieux à faire ce soir-là que de rester au manoir à jouer aux échecs et à converser.

— Il n'est pas si tard, c'est plutôt vous qui rentrez tôt. La soirée n'a pas comblé vos attentes ?

— Hum. Vous auriez dû venir. En votre compagnie, dame Fortune aurait été plus clémente à mon endroit.

Margot le dévisagea sans ambages.

— J'avais l'impression que vous vous rendiez… euh, dans un hôtel particulier.

Grégoire ricana.

— Chez une courtisane, vous voulez dire ?

Il y avait assurément un sous-entendu dans le ton qu'avait emprunté son cousin pour clarifier ses propos. Margot le regarda droit dans les yeux et lança :

— Il n'y a pas de courtisanes à Sézanne. Il n'y a que des filles légères et des femmes de mauvaise vie.

— Est-ce que… Vous aurais-je offensée, ma cousine ?

— Votre indélicatesse me choque. Peut-être ma mémoire me fait-elle gravement défaut. Je me souviens de vous comme d'un jeune homme plein d'agrément, de bon sens et avec suffisamment d'esprit pour tenir une conversation sans contrarier les dames.

Devant l'air consterné de Grégoire, elle se retint de poursuivre sa tirade.

— Grand Dieu ! En quoi est-ce que je vous ai déplu à ce point ?

— Si j'étais la courtisane que je fus autrefois, croyez-vous vraiment que je vous laisserais m'aborder de la sorte ? Vos tentatives de flatterie m'ennuient, elles sont grossières. En outre, je ne suis plus courtisane, j'ai épousé un comte il y a bien longtemps. Alors, je vous prie de bien vouloir faire l'effort de vous en souvenir.

Grégoire se laissa choir dans un fauteuil. Ses lèvres fines laissèrent échapper un long soupir. Margot coula un regard dans sa direction et fut charmée malgré elle par la sensualité qui se dégageait de sa personne. Il avait abandonné son sourire déluré. Sa chemise ample était sortie de ses chausses, et les boucles parfaites de sa perruque tombaient en cascade sur sa poitrine, comme l'ultime atout de séduction d'un soupirant désespéré.

— Grégoire… Pourquoi n'êtes-vous pas marié ?

Il tressaillit, leva la tête et ébaucha un sourire amer.

— Il faudrait pour cela que je me satisfasse d'une compagne. Or, je me lasse très vite. À quoi bon prendre femme si je ne peux pas lui être fidèle ? Je ne désire pas faire le malheur de quelqu'un. Je n'ai ni terres, ni biens, ni titre ; quelles autres raisons aurais-je de prendre une épouse ?

— Vous n'avez jamais connu que des amours passagères ?

— Des sentiments éphémères, qui se dissipent souvent aux premières lueurs de l'aube, spécifia-t-il d'un air mi-amusé, mi-mélancolique.

— Je suis navrée d'apprendre cela, répondit-elle.

— L'amour véritable est un privilège réservé à un petit nombre. Je me souviens du jour de vos noces ; Xavier et vous aviez l'air furieusement heureux, comme si aucun obstacle ne pouvait se dresser sur votre route.

— Vous étiez à mon mariage ? demanda Margot, qui s'étonnait de ne pas s'en souvenir.

— Hélas, vous ne vous en souvenez point, commenta Grégoire. En vérité, vous étiez certainement trop éblouie par votre bonheur pour me remarquer. Ah ! Je vous le concède, je n'offre qu'une piètre conversation et ferais mieux de me taire avant de vous vexer de nouveau. Je vais cesser de m'abrutir et…

— Attendez, Grégoire. Là, vous me faites la faveur de n'être ni discourtois ni suffisant. Vous vous montrez sincère. Pourquoi ne continueriez-vous pas ?

— Mais, cousine, il est fort tard.

— Nous n'avons nulle part où aller. Jouons, comme lorsque nous étions enfants, à ce jeu que je prisais tant : vous feignez d'être mon chevalier et moi votre dame.

Une étincelle apparut dans les yeux bleu foncé de Grégoire. Le désir de conquête. Margot fit semblant de ne pas s'en apercevoir afin de poursuivre la leçon de galanterie qu'elle entendait donner à son cousin.

— Je veux bien être votre chevalier servant, mais, si tel est votre souhait, vous devrez souffrir que je vous déclare, en toute impunité, les sentiments que je ressens pour vous.

Elle resta interdite un instant. Grégoire maîtrisait l'art du badinage comme pas un.

— Je suis tout ouïe.

Grégoire retrouva tout à coup son aplomb. Il mit un genou à terre.

— J'avais cru que mon amour pour vous s'était dissipé avec le temps. Or, il n'en est rien. En votre présence, je perds tous mes moyens. Il me semble que je redeviens ce garçon qui s'inventait des ennemis imaginaires pour vous prouver qu'il était brave.

Margot sourit à cette image sortie tout droit de son enfance.

— Gagner votre estime me semble impossible, alors je tente maladroitement de vous faire sourire.

— Vous faites fausse route. Si vous êtes véritablement mon chevalier servant, c'est de moi que vous devez parler, et non de vous-même.

Son partenaire de jeu tiqua. La joute s'avérait plus ardue qu'il ne l'avait escompté.

— Ma mie, vous m'êtes cruelle… Or, cela me ravit. S'il était aisé de vous émouvoir, j'en serais le premier marri. Il me plaît que vous soyez coquette, exigeante et même tempétueuse. Car c'est ainsi que vous étiez lorsque j'ai souffert ces sursauts du cœur et de l'âme que j'éprouvais pour la première fois. Vous portiez cette robe vert feuille, et, à la naissance de la collerette, vos épaules, comme des boutons de fleurs, semblaient vouloir se laisser cueillir…

Cette image, pourtant si anodine, troubla Margot.

— Je me rappelle cette toilette. C'est Annette qui me l'avait confectionnée, s'attendrit-elle.

Le visage de Grégoire était si près du sien qu'elle percevait son odeur virile, subtilement teintée d'un parfum de bergamote.

— Vous étiez si belle… Quinze printemps à peine. Je voulais vous rendre heureuse, mais j'ignorais comment. Alors, je vous ai proposé que nous nous sauvions à Paris, ce Paris qui m'était inconnu mais que vous aimiez tant.

— Oh ! Grégoire, s'exclama Margot, se rendant compte qu'il revivait la scène avec tout ce qu'elle contenait d'émotions véritables. Quelle vaillance, quelle fougue ! J'ai bien peur de ne pas avoir eu votre conviction.

— Vous m'aviez traité de nigaud, rectifia-t-il, le plus sérieusement du monde. Mon cœur trop fragile a été réduit en miettes ce jour-là.

Margot éclata de rire. Elle avait souhaité soulager la tension engendrée par l'évocation de ce moment, mais son geste lui parut presque méprisant. Grégoire inclina la tête vers l'avant, comme s'il se mettait à sa merci.

— Ma chère Margot, malgré toutes ces années, rien n'a changé.

« Te voilà prise à ton propre jeu », jugea-t-elle en tentant de trouver une astuce pour se tirer de cette délicate situation.

— Mon cousin, laissez-moi me racheter pour le tort que je vous ai causé bien malgré moi, je vous l'assure. J'ignorais que je vous avais blessé.

— Je ne cherche pas à vous blâmer, je tiens trop à vous pour cela.

— Cependant…

— Vous me vouliez sincère, voilà que je vous étale mon plus profond secret. Espérez-vous que j'échoue pour pouvoir m'enseigner comment toucher le cœur d'une dame ? Car il m'apparaît, cousine, que vous ne savez que faire de ma candeur…

Elle se raidit. Il lui déplaisait de donner raison à Grégoire. Toutefois, si les déclarations d'amour avaient déjà été son pain quotidien, ce n'était plus le cas aujourd'hui et elle ne savait que faire de ses aveux.

— Il me serait plus facile de me laisser toucher par vos sentiments si j'avais l'assurance que vous ne cherchez pas à abuser de ma confiance pour mieux me séduire…

— Vous voulez que je vous donne une preuve ?

Elle hésita. Que pouvait-elle répondre à cela ? En disant oui, elle montrerait indubitablement son intérêt. Mais, si elle répondait par la négative, elle risquait de le froisser encore davantage.

— Comment entendez-vous…

— Rien de plus simple, répliqua-t-il en se relevant.

Il lui tendit une main qu'elle accepta avec un soupçon de retenue. Intriguée malgré elle, Margot suivit Grégoire jusque dans l'escalier qui montait aux appartements de la famille Collibret. Une fois à l'étage, lorsqu'elle comprit qu'il l'entraînait dans sa chambre, son cœur se mit à battre plus vite. Elle ne pouvait croire qu'il pût nourrir la prétention de lui faire l'amour, sans sombrer dans le ridicule ; ses parents étaient tout près, il lui aurait fallu payer d'audace. Mais que lui réservait-il alors ? Il poussa une porte et se dépêcha d'allumer les chandelles d'un candélabre.

— Entrez. N'ayez crainte, je suis encore plus gêné que vous.

Margot lui sourit timidement. Cette fois, elle consentit de bonne grâce à son invitation. Sa paume dégageait une chaleur rassurante. Elle examina la pièce où il dormait. Sans le lit qui trônait au milieu, on se serait cru dans l'atelier d'un artiste. Une longue table couverte de pinceaux, de papiers et de pots occupait l'espace près de la fenêtre, à côté du chevalet. Celui-ci était drapé d'un tissu épais qui dissimulait l'œuvre du peintre aux regards des curieux. Grégoire alla quérir un tabouret et la pria de s'asseoir. Margot obtempéra en dépit de l'appréhension qui la gagnait. Quand il lui fit dos et marcha vers la toile, elle comprit de quelle nature était la preuve qu'il entendait lui donner. Il tira sur le pan du drap, qui chuta au sol dans un doux froissement. Un long frisson parcourut l'échine de Margot. Elle s'attendait à l'ébauche d'un portrait, mais c'est un tableau quasiment achevé qu'elle avait sous les yeux.

— Il y a longtemps que je ne l'ai pas retouché. Ma mémoire et mon imagination m'ont assez bien servi, ne diriez-vous pas ?

Grégoire faisait allusion au fait qu'il y avait représenté sa cousine dans la vingtaine, à une époque où il ne l'avait vue qu'en de rares occasions. Margot s'approcha pour mieux estimer l'ouvrage de son cousin. Déjà, lorsqu'elle était courtisane à Paris, elle avait pu apprécier son talent. Depuis, il avait travaillé sous les ordres de plusieurs maîtres et, de toute évidence, en avait profité pour raffiner son art.

— Je crains de ne pas avoir les mots, s'entendit-elle dire, en s'arrachant à la contemplation de l'œuvre.

Ce portrait était le résultat de la fascination que Margot avait exercée sur lui pendant toutes ces années. Or, elle doutait qu'une attraction pareille existât. Pourtant, la preuve était là, sous ses yeux. Grégoire avait su recréer la pigmentation exacte de sa chevelure, alors que les traits représentés par son pinceau étaient plus droits, plus aristocratiques que ceux de son visage. Ne l'avait-il pas toujours imaginée superbe et princière ?

— Mon œuvre ne rend pas justice au modèle, exprima-t-il en approchant ses doigts de sa joue, ce qui fit reculer Margot immédiatement.

— Ne vous méprenez pas, mon cousin. Je suis touchée par votre... attrait pour moi. Mais je reste une femme mariée.

Que Benjamin la considérât comme sa muse, elle pouvait le concevoir. Leur amitié était propice à des dénouements affectifs imprévus. Mais son cousin, alors qu'elle ne l'avait pas vu depuis des lustres ?

— Ne me repoussez pas, Margot, plaida-t-il, les yeux remplis d'une émotion indéfinissable.

En dépit de ses convictions, la peine de Grégoire la remua. Ses yeux bleu foncé brillaient d'une ardeur si vive, si violente, qu'elle ne trouva pas la force de résister lorsqu'il s'approcha d'elle à nouveau.

« Pourquoi lui refuserais-tu ce que tu as si volontairement offert à Benjamin, alors que ce dernier n'avait pas eu le courage de le demander ? » chuchota une petite voix dans sa tête.

Grégoire se pencha vers elle et, brutalement, s'empara de ses lèvres. Il poussa une sorte de grognement sourd, tandis que son baiser se prolongeait dans son cou, jusqu'à la naissance de sa gorge. Elle pencha sa tête sur le côté. Devant elle, la femme du tableau la dévisageait de ses yeux sombres.

— Margot... Je savais que tu en avais envie, toi aussi.

Les paroles de Grégoire la rebutèrent. Comme si sa bouche la meurtrissait, elle se dégagea brusquement de son étreinte.

— Arrêtez ! Je ne saurais me livrer à vos désirs, Grégoire. Pardonnez-moi, mais je ne ressens rien pour vous.

Sans attendre, Margot fit demi-tour et quitta précipitamment la pièce. Une fois dans sa chambre, elle retira sa robe et s'habilla pour la nuit. Elle s'assit sur son lit et poussa un long soupir. Elle devait bien l'admettre, Xavier lui manquait.

∽

— Où vas-tu dans cette tenue ? Ça, non ! Je ne serai pas complice de tes…

— De mes quoi, Annette ? lança Madeleine en toisant avec dédain les humbles atours nocturnes dont était vêtue sa belle-sœur.

Margot enfouit son minois dans les couvertures, ne laissant dépasser que ses yeux, pour ne rien perdre du face-à-face. Elle pouvait voir sa tante, coiffée d'un bonnet immense qui lui donnait l'air d'un champignon, le visage éclairé par le bougeoir.

— Je ne te permettrai pas de le trahir sans mot dire !

— Calme-toi, Annette, les petites viennent juste de s'endormir, l'informa Madeleine d'une voix doucereuse.

Margot ferma les yeux de peur d'être découverte. Près d'elle gigota le corps endormi de Claudine. Annette demeura silencieuse. Malgré sa colère, elle refusait de les réveiller. Margot vit sa mère rabattre le capuchon de sa cape, révélant les spirales parfaites de sa coiffure.

— Quel culot ! cracha Annette en écarquillant ses yeux.

— Tu oublies que M. le prince a été gouverneur de Champagne. Je ne peux pas le rencontrer en chemise de nuit.

Piquée, Annette leva fièrement le menton.

— Que fait-il à errer tel un gueux en quête de pitance, au lieu de se présenter aux seigneurs de l'endroit ?

— Il se méfie des gens de Mazarin, et avec raison, car figure-toi qu'on vient tout juste d'attenter à sa vie, clama Madeleine, qui commençait à perdre patience. Laisse-moi passer, Annette !

— Pas question, répondit-elle, les mains sur les hanches.

Sa petite stature occupait le maximum d'espace dans l'ouverture de la porte. Bien que Madeleine fût plus grande et plus forte, elle pouvait difficilement sortir de la pièce sans malmener Annette.

— Madame, résonna une voix dans le couloir. Nous sommes prêts…

Margot dressa la tête en reconnaissant la voix de sa nourrice. Annette poussa un cri outragé.

— Serais-tu devenue folle ? Il va attraper la mort !

— Ne te mets pas en travers de mon chemin, Annette, répliqua Madeleine en profitant de l'arrivée de la nourrice pour se faufiler.

Margot crut entendre un pleurnichement.

« *Gabriel ?* » *pensa-t-elle, perplexe.*

Les bruits de pas, dans le couloir, s'éloignèrent, et Margot resta perplexe. Pourquoi sa mère aurait-elle emmené son frère ? Il pouvait à peine parler… Elle ne comprenait pas et cela l'irritait. Elle se promit d'interroger sa mère dès son retour. Le sommeil eut rapidement raison de sa volonté d'enfant. Dans la nuit, Margot fut tirée de sa torpeur par une plainte aiguë. Elle se redressa, engourdie, tout en se frottant les yeux. Au pied du grand lit s'agitait un petit chien aux poils clairs qu'elle n'avait jamais vu.

— Mère ?

— Marguerite, répondit cette dernière. Ce n'est rien, recouche-toi.

Margot sourit en distinguant la silhouette de sa mère dans la noirceur. Elle bâilla.

— D'où vient ce chien ? Quel est son nom ?

— Il est à nous, murmura-t-elle d'une voix sans gaieté. Il n'a pas encore de nom.

— J'aimerais l'appeler « Capucine », répondit Margot.

— C'est très bien, approuva-t-elle. Maintenant, rendors-toi.

Au matin, Margot avait oublié l'escapade nocturne de sa mère.

☙

Annette se pencha et retira les feuilles fanées du rosier. Margot la regarda faire avec admiration. Elle n'avait jamais eu suffisamment de patience pour jardiner. Sa tante, en revanche, consacrait plusieurs heures par semaine à ce passe-temps, enjolivant ainsi la cour du manoir.

— Grégoire me l'a rapporté de Chantilly. Le prince de Condé a en des centaines comme celui-ci.

L'ironie fit sourire Margot. Depuis le matin, elle désirait entretenir Annette de deux sujets qui la préoccupaient : Grégoire et le prince de Condé. Elle décida de commencer par le plus malaisé.

— Grégoire m'a fait visiter son atelier hier soir, après qu'il fut rentré.

Annette releva la tête et, sous son bonnet, ses sourcils se froncèrent.

— Vraiment ? fit-elle, incrédule.

Margot fit un hochement de tête affirmatif. Il lui gênait de faire allusion à son portrait, car elle ignorait si sa tante en connaissait l'existence.

— Vous devez vous souvenir que je l'avais encouragé dans cette voie.

— Han han, bien sûr. Comment l'oublierais-je ? C'est grâce à Gabriel et à vous qu'il a trouvé une place auprès d'un maître. Quelle déception ! Il avait un talent si prometteur…

Voyant que Margot la regardait sans comprendre, elle ajouta :

— Il y a plusieurs années déjà qu'il ne peint plus. Récemment, un seigneur de la région lui a demandé de faire le portrait de sa femme. Il a refusé, conclut-elle, en secouant la tête.

Margot ne pouvait pas dire qu'elle était surprise. Grégoire ne lui apparaissait pas comme un artiste en pleine ferveur créatrice.

— Certaines de ses œuvres sont très réussies.

— Pauvre Marguerite, je n'aurais pas cru qu'il vous aurait ennuyé avec cela, avoua-t-elle en affichant un air désapprobateur. Je le soupçonne de vous avoir montré ces tableaux pour capter votre attention.

— Je le crois volontiers. Voyez-vous, il voulait surtout me montrer un portrait…

Le visage d'Annette s'illumina soudain.

— Le portrait de votre mère ! J'avais oublié !

— Comment ? s'étonna Margot, déroutée.

— Il a réalisé, il y a bien longtemps, une peinture de Madeleine pour le prince de Condé. Il vous aura montré sa toute première ébauche, celle qu'il a rapportée à Mirmille. Pauvre Grégoire, il voulait en faire don à ton père.

— Oh ! Alors, c'est ma mère ? Mais…

Margot était trop stupéfaite pour parler. Le goujat ! Comment avait-il osé ?

— Vous pensiez que c'était vous ? En effet, n'importe qui s'abuserait. Grégoire devait représenter votre mère, mais vous étiez le modèle. Le prince l'avait choisi sous ce seul motif. Grégoire était trop dissipé pour devenir un grand artiste. Il vivait en gentilhomme et refusait de se plier aux caprices des grands.

— Comment mon père a-t-il réagi en l'apprenant ?

— Avec le temps, il a pardonné à Condé, répondit-elle. Néanmoins, il n'a jamais voulu voir le portrait. Je pense que cela lui rappelait combien votre mère s'était éloignée de lui au cours des dernières années.

« Tu ne perds rien pour attendre, Grégoire », pensa Margot avec amertume.

— J'ai rêvé d'elle hier soir. Je ne saurais dire si c'est un songe ou si c'est un souvenir qui est enfoui quelque part dans ma mémoire... Dans ce rêve, Madeleine sortait rencontrer le prince de Condé, et je crois qu'elle emmenait Gabriel.

Annette eut une sorte de hoquet silencieux. Margot s'entendit demander d'une voix vibrante :

— Savez-vous si mon frère est le fils du prince ?

Annette rentra ses lèvres, comme si elle tentait de retenir un sanglot. Puis, Margot la vit recouvrer son calme.

— J'aimerais vous répondre, mais je n'ai jamais été sûre de rien. Votre mère ne l'a jamais confirmé. Peut-être l'aura-t-elle dit à votre père ?

Alain de Collibret connaissait sûrement la vérité. Un homme aussi lucide que lui... Quant à Gabriel, se doutait-il de l'ambiguïté entourant sa naissance ? Si cela se révélait exact, cela expliquerait l'intérêt de Condé pour son cadet. En envisageant cette perspective, Margot fut envahie par une profonde tristesse. Elle s'était toujours sentie si proche de Gabriel. Pourtant, il était possible que ce dernier soit en fait son demi-frère.

— Cela signifierait que Condé et elle se sont fréquentés au tout début des agitations... Avant même qu'il ne se joigne au camp des frondeurs.

— Votre père était très souvent absent à ce moment-là. Il travaillait auprès de Mazarin, l'informa sa tante d'une toute petite voix.

— Je dois rencontrer le prince de Condé, déclara résolument Margot.

21

Les deux chapelles

Xavier pénétra silencieusement sous la voûte. Agenouillée en face de l'autel, Lutisse était en train de prier. Il leva la tête pour admirer les travaux de restauration qu'avait entamés Mathias. La différence était frappante : les anges, qui avaient retrouvé leurs couleurs d'antan, paraissaient sur le point de sortir du dôme pour prendre leur envol.

— Amen, murmura Lutisse en se signant.

Elle se redressa lentement et se retourna. Au même moment, Xavier émergea de l'ombre et vint vers elle.

— Mon frère ?

C'était la deuxième fois en deux jours qu'il la surprenait dans un instant de recueillement.

— Ma sœur, répondit-il en souriant. Je désirais vous entretenir un moment.

— Bien sûr. Je vous suis. Où voulez-vous que nous allions ?

— Pourquoi ne resterions-nous pas ici ? suggéra-t-il sans sourciller.

Son choix n'était pas le fruit du hasard. Depuis son retour de Montferrand, il avait la désagréable impression que sa fille lui cachait un important détail sur l'incident qui avait eu lieu durant la nuit de pleine lune. Aujourd'hui encore, Élisabeth avait tiqué lorsqu'il avait annoncé son intention de reporter les travaux jusqu'à ce qu'ils aient mis la main sur le coupable. Après l'avoir abondamment questionnée, elle avait laissé entendre que Lutisse était la seule qui pouvait répondre à ses interrogations. Xavier savait sa sœur sensible au caractère sacré des lieux, et il n'y avait pas de doute qu'elle répugnerait à lui mentir sous le regard des séraphins, fussent-ils peints.

— Je vous écoute, mon frère, dit-elle en s'assoyant sur un banc. Xavier l'imita.

— Je suis inquiet pour mes enfants, commença-t-il. D'abord pour Aude, qui paraît avoir décidé de porter l'épée ouvertement et de se vêtir en homme.

Lutisse hocha la tête d'un air grave. Il savait que le comportement de la comtesse la choquait au plus haut point.

— Comme si cela n'était pas assez, Élisabeth semble vouloir suivre son exemple.

Cette nouvelle fit sursauter Lutisse.

— Vous ne pouvez être sérieux…

Le visage de Lutisse exprimait la consternation la plus complète. Xavier eut un bref remords de conscience ; il déformait grandement les faits. Mais, convaincu qu'il n'y avait pas d'autre moyen de lui faire avouer la vérité, il poursuivit :

— Élisabeth partage son angoisse à l'idée que cet homme puisse revenir à Montcerf. Par ailleurs, il pourrait s'agir du braconnier qui l'a assaillie dans la forêt…

— C'est elle qui vous a dit cela ? hasarda Lutisse, inquiète.

— Ma fille n'a jamais été très douée pour la dissimulation. Elle se trouble dès que l'on aborde le sujet. Pourtant, elle est incapable de dire quoi que ce soit qui pourrait nous aider à capturer cet homme.

— Évidemment ! Cette mésaventure l'a bouleversée !

— C'est pourquoi je me tourne vers vous, ma sœur, lui annonça-t-il calmement. Dans les circonstances, vous êtes la mieux placée pour nous éclairer sur l'assaillant d'Élisabeth. Contrairement à Aude, vous avez eu la chance de bien le voir. Vous étiez dans la chambre pendant tout le temps qu'a duré le duel…

— Mais il n'y a pas eu de combat ! s'exclama-t-elle. Aude a agité son épée, et, apeuré, il s'est échappé.

— C'est tout ?

— Mais si. La comtesse a fait preuve de beaucoup de sang-froid, et il a pris la fuite dès qu'elle a tiré son arme.

— Avez-vous pu voir si c'était le braconnier qui avait déjà attaqué Élisabeth ?

Le regard de Lutisse se couvrit.

— Lutisse, je vous somme de parler si vous savez quelque chose, la pressa Xavier. Il n'y a aucune raison pour que vous me gardiez dans l'ignorance.

Elle poussa un soupir qui semblait venir du plus profond de sa poitrine.

— Vous devez me promettre de ne pas révéler à qui que ce soit ce que je m'apprête à vous dire. C'est une affaire délicate, et, bien que vous puissiez vouloir vous venger, vous aller constater que cela ne serait pas sans complications.

Xavier lui répondit par un signe exaspéré de la main. Depuis quand se mêlait-elle de lui donner des conseils ?

— Vous connaissez l'homme qui s'est introduit chez vous. C'est le duc d'Enghien.

Un long moment de silence s'écoula.

— Avez-vous entendu ce que j'ai dit ? demanda Lutisse.

— Oui.

Il la regardait froidement. Elle comprit alors qu'il ne la croyait pas.

— Henri-Jules de Bourbon-Condé est atteint d'un mal étrange, rare. Les légendes de campagne ont donné le nom de loups-garous à ces hommes qui…

— Lutisse ! tonna Xavier en se levant d'un bond. Je ne suis pas sot !

— Calmez-vous, mon frère, je ne cherche pas à vous tromper. C'est lui qui a agressé votre fille dans les bois. Je n'ai rien dit alors, et je le regrette. Si j'avais parlé, nous aurions peut-être évité ce drame.

— Comment se fait-il qu'Aude ne l'ait pas reconnu ?

— Il est méconnaissable, expliqua-t-elle. Il se prend pour une bête. Il faut me croire, Xavier. Si vous doutez de moi, demandez à Élisabeth. Elle confirmera mes dires.

Aussi vite qu'il s'était encoléré, Xavier se calma.

— Le duc d'Enghien, futur prince de Condé, a l'esprit dérangé, répéta-t-il, comme si le fait de le dire lui permettait d'accepter l'improbable.

— Je le sais depuis toujours. Vous rappelez-vous cette fameuse nuit où la princesse de Condé avait demandé asile à notre père ?

— Oui, répondit Xavier, le regard lointain. C'était pendant la première vague de peste.

— Ce soir-là, en voulant me sauver de vous, je me suis cachée dans l'aile des invités. Et j'ai surpris le jeune duc qui se comportait comme s'il était un chien. Or la... dame de compagnie de la princesse agissait comme si elle était accoutumée à sa conduite.

— Hum. C'était un enfant, à l'époque. Il devait avoir votre âge.

— Effectivement. Ce n'est pas le genre de scène que l'on oublie aisément.

Xavier fit quelques pas dans le silence de la chapelle.

— J'avais cru remarquer qu'il manifestait un penchant pour Élisabeth, lâcha-t-il, le front plissé par ses réflexions.

— Vous n'êtes pas le seul. Avant son départ, j'ai intercepté un échange presque indécent, tant le duc démontrait d'assiduités envers elle.

« Pourquoi ne m'en a-t-elle pas parlé ? » s'irrita Xavier, se disant que sa fille avait une fâcheuse tendance à passer sous silence les ennuis qu'elle s'attirait.

— Alors, si vous pensez que le duc d'Enghien s'est introduit au château dans le but d'assouvir ses désirs charnels, nous sommes d'accord sur un point : il a peut-être l'air d'un fou, mais il contrôle ses actions.

Lutisse hocha la tête négativement.

— Je ne peux pas laisser passer cette offense ! s'emporta Xavier.

— Croyez bien que je partage votre colère et votre humiliation, exprima Lutisse, au bord du désespoir. Mais que pouvons-nous faire ? Vous risquez de subir un sort des plus navrants si vous choisissez de demander réparation au duc. Quant à faire appel à son père…

— J'irai voir le roi s'il le faut !

— Vous déraisonnez, mon frère. J'ai toujours admiré votre verve, mais s'il est des moments où il faut agir avec modération, et celui-ci en est un.

Xavier regarda sa sœur et son expression passa de la rage au dégoût.

— Parfois, je me demande si vous êtes bien ma sœur, pour avoir des pensées si peu dignes d'une de Razès !

Elle accusa le coup sans fléchir.

— Xavier, je ne veux pas vous perdre. Les princes m'ont déjà pris mon père… Je ne veux pas que vous subissiez le même sort.

Sa voix tremblait, mais Xavier se borna à l'ignorer.

— Ce que vous dites là est ridicule. Le prince de Condé n'est plus le chef de la Fronde et l'époque où les seigneurs résolvaient leurs disputes dans le sang est bien terminée. Vous avez passé trop de temps au couvent pour vous en apercevoir.

— La Fronde n'est pas si loin que vous le croyez ! clama Lutisse dans une tentative ultime de retenir son frère, qui quittait la chapelle d'un pas déterminé.

❧

Les deux hommes qui marchaient le long de l'allée formaient un duo assez singulier, l'un étant très grand et l'autre plutôt petit. Pourtant, ils marchaient comme s'ils n'eussent été qu'une seule et même personne. Lorsqu'ils parvinrent au centre de l'église, ils prirent, sans se consulter, la direction du transept nord.

— Notre Église aura connu une période sombre, mais Sa Majesté paraît s'être affranchie de ses mœurs libertines. J'irais même jusqu'à dire qu'elle a fait preuve tout récemment d'une piété exemplaire, affirma l'homme de moindre taille, qui portait une chasuble d'évêque.

— On m'en a parlé, acquiesça l'autre, dont la frêle stature ajoutait à l'aspect longiligne.

Il avait les cheveux rares et gris, et, contrairement à son homologue, il ne portait pas de perruque. Sa soutane, austère, indiquait son appartenance à l'ordre des Jésuites.

— Il serait prématuré d'espérer une ratification royale en faveur de l'Église catholique, apostolique et romaine, allégua l'évêque.

— Espérer ne nous mènera à rien, coupa sèchement son interlocuteur. Prions, prions pour que Louis Dieudonné accomplisse la volonté de Dieu en libérant la France de ses protestants.

Sur ces paroles, l'évêque joignit les mains et inclina la tête. Il ne ferma pas les yeux, car ils étaient parvenus au bout de l'allée et il voulait voir quel chemin allait emprunter le jésuite. Son expérience en la matière faisait en sorte qu'il eût été impossible, pour un observateur, de dire lequel des deux promeneurs menait la marche. Cette fois, il se dirigea vers le cloître. Ils eurent à peine le temps de faire quelques pas qu'un jeune postulant s'avança respectueusement vers eux.

— Père Fromondin, formula ce dernier en s'arrêtant devant son supérieur. Vous avez reçu une missive.

Le membre de la Compagnie de Jésus tendit la main vers son subordonné, qui lui remit le pli en question. Il en regarda l'écriture et, sans lever les yeux, lança à l'adresse de son collègue:

— Nous reprendrons notre entretien plus tard.

Le père Fromondin abandonna l'ecclésiastique derrière lui. Il gagna le cloître et adressa de brefs signes de tête aux religieux qui s'y trouvaient. Une fois dans son cabinet personnel, il s'assit et se versa un verre de vin coupé d'un peu d'eau. Puis, il ouvrit la lettre.

Au père Fromondin, de la Compagnie de Jésus,
Je vous écris aujourd'hui pour vous faire part de la curiosité qu'a démontrée Marguerite de Razès, fille de Madeleine de Collibret, pour la vie et le passé de sa mère.

Je sais par ailleurs qu'elle a en sa possession plusieurs lettres de la correspondance que Madeleine de Collibret a entretenue pendant les années précédant sa mort. Vous n'ignorez pas que Marguerite de Razès s'est mariée à Xavier de Razès, comte de Montcerf. J'ai jugé bon de vous prévenir qu'elle est présentement en Champagne, pour un voyage qui vise à retracer les événements qui ont précédé le décès de Madeleine. Je me permets de vous écrire, croyant que ces informations pourraient représenter un intérêt pour vous.

Fromondin parcourut hâtivement les formules de politesse composées par l'expéditeur de la lettre, puis rangea cette dernière dans son secrétaire. Il occupa le reste de l'avant-midi à se préparer pour le voyage qu'il s'apprêtait à entreprendre. Lorsque arriva le moment du repas, il grignota le goûter frugal apporté par son serviteur en rédigeant une note pour son supérieur. Quand le soleil fut à son zénith, il monta dans le carrosse, qui partit en direction de Chantilly.

⁓

Les servantes s'affairaient autour de la salle basse avec une économie de mots qui n'était pas habituelle à la maisonnée de Montcerf.

— Merci, Louison, dit le comte avec une bonhomie affectée.

La servante lui fit un signe de tête en déposant le plat de poisson, puis disparut dans la cuisine.

« Elles vont se réfugier dans la cuisine pour se gausser de nous. Il est temps que quelqu'un fasse quelque chose », pensa Nicolas en ruminant l'ambiance pesante qui régnait au château depuis leur retour.

Ses yeux noirs firent rapidement le tour des gens du groupe qui, bien que réunis à la même table, ne paraissaient pas heureux d'être rassemblés. Son père était encore plus taciturne qu'à l'ordinaire, sa tante Lutisse touchait à peine au contenu de son assiette, Élisabeth paraissait souffrir ouvertement de ce que tous s'employaient à taire. Il jeta un coup d'œil à Aude, à sa droite, qui feignait de ne pas être concernée par la situation en entretenant une conversation insipide avec sa mère.

— Le bleu est fort beau, quoiqu'un peu trop ostensible. N'êtes-vous pas de mon avis, mère ?

— Hum, hum, murmura Oksana.

Nicolas sourit intérieurement. Dans ces moments-là, Oksana se faisait encore plus discrète qu'à l'ordinaire. En outre, elle ne parlait que lorsque c'était nécessaire et pesait toujours ses mots. Peut-être devait-il l'entretenir de ce qui le tracassait ? Bien sûr, les relations entre sa sœur et sa femme avaient toujours été tendues. Quant à Lutisse, même s'il s'efforçait de ne pas le montrer, à l'instar d'Aude, il ne l'aimait pas beaucoup. Toutefois, avant leur voyage à Montferrand, chacun, et même Xavier, qui était pourtant maussade depuis le départ de Marguerite, faisait le minimum pour être courtois. Pour sa part, Nicolas refusait de croire que l'attitude frondeuse d'Aude soit la cause unique de ce climat hostile. Non, il devait y avoir autre chose. Xavier traitait Lutisse avec un détachement qui ne pouvait s'expliquer que par une dispute. Nicolas avait beau réfléchir, il ne parvenait pas à découvrir quelle pouvait en être la raison ; si quelqu'un pouvait le lui dire, c'était Élisabeth. Contrairement à lui, sa sœur avait une bonne relation avec Lutisse. Elle ne semblait pas perturbée par l'austérité et la froideur qui se dégageaient de sa tante. Nicolas avait renoncé à comprendre comment Élisabeth, pourtant si douce et si compatissante, pouvait apprécier cette femme impénétrable. Il attendit la fin du repas, qui ne tarda pas à venir. Comme la veille, Lutisse se retira dans ses appartements. Aude et Oksana décidèrent de se rendre au petit salon pour jouer aux cartes.

— Vous nous accompagnez ? demanda Oksana à Élisabeth, le plus naturellement du monde.

Le visage d'Aude exprima la surprise, mais il n'y avait pas trace de frustration.

— Je… euh, hésita Élisabeth.

Xavier quitta son indifférence pour lever la tête, témoignage de sa curiosité.

— Si je puis me permettre, ma sœur, je voulais t'entretenir de quelque chose. Mais ça ne devrait pas prendre trop de ton temps, s'interposa Nicolas.

— Bien, répondit Élisabeth, un peu désorientée par l'intérêt subit qu'on lui portait. J'irai vous rejoindre au salon.

Sans qu'il ait eu besoin de se concerter avec Oksana, celle-ci s'était rangée à son opinion, se réjouit le jeune comte. À eux deux, ils pourraient peut-être réussir à réconcilier les de Razès.

ᦂ

— Que puis-je pour faire pour toi ? demanda Élisabeth, une fois qu'ils furent dans la chambre de celle-ci.

— As-tu remarqué un changement dans la conduite de tante Lutisse ?

Élisabeth considéra son frère en fronçant les sourcils. Le soin que Nicolas prenait brusquement de l'harmonie familiale ne semblait pas lui agréer.

— Certes, il semble qu'elle et père se soient disputés.

— Sais-tu pour quelle raison ?

— Non. Qu'est-ce qui te fait croire que je suis dans le secret ?

Élisabeth avait réagi vivement et il soupçonna aussitôt qu'elle devait en savoir plus que ce qu'elle voulait bien dire.

— Tante Lutisse t'a prise en amitié, cela me paraît clair. Alors, je pensais qu'elle t'aurait confié ses soucis. Si tu ne veux pas m'en parler, je respecte ton choix. Néanmoins, je reste sincèrement ennuyé par les tensions qui divisent notre maisonnée.

Le regard d'Élisabeth s'adoucit.

— Soit. Après tout, il n'est pas trop tard pour t'intéresser à autre chose qu'à toi-même.

Nicolas tressaillit sous ces reproches qu'il jugeait injustifiés.

— Je n'aspire pas à la béatification, à l'instar de Lutisse et toi, mais cela ne fait pas de moi une brute insensible !

— On ne peut pas dire que tu as témoigné de beaucoup de prévenances à son égard, Nicolas.

— Je l'ai traitée justement, à tout le moins. Tu ne peux pas en dire autant de toi-même envers Aude ! Je pensais que nous pourrions nous entraider, mais de toute évidence, il n'en est rien. Pardonne-moi de t'avoir dérangée.

Nicolas quitta la pièce sans attendre la réaction de sa cadette.

« Fouchtra ! » jura-t-il en abandonnant sa tentative de conciliation, constatant qu'il avait fait chou blanc.

∾

Avant même qu'il l'invitât à entrer, Lutisse poussa la porte des appartements de son frère. Xavier leva la tête nonchalamment. Toujours agacé par le comportement de sa sœur, il se résolut néanmoins à observer un minimum les règles de la bienséance.

— Voulez-vous asseoir ?

C'était la première fois qu'elle pénétrait dans son antichambre. Prolongeant sa chambre de quelques pas, elle était essentiellement meublée de deux fauteuils, d'une table basse et d'une bibliothèque étroite.

— Vous n'avez pas parlé à Nicolas, lui dit-elle en acceptant son invite.

— J'ai décidé d'attendre le retour de Margot avant d'entreprendre des démarches. Cependant, j'ai écrit à Gabriel de Collibret pour lui demander conseil.

Lutisse écarquilla les yeux. De toute évidence, cette nouvelle la prenait au dépourvu.

— Je croyais que vous n'aviez pas d'estime pour cet homme, lui rappela-t-elle.

— Par le passé, je n'ai pas été prodigue de bons mots à l'égard de Gabriel de Collibret. Toutefois, il a démontré en toute chose sa loyauté envers notre famille. De plus, il connaît intimement le prince de Condé. Je peux donc compter sur lui pour m'assister dans cette délicate affaire.

— Si je comprends bien, vous n'avez pas reconsidéré votre position.

— Pourquoi diable pensez-vous que je devrais laisser cet incident sans suite ? Cet homme s'est introduit chez nous, et, comme si l'outrage n'était pas déjà assez terrible, il a tenté de violer ma fille !

Il sentait sa poitrine se soulever sous l'effet de sa colère. Malgré lui, il s'était encore emporté.

— Je comprends, assura-t-elle avec une douceur exagérée. Je vous assure que je partage votre indignation, même si je ne suis pas d'accord avec votre décision de divulguer la chose.

Lutisse gardait le front baissé, comme si elle redoutait une nouvelle réaction violente de la part de Xavier.

« Margot ne m'a jamais fait sentir brutal. Contrairement aux autres femmes, elle ne se conduit jamais comme si elle était plus fragile ou plus vulnérable que moi », songea-t-il en se rendant compte à quel point sa relation avec Lutisse comportait de chausse-trappes.

— Il va falloir vous faire une idée, car je n'en démordrai pas.

— Je dois vous paraître bien entêtée.

— Je crois simplement que la mort de notre père, puis la confiscation de ses biens et de son domaine vous ont grandement affecté. Dans mes lettres, je me suis efforcé de dépeindre un portrait fidèle de notre relation envers le roi et la cour. Mais, en dépit de mes efforts, vos idées sombres ne vous ont jamais abandonnée.

— Ce que vous semblez ignorer, mon frère, c'est que notre père a été assassiné parce que la famille de Condé l'avait impliqué dans un complot contre le roi.

Xavier poussa un soupir. Tout cela était si loin, il y avait des années qu'il n'y avait plus repensé. Il avait payé chèrement les erreurs de son père. Et tandis qu'il était au service de Colbert, Lutisse, retirée en son couvent, avait prié pour le salut de son âme.

— Évidemment, notre père avait fait son parti du clan des princes, argua Xavier. Ce n'est pas une surprise.

— Alors que tous les seigneurs des environs avaient accueilli la princesse de Condé en fuite, notre père seul a subi les contre-coups de l'affaire.

— À quoi ces sombres réminiscences nous servent-elles ? s'impatienta Xavier. C'est Henri-Jules de Bourbon-Condé qui est en cause, pas son père.

— Je vous l'accorde. Mais notre père est mort parce qu'il avait refusé de rendre aux Condé ce qui leur appartenait. Il a trahi leur confiance.

— Ni vous ni moi ne savons qui l'a assassiné, alors cessez de faire des conjectures.

— Vous vous trompez, je connais la personne responsable de sa mort. C'est Madeleine de Collibret, la mère de Marguerite.

Xavier n'en croyait pas ses oreilles. Jusqu'où Lutisse était-elle prête à aller pour le convaincre de renoncer ?

— Je vous l'avais caché pour vous protéger. Je savais que si l'idée de la vengeance s'insinuait en vous, elle causerait votre perte.

22

La retraite du conquérant

— Je suis certaine qu'elle va l'adorer, lui assura Margot en admirant le détail de la broderie.

— J'ai aussi pensé à Anne-Marie, voilà pour elle.

— Comme c'est joli !

Annette avait confectionné des présents pour toute la famille. Margot s'émerveillait du talent de sa tante et autant sinon plus du soin qu'elle avait mis à réaliser toutes ces belles parures.

C'était le jour de son départ. Elle avait fait parvenir un message au prince de Condé pour l'informer de sa venue. Si ses calculs étaient justes, la lettre lui parviendrait ce même jour.

— Marguerite, vous alliez partir sans me dire au revoir ?

— De tout mon être, j'avais espéré ne pas vous revoir, lança-t-elle, indifférente aux réactions de sa famille, qui assistait à la scène.

Grégoire perdit d'un coup sa superbe. Annette adressa un signe à Marie-Louise, qui comprit qu'il valait mieux quitter la pièce avant qu'elle ne se transformât en champ de bataille. Grégoire leur lança un regard interrogateur, comme s'il cherchait une explication à l'attitude de Margot.

— Après l'autre soir, j'ai voulu vous présenter mes excuses pour l'odieuse façon dont je vous ai traitée, s'empressa-t-il de lui dire.

— Pourquoi ne l'avez-vous pas fait ?

— J'ai… j'ai cru que vous préféreriez ne plus revenir là-dessus. En outre, depuis deux jours, vous m'évitez délibérément.

Margot leva les yeux au ciel. Pourquoi essayait-elle de le ménager ?

— Vous avez tenté de me séduire, vous m'avez menti, vous vous êtes joué de moi ! lui reprocha-t-elle. Vous n'êtes qu'un lâche !

— Holà ! Vous y allez un peu fort, ma cousine !

— Je sais que c'est un portrait de ma mère et non de moi. Une œuvre que le prince de Condé vous avait commissionnée.

— Je vois.

— Je n'avais pas l'intention de vous faire mes adieux, parce que j'espérais préserver la dignité qui me restait en ne succombant point au dégoût que vous m'inspirez. Or, en vous revoyant, je crains de n'avoir pu me contenir.

— Marguerite, je regrette, sincèrement. Ce tableau, je l'ai peint en pensant à vous. Vous n'avez jamais cessé de hanter mes pensées.

Cette fois, Margot était décidée à ignorer ses justifications. D'un geste de la main, elle lui fit comprendre que ses propos étaient vains.

— N'y a-t-il rien que je puisse faire pour obtenir votre pardon ?

— J'ai peur que non. Vous avez assez fait de mal comme cela.

Grégoire exécuta une courbette qui sembla pénible tant son remords était lourd à porter.

— Vous avez été prise de compassion devant les pauvres galanteries que je vous ai faites. Si bien que mon orgueil en a été piqué ! J'aurais dû accepter la leçon que vous vous targuiez de me faire comme une preuve de votre affection pour moi.

Margot ne fit pas l'effort de lui répondre. Tout avait été dit. Quelques heures plus tard, elle prendrait la route de Chantilly. Son séjour chez le prince de Condé lui offrirait des distractions qui, elle en était certaine, lui feraient oublier ce fourbe.

⌇

Du château ou de ses jardins, Margot ne pouvait décider ce qui était le plus beau. La bâtisse en elle-même était admirable, un véritable joyau d'architecture ! Après avoir visité le jardin et ses parterres, où chaque détour recelait une statue ou un jeu d'eau, elle ne put que s'avouer que l'écrin était tout aussi somptueux que son contenu.

Louis de Bourbon-Condé préservait et embellissait son palais avec une passion inépuisable. Il démontrait le même engouement pour tout ce que son esprit avide abordait : les sciences, la philosophie, la guerre, les arts. Margot, qui l'avait rencontré à quelques reprises dans le salon de Ninon, n'avait qu'une appréciation très vague de sa personnalité. Le prince de Condé était demeuré une figure inaccessible et impressionnante. Lorsqu'il vint vers elle pour l'accueillir personnellement dans sa demeure, son naturel plein d'allant et sa familiarité la surprirent et la ravirent à la fois. En dépit de sa détermination à connaître la vérité au sujet de sa mère, elle appréhendait l'entretien avec cet ancien frondeur. Elle espérait surtout que la mémoire de Madeleine l'amènerait à s'émouvoir de son audace à vouloir faire ressurgir des événements vieux de trente ans.

— Madame la comtesse de Montcerf ! C'est un plaisir trop rare !

— Monsieur le prince, je me suis permis bien des caprices dans ma vie, et le moindre n'est pas de m'aventurer chez vous dans l'espoir que vous me receviez, dit-elle en mêlant adroitement déférence et esprit.

— Relevez-vous, comtesse, lui intima-t-il. J'aurais dû vous convier bien avant que vous ne me fassiez la grâce d'une si charmante visite.

Elle accepta sa main en souriant. Le sentiment d'avoir chaussé à nouveau ses escarpins de courtisane s'insinua en elle. Le prince de Condé avait beaucoup vieilli. Quoique ses traits fussent nobles et forts, il n'avait jamais été beau. À soixante ans, il était presque désagréable à regarder. Les ennuis de santé et l'âge minaient sa démarche autrefois altière, et, dans son visage fatigué, son nez en bec d'aigle semblait plus proéminent que jamais. Néanmoins, on ne pouvait faire dix pas aux côtés de cet homme sans être pénétré par sa force de caractère. Margot avait eu bonne mesure de maladresses auprès de son cousin, et le respect que lui témoignait le prince ajoutait à son agrément de se trouver en présence d'un homme aussi charismatique.

— J'ai fait préparer vos appartements, un des valets vous y conduira. Vous souperez avec moi. Mon cercle d'amis est considérablement réduit, nous serons peu nombreux. En plus du départ de votre frère, beaucoup de mes amis sont en séjour à Versailles.

— Gabriel m'a vanté votre table pendant des années, arguant qu'il s'agissait des meilleures cuisines de France.

Le prince fit un signe à un valet qui portait la livrée de la maison.

— Faites conduire Mme de Collibret à ses logements. Voyez à ce que tout soit fait pour l'accommoder le mieux du monde.

— Monsieur le prince, se courba le serviteur. Par ici, madame.

Margot était charmée par tant de prévoyance. Elle adressa un sourire complice à son hôte et suivit le domestique à travers le dédale des couloirs. Non seulement la demeure était somptueuse, mais elle contenait la plus importante collection d'œuvres d'art que Margot eût jamais vue. Les tapisseries, les fresques et les peintures se succédaient, chacune plus agréable à l'œil que la précédente. Margot parvenait difficilement à se soustraire à la contemplation des tableaux. Heureusement, le valet qui l'accompagnait souscrivait à chacune de ses haltes avec une infinie patience.

Lorsque enfin Margot pénétra dans son boudoir, elle se sentit lasse. Elle avait voyagé toute la journée, s'accordant à peine une pause, tant elle avait hâte de gagner Chantilly. Elle prépara sa mise pour la soirée et, tandis qu'elle retirait son manteau de robe, une chambrière se présenta à sa porte pour l'assister.

— J'aurai recours à vos soins, mais, avant, il me tarde de m'allonger un peu.

La servante l'aida à retirer sa toilette, puis s'inclina respectueusement et sortit pour lui permettre de se reposer. Margot se hâta vers le grand lit baldaquin qui trônait dans la chambre. Langoureusement, elle se glissa sous les draps qui fleuraient le jasmin et la rose.

« Je comprends mieux pourquoi Gabriel s'est entiché de Chantilly au point d'y passer le plus clair de son temps. Je me ferais vite à la cour de M. le prince de Condé. »

En mécène et seigneur, Louis de Bourbon-Condé s'entourait de courtisans et d'artistes envers lesquels il avait la réputation de se montrer magnanime. En outre, il appréciait les femmes d'esprit, comme Ninon qui, si elle avait eu envie de quitter Paris et son indépendance, aurait pu trouver refuge ici. Les cils de Margot papillotèrent. Un sommeil douillet de fin de journée l'enveloppa et, lentement, elle sombra.

La première pensée qui lui vint à l'esprit en s'éveillant fut la qualité de l'accueil que lui avait réservé le prince. Pas un instant il n'avait semblé déconcerté par sa venue. D'ailleurs, il ne lui avait posé aucune question au sujet de la lettre plutôt vague qu'elle lui avait envoyée au préalable.

« Il doit avoir deviné le véritable motif de ma visite, songea-t-elle en démêlant ses longs cheveux. Il sait que mon père est décédé. Il aura déduit que j'ai eu vent des infidélités de ma mère. »

Qu'il soupçonnât ou non les raisons de sa venue, le prince était trop courtois pour aborder le propos abruptement. Elle devrait orienter elle-même la conversation dans cette voie. On cogna à la porte. Margot déposa son peigne et lança :

— Entrez !

À sa grande surprise, ce n'était pas sa jeune chambrière, mais un homme de belle taille, élégamment vêtu et coiffé d'une perruque châtaine.

— Margot ! s'exclama-t-il sans s'offusquer de la découvrir dans sa robe de chambre, sans parure ni poudre.

Elle se troubla en reconnaissant Jean de Hérault, le sieur de Gourville, ancien amant et ami de longue date.

— Jean ! Vous, ici ! Je ne… Mais vous ne pouvez pas entrer comme ça !

— Voyons !

— Pas de cela ! Vous attendrez que je sois vêtue pour venir m'embrasser. Restez dans le boudoir, ma servante ne devrait pas tarder.

Il sortit de la chambre en reculant, la mine déconfite. Margot mit la main devant sa bouche pour étouffer un petit ricanement.

— À quel traitement vous me soumettez, ma chère et précieuse amie !

Elle ignora sa prétendue souffrance et commença sa toilette.

— J'ignorais que vous vous trouviez à Chantilly, lui lança-t-elle, imperturbable.

— C'est ma résidence d'été, répliqua-t-il sur un ton léger. Diable ! Cette chambrière sait se faire attendre !

Margot continua à poudrer ses joues et son cou.

— Si vous êtes si pressé, rien ne vous empêche…

La domestique pénétra à ce moment, mettant fin à son propos.

— Ah ! Vous voilà enfin ! s'exclama Gourville en la prenant par les épaules pour la pousser gentiment, mais fermement, vers la chambre.

— Monsieur Gourville !

Margot avait peine à garder son sérieux. La chambrière secoua la tête et, enfin, s'approcha d'elle afin d'accomplir son service.

— Ma robe est là, désigna Margot en se levant.

— Margot ! s'exclama le sieur de Gourville. Comme je suis bête ! Quel fat ! J'ai omis de vous exprimer mes condoléances pour votre père. Dieu m'est témoin, il nous a fallu des années pour nous réconcilier, mais jamais je n'ai cessé de le tenir en estime. Ma chère amie, comme votre chagrin a dû être grand !

Si le sujet n'avait pas été si grave, Margot aurait certainement ri à s'en tenir les côtes. Imaginer Gourville faisant les cent pas dans l'antichambre était un spectacle du dernier comique.

— Je vous sais sincère, mon ami, lui dit-elle, et j'apprécie vos bons mots.

— Hélas ! Si je n'avais pas si peur de choquer votre pudeur, je vous prendrais dans mes bras, n'en doutez point.

La servante, qui venait de lui passer son corsage, ouvrit de grands yeux atterrés.

— En attendant, dites-moi plutôt comment se porte M. le prince. Sa santé est-elle bonne ?

— Il a de bons et de moins bons jours, voyez-vous, répondit-il. Pour tout vous dire, après le départ de votre frère, il a eu une crise de goutte incroyable. Il n'a pas quitté son lit pendant plusieurs semaines.

Margot se félicitait d'avoir amené la discussion sur ce sujet. Gourville ne pouvait soupçonner la raison véritable de sa présence. De toute évidence, il ne se doutait pas non plus du lien qui unissait Gabriel et Condé. Pourtant, à l'époque de la Fronde, il avait été au service du prince de Marcillac, devenu depuis duc de La Rochefoucault, autrement dit dans le camp des princes.

— Continuons de discourir, voulez-vous, tandis que je me prépare, lui dit-elle.

Il ne faisait pas de doute que son séjour à Chantilly serait riche en surprises.

⁓

« Combien de temps va-t-on rester ici ? » se demanda Jean de Hérault, sieur de Gourville, en attrapant un verre de vin qui traînait sur une console.

Saint-Maur n'était pas désagréable ; mais il avait compris que chacune des actions des frondeurs reposait sur les impulsions de Condé. Et, en homme de raison, cela le contrariait. Louis de Bourbon-Condé était assurément un génie militaire, mais avec un ego qui se serait mieux accommodé d'une couronne d'or plutôt que de laurier. Malgré cela, Gourville avait l'habitude de vivre dans l'ombre des plus grands que lui ; c'est là qu'il trouvait bonne fortune et bonne compagnie. Il savait néanmoins que son maître, le duc de La Rochefoucault, prince de Marcillac, avait trop peu d'atouts. S'il était l'amant de la duchesse de Longueville, sur laquelle il exerçait un certain ascendant, Condé restait le frère chéri de la belle Anne. En somme, le clan des princes était surtout le clan des Condé.

— Alors, Gourville, on joue une partie de piquet ? lui demanda René du Bec, marquis de Vardes, qui avait choisi de se joindre aux Condé depuis que Mazarin était en exil.

« Opportuniste ! » pensa Gourville, avant de répondre :

— Tu n'y songes pas, Vardes, je te ruinerais.

Le bellâtre lui fit une grimace et, à nouveau, Gourville se demanda ce que le gentilhomme espérait retirer de son alliance avec les frondeurs.

— Belle nuit, commenta Vardes, dans une piètre tentative de conversation. Les femmes vont prendre leur bain tout à l'heure.

Vardes montra ses dents, et son rictus de carnassier rappela à Gourville qu'il avait une réputation de séducteur cruel.

— Ha ! Ha ! ricana Gourville. Je me demandais aussi quelles pouvaient être tes motivations.

Vardes s'appuya au chambranle de la porte et lui montra une femme vêtue dans une robe d'une blancheur de nacre.

— Tu la connais ?

— Oui, je l'ai déjà rencontrée chez Mlle de Scudéry. C'est Madeleine de Collibret.

— Collibret ? répéta-t-il, perplexe. Madame ou mademoiselle ?

— Madame, précisa Gourville. Son mari se nomme Alain de Collibret, c'est un financier.

Vardes leva un sourcil perplexe. Le rang de la belle brune, bien inférieur au sien, le dissuaderait-il ?

— Que fait-elle ici ?

Désinvolte, Gourville haussa les épaules.

— C'est une amie de la duchesse de Longueville, et elle est, je crois, dame de compagnie de la femme de Condé, répondit-il en omettant de dire que c'était surtout la maîtresse de ce dernier.

Encouragé, le séducteur reposa son regard sur elle, cette fois avec une intensité qui ne trompait pas. Madeleine était entourée d'une troupe de jeunes hommes, la plupart des cadets sans titre, qui avaient décidé de se joindre à la Fronde pour l'exaltation de l'aventure.

— Son mari est-il avec elle ?

— Non, ceux-là sont tous des muguets[3] sans intérêt. Lui appartient à l'Italien. C'est du moins ce qu'on m'a conté.

René du Bec, marquis de Vardes, tressaillit.

— Curieux époux, lança-t-il.

---

3. Jeunes élégants.

Bien que cela lui déplût, Gourville était de l'avis de Vardes. Du reste, c'était bien dommage ; les Collibret formaient un des rares mariages heureux qu'il avait rencontrés, avant que la Fronde ne les divisât. Il considéra Vardes, qui paraissait tout à coup moins friand de la conquête.

— Alors ? Tu espères qu'elle te tombera dans les bras ?

— Non… Mais as-tu pensé qu'il peut s'agir d'une espionne ?

— Une espionne au service de Mazarin ? répéta Gourville, ébahi par la bêtise du marquis de Vardes. Peut-être… en effet. Quelqu'un devrait avertir le prince de Condé !

— Laisse, je m'en charge, affirma René du Bec.

Gourville, qui s'amusait aux dépens de Vardes, lui fit un signe de la main, signifiant par là qu'il lui cédait l'honneur.

～

La table était un meuble d'une formidable longueur. Elle était dressée en permanence pour les dîners du prince et de sa suite. Lorsque Margot pénétra dans la pièce, la plupart des convives avaient déjà pris place. Elle s'avança parmi les officiers de bouche qui servaient diligemment le vin. Un majordome vint à elle et la pria de le suivre. Elle sentit croître son appréhension quand elle découvrit que le prince lui avait réservé la place à côté de lui.

— Madame de Razès, bonsoir, lui dit-il. Mes amis, laissez-moi vous présenter la comtesse de Montcerf.

Une douzaine de regards se tournèrent vers elle. Des salutations enthousiastes fusèrent de droite et de gauche, auxquelles elle répondit par un sourire charmé. L'assemblée étonnait par sa diversité, tant en âges qu'en statuts. Selon l'estimation de Margot, elle devait figurer parmi les invités les plus titrés. En revanche, elle était loin d'être la plus jeune ; il y avait un dramaturge débutant, dont la popularité croissante lui avait valu l'attention du mécène, ainsi que deux demoiselles au début de la vingtaine.

— de Razès… Vous êtes du Sud, madame ? lui demanda un homme âgé, qui avait servi sous le grand Condé.

— La famille de mon mari, oui, répondit-elle. Mais leur comté est situé en Auvergne, tout près d'Aurillac.

Tous se connaissant déjà intimement, et la présence d'une nouvelle convive aviva l'intérêt de plusieurs.

— Votre parure est originale. C'est un pendentif à loquet, n'est-ce pas ? lui lança une dame plutôt âgée, assise vis-à-vis d'elle. J'en ai déjà possédé un semblable. Le vôtre doit être un héritage ; ce n'est certes pas récent…

Margot se félicita d'avoir eu la bonne idée de porter le pendentif en argent de sa mère, bien que ce ne fût pas du meilleur effet avec sa robe en taffetas. Ce qu'elle voulait, c'était attirer l'attention de Louis de Bourbon.

— Merci, il me vient de ma mère, répondit-elle en touchant le bijou. Un orfèvre m'a dit qu'il avait au moins une cinquantaine d'années. On ne fait plus de chaînes aussi lourdes de nos jours, et le ciselage est pour le moins rudimentaire. Toutefois, j'y suis ridiculement attachée.

Elle sut, sans avoir besoin de s'en assurer, qu'au moment où elle prononçait ces mots, le regard du prince était tourné vers elle.

— Je comprends fort bien, ma chère, répondit la dame. Je me rappelle, maintenant. C'est ma maîtresse, la princesse de Condé, qui m'en avait offert un. Il ne me quittait jamais !

Margot voulut lui demander si elle faisait référence à la princesse actuelle ou à la mère du prince, puis elle se souvint que Ninon lui avait déconseillé d'aborder le sujet de la femme de Condé. Grâce à Ninon, elle venait d'éviter un impair, et tout un ! En effet, depuis plusieurs années, Claire-Clémence de Maillé-Brézé, nièce du cardinal de Richelieu et épouse de Condé, était tenue pour folle dans un couvent qui servait à la fois de retraite et de prison.

— Les objets nous sont précieux lorsqu'ils nous rappellent une personne qui nous était chère.

— La princesse et moi avons été très proches, ma chère, renchérit la dame, non sans une certaine fierté.

Margot continua à deviser avec sa voisine et finit par apprendre qu'elle résidait à Chantilly depuis qu'elle était veuve.

Bien sûr, le prince était reconnu pour ses largesses, mais, avant de mettre les pieds dans son domaine, Margot n'avait pu estimer la générosité dont il faisait preuve envers ses gens. Cette découverte lui fit douter de sa théorie sur la naissance de Gabriel. Si Condé ouvrait ses portes aux veuves et autres nécessiteux, son comportement à l'égard de Gabriel était tout à coup moins singulier.

« Maintenant qu'il a vu mon collier, il voudra certainement s'entretenir avec moi », songea-t-elle en s'impatientant.

Mais la soirée filait et il n'y avait pas l'ombre d'un entretien à l'horizon. Si Margot avait abandonné ses ambitions de goûter aux divers plats qui étaient proposés, elle ne désespérait pas de connaître la vérité sur la relation entre sa mère et son hôte. Finalement, c'est Gourville qui lui fournit l'occasion de relancer le sujet.

— Ma chère Margot, je vous verrais très bien rester avec nous à Chantilly. Qu'en dites-vous, monsieur de prince ? Cela vous rappellerait le passé.

Le prince de Condé lança un regard furibond à son ami. Mais l'alcool devait avoir fortement amoindri les sens de ce dernier, car il ajouta, insouciant :

— Saviez-vous que votre mère avait été l'une des amies du prince, avant d'épouser votre père ?

— J'ai eu l'heur de l'apprendre, tout récemment, lui répondit-elle, par le truchement le plus inouï que vous puissiez imaginer ! Je l'ai su par de vieilles lettres que mon père avait gardées et qu'il m'a remises avant sa mort.

23

Héritage

Le parterre se composait d'une myriade de fleurs de toutes les couleurs. Au sommet du Grand Degré, l'œil découvrait un tableau floral spectaculaire, offert dans des dimensions nouvelles que seul un virtuose des jardins paysagers avait pu concevoir.

— Le Nôtre est un génie de son temps, affirma Condé en contemplant le jardin.

— J'ai toujours cru que mon frère exagérait lorsqu'il parlait de Chantilly, avoua-t-elle. Gabriel a toujours été doué pour l'emphase, mais cette fois-ci il n'avait même pas rendu justice à la beauté de votre domaine.

Condé sourit. Il s'appuyait sur une canne à pommeau en argent. Le regard qu'il tourna vers Margot était très intense.

— Je serai sans détour, lui dit-il. J'ai reçu votre lettre sans grande surprise. Je dois même vous avouer que je l'attendais plus tôt.

Devant l'expression perplexe de Margot, il poursuivit :

— Quand j'ai appris le décès de votre père, j'ai pensé que vous viendriez frapper à ma porte. Un peu comme vous l'aviez fait lorsqu'il avait été embastillé.

— Je vois. Il est vrai que je ne me suis pas intéressée aussitôt aux vestiges de sa correspondance. C'est la mort de mon père, et non la vie de ma mère, qui occupait mon esprit à ce moment-là.

En s'entendant prononcer ces mots, Margot se rendit compte que c'était la pure vérité. Si elle cherchait à expliquer le délai qu'il y avait eu entre la réception de ces lettres et leur lecture, c'était bien ainsi qu'elle le pouvait.

— Je comprends, lui répondit-il. J'ai moi-même perdu une personne très tendre à mon cœur, et il me semble que je n'en ai point fait le deuil.

— Votre sœur, Anne, répondit Margot.

Le prince hocha la tête gravement.

— Il y a deux ans qu'elle nous a quittés, un peu plus même, mais la blessure est encore toute fraîche. Avec l'âge, les départs deviennent plus douloureux. Ils nous rappellent que notre tour approche.

Margot considéra le paysage splendide de Chantilly, avec, au centre, son maître, ce géant voûté mais encore imposant, qui se livrait à des confidences inattendues ; elle en conçut une impression d'étrangeté atteignant la limite de l'absurde. Elle avait quitté la tranquillité de son château provincial pour une aventure, oui, une aventure dont elle ne pouvait pas du tout prédire le dénouement.

— Ainsi, ma lettre ne vous a pas étonné outre mesure.

— Peu de gens s'intéressent au vécu de leurs parents lorsqu'il comporte des actes déshonorants, ou perçus comme tels. Ce qui est passé reste passé, après tout. Alors, à quoi bon remuer les cendres ? Or, je vous sais plus philosophe et surtout plus rationnelle que la majorité des femmes. Vous avez été une protégée de Ninon, et votre père a connu des infortunes qui ont trempé votre tempérament.

La découverte de la liaison entre le prince et sa mère offrait à Margot une nouvelle image de cet homme qui avait été témoin des moments importants de sa vie, à l'instar du grand parterre, vu du promontoire, qui révélait un ensemble de formes et de motifs bien ordonné. Alors que Margot avait toujours perçu ses rencontres avec Condé comme des événements fortuits, elle se rendait compte qu'à ses yeux rien de cela n'avait jamais été anodin. Jusqu'à la proposition de mariage pour sa fille, Élisabeth, dont Gabriel s'était fait l'émissaire l'année précédente.

— Vous avez eu de profonds sentiments pour elle, si j'ose dire.

— Oui. Trop proche de l'amour pour s'en distinguer. C'est la seule femme pour qui j'aie jamais ressenti une telle inclination du cœur.

— C'est pour cette raison que vous avez toujours protégé Gabriel ?

Le sujet de la naissance de son frère était trop audacieux pour être traité avec légèreté. D'ailleurs, Margot respectait assez son hôte pour ne pas chercher à lui soutirer un aveu. Toutefois, Condé ne pouvait nier ce qui était une évidence : il avait pris un intérêt à la famille de sa maîtresse, et en particulier à la personne de son fils.

— J'ai pris Gabriel chez moi lorsqu'il avait onze ans, si je ne m'abuse. Il était plein d'allant, guilleret et beau, comme la plupart de mes pages, mais à la différence qu'il me témoignait une gratitude bien sincère. C'est cette reconnaissance qui m'a conquis.

— Il a toujours été très fier de sa charge de page de votre maison.

— J'aime Gabriel comme un fils, avoua-t-il sans équivoque. C'est une affection dont je ne peux me défaire, quand bien même je le voudrais. Votre père était un homme honnête ; il ne m'a jamais jalousé pour cela et je ne lui ai jamais donné cause de le faire.

La déclaration désarçonna Margot. Que pouvait-elle ajouter à cela ?

— Mon affection pour votre mère était tout autre, et je m'en voudrais de vous laisser croire que je l'ai simplement déplacée sur lui. Gabriel n'a rien en commun avec Madeleine, qui était trop fière de ses origines pour devoir quoi que ce soit à quiconque. Votre mère était de ma race. C'était une fille de la vieille noblesse, de celle qui a pris les armes contre la régence.

— Ma mère détestait Mazarin.

— Votre père travaillait pour le cardinal de Mazarin. Or, Madeleine abhorrait cette situation. Lorsque la reine l'a désigné comme premier ministre, votre mère s'est naturellement ralliée aux mécontents qui le décriaient.

La facilité avec laquelle Louis de Bourbon-Condé parlait de Madeleine était désarmante. Avant ce jour, Margot n'avait jamais eu le sentiment de s'entretenir avec quelqu'un qui l'eût connue *réellement*. Les rares fois où son père, Alain, avait parlé d'elle, une pudeur empreinte de douleur teintait son discours.

— L'aimait-elle ? s'enhardit à demander Margot.

— Oui. Elle s'en défendait parfois, mais elle n'a jamais cessé de l'aimer.

— Avait-elle honte de ce qu'il était un financier issu d'une obscure famille champenoise ?

Condé esquissa un rictus amusé. Au soleil, sa peau ridée et criblée de tâches était aussi usée qu'un champ de bataille.

— Je crois que sa gêne était dirigée vers elle-même, parce qu'elle acceptait difficilement de s'être éprise de lui. Ma sœur m'a raconté que, pendant leur première année de mariage, Madeleine avait fait endurer les pires supplices à Alain. C'était la façon qu'elle avait trouvée de lui montrer qu'elle était contre leur alliance.

— Elle était terrible !

— Oui-da ! Très sincèrement, il m'est arrivé de bénir le sort qui avait fait d'elle ma maîtresse et non ma femme.

— Elle n'aurait pas pu être votre épouse, avança Margot.

— Non. Bien que jeune, il me soit arrivé de nourrir cet espoir, je le savais illusoire. Même si elle était d'une famille illustre, cette alliance aurait été purement sentimentale. Mes parents n'y auraient rien gagné, et franchement, moi non plus. Cela dit, si Madeleine m'avait été offerte, j'aurais consenti sans rechigner ! Elle était sans contredit la plus gracieuse et la plus spirituelle jeune femme de ma connaissance. Savante, de surcroît, et tempétueuse comme un Gascon !

— Une parfaite frondeuse.

— Sous l'influence de ma sœur, elle s'est jointe très rapidement au camp des princes. Lorsque la nouvelle de mon emprisonnement s'est répandue, elle a quitté la Champagne pour gagner Chantilly. Là, elle a accompagné ma femme, la princesse de Condé, dans sa fuite jusqu'en Auvergne…

— En Auvergne ? coupa Margot, intriguée.

— Vous l'ignoriez ?

— Je savais qu'elle avait voyagé pendant quelque temps, mais les détails de son périple m'échappaient.

Condé demeura silencieux un long moment avant de poursuivre :

— Sans le concours de Madeleine, je doute que ma femme se fût aventurée aussi loin que Bordeaux. Claire-Clémence n'était pas de nature intrépide.

Il fit une pause qui permit à Margot de méditer ce qu'il lui avait dit jusque-là. Elle se souvint subitement du loquet.

— Est-ce vous qui lui aviez offert le bijou que je portais hier soir ? s'enquit-elle.

— Non, je ne me souviens pas lui avoir donné quoi que ce soit de la sorte.

« Sauf un petit chien, que j'ai nommé Capucine », pensa Margot en elle-même.

— Par ailleurs, Madeleine avait rarement des parures aussi opulentes. Je ne crois pas lui avoir déjà vu porter ce pendentif.

⁓

— Annette ! s'écria Margot en apercevant le carrosse des Collibret qui pénétrait dans la cour. Ils sont là !

Annette regarda par la fenêtre pour s'assurer qu'elle disait vrai. Margot gambadait dans le salon à la manière d'un lapin de garenne. Il y avait bientôt trois mois qu'elle n'avait pas vu son père, et presque autant de temps s'était écoulé depuis le départ de sa mère. L'idée de prévenir Claudine, qui jouait en haut avec Gabriel, lui traversa l'esprit, mais par pur égoïsme Margot décida qu'elle préférait jouir seule de cette primeur.

— Allons les accueillir, proposa Annette en posant la main sur la tête de sa nièce.

Lorsqu'elles arrivèrent dans la cour, Margot s'efforça de demeurer calme devant ses parents. Après tout, elle venait d'avoir huit ans : elle était presque une demoiselle ! La portière s'ouvrit et Alain passa son visage par l'ouverture. Margot lui trouva un air embêté et la coiffure en désordre ; elle songea qu'il ne devait pas avoir fait sa toilette depuis plusieurs jours.

— Annette ?

— Alain ! Vous avez mauvaise mine. Vous arrivez d'où comme ça ?

— Qu'importe. Madeleine est-elle ici ?

— Non, voyons… Elle a quitté Mirmille juste après vous. Vous l'ignoriez ?

Alain s'assombrit et, d'un geste las, passa la main dans ses cheveux.

« Bonjour, père », pensa Margot, qui se tenait immobile aux côtés d'Annette. Elle aurait bien voulu l'embrasser, mais il ne semblait pas avoir remarqué sa présence tant il était absorbé par l'absence de sa mère.

— Je la croyais revenue !

— Elle m'a dit qu'elle allait vous rejoindre à Paris. Je n'ai eu aucune nouvelle depuis son départ. Elle a bien dû partir une semaine après vous.

— Je n'étais pas à Paris, pas plus que la cour, d'ailleurs, qui est à Pontoise. J'étais à Bouillon, avec Mazarin, qui s'est exilé à nouveau.

— Vous croyez qu'elle serait retournée avec lui, souffla-t-elle à demi-mot, c'est cela ?

— Je sais qu'elle est passée à Paris, mais j'ignore ce qu'elle y a fait et où elle se trouve maintenant.

— Vous êtes dans un de ces états ! Venez avec moi au salon.

Annette tendit le bras à Alain, mais celui-ci se pencha plutôt vers Margot et, sans avertissement, l'enlaça avec fougue.

— Tu m'as manqué, ma chérie, lui dit-il.

La petite, émue, se contenta de sourire.

— Où est maman ?

Elle avait spontanément employé ce qualificatif affectueux, celui qu'utilisaient les serviteurs et les roturiers, pour parler de sa mère.

— Je ne sais pas, Marguerite. Mais cela ne doit pas t'inquiéter, elle va revenir.

La fillette hocha la tête résolument. Elle prit la main de son père et le suivit dans le manoir.

❧

— Voilà, c'est ici, indiqua Condé en désignant la porte qui s'ouvrait sur une vaste pièce.

Margot se sentit toute petite en pénétrant dans la galerie. Du haut plafond au parquet luisant, il n'y avait que des portraits sur les murs. Sous les regards tantôt sévères, tantôt accorts, mais toujours impassibles de ceux qui étaient représentés, elle s'avança en tentant de repérer une figure qui lui soit familière. L'ensemble aurait pu être comparé à une assemblée de gens, s'il n'y avait eu, çà et là, un paysage pour rompre le défilé de ces coiffures en spirales et de ces collerettes rigides. Margot ne s'étonna point de découvrir le tableau de sa mère dans un coin, en retrait. L'œuvre finie s'apparentait assez à celle que Grégoire avait rapportée à Mirmille. Madeleine était représentée assise sur un tabouret, dans une opulente robe verte qui cascadait autour d'elle. L'air superbe, fier, mais avec une douceur qui était absente de l'esquisse qu'elle avait vue à Mirmille.

— Elle vous ressemblait beaucoup.

— On me le disait souvent lorsque j'étais plus jeune.

— Madeleine est décédée avant d'avoir atteint ses trente-cinq ans. Or, je ne doute pas qu'elle aurait conservé, en vieillissant, la grâce qu'elle avait à la fleur de sa jeunesse.

Margot eut une pensée douce-amère pour toutes ces années où sa mère lui avait cruellement manqué. Ses prunelles étaient moins foncées que ce qu'elle avait imaginé ; elle s'étonnait de découvrir qu'ils avaient la teinte noisette de celles d'Élisabeth.

« Incroyable ! Comment n'avais-je pas vu la ressemblance ? » songea-t-elle en constatant que Madeleine était pour ainsi dire la jumelle d'Élisabeth, avec quelques années en plus.

Si Grégoire avait pris la jeune femme pour modèle, le résultat aurait été le même. L'unique différence entre les deux femmes résidait dans l'expression de leur faciès. Élisabeth pouvait difficilement exprimer une telle morgue. Toutefois, l'éclat de douceur dans l'œil fauve de Madeleine paraissait cueilli à même la personnalité de la jeune femme. Pourtant, Grégoire avait réalisé ce tableau alors qu'Élisabeth n'était qu'une enfant ; il n'avait donc pas pu s'en être inspiré.

— Fascinant ! murmura Margot.

Elle savait désormais d'où venait chez sa fille ce port de tête, cette silhouette voluptueuse et ce menton pointu qui donnait à son visage cette forme de cœur particulière. De subtils détails qui les différenciaient l'une de l'autre et dont elle avait toujours cherché l'origine.

— Je vous sais gré de m'avoir permis de la voir, lui dit-elle.

Le prince, qui était absorbé par l'observation d'un autre portrait, sourcilla.

— Plaît-il ?

Margot dirigea alors son attention vers le tableau. Il s'agissait d'une femme vêtue d'une robe somptueuse, dans laquelle elle paraissait minuscule. Son nez était un peu long, sa bouche petite, mais c'était somme toute une personne à l'allure assez charmante.

— C'est la princesse de Condé, devina Margot.

— Ma femme, Claire-Clémence de Maillé-Brézé, confirma le prince.

— Dans les lettres qu'elle a envoyées à ma mère, votre sœur mentionne souvent son nom.

Le front émacié du prince se creusa sous l'effet de l'embarras, faisant regretter à Margot ses paroles. Se pouvait-il, malgré la franchise des confidences précédentes, qu'il lui déplût d'aborder le sujet de son infortunée épouse ?

— Je crains que ma sœur n'ait pas eu une très haute opinion de madame la princesse, dit-il avant d'enchaîner : Je vous quitte, mais ne vous pressez pas, restez ici aussi longtemps qu'il vous siéra.

Le prince prit congé, laissant Margot seule dans la galerie. Elle reporta son attention sur l'image de sa mère, puis sur celle de la princesse de Condé. On aurait pu croire qu'un siècle séparait les deux femmes, pour une raison évidente ; la mise qu'avait imaginée Grégoire pour Madeleine était d'un style plus contemporain. De son côté, Claire-Clémence portait une robe empesée pourvue d'une énorme fraise, une toilette qu'on portait du temps de Louis XIII. Margot s'amusait à comparer les deux œuvres quand elle perçut un claquement répétitif heurter le sol de la pièce.

Chantilly était la résidence d'une bonne centaine de domestiques et de presque autant d'invités ; elle ne s'étonna donc point de n'être plus seule. Elle tressaillit toutefois en entendant une voix s'élever :

— Ma mère n'a pas vingt ans sur ce tableau. J'ignore qui en est l'artiste, mais ce portrait d'elle n'est guère flatteur. Il y en a un plus récent sur l'autre mur.

« Le duc d'Enghien ? J'ignorais qu'il était ici », pensa Margot.

Le pas s'était rapproché et, lorsqu'elle se tourna vers lui, il n'était plus qu'à quelques enjambées. Margot le vit pâlir et son expression se figea dans un masque de stupéfaction à la limite du grotesque. Elle hésita puis se força à prononcer une politesse.

— Monsieur de duc d'Enghien, je présume.

— Ou... Oui. À qui ai-je l'honneur ?

— Marguerite de Razès, comtesse de Montcerf.

Le visage du duc se détendit légèrement.

— Vous êtes la sœur de Gabriel de Collibret.

— On ne peut rien vous cacher, répondit-elle, soulagée que la conversation suivît son cours sans heurt. J'allais me retirer, je dois faire ma toilette avant le dîner.

— Puisqu'il le faut, je vous laisse partir. Nous reprendrons la conversation un peu plus tard ?

— Volontiers. Je séjourne à Chantilly pour quelques jours, je serai ravie de vous entretenir à nouveau.

Le duc d'Enghien lui fit un sourire et la salua en balayant le sol de son chapeau. Margot passa près de lui et crut l'entendre marmonner quelques paroles inintelligibles.

— Pardon ?

— Madame ? Je n'ai rien dit.

Elle fronça les sourcils. Elle aurait juré qu'il avait bredouillé « Madeleine ».

« Quel étrange personnage », pensa-t-elle en poursuivant son chemin.

Margot n'avait pas revu le duc d'Enghien. Ce soir-là, il ne s'était pas attablé avec les convives pour le repas. Elle n'était pas déçue : sa rencontre avec le fils de Condé lui avait laissé une impression mitigée. Quand Gourville proposa de l'accompagner à sa chambre, elle en profita pour s'enquérir de son opinion sur ce dernier.

— Plus tôt aujourd'hui, j'ai fait connaissance avec le duc d'Enghien.

— Il est ici ? s'étonna Gourville.

— J'imagine qu'il venait d'arriver. Je m'étonne qu'il ne se soit pas joint à nous pour le souper.

Gourville haussa les épaules. Margot se demanda si ce geste signifiait qu'il n'en avait cure ou s'il ignorait les raisons de son absence. Elle repensa à la réaction qu'avait eue le duc en la rencontrant et, soudain, une idée lui vint :

— Mon frère et le duc ont-ils… Comment qualifieriez-vous leur relation ? Se connaissent-ils ?

Jean de Hérault parut surpris par la question.

— Ma foi, non seulement ils se fréquentent, mais ils sont bons amis.

— Vraiment ?

— Hum, hum. Je les voyais souvent ensemble lorsque Gabriel était encore à Chantilly.

— Cela n'est guère surprenant, mon frère a toujours été fort doué pour s'attirer l'amitié des gens.

— Il est vrai. Mais entre nous, ma chère, ce n'est pas le cas d'Henri-Jules de Condé. En fait, il n'y a pas beaucoup d'hommes aussi peu dotés de grâces sociales que celui-ci. Votre frère est l'un des seuls gentilshommes que je connaisse qui trouvent de l'agrément à sa compagnie.

Ils étaient arrivés à la porte de ses appartements.

— Nous y voilà, fit-elle en retenant un bâillement.

— Ne m'inviterez-vous point à entrer, mon amie ?

Margot fit une pause et scruta le visage encore charmant, malgré les années, de son ami. Devait-elle croire à une tentative de rapprochement de la part de ce cher Gourville ?

— Margot ! Vous doutez de mes intentions ? Vous ! Moi ! Voyons… Ce ne serait pas sage. Ni honnête. Par ailleurs, je n'ai plus le goût de ces choses. Mais de votre conversation, si.

— Je crains que la journée m'ait épuisée, avoua Margot avec regret. Donnons-nous plutôt rendez-vous demain soir. Nous en profiterons pour jouer aux cartes. Ou est-ce là un autre passe-temps pour lequel vous n'avez plus d'entrain ?

Jean de Hérault eut un sourire malicieux.

— Ha ! Rien ne me plairait plus que de vous détrousser, ma chère comtesse !

Margot éclata de rire.

— Fort bien, à demain soir, alors.

Elle embrassa son ami et, une fois seule, se prépara à se mettre au lit. Si elle était très lasse, son esprit ne lui donnait pas de répit ; elle repensa à sa discussion avec le prince, et à sa rencontre avec le duc d'Enghien, héritier de Condé et ami de son frère. Le prince lui avait dit qu'il aimait Gabriel comme un fils. À ce moment-là, elle n'avait pas encore rencontré ce fils légitime. S'ils avaient le même profil aquilin, la petite taille et la démarche incertaine du duc le distinguait de son père. Quant à Gabriel, force lui était de constater qu'il ne ressemblait en rien à l'amant de sa mère. En outre, avec son visage ovale, son nez droit et ses yeux noisette, il ressemblait davantage à Madeleine qu'à quiconque.

« Fichtre ! pensa-t-elle. Il faudra pourtant bien que je sache un jour la vérité ! »

Même si elle ne voulait pas incommoder son hôte avec ses questionnements, elle n'avait pas fait tout ce chemin pour aboutir à de vagues réponses. Toutefois, elle devrait peut-être se résoudre à en parler au principal intéressé : Gabriel de Collibret. Il n'était pas impossible que son cadet détienne les éclaircissements qu'elle souhaitait. En dépit de la réputation de cœur volage et d'esprit libertin de ce dernier, Margot avait toujours estimé son sens du calcul et ses habiletés à nouer des intrigues. Comme elle, Gabriel avait navigué dans des eaux troubles en se gardant bien de se compromettre. Courtisan depuis son jeune âge, Chantilly n'avait aucun secret pour lui. Il devait connaître l'existence du portrait ! Margot s'endormit en se promettant de faire halte dans sa baronnie sur la route de Montcerf.

◦∾◦

Les servantes avaient apporté un goûter, mais Alain de Collibret n'y avait pas touché. Dans le salon, il régnait une ambiance fébrile. Il faisait les cent pas, sourd aux invites d'Annette, qui tentait de le faire asseoir. Margot poussa un soupir réprobateur destiné à calmer sa sœur et son frère, qui tourbillonnaient entre les fauteuils. Elle déplorait que sa tante fût trop préoccupée pour les discipliner.

— Je ne vois pas ce qu'il a pu lui dire ! s'emporta Alain.

Annette lui répondit par un sourire contrit.

— Cessez d'y songer, vous allez vous rendre mal.

Alain serra les lèvres.

— Ce scélérat ! Je suis certaine qu'il fomente quelque complot.

— Voyons, Alain, tenta-t-elle de le raisonner.

— Vous ne le connaissez pas comme moi. Fromondin est un fourbe. Il n'agit que par calcul.

La mention de son oncle jésuite piqua la curiosité de Margot. C'était donc de lui qu'ils parlaient ainsi depuis l'arrivée de son père... Avait-il quelque chose à voir avec l'éloignement de sa mère ?

— Si j'avais su... déplora Annette.

— Vous n'auriez rien pu faire. Fromondin sait se montrer très convaincant.

— Si je savais au moins où elle s'est rendue.

Accablé, Alain se laissa choir sur un fauteuil. La jeune fille soupira à nouveau. Elle regrettait que l'absence de sa mère affligeât son père à ce point.

— Père ! s'exclama Claudine en se jetant à ses jambes.

Alain sursauta et, avec beaucoup d'efforts, sourit à sa fille.

— Pourquoi êtes-vous triste ? demanda Claudine.

— Je crains que je ne doive repartir, ma chérie, voilà ce qui me rend chagrin.

— Alain ! protesta Annette.

— Père, non ! objecta Margot, aussitôt suivie par sa sœur.

Du haut de ses trois ans, Gabriel leur fit écho :

— Non ! Non !

Puis, il se remit à courir dans tous les sens.

— S'il s'agit de retrouver notre mère, je vous accompagne ! affirma Margot avec détermination.

— Margot, tu dois rester ici pour veiller sur ton frère et ta sœur. Je ne serai pas longtemps parti.

24

Cachettes

Oksana sépara une à une les partitions, en prenant soin de regarder attentivement chacune d'entre elles. L'exercice s'avéra vain : la pièce qu'elle recherchait n'était nulle part. Elle les rangea soigneusement dans son secrétaire en déplorant n'avoir jamais pris le temps d'élire un lieu plus adéquat où ranger ses feuilles de musique. Il faudrait pourtant qu'un jour elle cesse d'agir comme si son séjour à Montcerf était temporaire. À tout prendre, elle ne retournerait jamais à Paris ; elle demeurerait ici et verrait grandir ses petits-enfants.

« À moins que tu n'acceptes la proposition de Gontran », se dit-elle en repensant à la déclaration enflammée que le chevalier de Cailhaut lui avait faite.

Sa destinée de courtisane et de musicienne l'avait amenée à collectionner les amants et les soupirants avec un détachement qui était à la fois une conséquence des brutalités des hommes et une riposte face à elles. Même avec son cousin Aleksei, pour qui elle avait naguère éprouvé une grande tendresse, Oksana n'avait jamais été tentée par le mariage. Mais les circonstances étaient désormais différentes ; sa position, sociale et matérielle, était à présent assurée par le rang d'Aude. Pour la première fois peut-être, elle pouvait jouir de la vie sans s'inquiéter de sa survie ou de celle de son enfant. Oksana sortit de sa chambre. De toute évidence, elle avait oublié la partition dans l'antichambre de Marguerite ; c'était là qu'elle avait joué le morceau pour la dernière fois. Elle traversa le long couloir et s'arrêta devant la porte des appartements de son amie. Le palier était désert. Oksana eut un réflexe de recul, dicté par le respect et la pudeur. Pouvait-elle pénétrer dans les appartements de Marguerite sans d'abord en informer Xavier ? Il était certainement avec les maçons, et elle avait des scrupules à le déranger dans ses tâches. Elle tourna la poignée. Une fois entrée, elle avisa la table basse qui séparait les deux fauteuils où elles avaient coutume s'asseoir pour converser. La surface était déserte et Oksana laissa échapper un soupir de déception. Elle leva les yeux en direction de la chambre de son amie, convaincue que la pièce devait s'y trouver, puis se troubla. La porte était entrebâillée et Oksana aurait juré avoir aperçu du mouvement.

« Une servante ? songea-t-elle en avisant des fleurs fraîchement coupées dans un vase, preuve que l'endroit était visité régulièrement. Mais si c'est l'une d'elles, pourquoi se cacher ? »

Si Oksana n'avait pas l'assentiment de son amie pour s'introduire chez elle, au moins partageaient-elles une amitié qui lui octroyait un sauf-conduit ; Marguerite ne s'offusquerait pas de sa présence. Qui d'autre pouvait bénéficier de cette prérogative ? Se sentant pénétrée d'un désagréable pressentiment, Oksana marcha d'un pas déterminé vers l'importun. Elle poussa l'huis, qui battit furieusement dans l'air.

— Ciel ! lâcha Lutisse en sursautant.

À l'inverse, Oksana ne feignit pas la surprise. Immobile, elle dévisagea Lutisse avec froideur.

— Que faites-vous là ? Vous avez failli me faire mourir !

— Que venez-vous faire ici ? demanda Oksana à son tour, en promenant son regard alentour afin de découvrir ce qui pouvait l'avoir attiré.

— Je suis venue chercher le recueil de poésie que j'avais prêté à Mme de Razès, répliqua Lutisse en agitant le livre sous ses yeux. Et quant à vous, Oksana ?

— Maintenant que vous l'avez, rien ne vous retient. Sortez.

Oksana se comportait en cerbère et Lutisse n'aurait pas eu une autre réaction si on l'avait mordue. Elle exultait de colère et de morgue. Impressionnée malgré elle, Oksana s'efforça de ne pas sourciller quand, de sa haute stature, elle lui lança un regard assassin.

— Ce n'est pas une roturière qui me donnera des ordres sous mon toit ! cracha Lutisse.

Oksana garda la tête bien haute et attendit que les pas de Lutisse s'éloignent avant de se remettre à respirer normalement.

« Que manigance Lutisse ? » se répéta-t-elle en faisant un rapide tour d'horizon.

Le lit, l'armoire, la commode, tout paraissait intact. Elle considéra le cabinet qui renfermait les parures et autres objets précieux de Marguerite. La porte était entrouverte, ce dont elle ne se serait pas rendu compte si elle n'avait pas pris le temps de s'y arrêter. Oksana décida de poursuivre son investigation et s'approcha du meuble. À l'intérieur, tout était compartimenté : les cassettes de bijoux, les poudres, les rubans, chaque chose avait sa place. Tout en bas, cependant, un coffret ouvert laissait voir une pile de vieux papiers. Oksana déduisit qu'il s'agissait des lettres de la mère de son amie. Le ruban qui les maintenait était défait.

« Que cherchait-elle dans ces missives ? » se demanda-t-elle, perplexe.

D'après ce que Marguerite lui avait dit, cette correspondance avait été adressée à Madeleine de Saint-Loup. Certaines lettres étaient de la main de membres de la famille Bourbon-Condé. Or, Oksana avait beau s'interroger, elle ne voyait pas quel intérêt cela pouvait représenter aux yeux de Lutisse de Razès.

❦

Oksana était dans un tel état d'agitation lorsque Aude pénétra dans sa chambre qu'elle renonça aussitôt à se vanter de ses progrès à l'épée.

— Vous semblez ennuyée, ma mère. Y a-t-il quelque chose qui vous mine ?

Oksana la regarda et Aude comprit qu'il ne pouvait s'agir que de quelque chose de sérieux. Sa mère ne se mettait jamais dans un tel état sans raison. En outre, elle aurait pu compter sur les doigts d'une main les fois où Oksana lui avait confié ses tracas.

— Je m'alarme peut-être pour rien, dit-elle, mais j'ai surpris Lutisse dans la chambre de Margot aujourd'hui. Elle cherchait certainement quelque chose dans son cabinet, mais quoi ? Je n'arrive pas à comprendre. La seule chose dont je suis certaine, c'est qu'elle a des desseins cachés.

Aude s'assombrit. Elle n'aimait pas cette femme. Depuis le premier jour… Non, en y réfléchissant bien, son animosité ne remontait pas à leur rencontre initiale. Le jour de son mariage, Lutisse lui avait plutôt fait bonne impression. C'était par la suite, lorsqu'elle les avait surpris, Nicolas et elle, dans la clairière. Il y avait quelque chose de méprisant dans son attitude à son égard…

— Je sais que tu n'as pas beaucoup d'affection pour elle. De mon côté, je n'ai rien à redire. C'est une femme rigide, au caractère altier, mais ce n'est pas suffisant pour nourrir de mauvais sentiments envers quelqu'un.

— Tu devrais révéler ce que tu as vu à Xavier, conseilla Aude.

Oksana secoua la tête avec force.

— Impossible. Déjà, Xavier a pris sa défense vis-à-vis de Margot. Je doute que mes suspicions soient les bienvenues. Par ailleurs, je ne peux rien lui reprocher, sinon d'avoir lu quelques lettres. Et encore, je n'en ai aucune preuve.

Aude considéra sa mère, fascinée par sa détresse. Elle n'avait jamais rien connu qui s'apparentât au lien qui l'unissait à Marguerite. Elle ne pouvait pas imaginer ressentir une émotion aussi intense pour quelqu'un d'autre que sa mère ou Nicolas. Bien sûr, elle aimait beaucoup Marguerite, mais c'était sa belle-mère, ce qui était différent d'une amie.

— Je pourrais en parler à Nicolas. Il serait mieux placé que nous pour intervenir auprès de son père au sujet de sa tante.

— Non, il me rebute de causer un émoi. Montcerf n'a pas besoin d'un nouveau drame.

Aude opina du chef. Elle devait se ranger à l'opinion de sa mère. Depuis son mariage, ce n'était qu'une affaire après l'autre…

— Oh ! s'exclama-t-elle tout à coup.

— Qu'y a-t-il ?

Aude fixa sa mère, mais son esprit était ailleurs.

— Je viens de me ressouvenir d'un détail que j'avais oublié. Le jour où Nicolas est revenu de la chasse, alors que je le pensais blessé, ce jour-là, Lutisse était aussi entrée dans la chambre de Marguerite. Elle y était lorsque j'ai repris connaissance !

— Elle avait dû savoir que vous vous étiez sentie mal, suggéra Oksana.

— Elle l'ignorait. Je me rappelle avoir trouvé cela intrigant. Par la suite, je n'y ai plus repensé.

Oksana secoua la tête. Elle refusait de voir un lien entre les deux événements. L'idée que Lutisse pût avoir des intentions néfastes à l'égard de Marguerite la troublait.

— Oublions cela, recommanda-t-elle à sa fille. Voulez-vous que nous jouions un peu de musique ?

— Volontiers, accepta Aude. Je vais quérir mon luth.

Elle s'éloigna et se dirigea vers ses appartements. En empruntant le couloir menant aux chambres, Aude se dit qu'elle voulait absolument comprendre les motivations de Lutisse. Quoi qu'en pensât Oksana, il valait parfois mieux risquer de causer un drame que d'attendre que ce drame frappât.

❧

La chaleur d'un soleil de plomb accablait le château de Montcerf. Sur le chantier de la tour d'angle, les hommes avaient retiré leurs chemises, et les servantes sorties pour puiser de l'eau poussaient de petits gloussements devant le spectacle de leur peau nue. Lorsque Élisabeth s'approcha d'elles, les jeunes femmes cessèrent de badiner et dirigèrent leur attention sur le puits. Amusée, elle fixa les yeux sur les travailleurs. Avec une feinte désinvolture, elle cherchait à voir si Mathias était parmi eux. Après un examen décevant, elle conclut qu'il devait être en train de parfaire les fresques de la chapelle. Ces derniers temps, Lutisse passait tant de temps en prière que le peintre ne disposait que de quelques heures de clarté pour y travailler. Élisabeth se dirigea vers le château, non sans avoir jeté un dernier coup d'œil aux minauderies des domestiques.

« S'il est là, je n'aurai qu'à prétendre que je suis à la recherche de ma tante », se dit-elle, en louvoyant entre la crainte des reproches et son envie de revoir le jeune homme en tête à tête.

Quelques instants plus tard, ses réticences à commettre une inconduite s'étaient envolées. Sans troubler le silence qui régnait sous la voûte, elle contemplait l'artiste à l'œuvre. Grimpé sur un échafaud, il peaufinait l'image d'une des bêtes ailées ; son corps ainsi tendu paraissait plus svelte et plus musclé. Élisabeth se plut à l'imaginer torse nu.

— Mademoiselle Élisabeth ! s'écria Mathias lorsqu'il s'aperçut de sa présence.

— Je ne voulais pas vous importuner, murmura-t-elle en admirant le plafond. C'est vraiment magnifique !

Il descendit de l'échafaudage en prenant bien garde de ne pas faire un faux pas.

— Merci, lui répondit-il en se forçant à sourire. Puis il ajouta : Je suis très en retard. Et j'espère que votre père n'est pas mécontent de mon travail.

— Au contraire, je pense qu'il est très satisfait.

L'expression de Mathias changea et Élisabeth se réjouit de voir son air soucieux se dissiper.

— Vous avez peint toute la matinée ?

— Si fait. J'en profite lorsqu'il n'y a personne...

La jeune femme fit mine de s'intéresser à la fresque à laquelle travaillait Mathias, alors qu'elle réfléchissait à un moyen de détourner son attention de son travail. Soudain, un nouvel élément attira son regard et elle s'approcha de l'avant de la chapelle.

— Mais c'est notre blason !

Les armoiries de la famille de Razès dominaient l'arche de la porte, ainsi que chacune des deux fenêtres.

— J'ai reproduit ce que j'ai vu dans le caveau familial, affirma-t-il. Ici, le temps les avait presque effacées, alors que celles de la crypte se sont bien conservées.

— Mais oui ! s'exclama Élisabeth. J'avais souvenir de les avoir vues autre part.

L'écu de Razès représentait d'un côté un cerf rampant et de l'autre, trois lances. Le vert dominait l'ensemble, tandis que les motifs étaient noir et argent.

— Vous êtes très talentueux.

— Je n'ai fait que restaurer ce qui était déjà en place, en me référant au modèle. Je m'en voudrais de m'en attribuer tout le mérite.

Élisabeth lui lança un sourire en coin.

— Laissez-moi en juger. Escortez-moi à la crypte, lança-t-elle impulsivement. Je vous dirai si vous méritez ou non des éloges.

Mathias fronça les sourcils et Élisabeth eut le sentiment qu'il cherchait une façon de l'éconduire sans la heurter.

— Allons, vous devez prendre du repos, vous semblez épuisé. Cela ne prendra que quelques instants…

Le jeune homme déposa ses pinceaux en haussant les épaules.

— Bon, un peu de répit ne me fera pas de tort.

Élisabeth se réjouit intérieurement de voir ses désirs exaucés. Toutefois, lorsque Mathias lui emboîta le pas, elle se surprit à ressentir une légère appréhension. Elle regarda derrière eux afin de vérifier que personne n'était témoin de leur escapade. Tandis qu'ils marchaient côte à côte, elle l'observa à la dérobée ; il avançait sereinement sans se douter de ses intentions.

— C'est tout près, lui indiqua-t-il en pointant un monument devant lui.

Le caveau de Razès était une vieille construction de pierre qui écrasait impunément la verdure environnante. Ainsi, la lumière du jour se butait aux parois solides et ne pouvait franchir le seuil de l'entrée. Élisabeth avisa les marches qui s'enfonçaient dans les ténèbres de la crypte.

— On n'y voit guère plus loin que le bout de son nez !

— Il y a des chandelles, n'ayez crainte. Venez, l'invita-t-il.

Élisabeth lui tendit la main, un geste qu'il vit comme un besoin de sécurité. La jeune femme apprécia la rugosité et la sécheresse de sa peau. En comparaison de la sienne, sa menotte paraissait aussi fragile et aussi douce qu'une fleur des champs. Une fois qu'ils eurent atteint le sol de terre battue, il se hâta d'allumer les cierges qui dissipèrent l'obscurité, sans toutefois parvenir à chasser l'aspect lugubre du lieu.

— Je ne me rappelais pas que c'était aussi macabre, dit-elle en réprimant un spasme de dégoût.

Un ange sculpté étendait ses ailes sur les tombes, qui semblaient immenses tant les lieux étaient exigus. Des nuées de poussière dansaient dans le halo des chandelles. Élisabeth éternua bruyamment.

— Le plus beau des blasons est celui-ci, à mon avis.

Mathias avait gagné le fond du tombeau, où sur un petit autel d'apparat étaient disposés des encensoirs. Une représentation de la crucifixion en surplombait le centre, alors que les armoiries étaient peintes, en taille plus modeste, à gauche. Élisabeth se faufila entre deux tombes pour le rejoindre.

— Alors, qu'en dites-vous ?

— Vous avez embelli ce qui était déjà bien, jugea-t-elle. Votre œuvre est plus réussie que l'original.

— Vous me flattez, répondit-il. Bien sûr, mes couleurs sont plus vives, parce qu'elles sont plus fraîches.

— Votre humilité est touchante, mais elle vous desservira si vous persistez à devenir peintre.

— Vraiment ? Comment pouvez-vous dire cela ? lui lança-t-il, peu enclin à se ranger à son opinion.

— Mon petit-cousin est peintre, il a même travaillé pour le prince de Condé, affirma-t-elle, non sans une pointe de fierté, et c'est l'homme le plus pénétré de sa propre valeur que je connaisse.

Peu convaincu, Mathias haussa les épaules.

— Vous êtes très habile. Prenez mon portrait. Sous votre pinceau, j'ai l'air d'une divinité de l'Antiquité, renchérit-elle.

D'ailleurs, si les desseins de mon père se réalisent, vous serez peut-être très demandé dans la région.

Le visage du peintre s'éclaira d'un sourire.

— Je vous ai représentée telle que vous êtes, et vous le savez. En outre, le véritable défi était de capturer votre beauté et votre innocence.

Élisabeth tiqua en entendant le mot « innocence ».

— Je ne suis pas si vertueuse que vous pourriez le penser !

Surpris par cette réaction farouche, le jeune homme eut un mouvement de recul.

— C'est un compliment que je vous ai fait, ajouta-t-il aussitôt.

— Ah vraiment ?

— Oui. Vous êtes, telle Diane, une image de pureté inaccessible, soutint-il, espérant apaiser Élisabeth avec cette comparaison.

L'évocation de la déesse de la chasse contenta la jeune femme, qui réprima son irritation. Elle savait bien qu'au fond Mathias n'était pas la cause de sa véhémence et s'en voulut d'avoir été désagréable avec lui.

— Je regrette de m'être emportée. Je n'avais pas la plus petite intention de vous heurter en vous invitant à m'accompagner ici.

Mathias sourit pour détendre l'atmosphère, et Élisabeth s'aperçut que son œil commençait à errer en direction de la sortie.

— Je me suis éloigné de mon ouvrage assez longtemps, je crains de devoir y retourner maintenant…

— Déjà ? Je suppose que le moment est mal choisi pour vous faire une confidence, susurra-t-elle dans une tentative pour l'amadouer.

— Je pense que nous devrions retourner au château. Si quelqu'un remarquait votre absence…

Élisabeth jura intérieurement. Si son plan échouait, elle n'aurait qu'à se blâmer pour cela. Cependant, si elle parvenait à s'approcher suffisamment de lui…

— Vous avez vu ce dessin, là, derrière l'autel ? lui demanda-t-elle en s'approchant de lui, suffisamment pour que leurs corps se touchent.

Il tressaillit et recula. Élisabeth s'avança encore légèrement, jusqu'à ce qu'il ne puisse plus bouger.

— Que faites-vous ?

Elle leva son visage vers le sien. À cette distance, elle distinguait les nuances qui coloraient le vert de ses yeux. Il restait immobile et retenait son souffle. Déçue de sa réaction, elle renonça à patienter et l'embrassa fougueusement sur les lèvres. La bouche de Mathias se crispa tandis qu'il l'agrippait par les épaules pour l'éloigner de lui.

— Aïe !

— Vous avez perdu la raison ! s'exclama-t-il. Vous voulez me faire pendre ?

— Tout sauf ! Attendez, Mathias, vous ne comprenez pas. Je croyais que vous désiriez, comme moi…

Il la dévisagea et secoua la tête, abasourdi. Puis, jugeant ses chances de parvenir à l'éviter plutôt faibles, il essaya d'enjamber le bord de l'autel afin d'atteindre l'autre côté de la tombe. Élisabeth assista à la gymnastique désespérée, qui confirmait son échec. Il y eut alors un raclement et Mathias chuta en poussant un cri. En même temps, la jeune femme aperçut un morceau de pierre se détacher du mur et s'écraser au sol, juste à côté du peintre. Un énorme nuage de poussière se souleva, lui obstruant la vue.

— Grands dieux ! s'exclama-t-elle en se précipitant vers lui. Mathias !

Il gémit en essayant de se redresser.

— Je suis juste un peu secoué.

Élisabeth s'agenouilla à ses côtés, puis palpa sa tête pour s'assurer qu'il était indemne.

— Vous êtes sûr de ne pas être blessé ?

— Oui, ça va. Que s'est-il passé ?

— Une pierre s'est détachée du mur, expliqua-t-elle. D'abord, vous n'auriez pas dû tenter d'escalader l'autel !

— Vous n'auriez pas dû m'obliger à vous étreindre, répliqua-t-il froidement.

Gênée, Élisabeth baissa la tête.

« Comment ai-je pu agir avec autant de brusquerie ? » réalisa-t-elle, choquée par sa bêtise.

Ils avaient tous deux le haut de la tête couvert d'une fine poudre blanche. Élisabeth éternua. Mathias s'attendrit et se força à lui sourire.

— Mademoiselle de Razès, vous êtes très charmante, mais il ne saurait y avoir de liaison sentimentale entre nous. Votre père m'a offert un gagne-pain. Je serais le pire des goujats si j'abusais de sa confiance. En plus, si j'en crois votre tante, c'est le gibet qui m'attendrait…

— Ma tante ? s'étonna Élisabeth. Expliquez-vous…

— Lorsque j'ai été commissionné par le comte, elle m'a averti qu'elle me garderait à l'œil et que si elle avait lieu de douter de ma conduite…

Élisabeth expira bruyamment.

— Ménagez vos mots, je comprends tout, le coupa-t-elle tout en faisant un geste de la main.

— Je vous en prie, ne vous fâchez pas.

Élisabeth se redressa afin de se donner une contenance. Depuis son arrivée, Lutisse lui avait témoigné son affection à maintes reprises, avec une retenue qui seyait à son caractère austère. Bien que cela lui procurât une certaine joie, Élisabeth découvrait que cette attention n'était pas sans effets pernicieux.

— Comment cette grosse roche a-t-elle pu tomber ? se demanda Mathias en considérant la pierre de forme carrée qui avait failli le percuter.

Malgré sa frustration, Élisabeth reporta son attention sur Mathias. Il s'était levé et se tenait maintenant devant l'autel. Leur surprise fut grande lorsqu'ils découvrirent qu'en se déplaçant la pierre avait révélé une profonde cache.

⁓

— Monsieur le baron, si je dois être veneur pour cette chasse que vous m'avez mandé d'organiser…

— Oui ?

— Enfin, aurais-je l'audace de vous demander de nouveaux pistolets ? dit Guichard, qui cherchait à tirer parti de ce qu'il était le seul gentilhomme présent pour faire avancer sa cause.

Gabriel n'était pas dupe. Ses gens tentaient de profiter de ce qu'il était de fort belle humeur pour lui soutirer faveurs et caprices. Ayant lui-même agi de la sorte pendant des années alors qu'il était au service du prince de Condé, il connaissait l'astuce.

— Voyez avec mon armurier, répondit Gabriel.

Guichard esquissa un sourire victorieux tandis que la jeune baronne laissait entendre un soupir de désapprobation. Le baron prétendit ne pas avoir entendu, mais lorsque le jeune homme fut sorti, il s'approcha d'elle et lui dit, en posant une main sur son ventre :

— Ma mie, aujourd'hui est un trop beau jour pour le gâcher avec les flagorneries de mes compagnons.

— Justement, vous devriez leur donner congé, suggéra-t-elle le plus sérieusement du monde. Ils ne pensent qu'à vous arracher votre argent !

— Je veux que chacun soit heureux comme je le suis, lui confia-t-il.

Catherine plissa son délicat minois.

— Nous ne sommes pas grands seigneurs, mon époux. Nos revenus sont modestes, et pourtant, vous vous conduisez comme si nous étions assis sur les coffres du trésor.

— Allons, allons, vos reproches vont finir par ternir ma joie. Occupez-vous de chérir cet héritier qui grandit dans votre sein et laissez-moi la tâche de gérer nos rentes comme je l'entends.

— Je le chérirai lorsqu'il sera là. En attendant, faites-moi le plaisir d'user de retenue avec ces rapaces.

— J'y verrai, répondit-il distraitement tout en saisissant le courrier que lui apportait un domestique.

Il remarqua une enveloppe qui portait le sceau du comte de Montcerf. Intrigué, il en défit le cachet. Le visage de Gabriel s'assombrit au fur et à mesure qu'il prenait connaissance du contenu de la lettre.

— Qu'y a-t-il, mon mari ?

Gabriel était trop hébété pour répondre. Il déposa la missive.

— La peste soit d'Henri-Jules ! grommela-t-il. Je dois me rendre à Chantilly.

25

Le chien, le renard et le lion

Margot se réveilla en sursaut avec l'impression d'avoir crié durant son sommeil. Elle se dressa sur son séant. Son front et son cou étaient moites. Sa gorge était sèche. Elle se leva et se versa un gobelet d'eau. Depuis qu'elle avait quitté Montcerf, ses rêves étaient peuplés d'images de son enfance. Des mémoires de sa mère, pour la plupart. Plus souvent, celles-ci disparaissaient au petit jour, lui laissant des impressions fugaces. Mais ce n'était pas le cas cette fois-ci. Margot se dirigea vers la fenêtre, écarta le rideau et contempla les jardins. Elle inspira profondément pour exhumer la vision du corps de sa mère reposant dans son cercueil. Sa dépouille pâle. Ses yeux ouverts, cernés de bleu. Elle eut un frisson et se frotta les bras dans un geste de réconfort. Margot n'avait pas de souvenir des funérailles de Madeleine. À peine se rappelait-elle certains moments entourant l'annonce de sa mort. Elle était convaincue que la scène morbide de son cauchemar était le fruit de son imagination. Une fabrication de son esprit. Margot se força à orienter ses pensées dans un autre sens. L'événement qui l'avait le plus marquée alors, et dont elle se souvenait encore, était l'arrivée à leur nouvel hôtel, dans le quartier du Marais. Ils y avaient emménagé juste après les obsèques qui s'y étaient tenues. Cette demeure était un présent pour Madeleine, qui n'y mit jamais les pieds de son vivant. Margot porta le gobelet à ses lèvres. Le soleil se levait sur le plan d'eau qui cintrait le château. La surface du bassin s'irisait sous la lueur matinale, un spectacle fantastique qu'elle n'oublierait pas. Une voiture cahotante pénétra dans son champ de vision, petite forme brune et austère qui contrastait franchement avec la beauté du décor. Elle se déplaçait sur le pavé et, en imaginant le raclement produit par ses roues, Margot éprouva un sentiment d'agacement. L'attelage disparut enfin. Elle avait les paupières lourdes. Elle regagna son lit, apaisée. Quelques instants plus tard, elle s'endormait, tandis qu'un homme en soutane franchissait l'entrée qui menait à la cour d'honneur du château.

❧

Après le déjeuner, Margot décida de retourner voir le tableau de sa mère une dernière fois avant son départ. Si la vie à Chantilly était douce et la compagnie de Gourville et des amis du prince pleine d'agrément, elle comptait prendre le chemin du retour dans les prochains jours. Une fois dans la galerie aux portraits, elle se dirigea immédiatement dans le coin où le tableau était accroché.

— Mère, murmura-t-elle.

— Il a poussé l'audace jusqu'à le faire suspendre juste à côté de celui de ma mère, la princesse. N'est-ce pas inouï ? retentit la voix du duc d'Enghien.

Margot sursauta. Elle ne l'avait pas remarqué, et pour cause ; un buste de marbre le dissimulait à sa vue.

— Monsieur le duc, je me pensais seule…

— On croirait volontiers qu'il y était très attaché, dit-il, alors que son regard obliquait vers Madeleine.

— Vous passez souvent par ici, souligna Margot.

Il s'était rapproché et se tenait maintenant à quelques pas d'elle.

— Votre mère et la mienne ont beaucoup en commun. Outre mon père.

Il prenait manifestement un grand plaisir à tenir des propos sibyllins. Margot renonça à tenter de dévier la conversation : pour une raison qui lui échappait, Henri-Jules de Bourbon tenait à ce que l'entretien portât sur Madeleine de Collibret.

— Vous l'avez connue, monsieur ?

— Elle était dame de compagnie de ma mère durant l'emprisonnement de mon père.

Il releva ses lèvres dans l'intention de lui sourire, mais le résultat était si déplaisant qu'elle en fut presque effrayée.

— Je l'aimais, lâcha-t-il tout à coup.

Comprenant à son ton qu'il était très sérieux, Margot prit un air grave.

— Elle était hautaine avec tout un chacun, mais elle avait à mon endroit une tendresse de nourrice, dit-il.

Margot chercha à croiser son regard, mais il ne quittait pas le tableau des yeux.

« Voilà qui explique sa présence répétée en ce lieu », pensa-t-elle.

Cette fascination la mit mal à l'aise. La démence de Claire-Clémence de Maillé-Brézé était-elle passée dans le sang de son fils ?

— Ah ! Il semble que toutes les femmes que j'affectionne soient vouées à un sort tragique.

— Pourtant, il me semble que votre mère est toujours vivante.

— Certes, confirma-t-il, en s'arrachant à sa contemplation pour reporter son attention sur Margot. Mon père la tient enfermée, prétendant qu'elle est folle. Il ne lui a jamais pardonné.

Le duc exprimait les pensées les plus indues avec une désinvolture déconcertante.

— Que lui reproche-t-il ?

— Ce mariage. La nièce de Richelieu n'était pas digne d'un Bourbon-Condé ! Mon père prétend que c'est cette alliance qui l'a écarté du trône.

« Il délire ! » jugea Margot, qui oscillait entre la pitié et la crainte.

— Si ce n'était de cette petite prétentieuse, de simple prince de Condé, il serait devenu roi de France.

— Monsieur, vous vous égarez, la France a un roi, répliqua Margot, en regrettant aussitôt de s'être fait prendre au jeu de la répartie avec ce lunatique.

Le visage du duc d'Enghien était empreint d'une désarmante indulgence, comme s'il déplorait qu'elle ne pût pas comprendre les subtilités de son discours.

— Vous savez ce qu'il y a de plus ironique dans tout cela ? demanda-t-il, avant d'enchaîner : C'est votre mère qui lui aurait permis de recevoir la couronne.

— Vous déraisonnez, monsieur ! répondit Margot, que cette comédie commençait sérieusement à agacer.

— Hélas, je crains que non. Alors qu'il aurait dû la remercier, il l'a chassée comme on chasse un vieux chien ! s'exclama le duc en ouvrant les bras en croix.

— Monsieur ! s'offusqua Margot.

Sous ses yeux sidérés, il se mit à aboyer comme un molosse. Puis il se lança dans une course folle en décrivant de grands cercles autour d'elle. Margot, qui se crut d'abord la cible d'un outrage saugrenu, conclut rapidement qu'il avait perdu toute maîtrise de lui. Son comportement n'avait plus rien d'humain. Elle attendit qu'il se fût éloigné pour s'enfuir à toutes jambes. Lorsqu'elle fut presque rendue à la porte, il poussa un grognement effroyable. Margot s'efforça de retrouver son calme en pénétrant dans la galerie qui longeait la cour intérieure. Elle avisa un groupe de dames qui marchaient dans sa direction et décida qu'une bouffée d'air lui ferait le plus grand bien. Margot inspira profondément et l'air frais eut sur elle l'effet tonique qu'elle espérait. Toutefois, son visage brûlait encore de l'affront que le duc d'Enghien venait de lui infliger. Quel mufle ! Elle posa les mains sur ses joues rougies. L'insulte était d'autant plus extraordinaire qu'elle avait surgi de nulle part.

꒰ꕤ꒱

Avec ses murs formés de haies taillées, le labyrinthe était l'un des attraits les plus originaux du jardin. Margot avait beaucoup ri la veille en apprenant que Gourville s'y était perdu jusqu'à ce que les gens du prince le découvrent assoupi sur un banc de pierre. Elle décida de s'y aventurer. Il était tôt et, si elle s'y égarait à son tour, on la retrouverait bien avant le repas du soir. Une fois qu'elle eut emprunté un premier tournant, puis un deuxième, elle dut s'arrêter pour se remémorer le chemin qu'elle avait parcouru. L'endroit n'offrait que peu de points de repère et il était aisé de se perdre dans les dédales de verdure. Elle était en train d'admirer une statue de Diane en marbre lorsqu'elle entendit une branche craquer. Elle sut alors qu'elle n'était pas seule.

— Il y a quelqu'un ? lança-t-elle.

En guise de réponse, elle n'obtint qu'un bruit de pas pressés. Margot sentit son cœur battre plus fort.

« C'est ridicule, se dit-elle. Personne n'oserait essayer de me faire du mal. »

Mais le duc d'Enghien avait l'esprit dérangé. Il avait très bien pu la suivre jusqu'ici. Et les propos qu'il lui avait tenus trahissaient éloquemment le peu de cas qu'il faisait de son père, le prince.

« Et s'il n'était pas fou, pourquoi le prince le garderait-il loin de sa table et de ses amis ? » se demanda Margot en promenant un regard inquiet sur les bosquets qui l'entouraient.

Un mouvement du feuillage attira son attention. Elle se raidit, les sens en alerte. Soudain, un homme apparut devant elle. Margot se détendit. Ce n'était pas le duc.

— Madame la comtesse de Montcerf ?

Le valet portait la livrée des Bourbon-Condé.

— Monsieur, vous avez manqué de me faire défaillir. Que me voulez-vous donc ?

— Mille excuses, madame. Je viens vous quérir. Le prince de Condé demande à vous voir.

La comtesse attrapa le bas de ses jupes et suivit le valet jusqu'à l'entrée du château. Il se retourna en arrivant dans la cour d'honneur.

— Suivez-moi, c'est par ici.

Margot ne trouvait rien d'étonnant à ce que son hôte voulût la rencontrer, puisqu'elle lui avait annoncé son intention de partir dans les jours suivants. Elle fut cependant très surprise de le trouver non pas seul, mais en compagnie d'un homme âgé vêtu d'une soutane noire. Elle eut un mouvement de recul instinctif.

« Un jésuite », se dit-elle en sentant monter en elle une sorte d'appréhension incompréhensible.

— Madame de Razès, fit le prince de Condé. J'ai reçu ce matin une visite qui saura vous plaire, du moins je l'espère.

— Monsieur le prince ? Je ne crois pas connaître cet homme. Qui est-ce ? demanda-t-elle abruptement.

Interpellé, le jésuite fit un pas dans sa direction et, d'une voix condescendante, déclara :

— Marguerite, je suis votre oncle, Fromondin de Saint-Loup.

Elle écarquilla les yeux. Cet homme ne pouvait pas être la personne qu'il disait être, puisque son oncle maternel était mort depuis longtemps.

— Je vais me retirer pour vous permettre de renouer librement, dit le prince.

Margot demeura avec le jésuite dans l'antichambre.

— Je vous en prie, assoyez-vous.

Le prince de Condé s'éclipsa avec un empressement gauche, qui laissa Margot dans le doute quant à la part qu'il avait jouée dans ce tête-à-tête. Puisque son oncle demeurait debout, elle dédaigna elle aussi le tabouret qu'on lui avait indiqué.

— Ma présence doit vous surprendre quelque peu. Cela dit, si j'ai gardé le silence pendant toutes ces années, c'est que votre père ne me permettait pas de vous voir, Claudine, Gabriel et vous.

Margot avait toujours eu l'impression, sinon la certitude, que son oncle était décédé. En fouillant dans ses souvenirs, elle se remémora avoir déjà eu une conversation à ce sujet avec son père.

Trop ébahie pour répondre à son oncle, Margot attendait la suite pour parler. Fromondin la regardait fixement, et on eût dit qu'il la transperçait de ses yeux gris et froids comme le métal.

— C'est impressionnant comme vous ressemblez à Madeleine.

Agacée par ses manières présomptueuses, elle manifesta son déplaisir d'un geste de la main.

— Si c'est tout ce que trouvez à me dire, je crains d'avoir mieux à faire. Excusez-moi.

Elle tourna les talons et se dirigea vers l'endroit par où elle était entrée.

— Attendez, Marguerite. Je peux vous fournir les éclaircissements que vous cherchez sur votre mère, sur la Fronde…

Elle s'arrêta.

— Qu'est-ce qui vous fait croire que cela m'intéresse ?

— N'est-ce pas ce qui vous a poussée à quitter Montcerf ?

Intriguée malgré elle, Margot se retourna.

— Je vous écoute.

— Que désirez-vous savoir ?

— Tout ce que vous pouvez me dire, répondit-elle. Et d'abord, quittez cet air présomptueux.

Fromondin sourit. Autrefois, ses hautes pommettes et ses traits aristocratiques avaient dû avoir un certain charme. Cependant, avec l'âge, le caractère angulaire de sa physionomie s'était accentué et les os de son visage étant devenus trop saillants.

— Fort bien, concéda-t-il. Je suppose que je peux commencer par le début, alors. Madeleine de Saint-Loup a épousé Alain de Collibret, gentilhomme champenois de petit lignage, habile du reste, et qui avait devant lui un avenir brillant de financier.

— Mariage que vous avez échafaudé.

— J'ai connu votre père alors qu'il était étudiant chez les jésuites, à Bourges. C'était un homme à l'avenir prometteur, mais qui manquait de sérieux. En contrepartie, ma sœur Madeleine était une belle jeune femme, dotée d'un esprit tourné vers les intrigues du monde. Une mauvaise candidate pour le couvent. J'ai projeté de les unir, avec l'accord, bien entendu, du baron de Mirmille.

— Vous pouvez m'épargner les détails de la nuit de noces, de ses couches et de ma venue au monde, coupa-t-elle sèchement.

— Tout cela serait plus aisé si vous me posiez vos questions. Je m'efforcerai d'y répondre.

Margot opina du chef. Elle était la première interloquée par sa réaction envers Fromondin de Saint-Loup. Jamais elle n'aurait osé agir de la sorte avec son oncle s'il s'était présenté aux portes du château de Montcerf. Non seulement se savait-elle hardie, mais elle en tirait un plaisir indigne.

— Ma mère avait une liaison avec le prince de Condé. Le saviez-vous ?

— Je l'ai su, oui. J'admets ne pas avoir été surpris. Lorsqu'ils étaient jeunes, avant que le duc ne devienne le prince de Condé, leurs cœurs s'étaient enflammés l'un pour l'autre. Cela dura jusqu'à ce qu'elle entrât au couvent des Carmélites et que lui se mariât. Par ailleurs, Madeleine était une nature passionnée.

— Qu'aviez-vous à gagner avec cette alliance ?

— Elle n'était guère enthousiasmée par lui et, franchement, cela était le dernier de mes soucis. L'idée que notre famille puisse s'éteindre avec ma sœur et moi m'horrifiait.

— Vous auriez pu lui trouver un meilleur parti, répliqua aussitôt Margot. Quelqu'un qui était davantage de son rang.

— Nenni. Nous étions ruinés. Notre père avait dilapidé notre avoir, et nos terres avaient servi à payer mes études. En outre, si Alain se plaçait avantageusement, ce que j'espérais, la fortune de Madeleine serait assurée.

Margot n'avait aucune raison de douter de Fromondin. Par ailleurs, tout ce qu'il lui avait dit jusque-là concordait avec les dires d'Annette. Pourtant, son arrivée opportune la troublait. Que voulait-il exactement ? Renouer avec elle ? Soudain, elle eut une idée.

— Votre sœur vous a-t-elle écrit dans les années qui ont suivi ? lui demanda-t-elle, sachant que, si c'était le cas, il n'y avait aucune trace de ces lettres dans la correspondance de sa mère.

— Oui, mais sans assiduité. Nous n'étions pas très proches, elle et moi, déplora-t-il.

— Alors, comment pouvez-vous prétendre me donner les réponses que je cherche ? Si vous me disiez ce qui vous amène véritablement à Chantilly ?

— M. le prince m'a prié de venir lorsqu'il a su que vous voyagiez dans le but de retracer le passé de votre mère. Il a cru que ma présence pourrait être utile à votre quête. Quant à moi, j'avais appris le récent décès de votre père. Cette invitation s'est présentée comme une occasion de vous connaître. Voyez-vous, je comprends la curiosité que vous manifestez à l'égard de Madeleine.

De guerre lasse, Margot renonça à le tarauder à nouveau.

— Ainsi, vous êtes la comtesse de Montcerf. Votre domaine est situé en Auvergne, n'est-ce pas ?

— Près d'Aurillac, répondit-elle. J'ai trois enfants, dont deux sont déjà bien avancés en âge.

— Votre mère serait très fière de vous.

— Vous savez, lorsque j'ai reçu ses lettres et son pendentif… commença-t-elle à raconter.

Voyant son oncle tressaillir, elle s'interrompit au milieu de sa phrase. Pour tenter de déguiser sa stupéfaction, il fit mine de tousser.

— J'ai peur d'avoir attrapé froid.

« Il était demeuré impassible pendant tout notre entretien, jusqu'à ce point. C'est la mention du loquet qui l'a fait sursauter, en déduisit-elle. J'avais raison de croire qu'il me cachait quelque chose ! »

Subitement, Margot sentit s'éveiller en elle le démon de la curiosité. Elle enchaîna sans attendre :

— J'ai été bouleversée d'apprendre que ma mère avait commis l'adultère avec le prince de Condé. Dès lors, il m'a semblé indispensable de comprendre ce qui s'était passé entre eux.

— Rien de plus naturel, en effet. Le prince m'a informé de votre intention de retourner en Auvergne sous peu. Votre mari et vos enfants vous manquent sans doute. Vous avez donc appris tout ce que vous étiez pressée de savoir ?

Margot hésita avant de répondre.

— Hélas, ma mère a emporté de nombreux secrets avec elle. Quoi que je fasse, elle demeurera toujours mystérieuse à mes yeux.

— Si les morts pouvaient parler, ils auraient tant de choses à nous dire !

☙

Margot ouvrit sa main. Le pendentif tenait au creux de sa paume. Il était maintenant tiède comme une extension d'elle-même. Elle le prit par sa chaîne et le fit tourner.

« Que caches-tu dans ton cœur ? » se demanda-t-elle.

Si seulement elle pouvait l'ouvrir ! L'artisan lui avait dit qu'il était scellé par l'action de l'humidité et de la rouille. Alors, à moins de le briser, ce à quoi elle refusait de se résigner, elle ne saurait jamais ce qu'il contenait. Margot entendit frapper. Elle leva la tête vers l'horloge. Gourville était en avance. Elle posa le bijou sur la commode, glissa une parure dans ses cheveux coiffés en hauteur, puis, par coquetterie, se regarda une dernière fois dans la glace.

— Vous arrivez tôt, dit-elle en ouvrant la porte. Monsieur ! s'exclama-t-elle en reconnaissant le prince de Condé.

— Madame, pardonnez mon audace, mais je devais absolument vous entretenir.

— Monsieur, je m'apprêtais…

— Je sais, vous deviez disputer une partie de cartes avec Gourville, mais il ne viendra pas. Vous permettez ?

À contrecœur, Margot lui fit signe d'entrer. Elle lui gardait rancune d'avoir organisé à son insu la rencontre avec le jésuite.

— J'avais espoir de vous voir au souper.

— J'étais lasse. J'en ai profité pour me reposer un peu.

— Vous évitiez ma personne ? Je ne vous en veux pas, soyez rassurée. Au contraire, je comprends votre réaction, et sachez que je regrette qu'il y ait mésintelligence entre nous.

— Mon oncle prétend que c'est vous qui l'avez invité, lança-t-elle.

— Il dit vrai.

— Sans m'en avoir fait part. Vous me désobligez, monsieur le prince. J'aurais cru que la fréquentation de Ninon vous aurait habitué à plus de loyauté envers vos amis.

— Laissez-moi m'expliquer, vous jugerez ensuite. Lorsque j'ai lu la lettre que vous m'aviez envoyée pour annoncer votre venue, j'en ai déduit que votre visite était motivée par une affaire fort délicate concernant Madeleine. Ma foi, avec le recul, je comprends mieux pourquoi votre ton était si évasif. Si j'avais su que votre unique intérêt était de me questionner sur mes sentiments pour votre mère, je n'aurais pas agi de la sorte. J'ai pensé que votre oncle serait plus que moi en mesure de vous instruire des circonstances entourant le décès de Madeleine.

Margot poussa un soupir exaspéré. Comme elle était lasse de toutes ces devinettes !

— Vous aviez peur de quoi, exactement ? s'exclama-t-elle.

— Je redoutais que vous me reprochiez d'avoir livré votre mère aux lions, avoua-t-il, alors que ses traits aquilins se couvraient d'un voile de repentir.

Elle demeura interdite un moment. De quelle sorte de torts parlait-il ? En dépit de sa démence, le duc d'Enghien lui avait-il dit la vérité ? Condé avait-il tourné le dos à sa mère ? Elle aperçut le loquet sur la commode. Il paraissait soudain plus lumineux, comme s'il palpitait d'une vie qu'il avait vue s'éteindre tragiquement.

— Pourquoi m'avouer cela maintenant ?

Le prince paraissait étrangement triste et, avant même qu'il n'ouvre la bouche, Margot sentit qu'il allait lui faire une confidence d'importance :

— Votre mère avait quitté notre camp depuis longtemps lorsque je suis rentré à Paris. J'avais pris une nouvelle maîtresse, payée par Mazarin. J'avais des amis qui complotaient les uns contre les autres, quand ils ne se battaient pas, et le Parlement me tenait tête. Madeleine est venue me trouver pour obtenir mon appui. Elle cherchait désespérément à se défaire de l'emprise de Fromondin. Alors qu'elle me suppliait de l'aider, j'ai vu là une chance inestimable de faire tourner le vent en ma faveur. J'ai compris que j'avais avantage à ce qu'elle demeure sous le joug de son frère.

Après toutes ces années, et malgré les bontés qu'il avait eues envers la famille de Margot, le poids de la responsabilité pesait encore sur les épaules du prince.

— Si le comportement de mon oncle a concouru au malheur de ma mère, pourquoi lui témoignez-vous autant de confiance ?

— Fromondin a toujours été un allié pour moi, avoua-t-il. Son influence chez les jésuites est grande. Je n'avais pas mesuré l'intérêt qu'il prendrait pour votre personne. J'ai commis une grave erreur.

Margot répondit par une moue de dépit. Le respect qu'elle éprouvait envers le prince la gardait de lui faire des reproches qui de toute façon ne serviraient à rien sinon à alourdir son sentiment de culpabilité.

— Après votre entretien, votre oncle est venu me trouver. Il était agité. J'ignore ce dont vous avez discuté, mais cela l'a alarmé.

Elle leva un sourcil, amusée.

— Cela est tant mieux. Il éveille en moi un sentiment furieusement désagréable.

L'ancien guerrier leva les mains pour l'inviter à faire preuve de tempérance.

— Vous ne semblez pas comprendre, Margot. Votre oncle a des ressources. Si par malheur il croit que vous détenez quelque chose, une pièce compromettante, par exemple, il pourrait chercher à s'en prendre à vous !

— C'est vous qui me dites cela ! Vous êtes le seul à blâmer dans cette histoire ! Quel secret voulez-vous que je possède ? Celui de la folie du duc, votre fils ? Ou encore la bâtardise de…

Elle s'arrêta en voyant le prince de Condé se dresser sur ses ergots. Il marcha vers elle d'un pas impératif.

— Taisez-vous ! Maintenant, vous allez m'écouter.

Il la prit par le bras et la força à s'asseoir.

— Votre oncle a orchestré ce mariage entre vos parents parce qu'il avait besoin d'un espion dans le camp de Mazarin. Durant les premières années de son mariage, comme Fromondin ne se manifestait pas, Madeleine a cru qu'il avait perdu intérêt pour elle. Toutefois, quand la Fronde a éclaté, il est revenu. C'est à ce moment-là que votre mère a commencé à œuvrer véritablement pour lui. Elle était sous sa férule. Le plus souvent, il usait d'elle pour soutirer des informations à votre père, pour le faire parler. Cela a duré un temps, jusqu'à ce qu'Alain, soupçonneux, l'écartât en la séquestrant à Mirmille. Rejetée par Fromondin et par son mari, Madeleine s'est alors jointe aux princes. J'ignorais, au début, qu'elle avait servi votre oncle dans ses manigances. Mais, petit à petit, elle a commencé à m'offrir des renseignements, des conseils profitables contre la régente et son premier ministre. C'est elle qui m'a prévenu qu'on allait embusquer mon carrosse.

Le prince de Condé fit une pause.

— Comprenez bien, Margot. Si je vous dis cela, c'est que je ne redoute plus de perdre l'amitié du roi. Je suis un vieil homme maintenant. La Fronde et ses remous sont apaisés depuis longtemps. Tous ceux qui ont comploté pour gagner du pouvoir sont morts ou se sont soumis au roi. Ils se sont faits courtisans. Personne n'aurait intérêt à ranimer les anciennes cabales. Votre oncle moins que quiconque : l'Église et le roi n'ont jamais été aussi unis qu'à présent, conclut-il.

— Il croit qu'en fouillant dans les vestiges de la Fronde je suis peut-être tombée sur une information capable d'ébranler la Couronne, déclara Margot, qui distinguait enfin les tréfonds de l'affaire.

— Alors que Madeleine traversait l'Auvergne en compagnie de ma femme, elle a fait une halte au château de Montcerf. C'est de là que provient la suspicion de votre oncle. Madeleine a remis un document au comte de Montcerf, alors allié à la Fronde. Or, ce papier, qu'elle avait dérobé sous les ordres de Fromondin, n'a jamais été retrouvé.

Margot frémit et se leva d'un bond.

— Je vais de ce pas lui expliquer…

— Il doit déjà être parti, coupa le prince.

— Mais alors…

L'annonce du départ de Fromondin inquiéta Margot.

— Je ne le crois pas capable de s'en prendre à vous sous mon toit. Par prudence, toutefois, je vous fournirai une escorte pour votre retour.

26

Face-à-face

Margot ne savait plus quelle conduite adopter à l'égard du prince de Condé. Il tenait manifestement à réparer l'erreur de jugement qu'il avait commise en écrivant à Fromondin et dont il craignait les conséquences. Cependant, toutes les tentatives qu'elle avait faites pour calmer ses inquiétudes n'avaient eu pour effet, au contraire, que de distiller le venin de l'angoisse dans le cœur du grand noble.

— J'ai fait appel à mes appuis auprès des Jésuites pour les informer de la méprise dont vous êtes victime. Mes généreuses contributions à leur ordre me permettront de les convaincre que vous ne savez rien de cette affaire de documents perdus. Ce malheureux quiproquo oublié, tout devrait rentrer dans l'ordre. En attendant, vous devriez peut-être reporter votre départ…

Margot secoua la tête. Ce n'était pas la première fois qu'il lui demandait d'ajourner son retour chez elle.

— Je désire être à Montcerf avant que l'automne ne soit là. Je me suis déjà absentée suffisamment longtemps.

Afin de ne pas s'épandre davantage, elle taisait la raison principale qui la poussait à vouloir regagner ses terres au plus vite. En apprenant que sa mère avait joué un rôle dans la mort du comte de Montcerf, Margot avait été bouleversée. L'incrédulité avait fait place à une peur viscérale : celle de découvrir que Madeleine de Collibret était en fait responsable de l'attentat mystérieux qu'avait subi le père de Xavier. Elle ne trouverait pas le repos tant qu'elle n'aurait pas parlé à son mari.

— Monsieur le prince, je vois ce qui vous mine. Mais il n'y a rien que vous puissiez faire aujourd'hui qui rachètera les fautes d'antan. Les injustices que vous avez commises envers ma mère appartiennent au passé.

Depuis qu'il lui avait confié être demeuré insensible à la détresse de Madeleine quand elle avait imploré son assistance, le prince paraissait encore plus voûté qu'à l'habitude. Il avait la certitude que ses décisions auraient pu éviter un destin fatal à sa mère. Margot concevait le fardeau qui était le sien. De fait, la simple possibilité que sa mère fût mêlée de près ou de loin à la mort d'Hector de Razès l'obsédait elle-même.

— Il ne s'agit pas que de cela, protesta-t-il. Votre insouciance m'inquiète. Vous persistez à méconnaître les desseins de votre oncle…

— Je serai prudente. D'ailleurs, votre escorte devrait le décourager, le temps que votre intervention auprès de la Compagnie de Jésus ait porté ses fruits.

Condé exprima un soupir de soulagement.

— Je sais qu'il est trop tard pour protéger Madeleine des sbires de Mazarin, de la fourberie de Fromondin, de mon ambition…

— Monsieur, ma mère a attrapé la peste, coupa Margot. Vous n'êtes en rien responsable de son décès.

⁓

La culpabilité du prince de Condé attristait Margot. L'idée que Madeleine ait placé sa confiance en lui, son amour de jeunesse, pour se faire ensuite trahir, était furieusement tragique. Néanmoins, elle ne gagnerait rien à lui en vouloir pour ce qui avait eu lieu plus de vingt-cinq ans auparavant. Cela ne ramènerait pas sa mère à la vie. Et le prince de Condé était au crépuscule de la sienne. Comme la duchesse de Longueville, sa sœur, il avait plusieurs péchés sur la conscience. Or, la seule chose que Margot pouvait lui souhaiter, c'était de trouver la paix. Toutefois, si cela ne lui arrivait pas de son vivant, se disait-elle, son âme trouverait le repos dans la mort.

« Quelle triste journée », pensa Margot en scrutant le ciel couvert de grisaille qui la suivait depuis qu'elle avait quitté le domaine de Chantilly.

Dans ces circonstances, il n'y avait rien d'étonnant à ce qu'elle passe des heures à ruminer ses sombres pensées. Malgré le temps peu clément, le trajet se déroulait sans encombre. Le cocher et le garde du prince s'assuraient toujours d'avoir gagné la plus proche auberge au coucher du soleil. Si la cuisine n'y était pas toujours irréprochable, du moins Margot appréciait-elle le confort, même minime, qu'on trouvait dans ces endroits. Lorsqu'ils atteignirent les paysages escarpés de l'Auvergne, les routes sinueuses, souvent impraticables par mauvais temps, rendaient le déplacement plus ardu. En revanche, Margot pouvait compter sur l'hospitalité des seigneurs de la région. Lors de leur première halte, elle comprit toutefois que ce n'était pas toujours une possibilité heureuse. En effet, la vieille baronne qui lui offrit le gîte en profita pour se plaindre des préjudices qu'elle subissait de la part de Xavier de Razès, qui avait préféré faire transporter les pierres destinées au château comtal sur les terres de son voisin plutôt que sur les siennes. Margot tenta d'éviter la discussion, arguant qu'elle n'avait pas pris part aux décisions concernant le projet d'aménagement, ce qui n'eut pas l'heur de contenter la baronne. De toute évidence, elle se doutait que cet accord avait été conclu moyennant certains privilèges. Cet incident rappela à Margot les origines de sa brouille avec son mari. Tout avait commencé par cette affaire de convoiement qui impliquait une offre de fiançailles pour sa fille Élisabeth. Cela semblait si loin ! Pourtant, il lui faudrait bien reprendre la discussion avec Xavier.

À la suite de cette expérience chez la baronne, Margot décida de ne plus se risquer. La dernière chose qu'elle désirait était de jouer les ambassadrices en vue de préserver l'harmonie entre les seigneurs auvergnats.

— Dorénavant, nous nous limiterons aux auberges de relais, résolut-elle. Tant pis si cela prolonge un peu notre voyage.

— Bien, madame, fit le cocher, qui alla trouver le garde pour l'en informer.

Si seulement elle avait eu accès à un bon coursier ! Elle aurait pu faire le chemin jusqu'à la maison dans la moitié du temps. Peu après la tombée de la nuit, ils s'arrêtèrent à l'auberge qui se dressait près sur la route de Montluçon. La salle commune était bondée. Moyennant un fort prix, l'aubergiste consentit à lui louer sa chambre, tandis que le cocher et le garde s'accommoderaient du sol du dortoir commun. Margot songea qu'elle aurait dû renvoyer son escorte, sitôt l'Auvergne atteinte, puisqu'elle n'était plus nécessaire. Le danger, si danger il y avait eu, était à présent écarté. Le prince de Condé s'était affolé pour rien ! Le lendemain, lorsqu'ils ne seraient plus qu'à trois jours du comté, elle la renverrait chez lui. Fidèle à son habitude, elle s'attabla seule. Pignochant dans son assiette, elle trompa son ennui en feuilletant un traité d'architecture, présent offert par le prince de Condé. Il avait tenu à le lui donner quand il avait ouï dire qu'ils entreprenaient des travaux dans leur demeure.

« Xavier sera certainement ravi de recevoir un tel ouvrage », jugea-t-elle.

Xavier ! Il lui tardait tant de le revoir ! Son souhait le plus cher était qu'elle lui eût manqué tout autant. Le lendemain, ils prirent la route avant l'aurore. Elle sauta le déjeuner et, une fois montée dans le carrosse, grignota un quignon de pain et du fromage pour apaiser sa faim. Elle jeta un œil à l'extérieur ; la clarté n'avait pas encore chassé la pénombre et il était impossible de voir au-delà de la lisière des arbres. Margot retira sa cape de voyage et en fit un oreiller qu'elle plaça sous sa tête. Malgré l'inconfort, elle s'assoupit. Elle fut tirée de son sommeil par une secousse brutale qui la projeta vers l'avant.

— Que se passe-t-il ? dit-elle en se relevant.

Le carrosse subit une nouvelle secousse et, tandis qu'elle se retenait aux cloisons pour ne pas tomber, elle entendit un cri étouffé, suivi d'un bruit sourd, puis, plus rien. Le silence.

« Oh non ! » pensa-t-elle, alors qu'une forte appréhension montait en elle.

— Paul ?

Il ne répondit pas. Margot demeura immobile, à l'affût. Par peur de ce qu'elle pourrait apercevoir, elle résista à l'envie de regarder par la fenêtre. Soudain, elle perçut un grincement de bois. Quelqu'un s'était assis à l'avant de la voiture.

— Qui est là ? Que voulez-vous ?

Tout à coup, le carrosse s'ébranla. Elle était si surprise qu'elle tomba à nouveau et se heurta la jambe contre la banquette.

« Qu'a fait ce lourdaud de garde ? » pesta-t-elle en songeant à Condé et à toutes les mises en garde qu'il avait exprimées. Ses précautions n'avaient finalement pas suffi à déjouer les plans de son oncle.

Elle parvint à se hisser sur la banquette. L'attelage roulait maintenant à une bonne cadence. Cette fois, elle se risqua à regarder dehors. Ils étaient toujours sur une route, mais il lui fut impossible de savoir laquelle ; partout où ses yeux se posaient, il n'y avait que des arbres. En étirant le cou, elle aperçut le dos de l'homme qui tenait les rênes. Elle poussa un cri de stupeur en reconnaissant le garde. Alerté, celui-ci tourna la tête vers elle. Margot se réfugia dans le carrosse. Elle haletait et son cœur cognait à grands coups dans sa poitrine.

« Ce n'est pas lui, se dit-elle. Il porte son chapeau et sa cape, mais ce n'est pas le garde. »

Depuis leur départ, elle avait à peine adressé la parole à l'homme du prince. Que lui était-il arrivé ? Et Paul, leur cocher ? Gisait-il quelque part, face contre terre ? Sans réponse à ces questions, Marguerite ne pouvait qu'imaginer le pire. Il fallait à tout prix qu'elle sorte de la voiture. Elle souleva à nouveau la tenture, juste assez, cette fois, pour apercevoir le chemin. Si elle se jetait à l'extérieur, il ne faisait pas de doute qu'elle se blesserait. L'homme qui avait pris la place du cocher était certainement armé. Elle ne pourrait s'opposer à lui… Valait-il mieux attendre ? Tôt ou tard, ils croiseraient un autre attelage. Margot rongeait son frein. En désespoir de cause, elle lança à son ravisseur :

— Que voulez-vous de moi ?

Elle n'entendit que le roulement du carrosse sur la terre battue.

— Laissez-moi descendre et je vous donnerai tout ce que vous voulez !

Cette fois, elle crut entendre un rire amusé.

— Calmez-vous, madame de Razès, nous serons bientôt arrivés.

Les joues de Margot s'empourprèrent subitement tandis qu'elle encaissait l'affront. Ce faquin s'attendait-il à ce qu'elle restât assise sagement tandis qu'il la menait contre son gré vers un funeste destin ? Décidément, il ne savait pas à qui il avait affaire ! Elle noua sa cape et, brusquement, ouvrit la portière. Elle sauta, le plus loin possible du harnachement, en tenant les pans du tissu contre ses bras pour se protéger des aspérités de la chaussée. La chute fut violente. Elle roula sur elle-même et se cogna la tête et les coudes. Elle se releva et constata que le cocher tirait déjà sur les brides des chevaux. Margot s'élança à toutes jambes. Son front brûlait d'une douleur lancinante. Elle courait comme une folle, sans se retourner, même si elle avait entendu son poursuivant. Ses bottillons supportaient difficilement cette gymnastique et, fatalement, elle trébucha et s'étala de tout son long dans la poussière.

— Aïe !

Elle se releva péniblement. Il se rapprochait. Désespérée, elle continua à fuir en clopinant pitoyablement. Un coup de feu retentit alors, la paralysant. Il avait osé tirer !

— Allons, madame ! Retournez dans le carrosse, lui commanda l'homme d'une voix posée.

Margot comprit qu'il ne voulait pas la blesser, mais plutôt lui faire peur. Il parlait un français impeccable et son élocution trahissait une certaine éducation. Était-il lui aussi jésuite ?

— À l'aide ! hurla-t-elle à pleins poumons.

Elle fit volte-face et planta son regard dans le sien. Il était sensiblement de la même taille que le garde. Il avait les cheveux plus longs et plus clairs que ce dernier, mais, dans l'obscurité du matin, on avait pu les confondre sans peine.

— Qu'avez-vous fait de mon cocher ? Malotru ! Vous devrez me contraindre si vous me pensez assez stupide pour remonter dans ce carrosse !

— Cela ne me gêne pas, répondit-il, posément.

Son calme le rendait encore plus intimidant. Margot réprima un sanglot.

« Tout ça pour un loquet », pensa-t-elle en tâtant la pochette de sa jupe où elle gardait le bijou.

Tout à coup, elle perçut un bruit au loin. Un son de galopade. Elle se retourna, le cœur rempli d'espoir. Au même moment, son assaillant se précipita vers elle, un pistolet à la main.

— Venez !

— Au secours ! appela Margot, en esquivant de justesse la poigne virile.

Un cavalier tout de noir vêtu apparut au détour du chemin.

« Xavier ! » espéra-t-elle follement.

Il avançait à une vitesse incroyable, et, aussitôt, son ravisseur se désintéressa d'elle pour se concentrer sur lui.

— Attention ! l'avertit-elle lorsqu'elle comprit que le faux garde s'apprêtait à lui tirer dessus.

Le coup résonna dans ses oreilles. Instinctivement, elle ferma les yeux. L'instant d'après, elle vit l'épée du cavalier s'abattre sur le faquin, qui poussa un cri de douleur. La balle avait raté sa cible. Margot se déplaça sur le bord de la chaussée. Son regard se porta sur le gentilhomme qu'elle avait pris pour Xavier. Il était jeune. Son chapeau à plumes et son long justaucorps contrastaient avec la fureur guerrière qui émanait de lui. Sa chevelure brune ondulait comme un rideau de joncs à chaque coup qu'il portait. Il en donnait beaucoup et en recevait peu. En plus d'être bon escrimeur, il avait l'avantage d'être monté sur un pur-sang qui paraissait avoir l'habitude de servir au combat. Le ravisseur s'essoufflait en parant ses attaques. Le gentilhomme simula un coup et revint à la charge avec une pointe qui transperça l'épaule du ravisseur. Celui-ci s'affala sur le sol.

« Non ! Il ne faut pas qu'il meure ! » pensa Margot en se jetant sur le faux garde.

— Pour qui travaillez-vous ? Parlez !

Sa bouche cracha un jet écarlate. Margot le secoua avec fureur. Il grimaça un sourire avant de rendre son dernier souffle.

— Madame ! Êtes-vous blessée ? s'inquiéta le cavalier en descendant de son cheval.

Elle se redressa sans lâcher le mort des yeux. Ce diable emportait son secret avec lui ! Elle en aurait pleuré de dépit, mais au lieu de cela, elle articula d'une voix tremblante :

— Vous m'avez sauvée, je suis votre obligée, monsieur.

Il l'attrapa par les épaules au moment où elle allait défaillir.

— Venez avec moi, madame, je vous ramène à votre carrosse.

— Hélas, monsieur, je n'ai plus de cocher, affirma-t-elle sans entrain.

Il fit quelques pas en la soutenant.

— Votre cocher est blessé, mais vivant. Je l'ai trouvé sur la chaussée. C'est lui qui m'a alerté.

Margot émit un faible « Dieu soit loué » et se laissa conduire docilement jusqu'à la voiture.

— Ce scélérat voulait vous voler ?

— Je l'ignore, mentit-elle.

« Il m'éloignait de la route pour pouvoir m'occire sans craindre que des voyageurs passent par là », jugea-t-elle en elle-même.

Sinon, à quelle fin l'avait-il entraînée à l'écart ? Lorsqu'ils parvinrent à la portière, le jeune homme lança :

— Ça ! Mais vous... vous êtes Marguerite de Razès !

Il avait reconnu le blason peint sur le carrosse.

— Qui êtes-vous, monsieur ?

— Je suis Vincent de Coulonges, chevalier de Chambon, pour vous servir, madame.

— Le fils de Geneviève ! s'exclama-t-elle, incrédule.

❧

— Cocher, je veux être à Chantilly pour la tombée de la nuit ! ordonna Gabriel en prenant place dans le carrosse qui s'ébranlait sur la route de terre.

Ils avaient voyagé à vive allure, s'arrêtant au coucher du soleil et repartant dès l'aube. Durant tout le trajet, Gabriel n'avait cessé de penser à sa rencontre avec le duc d'Enghien. La lettre de Xavier de Razès laissait peu de place à l'interprétation. Gabriel gardait en mémoire les termes employés par son beau-frère pour décrire les gestes qu'avait posés Henri-Jules :

« En dépit du déguisement qu'il avait emprunté, le duc d'Enghien a été reconnu par Lutisse et Élisabeth de Razès alors qu'il tentait d'abuser de celle-ci. »

Si l'accusation avait été portée sur quelqu'un d'autre, Gabriel aurait conservé une part de doutes et aurait probablement mis plus de temps à réagir. Mais le duc d'Enghien comptait plus que sa part d'indignité, de goujateries et de colères incontrôlables. Ses violences envers sa pauvre épouse avaient fait le tour des gens de la cour. Si Gabriel ne doutait pas du bien-fondé de sa démarche, il appréhendait cependant son arrivée à Chantilly. À la perspective de devoir raconter les événements au prince de Condé, le gentilhomme se renfrognait. Son protecteur en aurait le cœur brisé. Sa déception à l'égard de son fils ne s'amenuisait pas avec les années. En vieillissant, le regard du prince gagnait en acuité ; il voyait bien que son héritier n'avait pas l'âme des gentilshommes de la lignée des Condé. Pour se donner du courage, Gabriel songeait à sa nièce, qui méritait qu'on défendît son honneur. Cette affaire marquerait un tournant dans sa relation avec le duc d'Enghien, qui avait toujours été cordiale. Gabriel n'avait pas ménagé ses efforts pour qu'il en soit ainsi. Depuis qu'il était jeune, il faisait la sourde oreille aux ragots de bas étage qui circulaient sur le compte d'Henri-Jules, préférant se fier à ses observations. Si le duc d'Enghien était tempétueux et particulièrement imprévisible, il n'avait jamais cherché à lui nuire, du moins avant cet événement. Bien que cela fût peu probable, Gabriel supposait que Henri-Jules avait pris ombrage de la faveur que le prince de Condé lui avait manifestée en arrangeant ce mariage avec la baronne de Lugny. Après tout, il ne serait pas le premier à se montrer jaloux de l'attention que lui portait le prince de Condé.

❧

L'image du château se miroitant dans les parterres d'eau, pourtant splendide, ne parvint pas à chasser ses mauvais sentiments. Gabriel avait ses entrées à Chantilly ; il ne perdit donc pas de temps dans la cour d'honneur et se dirigea immédiatement vers les appartements du duc d'Enghien. La dernière fois qu'il l'avait vu, c'était en Auvergne, sur la route. Le duc d'Enghien avait pris congé de la suite des gentilshommes qui l'accompagnaient en prétextant retourner en Champagne. Bien qu'il sût qu'il ne s'était pas vraiment rendu à Chantilly en quittant sa compagnie, Gabriel supputait qu'il devait y être en ce moment. Dans la galerie principale, il tomba nez à nez avec Jean de Hérault, le sieur de Gourville.

— Monsieur de Collibret ! Quel bonheur de vous revoir ! s'exclama le sympathique gentilhomme avant d'ajouter : Vous arrivez trop tard si vous venez rejoindre votre sœur.

— Margot ? fit Gabriel. Elle était ici ?

Le sieur de Gourville se fit un devoir de lui raconter la visite de Margot. Cette nouvelle ne surprit guère Gabriel. Mirmille n'était qu'à quelques lieues, et Margot avait toujours eu le désir de venir admirer la demeure des Condé.

— Pour un peu, vous vous seriez croisés !

— En effet, cela eût été fort agréable, répondit Gabriel, expéditif. Mon cher Gourville, pourriez-vous me dire si le duc d'Enghien est présent ?

Le ton qu'il emprunta parut alerter le gentilhomme.

— Si fait. Mais vous paraissez fort empressé. Avez-vous maille à partir avec lui ?

— Nenni, mentit Gabriel. J'ai simplement une affaire d'importance à discuter avec lui.

Sans conviction, Gourville opina du chef.

— Je vous laisse à votre besogne, alors. Nous aurons sans doute la chance de nous croiser plus tard.

— Je n'en doute pas.

Gabriel pressa le pas. Il ne voulait pas que la nouvelle de sa venue parvînt au prince de Condé avant qu'il n'ait pu s'entretenir avec Henri-Jules. Quelques instants plus tard, il était à la porte de ses appartements. Une voix le pria d'entrer.

— Monsieur de Collibret ! s'étonna Henri-Jules de Bourbon-Condé en le voyant apparaître.

— Monsieur, fit simplement Gabriel. Je dois vous entretenir seul à seul.

La silhouette du duc d'Enghien se raidit au timbre de voix abrupt du baron de Lugny.

— Laissez-nous, ordonna-t-il à ses serviteurs.

Dès que ceux-ci furent loin, il dit, avec mesure et résignation :

— J'imagine que vous êtes là parce que vous avez parlé avec votre sœur. Je peux vous expliquer…

— Non, il ne s'agit pas de ma sœur, mais de ma nièce Élisabeth de Razès, coupa Gabriel. J'ai fait tout ce voyage depuis la baronnie pour demander, non… pour exiger que vous m'éclairiez sur votre conduite au château de Montcerf !

— Du calme, mon ami. Expliquez-vous, je vous prie.

Gabriel le dévisagea.

« Aurait-il l'audace de nier ? » se demanda-t-il, incrédule.

⁓

Ninon se préparait à sortir. Elle avait choisi de porter sa jupe de satin rayée rouge et jaune et le manteau de robe assorti. Il y aurait beaucoup de gens aux Tuileries ce matin-là : la journée s'annonçait idéale pour une promenade. Sa chaise à porteurs l'attendait devant son hôtel. Après avoir mis son chapeau, elle ouvrit la porte. Alors qu'elle s'attendait à voir sa chaise à porteurs, un gentilhomme élégant, aux yeux d'un bleu indigo, se tenait devant elle. Il parut surpris et légèrement intimidé, puis finit par lui décocher un sourire.

— Madame… Pardon, mademoiselle de Lenclos ?

La courtisane répondit par un hochement de tête. Il parut satisfait et, d'un seul souffle, déclara :

— Je comprends que vous alliez sortir… Je suis navré de ma venue inopinée, mais sachez que j'ai voyagé de fort loin pour vous rencontrer. Hum, je devrais d'abord me présenter… Je me nomme Grégoire de Collibret. Je suis le cousin de Marguerite de Razès. La raison de ma présence ici est que je désire prendre des leçons de galanterie avec vous, mademoiselle de Lenclos.

Ninon leva un sourcil.

— Vous arrivez de Mirmille ?

— En effet.

Ninon jugea qu'il exagérait quelque peu : la Champagne ne constituait pas un long trajet à parcourir pour qui désirait *vraiment* prouver sa valeur aux yeux d'une femme, mais elle se contenta de le penser.

— Si vous le voulez bien, nous commencerons votre apprentissage par une promenade.

☙

Fort matinale, Ninon s'éveilla avec une idée en tête : sortir se procurer des oublies pour le déjeuner. Depuis le retour du beau temps, elle se gavait presque tous les jours de ces gaufres au sucre qu'une marchande vendait au coin de la rue Richelieu. Elle se glissa hors du lit en prenant soin de ne pas éveiller son amant et enfila une jupe de lainage dans laquelle elle fit entrer sa chemise. Elle ne prit pas le soin de mettre un chapeau ni de refaire sa coiffure : les personnes de qualité se levaient généralement après dix heures. À pas de souris, elle traversa le vestibule et ouvrit la porte de sa demeure.

— *Aaahh ! fit-elle en découvrant le corps de l'homme étendu sur son porche. Ouste, va-nu-pieds !*

D'un bond, l'homme fut sur ses pieds. Ninon recula d'un pas, intimidée. Ses longs cheveux blonds en bataille, sa barbe grossière et sa forte carrure lui donnaient un air fruste qui n'inspirait pas confiance.

« Il ne ressemble pas à un gueux, pensa Ninon, c'est peut-être un galérien en fuite ! »

Elle referma brutalement le battant et tira le verrou. Les vociférations de l'homme, exprimées dans une langue inconnue, vinrent confirmer ses craintes.

— *Hector ! appela Ninon.*

Son amant marmonna quelques mots et sortit de la chambre l'instant suivant, vêtu de son haut-de-chausse.

— *Qu'y a-t-il ?*

— *Il y a un homme, là devant… Tu l'entends ?*

De l'autre côté, les appels du va-nu-pieds se faisaient entendre de plus belle. Peu ému, Hector haussa les épaules.

— *C'est mon écuyer, Médéric.*

— *Médéric ? Ton écuyer ? Que fait-il couché devant chez moi ? s'énerva Ninon.*

— *Je voulais t'aviser de sa présence lorsque je suis rentré, la nuit dernière, mais tu ne m'en as pas laissé le temps, plaida Hector.*

Ninon rougit.

— *J'ignorais que tu avais un écuyer.*

— *Il est à mon service depuis hier soir, affirma Hector en enfilant une chemise.*

— *Il ne parle pas français !*

— *Évidemment, c'est un Hollandais.*

— *Un… Hollandais ?*

Hector hocha la tête et, nonchalamment, attrapa un quignon de pain qui traînait sur une table. Ninon, que toute cette désinvolture agaçait, lança :

— Dis-lui de se pousser, que j'aille chercher mes oublies !

— Tu ne l'inviteras pas à entrer ? demanda Hector, que les humeurs de sa maîtresse laissaient froid.

— Certainement pas ! Tu l'as vu ? Il a l'air d'un galérien ! Pis, il doit avoir la tête pleine de poux !

Hector poussa un petit rire.

— Ne t'inquiète pas, tu n'auras pas à l'endurer très longtemps. Je le ramène avec moi à Montcerf.

Ninon se rembrunit.

« Lui ! Et moi alors ? » réagit-elle en elle-même.

Même si elle n'avait que peu d'inclination pour la campagne, Ninon désespérait que Hector lui offrît de l'accompagner dans ses terres.

— Et quand puis-je espérer être débarrassée de cette brute ?

Hector ne broncha pas.

— Le départ de la duchesse de Longueville a mis toute la cour sur le pied de guerre. Si la duchesse peut soulever la Normandie, ne puis-je pas en faire autant en Auvergne ?

— Je croyais que la Fronde voulait d'abord libérer le prince de Condé, lui rappela Ninon, sans cacher l'ennui que lui inspiraient tous ces complots.

— Justement, tandis que l'attention de Mazarin sera sur les provinces, nos amis pourront agir. Maintenant, si tu permets, je vais rassurer Médéric sur mon état, sans quoi il risque d'essayer d'enfoncer la porte.

Malgré sa réticence, Ninon se déplaça sur le côté, laissant Hector libre de faire entrer son nouveau serviteur. Ce dernier exprima un cri de joie en découvrant son maître. Une fois à l'intérieur, l'homme dévisagea la jeune femme avec intérêt.

— Médéric Vannheimer, voici Ninon de Lenclos, mon amie.

Le Hollandais prononça ce qui parut, à l'oreille de Ninon, être une formule de politesse.

— Que dit-il ? demanda-t-elle à l'adresse d'Hector, qui servait de truchement.

— Il demande pardon de vous avoir fait peur et vous remercie pour votre hospitalité.

— Hum, dit-elle, satisfaite. Dans ce cas, dites-lui qu'il pourra doré-navant dormir ici, près de la cuisine.

En apprenant la réponse de Ninon, Médéric fit un large sourire.

— Il vous témoigne sa reconnaissance et vous assure qu'il sera discret.

— Fort bien, répondit-elle, touchée par la sincérité qu'elle lisait dans les yeux du Hollandais.

27

L'ombre se lève sur le soleil

En apercevant le relief imprécis dissimulé sous le gris de la poussière, Élisabeth n'avait pas hésité un seul instant. De ses doigts curieux, elle avait tâté le fond du renfoncement pour en retirer un bout de papier couvert de résidus de pierres. Sous les yeux du peintre, elle avait agité la lettre, puis avait soufflé de toutes ses forces, jusqu'à ce que le cachet de cire apparaisse finalement.

« Le sceau des Montcerf ! » avait-elle pensé en dissimulant la missive dans ses jupes.

— Mathias, vous ne devez parler de ceci à personne, entendez-vous ?

Le maçon opina du chef, visiblement déçu d'être tenu à l'écart de la découverte.

— Qu'allez-vous en faire ? se risqua-t-il à demander.

Encore sous le choc de la bévue qui avait failli causer du tort au jeune homme, elle se crut obligée de lui répondre :

— Je ne sais pas. Le plus sage serait de la remettre à mon père.

Mais deux jours plus tard, elle n'en avait encore rien fait. Élisabeth regarda la lettre, toujours intacte, qu'elle tenait dans sa main. Elle avait fortement envie de la lire. Après tout, elle ne contenait peut-être rien d'intéressant. Ensuite, il lui serait plus facile de décider à qui elle devrait la donner. Elle avait réfléchi à ce que Lutisse avait dit à Mathias et avait jugé qu'il s'agissait d'un élan protecteur de la part de sa tante. Malgré cela, Élisabeth se promettait d'avoir une discussion avec elle.

« Tu n'auras qu'à prétendre que la lettre était déjà ouverte lorsque tu l'as trouvée », se dit-elle avec peu de conviction.

Elle savait qu'elle n'était pas douée pour la dissimulation. La plupart du temps, elle évitait de se retrouver dans des situations où elle devait mentir. Si elle rapportait la lettre à Xavier, il lui demanderait des explications. Elle devrait alors raconter qu'elle avait visité le caveau de Razès avec Mathias, ce qui n'était pas un comportement digne d'une demoiselle. D'un autre côté, si elle la remettait à Lutisse, cela lui fournirait l'occasion de parler avec elle de l'avertissement qu'elle avait fait à Mathias. Contrairement à son père, Lutisse ne pouvait la châtier. Pour Élisabeth, l'issue de cette discussion ne faisait pas de doute : Lutisse devrait composer avec ses écarts de conduite, car elle était sa seule amie au château. Un sentiment de culpabilité mêlé de pitié étreignit Élisabeth lorsqu'elle se rendit compte que l'affection de sa tante lui était acquise et qu'elle ne pouvait pas la perdre. Alors pourquoi tergiversait-elle autant ? « Lire cette lettre, c'est ce que tout le monde ferait à ma place », se dit-elle. C'était décidé, elle ouvrirait le pli.

એ

L'arrivée de Marguerite à Montcerf ébranla la maisonnée. Et malgré les efforts qu'elle déploya pour ne pas insister sur sa mésaventure, sa blessure au front créa à elle seule tout un émoi.

— Mère ! s'exclama Élisabeth, avec sa spontanéité naturelle. Que vous êtes-il arrivé ?

— Un petit incident sur la route. Cela n'est rien, vraiment, une éraflure.

Nicolas lui lança un regard sceptique. Il n'avait pas manqué de remarquer que le cocher avait un bras en écharpe et un pansement sous son chapeau. Lorsqu'il aperçut le pur-sang alezan qui arrivait en trottant, ses sourcils se froncèrent.

— J'ai eu la bonne fortune de rencontrer M. de Coulonges, expliqua-t-elle au moment où ce dernier descendait de sa monture.

— Vincent ? fit Nicolas, éberlué.

— Monsieur le comte de Montcerf, répondit celui-ci avec une expression réjouie.

C'était le premier sourire qu'il arborait depuis que Marguerite avait fait sa rencontre. Ses habits noirs, par ailleurs, ne trompaient pas : le jeune homme était toujours en deuil de la demoiselle de Fontanges.

Rapidement, la cour du château se peupla des autres membres de la famille. Aude, qui menait la petite Anne-Marie, Oksana, Lutisse et Xavier. En apercevant le pourpoint de son époux, Marguerite faillit s'élancer pour l'embrasser. Un excès de gêne la retint au dernier moment. Pour se donner bonne contenance, elle se dirigea plutôt vers Aude, qui lui tendit son enfant.

— T'ai-je manqué, ma chérie ? demanda-t-elle à la fillette, qui l'enlaçait de ses bras potelés.

— Ton absence a été pénible pour nous tous, lança alors Xavier, qui était demeuré derrière les autres.

L'émotion noua la gorge de Marguerite. Elle sourit, mais sans quitter Anne-Marie des yeux, afin de ne pas laisser voir les larmes que la joie faisait naître dans ses prunelles vertes. Aude manifesta son bonheur de la revoir en pressant délicatement sa main.

Après avoir mignoté sa fille pendant un court moment, Marguerite recouvra son aplomb.

— M. de Coulonges et moi avons tous deux très hâte de pouvoir enfin nous départir de toute cette poussière, affirma-t-elle d'un ton léger.

— Laisse-moi t'accompagner à tes appartements, proposa Oksana, tandis qu'Aude donnait des ordres aux domestiques pour accommoder le gentilhomme.

— Volontiers, répondit Marguerite tout en confiant Anne-Marie aux soins d'Élisabeth.

En se redressant, elle avisa Lutisse, qui était demeurée légèrement en retrait. Son visage était figé dans une expression de déni, comme si elle ne parvenait pas à croire que Marguerite fût de retour à Montcerf.

❦

Le comte de Montcerf pénétra dans la vaste salle éclairée par des flambeaux, Lutisse sur ses talons. Au centre de la pièce se tenait un gentilhomme ; en s'approchant, Lutisse constata qu'il s'agissait en fait d'une femme vêtue d'une rhingrave et d'un pourpoint. La jeune fille fronça les sourcils. Cela lui rappelait quelque chose, mais quoi ?

— Qui est-ce, père ? demanda-t-elle tout bas.

D'un signe discret mais impérieux, il lui enjoignit de se taire.

— Monsieur de Razès ! s'exclama Madeleine de Collibret en venant vers lui, chaussée de ses bottes armées d'éperons.

Elle retira son tricorne et sa chevelure d'ébène apparut, luxuriante et bouclée.

— Oh ! fit Lutisse en reconnaissant la dame de compagnie qui avait tenté de séduire son père, deux ans auparavant.

Que cette femme débarquât à nouveau chez eux, en pleine nuit, n'augurait rien de bon.

La dame était décidément aussi belle que dans son souvenir. Lutisse jaugea la réaction de son père. Serait-il sensible à sa beauté altière ?

— Madame de Collibret ? Vous êtes seule ?

— Si fait. J'arrive tout droit de Paris, affirma-t-elle.

Une expression mêlée de surprise et d'admiration se peignit sur le visage du seigneur. Avec un air rébarbatif, Lutisse croisa les bras sur sa poitrine.

— Vous avez pris la route du sud, par Gannat ? On m'a avisée qu'une nouvelle vague de peste avait fait des ravages dans ce coin…

— J'ai voyagé nuit et jour sans faire de halte, rétorqua-t-elle, impassible. J'ai à vous entretenir d'un sujet pour le moins pressant.

Bien qu'elle fût toujours superbe, Lutisse lui trouvait une mine agitée, qui contrastait avec l'attitude frivole que sa mémoire lui rappelait.

— Je vous écoute.

— Seul, lança-t-elle en jetant un regard vers Lutisse.

— Bien, venez avec moi.

Lutisse grommela de vaines protestations ; s'il les entendit, le comte de Montcerf les ignora et entraîna la femme dans l'escalier. Lutisse demeura seule au centre de la salle basse. Elle attendit quelques instants, avant de s'élancer à la suite de son père.

— Ha ! Ha ! Ha ! Petite, fou êtes incroyable ! clama un homme dans un français bancal.

Lutisse se figea, comme si elle venait d'être frappée par la foudre. Médéric émergea de l'ombre, la pipe à la bouche.

— Fou allez… hum… guetter ?

La jeune fille rejeta hautainement la tête en arrière et poursuivit son chemin comme si elle n'avait rien entendu. Elle grimpa les marches de pierre et traversa le couloir qui menait aux appartements de son père. Comme elle l'avait pressenti, il avait fermé la porte derrière lui. Elle n'hésita qu'un instant avant de s'approcher de l'huis. Elle tendit l'oreille, mais ne distingua qu'un chuchotis confus. Lutisse s'écarta et marcha jusqu'à la porte suivante. La chambre de la comtesse communiquait avec celle du comte par le truchement d'une porte dérobée. À l'âge de douze ans, Lutisse était convaincue d'être la seule personne, hormis son père, qui connaissait l'existence de ce passage. Elle sourit triomphalement en entendant la voix de Madeleine qui s'exclamait :

— Vous devez me rendre ces documents !

— Madame, votre courroux est bien indu. Vous m'aviez mandé de garder ces documents, me faisant promettre de ne les remettre à personne, hormis le prince lui-même. Je l'ai fait. Vous conviendrez que je ne peux vous les confier sans manquer à mon honneur…

— Vous êtes ridicule ! l'injuria-t-elle.

L'insulte fit tressaillir Lutisse. Jamais à ce jour elle n'avait entendu quelqu'un traiter son père de la sorte. Le va-et-vient de la femme martelait le sol avec un bruit métallique agressant.

— Voulez-vous que je vous fasse préparer une chambre ? s'enquit Hector de Razès avec une feinte complaisance.

Sa question fut suivie d'un silence, interminable pour la jeune fille, qui refrénait difficilement son envie de jeter un œil à l'intérieur.

— Il est regrettable que nous ne puissions nous entendre, dit Madeleine en quittant subitement son ton indigné pour devenir mielleuse. Et je commence à en imaginer la raison. Vous avez lu ce qu'il y avait dans les papiers que je vous ai remis.

« Quels papiers ? De quoi parle-t-elle ? » se demanda la jeune fille, perplexe.

Ce qu'elle avait retenu de leur dernier entretien, c'était le comportement séducteur de Madeleine et, bien sûr, l'incident avec le jeune duc d'Enghien. De toute évidence, elle n'avait pas compris la véritable nature de leur tête-à-tête.

— Oh ! regretta Madeleine. Vous n'auriez pas dû…

— Je n'ai rien fait de la sorte ! se défendit le comte.

Lutisse grinça des dents. Son père était franc, honnête, droit, et peu doué pour la fourberie. À l'inverse, Madeleine de Collibret démontrait une aptitude pour l'intrigue à laquelle Hector de Razès ne pouvait se mesurer sans en pâtir.

— Vous pourriez être accusé de trahison…

Cette insinuation sonnait comme une menace, et Lutisse, qui n'aimait déjà pas beaucoup Madeleine, se mit à la haïr.

— On ne peut trahir que le roi, et notre honneur. Je n'ai pour ma part fait ni l'un ni l'autre. Vous ne pouvez pas en dire autant !

— Vous avez pourtant caché ces pièces chez vous, renchérit Madeleine, implacable.

— Je croyais qu'elles devaient servir à écarter Mazarin du pouvoir !

— Baste ! J'espère pour vous que la reine vous croira et vous laissera la vie sauve.

— Vos sarcasmes ne vous mèneront à rien, madame. Je suis assez gentilhomme pour ne pas vous jeter dehors en pleine nuit, mais ne m'y incitez pas.

« Qu'elle dorme avec les bêtes ! » fulmina Lutisse.

— Monsieur de Razès, vous avez des enfants, un domaine, des titres ; vous n'avez que faire des complots de la Fronde ! Remettez-moi ces papiers et n'en parlons plus.

— Je ne puis.

La réponse était catégorique, ce qui fit paniquer la frondeuse, qui lança :

— Vous ne les avez plus ? À qui les avez-vous remis ?

— Je vais demander qu'on vous escorte à une chambre où vous pourrez vous reposer. À l'aube, vous partirez sans faire d'histoire.

L'instant d'après, Médéric entrait en coup de vent dans les appartements de son maître. Lutisse n'était qu'à demi surprise ; le Hollandais se tenait rarement loin. Bien qu'elle jalousât la confiance que son père accordait à cet étranger, elle prit un vif plaisir à entendre la pimbêche rechigner tandis qu'il la menait dans l'aile des invités. Lutisse demeura immobile, se demandant ce que ferait son père une fois fin seul. Il se versa un gobelet de liqueur et s'assit. Puis, enfin, il dit :

— Tu peux sortir.

La jeune fille pâlit et, durant un moment, fut incapable de se mouvoir. Puis, finalement, elle rassembla son courage et s'approcha de son père, la tête baissée.

— Ne recommence plus, lui ordonna-t-il simplement.

— Je voulais juste…

— Va te mettre au lit maintenant, il est tard.

— Qu'allez-vous faire de ces papiers ?

— Lutisse !

Elle sentit sa lèvre inférieure se mettre à trembler. Elle refoula ses larmes et se détourna de lui. Elle aurait voulu qu'il comprît qu'elle avait agi dans son intérêt. Au lieu de cela, il la réprimandait. Médéric entrait chez son père alors qu'elle en sortait. Elle évita de croiser son regard. C'était de sa faute si son père ne lui parlait pas autant qu'autrefois. Avant son arrivée, il lui confiait ses soucis et se reposait sur elle.

— Ferme la porte, somma le comte de Montcerf à son écuyer.

L'huis tourna sur ses gonds en produisant un ricanement aigre et la jeune fille eut soudain les yeux humides. La marche jusqu'à sa chambre lui paraissait au-dessus de ses forces et, dans un geste d'apitoiement, elle se laissa glisser le long du mur de pierre. Attentive aux sons de ses propres lamentations, Lutisse entendit finalement des lambeaux de la conversation qui se déroulait dans la pièce.

— Paye en avance… Deux mois, résonna la voix de son père.

La jeune fille, ragaillardie, plaqua son oreille contre le panneau de bois.

— Fou… Confiance, répondit l'écuyer.

— Quelque chose… derrière l'autel… Vous devrez… une amie… à Paris.

Lutisse répéta les mots dans sa tête pour tenter de trouver un sens aux indications de son père. Plusieurs fois, mais en vain. Moins d'une semaine plus tard, son père était assassiné sous ses yeux, dans la cour de leur château.

En constatant la retenue dont faisait preuve Marguerite concernant l'altercation avec son ravisseur, Vincent de Coulonges s'était aussitôt mis au diapason, délicatesse qu'elle avait vivement appréciée. Elle savourait trop les retrouvailles avec les siens pour gâcher ce moment avec des angoisses stériles. La réaction de Xavier, quoique modérée, lui donnait espoir d'un rapprochement qui ne saurait trop tarder. L'accueil enthousiaste qu'on lui avait réservé lui fit mesurer à quel point les événements récents avaient miné son bonheur. Montcerf était son refuge, son havre de paix, se disait Marguerite en retirant sa robe de voyage. Bien entendu, elle était bien loin de se douter que, durant son absence, plusieurs drames avaient bouleversé cette quiétude. Ce ne fut que lors du souper qu'elle sentit que sous les masques d'allégresse se cachait une détresse émotionnelle. Il régnait une fébrilité singulière dans la salle basse, et les questions se succédaient à un rythme fou. Marguerite avait à peine terminé de répondre à Élisabeth, qui s'était enquise de sa grand-tante Annette et de ses petits-cousins, que Nicolas lui réclamait des nouvelles de Claudine.

— Comme je viens de le dire à Oksana, elle se porte très bien, rétorqua Marguerite, un brin agacée que son fils n'ait pas porté attention à sa réponse. Les enfants aussi. Olivier est fort galant, un véritable gentilhomme ! Il ambitionne, je crois, d'entrer dans les mousquetaires.

Elle regretta aussitôt ses paroles. Pourvu qu'Élisabeth ne la questionnât pas au sujet de Hyacinthe ! Dès que l'occasion se présenterait, elle raconterait à sa fille ce que sa visite chez Isabelle de Coulonges lui avait appris, mais elle préférait éviter d'annoncer la chose à la famille entière. Élisabeth, heureusement, ne souleva pas le point. À l'instar des autres personnes attablées, elle était fort peu loquace. Cette situation s'éternisa jusqu'à en devenir inconfortable. Soudain, ce qui agaçait Marguerite depuis un moment sans qu'elle réussisse à le distinguer clairement devint aussi apparent que si le faisan qu'on venait de poser au centre de la table avait tout à coup pris son envol. Les membres de sa famille ne se parlaient pas entre eux ! Toutes les têtes étaient tournées vers elle.

— Et le bal de Montferrand, comment était-ce ? lança-t-elle à Élisabeth.

La jeune femme resta interdite un moment, puis prétexta :

— Euh… Je ne saurais dire, nous n'y sommes point allés. J'avais trop à faire avec ma cueillette. En fait, cela m'est complètement sorti de l'esprit !

Marguerite, loin d'être impressionnée par cette tentative de tromperie, leva un sourcil amusé.

— As-tu pu aller au théâtre ? demanda Xavier, qui prenait la parole pour la première fois.

Marguerite, persuadée qu'il tentait de dissiper la gêne de sa fille, répondit mécaniquement :

— Claudine tenait à m'y emmener, mais nous avons manqué de temps.

Elle réalisa trop tard que c'était faux. Elle avait assisté à un spectacle, un vaudeville, en compagnie de Benjamin. Elle sentit ses joues se colorer et, pour chasser son malaise, lança :

— J'allais oublier ! Annette m'a remis des présents pour chacun d'entre vous !

On acclama cette nouvelle avec emphase. Lorsque les exclamations se furent apaisées, Marguerite fut convaincue, sans doute possible, que sa famille essayait de lui cacher quelque chose.

« Fort bien, s'il en est ainsi, voyons si vous avez tiré quelque leçon de mon départ, monsieur Xavier de Razès », pensa Marguerite en décidant que, ce soir-là, elle questionnerait son époux.

❧

Chacun se régala du fromage persillé qu'elle avait acheté près de Gannat. Lutisse s'était retirée depuis un bon moment. C'est à peine si Marguerite avait noté son départ. Elle distribua les cadeaux d'Annette et remit les livres d'herboristerie de Geneviève à Élisabeth, qui s'extasia devant ceux-ci. Mais la fatigue du voyage gagnait Marguerite, qui laissa échapper un petit bâillement.

— Penses-tu que le moment de nous retirer dans notre chambre soit venu ? l'interrogea Xavier, avec une certaine retenue.

— Je n'osais t'en prier.

Cette réponse eut l'heur de faire disparaître le souci qui creusait son front. Du coin de l'œil, Marguerite remarqua que Xavier n'était pas le seul à avoir une réaction : Élisabeth, Nicolas et même Aude semblaient soulagés de voir que la tension entre Xavier et elle avait disparu avec son retour. Ils saluèrent leurs enfants et Oksana pour ensuite se diriger vers le grand escalier. Xavier, courtois, la laissa passer devant.

— Lutisse m'a paru particulièrement silencieuse ce soir, remarqua Marguerite sur un ton désinvolte.

— Il me semble avoir remarqué. Mais je doute que ton retour y soit pour quelque chose. Nous subissons son humeur depuis plusieurs jours déjà. Si tu me racontais plutôt ce qui est arrivé sur le chemin ? Tu es restée étrangement évasive à ce sujet, et pourtant, cela me paraît grave…

— C'est bien volontairement que je me suis tue, je ne voulais pas que cette mésaventure ternisse la joie que j'avais de revenir à la maison.

Marguerite ne pouvait pas voir le visage de son mari, mais elle ne doutait point que sa réplique l'eût agréablement surpris. Par ailleurs, elle n'avait pas menti. Les circonstances entourant son retour lui avaient dérobé l'anticipation plaisante qu'elle ressentait à la perspective de revoir les siens.

— L'essentiel est que ni toi ni Paul ne soyez sérieusement blessés. Mais je comprends, si tu ne veux pas en parler, fit Xavier.

Ils étaient arrivés à la porte de sa chambre. Marguerite l'ouvrit sans attendre. La clarté qui régnait dans la pièce la dérouta. Une trentaine de chandelles placées çà et là trompaient l'évidence qu'il faisait nuit depuis longtemps. Perplexe, elle fronça les sourcils.

— Tu n'entres pas ?

— Je… Oui.

Elle avança avec une certaine prudence. Pour sûr, Xavier se ferait un devoir de lui expliquer ce que cela signifiait. Il referma derrière lui et elle resta debout à considérer les myriades de points lumineux qui s'agitaient nerveusement.

— Tu aimes ? demanda-t-il, un brin jovial.

Marguerite se retourna, prête à lui demander de quoi il voulait parler, lorsqu'elle vit les lunettes qui surmontaient le nez de son époux. Elle dissimula son envie de rire sous un sourire, plus avisé.

— C'est… hum, différent. Dois-tu les porter souvent ?

D'un air amusé, il s'approcha d'elle.

— En vérité, je l'ignore, avoua-t-il. J'ai acheté ces binoculeux[4] à un marchand ambulant à Montferrand, pour te démontrer que dorénavant je compte voir plus clair autour de moi. À commencer par ma femme.

Il lui tendit une main, qu'elle accepta, un peu rétive.

— Je t'aime, Margot. Je ne veux pas te perdre.

⟜

L'après-midi s'achevait. Nicolas avait passé la journée en compagnie de Vincent, dont c'était le tout premier séjour à Montcerf. Le gentilhomme, qui s'était lié d'amitié avec Nicolas lors du passage de ce dernier à Paris, était en route pour rendre une visite de courtoisie aux nouveaux mariés lorsqu'il avait découvert le cocher qui reprenait ses esprits sur le bord du chemin. Sa présence fournissait à Nicolas une bonne excuse pour éviter sa mère et ainsi lui permettre de se réconcilier avec son père. Les deux jeunes hommes avaient débuté par une visite du haras, puis avaient enfourché leurs montures et chevauché sur la lande pendant plusieurs heures. Lasses, les bêtes se reposaient maintenant à l'ombre tandis qu'ils dégustaient un goûter, assis à même le tapis d'herbe.

---

4. Anciennement, lunettes sans branches.

— Mon ami, ta demeure est fort belle, ton domaine vaste, et tu connais déjà les sentiments que j'ai pour ta charmante épouse. Pourtant, il me semble que je te trouve un air ennuyé.

Nicolas adressa un sourire gêné à son compagnon.

— Je m'en voudrais de me plaindre alors que, de nous deux, tu es celui à qui la fortune fait défaut.

Vincent de Coulonges fronça les sourcils.

— Allons, je ne serais pas digne d'être ton ami si je ne prêtais pas une oreille à tes peines comme à tes joies, et si, sous prétexte que j'ai souffert un malheur, tu ne pouvais pas me conter tes chagrins.

Le regard de Nicolas erra un moment sur le pâturage qui s'étendait autour d'eux. Malgré le plaisir et la fierté qu'il ressentait à recevoir Vincent chez lui, il ne parvenait pas à chasser de ses pensées l'incident qui était survenu lors de la pleine lune.

— En vérité, ce qui me tourmente n'est pas une simple affaire, et j'ai bien peur que tu ne puisses m'être d'aucun secours.

— Je dois admettre que je n'ai pas la moindre idée des soucis qu'un châtelain peut avoir, mais si je puis t'aider, je le ferai, déclara Vincent avec fougue.

Nicolas lui adressa un regard de reconnaissance.

— Lorsque mon père et moi étions absents de Montcerf, un intrus a pénétré dans le château et a tenté de s'en prendre à ma sœur, lui raconta-t-il.

Vincent ne cacha pas son étonnement.

— Un intrus ?

Nicolas entreprit de lui relater les événements tels qu'Aude et Élisabeth les avaient rapportés. Quand il eut terminé son récit, Vincent demeura coi d'incrédulité.

— Il faut assurément de l'audace pour faire un tel geste envers son seigneur. Qui a pu faire cela, selon toi ?

Nicolas secoua la tête.

— J'y ai réfléchi, et je ne crois pas que ce soit un bandit ou un braconnier. Encore moins un paysan. Tous ces gens auraient cherché à s'emparer de nos biens ou de nos richesses. Or, l'homme qui a fait cela n'avait qu'une idée en tête : se retrouver auprès d'Élisabeth.

— Soit, mais cela n'exclut pas la possibilité que ce soit un habitant du comté. Au village, chacun devait savoir que vous aviez quitté la région, argua Vincent. Ta sœur a peut-être un admirateur secret ?

Nicolas réprima un frisson de malaise.

— C'est certainement le cas. Quelqu'un qui est prêt à tout risquer pour s'introduire chez elle et tenter de satisfaire ses vils désirs. Je préfère penser que ce n'est pas un des villageois.

— Je te comprends fort bien. As-tu interrogé les habitants ?

Nicolas fit non de la tête.

— J'ai fait fouiller les bois et nous avons demandé de demeurer attentif à tout homme au comportement suspect, mais jusqu'à présent cela n'a rien donné.

— Ta sœur n'a pas idée de qui cela pourrait être ? Il faut que ce soit un homme avec qui elle a eu des contacts, affirma Vincent.

— Élisabeth réagit très mal lorsqu'on aborde le sujet. Je pense qu'elle se sent très coupable de ce qui est arrivé à Aude.

— Heu… Comment se porte-t-elle ? Du peu que j'ai vu, elle m'a semblé bien remise.

— La grossesse n'était pas très avancée, les dommages étaient sans gravité. Néanmoins, elle a dû garder le lit pendant plusieurs jours…

Nicolas s'était arrêté de parler et regardait fixement devant lui.

— Qu'y a-t-il ? demanda Vincent.

Le comte tourna lentement la tête vers lui.

— Je crois que je viens de découvrir qui est le coupable ! Viens, on rentre au château.

28

Secrets de famille

Marguerite rejeta sa tête sur les oreillers. Elle était fourbue. Xavier se pencha vers son visage. Il avait l'œil vif, pétillant, chose qu'elle ne lui avait pas vue depuis longtemps. Avec délicatesse, il s'approcha de son front et déposa un baiser sur sa blessure.

— Tu m'as manqué, lui dit-il.

Elle sourit.

— Tu me l'as répété mille fois déjà.

— Et alors ?

— Tu es un incorrigible sentimental, trancha-t-elle.

— Tandis que toi, la nature t'a dotée d'un esprit froid et calculateur. Séductrice, de surcroît, et sans remords pour tes pauvres victimes ! s'enfiévra Xavier, qui gesticulait comme un prédicateur.

Marguerite éclata de rire.

— Je n'arrive pas à croire qu'il te reste encore de la force après les prouesses que tu viens d'accomplir !

Xavier s'étendit à son côté. Il la couvait d'un regard affectueux. Marguerite sentit son cœur se serrer à l'idée que cela aurait pu ne jamais se reproduire. Elle eut une pensée pour Benjamin, qu'elle s'empressa de chasser. Le rapprochement avec Xavier s'était fait si naturellement et si vite ! L'angoisse l'envahit à l'idée que Xavier reconnût sur son corps l'empreinte de son infidélité.

« C'est impossible, pensa-t-elle. Il n'y a que ton esprit et ton cœur qui soient marqués par cet événement. »

— Lorsque j'étais à Mirmille, je tentais d'imaginer ce que ce serait de vieillir séparée de toi. Annette et Charles-Antoine paraissaient baigner dans un si grand bonheur ! Soudain, j'avais peur de ne pas connaître pareille félicité.

L'expression de son mari se fit grave.

— Ce n'était qu'un orage, rien ne plus. Jamais plus je ne te cacherai quoi que ce soit, ni ne ferai des plans qui pourraient vous décevoir, les enfants ou toi.

Marguerite inspira profondément. Il y avait tant de choses dont ils devaient discuter ! L'avenir d'Élisabeth, entre autres choses.

— Qu'y a-t-il ?

Elle hésita avant de parler.

— Les enfants et toi, vous paraissiez bien silencieux ce soir. Sans compter Lutisse. Oh, je ne m'attendais pas à ce que mon arrivée l'enchantât, bien au contraire. Néanmoins, j'ai eu l'impression que...

Marguerite suspendit sa phrase en constatant la réaction provoquée par son propos.

— C'est moi qui leur avais demandé de ne souffler mot de ce qui s'est produit en ton absence, avoua-t-il. J'avais mis tant d'espoir dans ton retour, je ne voulais pas que cela soit gâché par des nouvelles fâcheuses.

Elle attendit la suite, le ventre noué par l'inquiétude.

— Durant notre voyage à Montferrand, un homme s'est introduit dans le château. Tout laisse croire qu'il s'agit d'un bandit ou d'un pillard, mais rien n'est moins sûr. Le château endormi, il a gagné l'étage des chambres.

— Mon Dieu ! murmura Marguerite.

— Rassure-toi, il n'a pas pu commettre son forfait. Aude s'est opposée à lui avant qu'il n'ait pu accomplir ses sombres desseins.

Marguerite posa une main tremblante sur sa gorge.

— Que s'est-il passé ?

— Il est entré par une des fenêtres de la cuisine. Le hasard a fait qu'Aude se trouvait en bas... Il l'a renversée sur son passage. Elle a empoigné une arme et l'a traquée jusque dans la chambre d'Élisabeth.

— Seigneur ! Il aurait pu les tuer toutes les deux !

Xavier l'attira à lui et la tint contre son torse.

— C'est ma faute, je n'aurais pas dû partir sans laisser au moins un homme au château, dit-il.

— Tu ne pouvais pas savoir.

Hébétée, Marguerite resta un moment sans parler.

— Mais personne n'a été blessé ? Et lui ?

— L'homme a pris la fuite. Il n'a pas été revu dans la région. Il fit une pause avant d'annoncer : Aude… Aude a perdu son bébé.

— Qu… quoi ? s'étrangla Marguerite, avant d'éclater en sanglots.

Légèrement secoué par son attitude, Xavier se rendit compte qu'il avait mal évalué l'ampleur du choc que Marguerite ressentirait en entendant cette nouvelle.

— Je… je n'ai pas beaucoup dormi récemment, articula-t-elle entre deux hoquets.

— C'est un grand malheur, Margot. Tu n'as pas à justifier ta réaction.

Malgré cela, Marguerite tenta de dompter son affliction. Elle savait que cet épanchement d'émotion était causé en grande partie par les récentes épreuves qu'elle avait endurées. Elles l'avaient rendue plus vulnérable.

— Était-elle grosse depuis longtemps ?

— Nicolas m'a confié qu'elle ne connaissait pas encore son état. La fausse couche s'est produite subitement. On ne peut que supposer que l'affrontement en était la cause.

Marguerite poussa une plainte à fendre l'âme.

— Si cela peut te consoler, Aude et Nicolas se portent bien. Ils sont plus unis que jamais. Aude se fait maintenant un devoir de clamer à qui veut l'entendre que toutes les femmes devraient savoir se défendre.

— Je me souviens qu'elle m'avait confié avoir blessé Nicolas, se rappela-t-elle.

— En effet, il avait commencé à lui enseigner les rudiments de l'escrime, et je dois dire, pour l'avoir vue à l'œuvre, qu'elle manie l'épée avec beaucoup d'aplomb. Évidemment, cette bravade scandalise Lutisse, ce qui n'est pas sans amuser Aude et Nicolas.

— Toi, qu'en penses-tu ? demanda Marguerite.

— Qu'en ai-je à faire qu'Aude porte l'épée ? Je n'y vois rien de choquant. Lutisse se sent obligée de défendre la morale et la bienséance, jusqu'à en être ridicule.

Ce commentaire attisa la curiosité de Marguerite.

— Vous êtes-vous querellés, elle et toi ?

— Tiens-tu vraiment à parler de ma sœur ?

Marguerite le scruta avec une intensité qui trahissait son intérêt croissant pour le sujet.

— Bon, capitula-t-il. Je vais t'épargner les détails, fort ennuyeux, de l'affaire. Mais disons que, depuis quelque temps, je crains que toutes ces années passées à l'abri du monde ont perturbé son esprit, affirma Xavier sur un ton sérieux. Bien sûr, je ne la crois pas complètement folle... Mais elle entretient des délires qui sont franchement gênants.

Appréhensive, Marguerite demanda :

— Quoi, par exemple ?

— Promets-moi d'abord de ne pas te fâcher.

— Xavier !

Ce dernier poussa un soupir.

— Sa dernière extravagance concerne ta mère.

— Ma mère ! s'exclama Marguerite.

— Elle prétend qu'elle serait responsable de la mort de mon père, lâcha Xavier, en s'efforçant de paraître calme.

Ébranlée, Marguerite le regarda sans mot dire.

— Je t'avais prévenue, renchérit-il. Mais je t'assure que je ne tolérerai aucune médisance à ton égard ou te concernant de près ou de loin. Tant qu'elle vivra sous notre toit...

— T'a-t-elle dit d'où lui était venue cette idée ? s'enquit Marguerite en essayant de cacher son trouble.

— Franchement, je ne lui ai pas demandé. Il lui plairait trop que j'accorde du crédit à toutes ses élucubrations. Du reste, ce n'est pas tout. Elle soutient que ce serait le duc d'Enghien qui aurait poursuivi Élisabeth dans la forêt et qu'il serait aussi responsable de l'attaque au château. En somme, le duc serait resté tapi dans la forêt pendant près de deux semaines ! Ha ! Ha ! Lorsque je m'entends te raconter cela, je me sens comme le dernier des idiots. Le pire, dans tout cela, c'est que je me suis laissé entraîner dans ses divagations et que j'ai même écrit à ton frère pour lui mander son appui auprès du prince de Condé. J'aurais dû attendre, avoua Xavier, l'air penaud. Je voulais d'abord en discuter avec toi, mais Lutisse m'a assuré qu'Élisabeth pourrait confirmer ses dires au sujet du duc.

Xavier se pencha vers Marguerite, demeurée muette pendant tout ce temps.

— Tu vois… J'aurais mieux fait d'attendre avant de t'en parler. Maintenant, cette histoire va te coûter de nouvelles nuits blanches.

— Est-ce qu'Élisabeth t'a affirmé qu'elle avait reconnu l'homme ? T'a-t-elle dit qu'il s'agissait du duc d'Enghien ?

— J'ai décidé de ne rien lui dire. Elle a été suffisamment ébranlée comme ça. Je crains qu'elle se sente responsable de ce qui est arrivé à Aude.

Marguerite plongea son regard vert dans celui de Xavier.

— Tu as bien fait de me révéler cette affaire. Après mon séjour à Mirmille, je suis allée à Chantilly. J'ai rencontré le duc d'Enghien. Et sincèrement, Xavier, je ne serais pas surprise que ta sœur ait dit vrai. S'il s'est épris de notre fille, dit-elle en frissonnant, je n'ose imaginer… Cet homme-là n'a pas toute sa tête.

Xavier s'assombrit en entendant cela. Margot lui raconta comment le duc s'était comporté dans la galerie aux portraits.

— Je vais parler à Élisabeth, annonça-t-il.

— Je t'accompagne. Si Élisabeth a choisi de se taire, c'est qu'elle craint que sa dénonciation ait des conséquences fâcheuses. Nous ne serons pas trop de deux pour la convaincre du bien-fondé de notre démarche.

Xavier opina du chef. Il n'osait lui avouer le fond de sa pensée, soit que c'était Lutisse qui avait contraint Élisabeth au silence.

Marguerite avait souhaité que son retour marquât un tournant dans sa relation avec Lutisse. Avec le recul, les préjugés qu'elle avait entretenus envers la sœur de son époux lui paraissaient insignifiants. Toutefois, les aveux de Xavier avaient rapidement eu raison de ses bonnes intentions.

« Elle me déteste parce qu'elle croit que ma mère a ourdi l'assassinat de son père », conclut Marguerite, qui comprenait enfin la cause de la rancœur de Lutisse envers elle.

Malgré tout ce que cette accusation signifiait pour son époux et pour elle, Marguerite était soulagée de détenir enfin la véritable raison qui expliquait le ressentiment de Lutisse. En outre, elle éprouvait de la compassion pour la sœur de Xavier, qui avait souffert sa présence à Montcerf sans mot dire, alors qu'elle connaissait le rôle joué par Madeleine dans le trépas du comte Hector de Razès. Toutefois, Marguerite doutait que sa volonté suffît à ce qu'elle se réconcilie avec Lutisse. Alors que l'obscurité se dissipait pour céder la place à une plus grande clarté, elle considérait avec une lucidité nouvelle les obstacles qui se dressaient devant elle : Lutisse ne lui pardonnerait pas aisément d'être la fille de celle qu'elle tenait pour responsable de la mort de son père. Quant à elle, ses chances de réussir à convaincre Lutisse de l'innocence de sa mère étaient bien minces. Et surtout, pour y parvenir, il lui aurait d'abord fallu en être convaincue elle-même, ce qui était loin d'être le cas. Pourtant, l'enjeu était grand. Xavier risquait ne pas l'excuser s'il venait à apprendre qu'elle lui dissimulait des informations concernant le décès de son père. Quant à prédire sa réaction face à l'implication de sa mère dans cette affaire, Marguerite ne pouvait qu'espérer que son époux ferait preuve de sagesse.

La deuxième journée à Montcerf s'achevait, et il lui semblait qu'une semaine s'était écoulée depuis son retour. Pourtant, c'était le premier moment de solitude qu'elle s'accordait depuis son arrivée. En déliant la courroie qui retenait sa dernière malle,

Marguerite résolut d'aller trouver Lutisse une fois ses bagages défaits. Plus vite elle aurait parlé à sa belle-sœur, plus vite elle serait fixée sur la conduite à adopter avec Xavier. Elle ne devait pas atermoyer. Après le souper, ils avaient prévu de rencontrer Élisabeth au sujet de l'affaire du duc d'Enghien. Marguerite était d'ailleurs optimiste à cet égard : Élisabeth n'avait aucune raison valable de leur cacher l'identité de son assaillant. Elle commençait à vider le contenu de son coffre lorsqu'on frappa à sa porte.

— Entrez ! intima-t-elle.

Elle leva les yeux.

— Oksana ?

— Margot, je ne voulais pas t'importuner. Je peux revenir.

— Entre. Je ferai cela plus tard, rien ne presse.

— Ton voyage semble avoir été agréable.

— Hum hum. Oui, mais je n'en suis pas moins ravie d'avoir retrouvé Montcerf et les miens.

— Xavier t'a raconté ce qui s'est passé durant ton absence, n'est-ce pas ?

Marguerite hocha la tête tristement. Elle se dit que si quelqu'un pouvait la rassurer sur le bien-être d'Aude, c'était bien Oksana.

— Aude…

— Ne t'inquiète pas pour elle, elle va bien maintenant. Sa perte l'a fortement secouée, et je t'avoue qu'elle m'a donné du souci, mais elle a recouvré son humeur une fois Nicolas auprès d'elle. Ils sont faits l'un pour l'autre, comme Xavier et toi. Vous vous êtes retrouvés, vous aussi ? lança Oksana, sur une note optimiste.

Un nuage passa sur le visage de Marguerite.

— Nous nous sommes réconciliés, répondit simplement Marguerite, qui préférait ne pas se réjouir de son bonheur conjugal encore fragile.

Comme si elle l'avait deviné, Oksana changea complètement de propos :

— Margot, ma présence concerne une situation un peu délicate, commença-t-elle. Puis elle enchaîna sans attendre : Il y a quelques semaines, j'ai surpris Lutisse dans ta chambre. J'étais venue récupérer une feuille de musique et, lorsque je suis entrée, j'ai aperçu quelqu'un par l'interstice de la porte. En premier lieu, elle a tenté de me faire croire qu'elle venait chercher un livre que tu lui avais prêté. Mais lorsqu'elle a vu que je la soupçonnais de sournoiserie, elle m'a toisée de haut et m'a même insultée.

— Que faisait-elle ici, selon toi ?

Le regard d'Oksana se porta sur le cabinet. Perplexe, Marguerite fronça les sourcils, puis elle s'exclama :

— Mais ! C'est là que je garde la correspondance de ma mère !

Elle marcha jusqu'au meuble et ouvrit la porte de celui-ci.

— Je n'ai rien touché, certifia Oksana. Je ne me serais pas permis…

Marguerite se pencha pour ramasser la liasse de lettres. Le ruban qui les maintenait était dénoué.

— Je ne veux pas me mêler de ce qui ne me regarde pas, mais… si j'étais toi, je serais vigilante à l'avenir. Cette femme n'est pas aussi bienveillante qu'elle le prétend. Les traits de Marguerite se durcirent. Cette découverte était de mauvais augure en ce qui concernait sa relation avec Lutisse. Que cherchait cette dernière exactement dans ces vieux papiers ? Des preuves de la culpabilité de Madeleine, certainement.

« Elle voulait profiter de ton absence pour convaincre Xavier de la malignité de ta mère », murmura une petite voix dans sa tête.

— Merci de m'avoir avertie aussi promptement, déclara Marguerite à son amie. J'ignore ce qu'elle tentait de découvrir, mais elle a sûrement été désappointée.

— Il s'en est fallu de peu que j'aille trouver Xavier à propos de cela.

— Je suis contente que tu m'aies attendue.

Elle replaçait la correspondance lorsqu'un éclat de voix retentit dans le couloir.

« Qu'est-ce que cela, encore ? » s'énerva Marguerite.

Oksana paraissait soucieuse. Marguerite la rejoignit et, ensemble, elles quittèrent ses appartements. Rapidement, elle comprit que la scène dont le bruit l'avait alertée concernait Élisabeth et Nicolas.

— Mais enfin ! dit la jeune femme, implorant l'indulgence de son frère.

Son visage témoignait d'une émotion déchirante.

— Tu ne me laisses pas d'autre choix ! lança rageusement Nicolas en abandonnant Élisabeth derrière lui.

Il passa devant Marguerite sans s'arrêter. Ses joues étaient rouges. Ses bottes à éperons martelaient le sol en produisant un bruyant cliquetis qui ajoutait à l'effet de sa fureur.

— Que se passe-t-il ? demanda Marguerite à voix haute, en espérant que quelqu'un daignât éclairer sa lanterne.

Au lieu de cela, Élisabeth se retira dans sa chambre et Nicolas poursuivit son chemin jusqu'à ce qu'il échappât à sa vue. Marguerite se tourna vers son amie en affichant une expression médusée.

— Nicolas et Élisabeth ne se disputent jamais…

Incapable de lui fournir une explication, Oksana haussa les épaules. Marguerite hésita entre poursuivre Nicolas, rejoindre Élisabeth et ne pas s'immiscer dans leurs affaires. L'impartialité était peut-être, à ce moment, le meilleur choix. Il y eut un petit grincement et Vincent de Coulonges émergea de la chambre de sa fille. En rencontrant le regard interrogateur que lui adressait Marguerite, il ne sembla point gêné, mais soulagé.

— Je crains que votre fille soit bien bouleversée par ce différend, et je ne suis pas la personne la mieux placée pour la consoler, lui confia-t-il avec une tendresse des plus sincères.

— Monsieur de Coulonges, puisque vous semblez avoir été témoin de l'affaire, pourriez-vous me dire de quoi qu'il retourne ?

— Bien qu'il soit mon ami, je dois reconnaître que Nicolas n'a point usé de délicatesse envers Mlle de Razès. Comme le sujet lui tient fort à cœur et choque son honneur, je suis enclin à lui pardonner son emportement, mais il demeure que mademoiselle votre fille est fort ébranlée de tout cela.

— Sa conduite serait motivée par une affaire d'honneur ? Expliquez-vous !

Il jeta un coup d'œil à Oksana avant de répondre.

— Cela concerne le maraud qui a pénétré dans le château de Montcerf. Nicolas... il croit que votre fille tente de protéger le coupable, un certain dénommé Mathias.

Marguerite écarquilla les yeux.

— Je vois. Je m'en vais la trouver de ce pas, déclara-t-elle. Vous m'avez été d'une aide précieuse, monsieur de Coulonges, je vous en remercie.

Il se contenta de répondre humblement :

— Si vous n'avez plus besoin de moi, je vais aller rejoindre M. de Razès.

Marguerite l'y encouragea par un signe de la main, puis elle avisa Oksana, qui se tenait toujours à ses côtés.

— Tu ferais mieux d'y aller.

— Oui. Je te verrai tantôt, au souper ?

— J'ai peur que non. Je suis attendue chez le chevalier de Cailhaut, rétorqua Oksana, dont les joues rosirent légèrement.

Marguerite lui adressa une œillade complice avant de gagner la chambre d'Élisabeth. Elle cogna doucement et, sans attendre, se faufila à l'intérieur.

— C'est moi, annonça-t-elle.

Élisabeth tapotait ses paupières rougies avec un mouchoir. Elle se força à sourire à sa mère.

— Je suis si honteuse ! Le chevalier de Chambon a été témoin de notre brouille ! Oh ! Mère ! Que doit-il penser de moi maintenant ?

Marguerite s'approcha de sa fille.

— Si cela peut adoucir ta peine, je peux t'assurer qu'il ne pense pas du mal de toi, bien au contraire. Il a plutôt été vexé par la manière dont Nicolas s'est comporté à ton égard.

Cette nouvelle parut redonner de l'aplomb à Élisabeth, qui déclara en se levant brusquement :

— Il faut empêcher Nicolas de s'en prendre à Mathias !

— Ton frère croit que c'est Mathias, le peintre, qui a tenté de t'outrager le soir de la pleine lune ?

Élisabeth fit oui de la tête.

— Je l'ai assuré que c'était une erreur, mais il ne veut rien entendre ! Alors que je pensais que cette histoire était derrière nous, tout à coup, voilà qu'il est sur le pied de guerre !

— Tu ne peux pas vraiment le blâmer, il se sent responsable de ce qui vous est arrivé, à Aude et à toi. C'est lui, le seigneur de Montcerf, maintenant.

— Oh, quel seigneur ! Il veut pendre le premier venu sans aucune preuve !

Marguerite avait rarement vu sa fille éprouver un tel emportement.

« Elle connaît la véritable identité de l'homme et fait face au dilemme moral que sa dissimulation lui impose », conclut Marguerite, qui souhaitait amener Élisabeth à confesser ce qu'elle savait.

— Tu l'aimes bien, ce Mathias ?

Élisabeth secoua la tête avec fougue.

— Ce n'est pas ce que vous croyez ! Mathias est innocent.

— Tu en es bien certaine ? Nicolas doit avoir cause…

— Il le condamne sous prétexte qu'il s'est intéressé à moi. C'est complètement insensé !

— Ce n'est pas un mauvais raisonnement, dit Marguerite posément. Ton père m'a raconté ce qui s'est passé, et il semble que l'intrus soit monté à ta chambre sans même hésiter.

— Justement ! Mathias ne sait pas où se trouve ma chambre ! Vous voyez que je dis la vérité !

— De toute évidence, Nicolas est fâché car il soupçonne que tu dissimules quelque chose, avança Marguerite.

— C'est toute la famille qui semble avoir perdu la raison récemment ! déclara la jeune femme avant de se remettre à pleurer.

Ce dernier trait sema la confusion chez Marguerite. Élisabeth connaissait-elle l'identité de son agresseur ? Xavier pouvait s'être laissé abuser par Lutisse… Et pourtant, Marguerite revoyait le duc d'Enghien, l'esprit tordu par la fascination que le souvenir de Madeleine de Collibret exerçait sur lui.

— Votre agresseur vous fait-il peur, ma fille ? Craignez-vous qu'il se déchaîne sur Nicolas si vous lui en fournissez le prétexte ?

Élisabeth leva la tête et, à travers ses larmes, Marguerite comprit qu'elle avait visé juste. Pour sa part, elle n'avait qu'entrevu la bête qui habitait Henri-Jules de Bourbon-Condé et s'était enfuie. Élisabeth, quant à elle, lui avait fait face à deux reprises. Marguerite était en train de se dire qu'il était temps de mettre fin à ces tergiversations lorsque la porte s'ouvrit toute grande, laissant passer un Nicolas vindicatif.

Marguerite se dressa pour parer son ardeur.

— Ma sœur, je viens d'apprendre que le soir de la pleine lune, Mathias ne se trouvait pas avec ses compagnons. Il serait sorti faire une promenade au village. Que dites-vous de cela ?

Élisabeth pâlit et pencha la tête.

— Je… mon frère…

— Nicolas, voyons ! Ce n'est pas ainsi que je souhaite vous voir vous adresser à votre sœur. Calmez-vous, je vous prie.

Nicolas se campa devant les deux femmes, les mains sur les hanches.

— Mère, j'ai usé ma patience à essayer de faire entendre raison à Élisabeth. Si elle persiste à vouloir me cacher la vérité, je ne répondrai plus de moi-même.

Marguerite considéra son fils, puis sa fille. Malgré son désarroi, Élisabeth ne semblait pas vouloir donner raison à Nicolas. Marguerite se doutait de ce qui la retenait de parler : Élisabeth craignait que la rage de son frère ne lui fît faire un geste qui lui coûterait lourdement.

— Je ne te mens pas, plaida Élisabeth. Ce n'est pas Mathias qui m'a attaquée.

— Alors qui ? rétorqua-t-il du tac au tac.

Marguerite ressentit une vive douleur provenant de la discorde qui opposait ses enfants. En dépit de leurs différences, elle n'avait jamais cru qu'un conflit pourrait les diviser.

— Cessez de tourmenter votre sœur, répondit-elle. Si elle se tait, c'est pour mieux vous protéger.

Nicolas se tourna vers Marguerite et lui demanda, en proie à une consternation extrême :

— Vous savez qui est le coupable ?

— Hélas, oui. Il s'agit d'Henri-Jules de Bourbon-Condé, duc d'Enghien.

Contre toute attente, cette révélation l'apaisa immédiatement. Et il ne parut pas douter un seul instant que sa mère ne dît vrai. Marguerite aurait voulu savoir ce qu'il pensait en son for intérieur. Déciderait-il d'affronter le noble dans un duel dont il ne pourrait prévoir l'issue et qui scellerait son destin à tout jamais ?

— Merci, ma mère, exprima-t-il avant de quitter la pièce sans une parole ou un regard à l'intention de sa cadette.

Marguerite soupira.

— Qu'est-ce qui vous a pris ? s'emporta Élisabeth.

— Votre frère a le droit de connaître le nom de celui qui a outragé sa sœur et toute sa famille. C'est son honneur qui est en jeu.

— Quoi qu'il fasse, cela ne changera rien ni pour moi, ni pour Aude, affirma Élisabeth, sidérée par la sérénité avec laquelle sa mère avait traité la situation. L'honneur ! Qu'est-ce en comparaison du bonheur de notre famille ?

Marguerite posa une main rassurante sur l'épaule d'Élisabeth. Elle comprenait que sa fille voulût étouffer cette affaire. Élisabeth aurait préféré endurer les pires injures plutôt que de voir son frère risquer sa vie dans un combat singulier. Toutes les fibres de son être répondaient en écho à la détresse de sa fille ; somme toute, sa fille avait peut-être hérité de sa nature protectrice.

« Tu as bien fait, se répétait-elle pour se convaincre. Nicolas a l'âme bien trempée. Il prendra la meilleure décision. »

Elle tentait de se rassurer en se disant que, si un duel surve-
nait entre Nicolas et le duc, elle pourrait encore interférer auprès
du prince de Condé. En outre, dans sa folie, le duc d'Enghien
avait-il même conscience de ses agissements ?

— Si quelque chose lui arrivait…

— Élisabeth, vous n'auriez pas pu lui cacher éternellement la
vérité. Auriez-vous été jusqu'à sacrifier la vie de ce peintre pour
empêcher votre frère de se faire justice ?

೧

— Quel plaisir de pouvoir enfin vous recevoir à ma table,
madame la comtesse de Montcerf, exprima le chevalier de Cailhaut. Croyez bien que c'est un insigne honneur que vous me
faites.

Oksana camoufla son amusement en prenant une gorgée de
vin. Sa fille se crut obligée d'user de termes cérémonieux pour
répondre à son hôte :

— Je vous prie d'agréer toute ma reconnaissance pour ce
chaleureux accueil. Sachez que M. le comte regrette n'avoir pu
se joindre à nous.

— Je ne lui en tiens pas rigueur. Il est fort occupé. Du reste,
je renouvellerai mon offre au moment où cela lui conviendra.
Maintenant, si vous voulez bien, je vais vous faire goûter ce
délicieux pâté de bécasses, une recette qui me vient de mon
grand-père.

Gontran de Cailhaut se leva pour faire le service. Oksana
l'observa tandis qu'il tranchait les parts. Il paraissait si absorbé
par sa tâche qu'elle crut bon de rester silencieuse pour ne pas le
distraire.

— J'espère que vous avez bon appétit, mesdames !

Oksana avisa Aude, assise en face d'elle, qui s'employait à
demeurer droite et digne. Le spectacle de ce géant robuste qui se
mouvait avec une grâce affectée aurait fait rire le premier venu.
Elle songea qu'elle ne pourrait tolérer longtemps cette farce :

si Gontran voulait faire d'elle sa femme, il était impératif qu'il apprît à se détendre en compagnie de sa fille, fût-elle la comtesse de Montcerf.

— Merci, fit Aude en recevant son plat. Cela me semble exquis.

Ils se mirent à manger et Oksana se sentit émue en voyant son amoureux faire des efforts pour se servir de sa fourchette. Montcerf n'était pas Paris. À bien des égards, la vie en Auvergne était demeurée telle qu'elle était vingt ans auparavant. Les inventions modernes et les idées en cours dans les salons n'avaient pas franchi la chaîne des Puys. Oksana, néanmoins, se surprenait à aimer cette rusticité.

— La dernière fois que vous êtes venue me trouver, vous aviez, me semblait-il, le désir d'en apprendre davantage sur la lignée de la famille de Razès.

Le visage d'Aude s'éclaira.

— Cela est vrai. Pour être parfaitement honnête, j'avais craint de ne pas être à la hauteur de mon rôle de comtesse de Montcerf.

Gontran de Cailhaut réagit spontanément à cet aveu.

— Vous ! La plus noble, la plus belle des créatures !

Aude sourit modestement à ce commentaire. Ce n'était pas la première fois que l'admiration du chevalier la prenait par surprise. Cette fois, cependant, elle ne ressentit aucun malaise en entendant ses louanges.

— Je déplore que, lorsque je m'enquiers de feu la comtesse Adélaïde de Razès, on esquive mes questions. Il en est ainsi depuis mon arrivée. Si cela s'explique par la crainte de son fantôme, qui hanterait les murs de la demeure, il demeure que j'aurais aimé en savoir davantage sur cette femme qui m'a précédée.

Le chevalier de Cailhaut la considéra avec gravité.

— On vous a dit que l'âme de la pauvre comtesse n'avait point trouvé le repos ?

— La nourrice d'Anne-Marie prétend l'avoir vue errer, la nuit, dans le couloir du château. Croyez bien, monsieur, que je n'accorde point de valeur à ces rumeurs.

— Hum. C'est bien la première fois que j'entends cette histoire, affirma le chevalier de Cailhaut.

— Vraiment ? s'étonna Aude. Je croyais, enfin, on m'avait laissé entendre qu'elle était morte de mélancolie.

— C'est ce que l'on m'a rapporté, répondit Gontran. Or, elle est décédée alors qu'elle était en retraite, au couvent.

— Je l'ignorais, répondit Aude.

Tout à coup, Oksana les interrompit en poussant un « ah » démonstratif. Surpris, ils se retournèrent vers elle.

— Ce n'était pas un fantôme, c'était Lutisse de Razès !

Aude la dévisagea sans comprendre. Puis, le raisonnement de sa mère la frappa de plein fouet. Bien sûr ! Ce que la nourrice avait pris pour le fantôme d'Adélaïde de Razès n'était autre que Lutisse elle-même ! Lutisse hantait le château ! Cette pensée fit frémir Aude. Mais dans quel but ? Que cherchait-elle ?

29

Les deux princes

— Monsieur le prince, vous ne devinerez jamais qui je viens de croiser à l'instant ! lança Gourville en pénétrant dans le salon. Sans attendre, il annonça : M. le baron de Lugny !

Louis de Bourbon-Condé interrompit sa lecture.

— Il est à Chantilly ? Pourquoi n'est-il pas venu se présenter ?

Jean de Hérault, le sieur de Gourville, était bien embarrassé d'avoir à répondre à cette question.

— Il m'a semblé fort agité. Le souci qui troublait sa démarche concernait un entretien qu'il était pressé d'avoir avec le duc d'Enghien. Il m'a confié cela à moi, me sachant avisé. Cela me fait penser que je n'ai point pris le temps de m'enquérir de la santé de son épouse...

Le courtisan déplorait ce manquement à la politesse la plus élémentaire. Il secoua la tête et dit d'une voix lasse :

— Il ne fait pas bon vieillir.

Le prince de Condé aurait souri de voir ce gentilhomme se blâmer pour si peu s'il n'avait pas été si intrigué par la conduite étonnante de Gabriel.

— Allez me le trouver, que je le tance pour ces mauvaises manières, lança-t-il en pondérant ses propos par un ton léger.

Le sieur de Gourville opina du chef, mais, en qualité d'ami, trouva bon de répliquer avant d'obéir :

— N'est-ce pas le plus curieux des hasards que de le voir apparaître ici quelques jours seulement après le départ de Marguerite de Razès ?

— En effet, répondit Condé d'un air distrait.

Cependant, lorsque Gourville fut sorti, il s'interrogea sur les raisons qui avaient amené le baron de Lugny à Chantilly. En outre, si cela avait un rapport avec Marguerite… Non, si un malheur était arrivé à la comtesse de Montcerf, son protégé serait venu le trouver directement.

∽

— Madame, je ne m'attendais point à vous revoir, exprima le prince de Condé en toisant Madeleine de Collibret.

Elle était telle qu'immortalisée dans son souvenir : sculpturale, une vénusté.

— Vous ne paraissez pas ému le moins du monde, pourtant. Puis-je en conclure que vous ne m'en voulez plus de vous avoir abandonné ?

Louis de Bourbon-Condé scruta le visage de cette femme pour qui il avait éprouvé, jadis, de tendres sentiments. Il y avait maintenant plus d'un an qu'ils ne s'étaient vus. Condé songea qu'il eût été plus judicieux, de la part de Madeleine, de ménager son orgueil blessé en ne parlant point de sa conduite en des termes aussi crus. Mais elle n'avait jamais été modeste. Pour cela, il l'avait aimée et même admirée.

— Vous avez choisi votre mari. Une manœuvre prudente. J'espère toutefois que votre présence à Paris ne tient pas à quelques regrets que vous éprouvez, car alors je vous dirais qu'il est bien tard pour cela.

Madeleine ne fut pas troublée par ces propos.

— Vous êtes tel que toujours j'ai souhaité que vous soyez : maître de votre destin. Le pays tout entier, et même l'Europe, a les yeux rivés sur vous !

Louis de Bourbon-Condé supportait difficilement ces élans lyriques, d'autant que le tableau était loin d'être aussi glorieux que le dépeignait Madeleine. Les Parisiens se plaignaient davantage chaque jour, et le Parlement s'était détourné de lui au profit de la cour et de Mazarin. Il n'était pas assez imbu de sa personne pour ne pas sentir la commisération que le duc de La Rochefoucault et le comte de Montcerf lui témoignaient lorsqu'ils prêchaient la réconciliation avec la reine.

— Cessez ces flatteries, madame. Dites-moi plutôt ce qui vous amène en ces lieux où vous ne trouverez que des vestiges d'amitiés, lâcha-t-il froidement.

— Si je vous ai quitté, je ne vous ai point trahi. Mon départ n'était pas un mouvement du cœur. Partir de la Fronde était le seul moyen pour moi d'échapper à l'influence de mon frère.

Bien qu'elle ne l'eût jamais formulé aussi clairement, Louis avait toujours soupçonné que le jeu dangereux auquel elle s'adonnait pour le compte de Fromondin lui pesait lourdement.

— Je ne vous en veux point, madame. Si votre liberté était à ce prix…

Elle s'efforça de lui sourire, mais il vit que le cœur n'y était point.

— J'ai une faveur à vous demander, dit-elle enfin.

— Je vous écoute.

Elle sembla encouragée par son attitude. Une lueur de sincérité, de douceur illumina son regard noisette. Il éprouva une nostalgie douce-amère en songeant qu'elle réservait maintenant cette part d'elle-même à ses enfants et à son époux, Alain de Collibret.

— Il s'agit des pièces que j'ai dérobées juste avant que l'on ne vous arrête. Au sujet de Louis Dieudonné, allégua-t-elle en chuchotant. Je dois les récupérer.

Il la dévisagea avec incrédulité. Ces preuves pouvaient lui frayer un passage jusqu'au trône, s'il engageait sa volonté dans cette voie. Personne, à part lui, ne pouvait en user. Que voulait-elle en faire ?

— Pardi ! Ce n'est pas une mince affaire que vous me demandez là, madame. Vous me diriez à quel usage vous destinez ces documents ?

Madeleine hésita et finit par répondre :

— Si vous ne m'en laissez pas le choix, je vous le dirai. Mais en souvenir de notre précieuse amitié…

— Si vous ne vouliez point me mêler à vos machinations, vous auriez pu aller les reprendre vous-même. Vous savez mieux que moi où ils sont cachés.

Madeleine essuya cette ruse, et sans se démonter, répliqua :

— Puisque vous semblez l'avoir oublié, permettez-moi de vous rafraîchir la mémoire. Vous m'aviez demandé de les confier à votre très fidèle ami, le sieur de Montcerf.

— Montcerf ! Voilà ! Sûrement, vous ne doutez pas qu'ils y soient encore. Alors, pourquoi êtes-vous venu me trouver ?

— Ce M. de Razès ne me tendra pas ces preuves comme s'il s'agissait d'un mouchoir égaré. C'est à vous uniquement qu'il consentira d'obéir.

Le prince se dressa de toute sa hauteur. La répartie ne l'amusait pas. Le temps était mal choisi pour qu'il prît à son ancienne maîtresse l'envie d'intriguer à nouveau.

— Que feriez-vous avec ces documents si vous les aviez en main ?

— Je m'en servirais comme monnaie d'échange pour me libérer du joug de mon frère, avoua-t-elle sans hésiter. Il va sans dire que je ne mentionnerais jamais votre nom, ni celui du comte de Montcerf.

Le prince pâlit. Mesurait-elle ce qu'elle venait d'affirmer ?

— Vous prévoyez offrir ces pièces à l'Italien en échange de sa protection ? Vous n'y pensez pas !

« S'il advenait qu'il sache que j'en connais l'existence, il serait bien capable de me jeter dans un cachot, et pour de bon cette fois ! » supputa le noble.

— Je regrette, mais cela est impossible ! dit-il.

Sa réponse bouleversa Madeleine, qui se jeta littéralement à ses genoux.

— Je t'en conjure, c'est le seul moyen qui me reste, le supplia-t-elle en devenant subitement familière.

— Ton mari t'a-t-il exhortée à suivre cette voie ? lança-t-il, inquiet.

Il était venu à sa connaissance qu'Alain de Collibret avait fait l'acquisition d'un hôtel particulier dans le Marais. Apparemment, les services qu'il avait rendus à Mazarin lui avaient permis d'amasser une fortune qui n'était pas négligeable.

— Il n'a jamais soupçonné l'existence de ces papiers, lui assura-t-elle. Je ne te mentirais pas. C'est mon frère, et il exige de moi une chose à laquelle je ne peux me résoudre. Pire que tout ce qu'il m'a déjà ordonné jusqu'à présent ! Ces pièces sont mon seul atout pour gagner la protection du roi. Mazarin se défie de moi…

— Que veut-il que tu fasses ?

Fromondin était maintenant un haut membre de l'ordre des Jésuites. Il s'était élevé rapidement, ne reculant devant rien pour étendre son

influence. Condé regardait Madeleine, espérant et redoutant à la fois
sa réponse.

    — Il vaut mieux pour toi que tu l'ignores. On croirait que tu es mêlé
à ce complot, et alors, tu serais perdu.

    Condé frissonna. Avaient-ils résolu d'assassiner Mazarin ?

    — Je t'en supplie, murmura-t-elle, au désespoir. Si tu ne le fais pour
moi, fais-le pour l'amour de notre fils…

    Condé ne vit qu'une chose : Mazarin mort, il pourrait aisément gagner
l'appui du Parlement et ainsi écarter Louis du trône…

    — Je regrette, répondit-il, intransigeant.

                         ⌍⌎

    Lutisse ouvrit les yeux. Ses sens étaient en alerte. Elle regarda confusément autour d'elle, à la recherche de ce qui avait pu causer un tel vacarme. Ses yeux rencontrèrent le contour familier du lit à courtine et cela la rassura immédiatement. Elle était dans sa chambre, à l'abri. Le bruit avait probablement été causé par les travaux du chantier, qui devenaient chaque jour un peu plus bruyants. Combien de temps encore devrait-elle endurer ces éprouvantes conditions ?

    « Aussi longtemps que tu n'auras pas mis la main sur les documents », se répondit-elle aussitôt.

    Un nouveau coup retentit. On frappait à sa porte. Elle se raidit.

    — Tante Lutisse, l'appela-t-on depuis le corridor.

    Elle reconnut avec soulagement la voix d'Élisabeth.

    — Je viens, annonça-t-elle en se levant.

    Elle remit prestement de l'ordre dans sa mise et se dépêcha d'aller ouvrir.

    — Pardonnez-moi, ma nièce. Je m'étais assoupie.

    — Je suis confuse, je n'aurais pas dû insister.

    — Mais non, voyons. Entrez, plutôt, et dites-moi ce qui vous amène.

    Élisabeth pénétra dans la chambre qu'occupait sa tante. Les meubles superflus avaient été enlevés. Il ne restait que le lit, l'armoire, une table et une chaise. Près de la fenêtre, un prie-Dieu ajoutait à la sobriété des lieux, délestés de tout ornement. Puisque sa tante avait vécu près de quinze ans dans une abbaye, Élisabeth n'était pas vraiment étonnée de découvrir qu'elle avait reproduit à Montcerf le mode de vie auquel elle s'était accoutumée. Néanmoins, cette tempérance forçait son admiration.

— Avez-vous interdit à Mathias de m'adresser des galanteries ? lança brusquement Élisabeth.

— J'ai fait ce que tout chaperon doit faire, répondit calmement Lutisse. Cela vous offense-t-il, ma nièce ?

La jeune femme expira brusquement, et soudain ses épaules semblèrent se débarrasser d'un grand poids.

— Je savais que vous ne sauriez me mentir. Mais enfin, pour répondre à votre question, j'admets avoir conçu un vif déplaisir des soins dont vous me couvrez. Cependant, plutôt que de me choquer contre vous, je me suis efforcée de modérer mon jugement. La liberté dont je jouis vous paraît inconvenante, mais, plus que tout, je vous sais soucieuse de mon bien-être. Je vous pardonne donc.

Lutisse leva un sourcil. C'était bien la première fois que sa nièce se mêlait de la chapitrer, et elle ne savait comment réagir.

— Tout est au mieux, alors ?

Élisabeth opina du menton.

— Si cela peut vous rassurer, je n'ai pas commis d'acte déshonorant avec ce jeune homme. En outre, il s'est comporté fort respectueusement à mon endroit.

Lutisse était rassurée. En dépit de ses grands airs, Élisabeth revenait à la charge pour obtenir son approbation, preuve que rien n'avait changé. Plus que jamais, Lutisse devait pouvoir compter sur la jeune femme, qui était pour l'heure sa seule alliée à Montcerf.

— Croyez bien que je n'ai jamais douté de votre vertu, ma nièce.

Élisabeth parut satisfaite de cette réponse, car elle poursuivit :

— Ma tante, j'ai mis la main sur un document que je crois devoir vous remettre. Il s'est retrouvé en ma possession par le plus étrange des hasards, et j'avoue avoir hésité longtemps avant de décider ce que je voulais en faire. Mais voilà, vous êtes, à mes yeux, la seule personne qui soit digne de confiance ici.

Lutisse s'efforça de demeurer impassible, malgré sa fébrilité.

« Se peut-il qu'elle détienne le document que je recherche depuis toutes ces années ? » se demandait-elle avec incrédulité.

Élisabeth sortit un morceau de papier plié de sa jupe. Sans attendre, Lutisse tendit avidement la main.

— J'aurais pu le remettre à mon père, bien entendu, affirma la jeune femme en balançant le document entre ses doigts. Mais j'ai jugé, par le contenu, que c'était...

— Vous l'avez lu ? dit Lutisse, qui faillit s'étrangler sur ses mots.

— Je n'ai pas cru devoir m'en empêcher, avoua Élisabeth, qui s'étonnait de l'intérêt subit de sa tante pour la chose. Elle évoque le commerce de feu votre père avec une certaine dame...

— Montrez-moi ça ! intima Lutisse. Puis, elle se ressaisit et ajouta : Je pourrai mieux en juger.

Élisabeth, quelque peu désorientée, céda à l'empressement de sa tante. Mais l'attitude de celle-ci, qui s'était emparée du pli comme un mendiant d'une piécette, lui causa une gêne profonde. La jeune femme ne put s'empêcher de l'observer tandis qu'elle parcourait le message des yeux. De toute évidence, Lutisse s'attendait à une autre sorte de missive, car elle sembla déchanter avant la fin de sa lecture.

— Où était-elle cachée, ma nièce ?

— Est-ce important ?

Cette réponse ne plut pas à Lutisse. Son regard intense se fit soupçonneux.

— La lettre mentionne un certain paquet, un colis d'importance, selon toute vraisemblance, renchérit Lutisse. N'y avait-il rien d'autre avec cette missive ?

— Non. Seulement ce pli. Pardonnez ma curiosité, ma tante, mais vous semblez familière avec cette affaire. Connaissez-vous cette femme, cette...

— Détrompez-vous, j'ignorais tout de cette lettre avant aujourd'hui. Mais je pourrais certainement éclaircir ce mystère si je connaissais l'emplacement de sa cachette.

Élisabeth laissa tomber ses réticences. Elle ne gagnerait rien de bon à éveiller la méfiance de Lutisse.

— Elle était dans le caveau de Razès, sous une pierre au-dessus de l'autel…

— Sous l'autel ! s'exclama Lutisse en levant les bras au ciel.

Élisabeth dévisagea sa tante, qui contenait avec peine son agitation.

— Vous ne devez révéler ceci à personne, entendez-vous, ma nièce ?

— Je n'en avais pas l'intention.

La jeune femme n'aurait su dire ce qui causait un tel émoi chez sa tante. La lettre, plutôt sibylline, ne témoignait somme toute que de l'évidence d'une relation sentimentale entre le comte de Mont-cerf et une dénommée Anne. Mais, visiblement, Lutisse y avait décelé quelque chose qui lui échappait. Élisabeth se demanda si elle devait lui révéler le rôle de Mathias dans sa découverte.

— Que faisiez-vous dans la crypte familiale ? lui lança Lutisse, qui semblait avoir déduit qu'une information lui manquait.

— J'accompagnais Mathias, qui désirait me montrer les armes de la famille de Razès.

Lutisse s'exclama :

— Le peintre ! Que n'y ai-je pas pensé plus tôt ! Il y a passé des heures entières afin d'effectuer son ouvrage de restauration.

— Nous avons fait la découverte ensemble. Soyez sans crainte, je lui ai demandé de garder le secret.

— Vous avez bien fait, rétorqua Lutisse. Il me déplairait fort que l'on vînt à savoir que mon père entretenait des liaisons licencieuses.

— Je comprends. Je demeurerai discrète sur la question.

Lutisse la gratifia d'un sourire satisfait, puis elle se leva.

— Je ne vous retiens pas, ma nièce, vous avez certainement mieux à faire.

Élisabeth lui dit alors :

— Désirez-vous aller au caveau ? Je peux vous y accompagner.

La tisse tiqua.

— C'est bien aimable à vous de me l'offrir, mais je vais me rendre à la chapelle faire mes dévotions.

— Comme vous voudrez.

Élisabeth prit congé de sa tante. Elle devait achever de préparer les simples pour les sœurs hospitalières et avait encore beaucoup à faire. Pendant quelques heures, cette tâche l'absorba tout entière, mais, une fois le dîner terminé, ses pensées se tournèrent vers sa tante et son comportement pour le moins étrange. Élisabeth avait la certitude qu'une fois seule cette dernière s'était précipitée à la crypte. Pourquoi lui avait-elle menti ? Que cherchait-elle à lui cacher ?

೧

Le prince avisa la grosse horloge, qui marquait deux heures. Que faisait donc Gourville ? De longues minutes s'étaient écoulées depuis qu'il était parti quérir le baron de Lugny. Bien que la goutte lui causât d'intenses douleurs, c'était la difficulté à se mouvoir à son gré qui faisait le plus souffrir Louis de Bourbon-Condé. Il poussa un soupir d'exaspération. Soudain, Gabriel de Collibret, les joues en feu, pénétra dans la pièce.

— Monsieur le prince ! lança-t-il à son protecteur. Je dois vous parler céans !

Jean de Hérault apparut à ce moment-là, le visage empourpré par l'effort de sa course.

— Monsieur de Collibret. Je vous en prie, assoyez-vous. Monsieur de Gourville, laissez-nous, je vous prie.

Le pauvre Gourville leva la main pour solliciter un répit, puis, tout en cherchant son souffle, parvint à balbutier :

— Je vais être à côté, si M. le prince me demande.

Gabriel de Collibret attendit que la porte se refermât avant d'expliquer :

— Il s'agit d'une affaire d'honneur. Si je n'ai point cru devoir vous alerter à ce sujet, c'est que j'escomptais résoudre cette malheureuse situation sans votre concours. Toutefois, les circonstances m'obligent à faire appel à votre personne, bien qu'il me répugne de vous y mêler.

— Cela concerne-t-il le duc d'Enghien ?

— Si fait.

— Je vous écoute.

Gabriel de Collibret reprenait peu à peu ses esprits. La réaction du duc d'Enghien face à sa démarche l'avait énervé au-delà des mots. Néanmoins, il devait modérer sa véhémence pour ne pas heurter le prince de Condé.

— J'ai avec moi une lettre du comte de Montcerf m'informant d'un incident qui a eu lieu deux semaines après notre départ d'Auvergne. Un homme s'est introduit au château sous le couvert de la nuit et a tenté d'abuser d'Élisabeth de Razès. Son déguisement a trompé les moins avertis, mais ma nièce l'a reconnu en dépit de l'habile mise en scène qu'il avait orchestrée. Ainsi, il s'agirait du duc.

Le baron de Lugny avait dit tout cela d'un seul souffle.

— Monsieur de Collibret, je suis fort aise que vous soyez venu me voir à ce propos. En outre, j'aurais préféré que ce fût là votre premier instinct.

— J'ai estimé que le duc d'Enghien devait répondre de ses actes et que, s'il est votre fils, il est avant tout un gentilhomme. Du moins le croyais-je.

Gabriel doutait même désormais d'être capable de rester en présence de cet homme sans dégainer son arme contre lui. « C'est bien par amour et par respect pour vous, à qui je dois tant, que je me contiens », pensa-t-il en lui-même.

Malgré les leçons d'escrime apprises dans sa jeunesse, notamment au service du prince de Condé, il ne s'était jamais battu en duel. En revanche, le duc d'Enghien, qui avait suivi les traces de son père et servi dans l'armée, avait connu plusieurs adversaires. Sa réputation de bretteur se fondait surtout sur sa témérité et son sang-froid, deux qualités qui le rendaient redoutable aux yeux de Gabriel.

— Si je me plais à collectionner les livres et les armes, Henri-Jules a quant à lui des loisirs moins sobres. J'ai eu fort à faire, ces dernières années, avec toutes ses bévues, confia le prince. Mais il n'avait jamais été jusque-là, soit être accusé d'acte de brutalité envers une demoiselle de la noblesse.

Gabriel se força au calme. L'air désabusé de son protecteur l'irritait. Fallait-il qu'il lui rappelât que c'était d'Élisabeth de Razès qu'il s'agissait ? La demoiselle qu'il avait voulu marier à son propre neveu.

— Il a nié l'avoir outragée. Je suis venu vous voir avant que ma colère ne me pousse à des actes qui accableraient ma pauvre épouse.

— Vous n'oseriez tout de même pas ! blêmit le prince de Condé. Votre propre frère !

Gabriel devint grave. Lorsque Alain de Collibret, celui qu'il avait toujours cru être son père, lui avait révélé le lien qui l'unissait à Louis de Bourbon-Condé, Gabriel avait été profondément bouleversé. Depuis lors, il avait accepté sa naissance illégitime, même s'il refusait de l'afficher ouvertement. Un tel stigmate représentait un énorme déshonneur pour n'importe qui, *a fortiori* pour un gentilhomme. Sa relation avec son protecteur était demeurée cordiale, mais Gabriel évitait toute allusion à ce sujet. Son mariage lui avait facilité l'existence : la distance qui les séparait désormais le soustrayait aux marques de faveur que son père lui avait témoignées durant des années.

— Ce n'est pas mon frère, réfuta Gabriel, qui se garda d'ajouter qu'un vrai gentilhomme ne se serait jamais conduit de la sorte.

Le visage du prince de Condé exprimait une vive douleur.

— Vous ne pourriez pas lui tenir tête en duel.

— Par estime pour vous, je ne me résoudrai pas à user de la force, affirma Gabriel sans s'émouvoir. Mais un tel acte ne doit pas demeurer impuni.

— Il m'est impossible de sévir contre lui ; le duc d'Enghien n'a pas toute sa raison.

— Comment osez-vous le défendre ? Il s'est épris de ma nièce et, pour ne point se compromettre, s'est déguisé afin d'essayer de satisfaire ses envies. J'ai vu comment il la lorgnait ! Ce n'est qu'un soudard !

— Vous ne comprenez pas. Henri-Jules est affecté de lycanthropie. Il y a des épisodes pendant lesquels il se prend pour un animal. Il en est ainsi depuis l'enfance. C'est une tare honteuse qui lui vient de ma femme, Claire-Clémence. S'il dit ne pas se ressouvenir de cet événement, c'est qu'il était possédé par la bête qui sommeille en lui.

Cette révélation stupéfia Gabriel. S'il n'avait jamais été témoin d'une manifestation de folie telle que celle décrite par son père, il ne croyait pas que ce dernier eût été capable d'inventer cette histoire.

— Il n'aurait donc aucune mémoire de l'incident.

Condé parut soulagé de voir que Gabriel acceptait ses explications.

— Je crains que non. Heureusement, ses crises sont moins fréquentes depuis quelques années. Gabriel, je tiens à vous dire…

— Je vais écrire à M. de Razès pour lui faire part de notre échange. Je ne peux qu'espérer qu'il fasse preuve de mesure et d'indulgence. Mais, entre nous, le duc d'Enghien n'est pas un homme qui provoque la pitié.

30

Pardon

Marguerite jeta un regard dans le petit salon, sans grand espoir. Aude, qui était assise sur le fauteuil, leva la tête en l'apercevant.

— Marguerite ?

Elle lui répondit par un sourire.

— Je ne voulais pas vous importuner... Je cherchais simplement Lutisse.

— Vous ne me dérangez pas du tout, répondit Aude en déposant son ouvrage de broderie. Lutisse ne vient jamais ici. Vous auriez plus de chances de la trouver à la chapelle.

Marguerite hocha la tête. Évidemment... Comment se faisait-il qu'elle n'y avait pas songé ?

— Vous avez rangé votre rapière pour une distraction plus féminine ?

Un sourire malicieux étira les lèvres de la comtesse de Razès.

— Je trompe mon ennui, le temps que mon partenaire soit disponible pour notre exercice. On vous a parlé de mon nouveau caprice ?

— Je ne croyais pas devoir appeler cela ainsi. Je ne vois pour ma part aucun mal à cela, tant que vous demeurez prudente et que vous ne vous fatiguez pas.

— Je savais que vous ne sauriez me désapprouver. Oserais-je vous suggérer de suivre mon exemple ? Après tout, vos voyages ne sont pas des plus tranquilles...

Marguerite toucha l'estafilade sur son front et fit la moue.

— Ce n'est qu'une mauvaise chute. Mais votre proposition n'est pas dénuée d'intérêt, j'y réfléchirai. Maintenant, si vous m'excusez, je vais repartir à la recherche de ma belle-sœur.

Elle s'éloigna et prit la direction de la chapelle. Elle n'était plus qu'à quelques pas de l'entrée lorsqu'un échange verbal agaça son oreille. Son ton acéré aurait pu couper l'acier.

— S'il te prenait l'envie de me mentir, tu le regretterais chèrement.

— Madame, je vous dis la vérité ! Il n'y avait rien, plaida l'autre voix, vibrante de désespoir.

— Il me déplairait de devoir informer le comte de Montcerf que tu...

— Que se passe-t-il ici ? s'indigna Marguerite en faisant irruption dans la pièce.

Lutisse s'écarta promptement du jeune peintre qui demeurait immobile, comme pétrifié. Ses yeux étaient écarquillés en signe de consternation et de peur. Marguerite portait un regard inquisiteur sur Lutisse, mais celle-ci feignit de ne pas s'en rendre compte.

— Comme vous le voyez, j'ai cru bon avertir ce jeune homme des doutes qui pesaient sur lui... concernant l'incident de la pleine lune.

— Mais de quoi parlez-vous ?

— Le comte de Montcerf a résolu de punir l'intrus qui a forcé la porte de la chambre d'Élisabeth, précisa Lutisse sur un ton lourd de sous-entendus.

— Ce n'est pas moi ! s'exclama Mathias. Je ne sais même pas de quoi vous parlez !

Un goût âcre monta de la gorge de Marguerite tandis qu'elle pouvait voir la méchanceté dont était capable sa belle-sœur. Sans même sourciller, Lutisse avait accusé cet artisan d'un crime qu'il payerait de sa vie s'il était reconnu coupable. Outre la cruauté du geste, qui l'impressionnait, Marguerite ne pouvait s'empêcher de se demander ce que Lutisse cherchait ainsi à dissimuler.

— Laissez-nous, jeune homme, ordonna-t-elle d'une voix posée.

Lutisse fronça les sourcils.

— Nous savons toutes deux que ce n'est pas lui qui s'est introduit dans le château, affirma Marguerite.

La mâchoire de Lutisse se contracta. Cependant, contrairement à ce à quoi Marguerite s'attendait, elle ne chercha pas à la contredire. « Nul doute, pensa Marguerite, qu'elle peste intérieurement, maudissant Xavier de m'avoir tout dévoilé. »

— Alors, que vouliez-vous à ce garçon ? Vous le menaciez, j'ai tout entendu.

— Je l'ai averti qu'il devait cesser tout commerce avec Élisabeth, sous peine de réprimandes. Quelqu'un doit protéger la vertu d'Élisabeth, puisque, évidemment, vous ne sauriez le faire.

La réplique cinglante eut l'effet d'un coup de fouet sur Marguerite, qui perdit son sang-froid.

— Que savez-vous de la vertu, espèce de dévote hypocrite ? Diablesse ! Ne vous avisez plus de leurrer ma fille par vos mensonges ! Et si je vous surprends à fouiller encore dans mes affaires, je vous ferai chasser.

Lutisse expira bruyamment.

— Si mon frère connaissait l'étendue de la souillure qui se rattache à votre nom, c'est vous qu'il bannirait de chez lui. Vous, l'engeance de cette femme monstrueuse qui a assassiné mon père ! clama Lutisse à tue-tête.

— Vous ne vous êtes pas privée de traîner ma mère dans la boue, et, pourtant, vous n'avez récolté que de la méfiance. Quoi que vous racontiez maintenant, Xavier ne vous croira pas davantage. Ni aujourd'hui ni jamais.

Cette fois, Lutisse était désarmée. Elle se contenta de bredouiller d'une voix faiblarde :

— Il ne s'agit pas d'une invention. Madeleine de Collibret a fait tuer mon père parce qu'il s'était opposé à la volonté de Condé, qui complotait contre le roi.

— Ce sont de graves accusations que vous portez là.

— Elles n'en sont pas moins vraies. Vous connaissez déjà l'implication de votre mère dans la Fronde des princes. Mon père est mort parce qu'il a refusé de lui remettre un document qu'elle lui avait confié.

Marguerite déglutit péniblement. Cette version de l'histoire s'apparentait fort à ce que Condé lui avait raconté. Que contenait ce mystérieux document, que les Jésuites et Fromondin tentaient encore de récupérer ? Marguerite ne doutait pas qu'il s'agissait d'un secret d'État. Madeleine aurait-elle fait tuer le comte de Montcerf afin de l'obtenir ?

— Sûrement, vous avez des preuves pour appuyer vos dires, avança Marguerite, bien qu'elle sût qu'il n'en était rien.

Si Lutisse avait pu prouver la culpabilité de Madeleine, elle s'en serait servie pour que Xavier se rallie à son camp. Plutôt que de répondre par la négative, elle opina sinistrement de la tête.

— Je détiens une lettre qui atteste du passage de votre mère à Montcerf, quelques jours seulement avant la mort du comte. Pour le reste, je sais ce que j'ai vu. Vous êtes le portrait de votre mère. Même air superbe, même port de tête. Et depuis votre retour, vous portez ce bijou qui parait son cou le soir où elle est apparue à Montcerf, avant qu'elle ne bouleverse notre vie à jamais.

La conviction de Lutisse donnait le vertige à Marguerite. Soumise à son oncle, abandonnée de tous, Madeleine avait peut-être considéré ce crime comme son unique porte de sortie ? Lasse, Marguerite baissa les yeux.

— Je ne peux démontrer l'innocence de ma mère, avoua-t-elle. Mais ses erreurs ne vous donnent pas le droit de manigancer ma perte ou de terroriser les serviteurs de la maison. Vous êtes une méchante femme, et je ne vous laisserai pas accroître davantage votre influence sur ma famille.

Comme si elle n'avait rien entendu, Lutisse renchérit :

— Ainsi, vous reconnaissez que votre mère pourrait avoir été impliquée dans la mort de mon père ? Vous ne niez pas qu'elle fût la maîtresse du prince de Condé, ni qu'elle soit venue à Montcerf ?

Marguerite soupira. Décidément, Xavier avait raison. L'obsession de sa belle-sœur pour cette affaire bordait la folie.

— Quels que soient les torts commis par ma mère, je n'y suis pour rien.

Un rictus de triomphe déforma les traits de Lutisse.

— Je te l'avais bien dit ! s'écria-t-elle alors que son regard quittait Marguerite pour se poser sur quelqu'un qui se tenait dans l'ombre, derrière elle.

Marguerite se retourna brusquement. Xavier se tenait sur le pas de la porte, les bras croisés sur sa poitrine. Ses orbites étaient noyées dans l'ombre qui recouvrait son visage.

— Xavier ! s'exclama spontanément Marguerite.

— Ne t'avise plus de reparler de cette affaire. Est-ce que tu m'entends, Lutisse ?

Celle-ci releva la tête dans un geste plein de morgue. Marguerite ne pouvait détacher son regard de Xavier. Elle souhaitait que Lutisse partît, qu'elle les laissât seuls, mais elle redoutait également la réaction de son époux. La chapelle semblait tout à coup figée, comme si le fil du temps s'était arrêté. Finalement, Lutisse fit un pas vers la sortie. Xavier attendit qu'elle soit arrivée à sa hauteur et s'écarta de son chemin. Une fois qu'elle fut hors de vue, Marguerite s'élança vers lui.

— Xavier, la vérité, c'est que j'ignore si les présomptions de ta sœur sont fondées. Depuis mon départ de Chantilly, je ne pense qu'à cette affaire de document caché. J'attendais le bon moment pour t'en parler.

La silhouette de Xavier paraissait immuable, comme s'il était taillé dans le roc.

— Margot, tu as eu plus d'une occasion de me le dire. Pourquoi ne l'as-tu pas fait ? Je ne te comprends pas…

— Je ne savais pas comment te l'avouer ! Imagine ma stupeur lorsque j'ai découvert que ma mère avait trempé dans le complot qui a mené à la mort de ton père !

Un sourire étira les lèvres de Xavier, tandis que son regard exprimait une poignante tristesse.

— Je suis désolé, Margot.

Il se détourna sans entrain, mais son mouvement paraissait tout aussi implacable que s'il s'était éloigné au pas de course. Marguerite protesta d'un signe de tête.

« Non ! Lutisse n'aura pas raison de nous ! » ragea-t-elle.

Malgré sa colère à l'endroit de sa belle-sœur, Marguerite savait qu'elle ne pouvait la blâmer pour tout. Elle avait délibérément tardé à confesser sa découverte à Xavier. Par peur des conséquences. Et Lutisse avait simplement profité de cette faiblesse dans la muraille pour anéantir la forteresse qu'ils avaient mis des années à ériger.

⌒

Lutisse promena ses doigts le long de la fissure. À sa grande joie, la surface remua légèrement sous la pression de sa main. Elle sourit. Avec précaution, elle extirpa la roche qui bloquait l'entrée de la cachette. La poussière la fit tousser. Elle engagea tous ses muscles dans l'effort qu'il fallait déployer pour déposer la pierre ainsi libérée sur un tombeau. Puis, elle approcha le bougeoir de l'ouverture pratiquée dans le mur. Des résidus blanchâtres s'étaient accumulés dans le trou. Elle glissa une main tremblante dans la cache.

« Père, pourquoi m'avoir dissimulé l'existence de cet endroit ? » songea-t-elle amèrement.

Tout aurait été tellement plus facile si seulement son père avait placé sa confiance en elle plutôt qu'en Médéric. Elle retira sa paume blanchie et la scruta des yeux. Les lignes qui crevassaient sa peau n'étaient pas imprégnées de poudre et saillaient étrangement à la lumière de la chandelle. On eût dit un labyrinthe. Si elle avait découvert cette cachette plus tôt, sa vie aurait pris un autre tournant. Aujourd'hui, elle était vide. Tout ce qui demeurait était la lettre adressée à cette femme répondant au prénom d'Anne. La personne qui avait pris le document n'avait pas cru bon de prendre la lettre. Pourquoi ? Lutisse l'ignorait, mais elle

414

était certaine que ce n'était pas un hasard. Cette fois, elle ne ferait pas l'erreur de s'acharner sur une fausse piste, comme lorsqu'elle avait fouillé les murs de la chapelle du château. Non. Elle tenait un indice précieux : la lettre. C'était cela qui lui permettrait de retrouver le document.

« Anne, Anne… Qui es-tu ? Mon père t'aurait connue alors qu'il était à Paris. »

Par malheur, elle ignorait tout des fréquentations de son père à l'extérieur du comté. En effet, il l'avait toujours tenue dans l'ignorance afin de ne pas choquer sa pudeur. Elle aurait préféré ne pas avoir à recourir à son frère, mais, pour l'heure, c'était son seul atout.

〜

Après avoir quitté la chapelle, Marguerite avait trouvé refuge dans sa chambre. Elle ne battait pas en retraite, mais rassemblait ses forces pour la prochaine offensive. Soit, elle avait fauté. Elle avait dissimulé ce qu'elle savait. Mais était-ce bien pour cette raison que Xavier lui en voulait ? La possibilité, même infime, que sa mère fût coupable de la mort tragique du comte de Montcerf constituait un drame immense, que Xavier ne pouvait pas ignorer, fût-il le mari le plus aimant au monde. Cette idée l'avait hanté durant tout son voyage de retour. Hector de Razès avait été abattu d'un coup de pistolet sous les yeux de ses enfants, cachés dans la cour du château. Ce meurtre ignoble avait rongé Xavier pendant des années, le conduisant à sacrifier sa jeunesse à son désir de vengeance. Marguerite avait toujours été sensible à la blessure de son époux, qui avait perdu son père alors que le sien avait été arraché à sa famille et jeté en prison. Deux injustices. Deux cœurs en peine. Quelle ironie que l'histoire qui l'avait conduite à se rapprocher de Xavier l'éloignât de lui maintenant ! Elle avait mis plusieurs mois à lui pardonner d'avoir attaqué son carrosse et volé les documents du surintendant Fouquet. En dépit de l'attirance qu'elle ressentait pour lui et de tout ce qu'il avait fait pour racheter ses fautes, elle s'était entêtée dans sa rancune. Jusqu'à ce qu'elle découvre sa grossesse et cède à ses galanteries pressantes. Les rôles, maintenant, étaient inversés. Sauf que ce n'était pas elle qui était en cause ! Ni Xavier ! C'était leurs parents ! La rancœur de Xavier était insensée. Marguerite regardait le soleil décliner à l'horizon. Une nuit suffirait pour que son mari se fît une raison à propos de tout cela. Au petit jour, il viendrait frapper à sa porte. Oui, il le fallait. Marguerite avisa sa malle béante sur son lit. Il lui restait encore des vêtements à suspendre dans son armoire. Elle bâilla. Tant pis, elle demanderait à Bertille de le faire. Il lui restait aussi à ouvrir son courrier, puis à prendre un bain. Toutes ces tâches lui paraissaient dignes d'Hercule.

« Allonge-toi pour une heure et tu te sentiras mieux », se convainquit-elle en se couchant sur son lit.

೧

— Mère ? demanda Élisabeth en entrouvrant la porte de la chambre de Marguerite.

L'absence de cette dernière au souper avait été remarquée. Élisabeth s'était enhardie à interroger son père, qui avait maugréé d'incohérentes explications pour camoufler son malaise. La veille encore, ils semblaient parfaitement heureux. Que s'était-il passé pour qu'ils se disputent à nouveau ? La jeune femme, qui gardait rancune à son père pour le projet de fiançailles qu'il avait fomenté en secret, était disposée à prendre le parti de sa mère. En outre, Xavier ne se privait pas de se fâcher avec tout un chacun, sa femme et sa sœur y compris.

— Mère ? répéta Élisabeth. Vous vous sentez bien ?

Sa question resta sans réponse. Elle se décida à pénétrer dans la pièce. Une seule chandelle diffusait sa maigre lumière. Élisabeth sursauta en entendant un vibrant bruit de gorge. Son cœur bondit dans sa poitrine. Qu'était-ce que cela ? La jeune femme s'efforça de rester calme. Le son se répéta, mais cette fois elle put en identifier la source. Sa mère ronflait ! Elle étouffa un ricanement. Les derniers jours avaient dû lui être pénibles, et son altercation avec Nicolas ne l'avait certainement pas aidée à refaire ses forces. Elle résolut de tâcher désormais de ménager sa mère. Lorsque cette dernière se serait reposée, elle pourrait lui confier ses projets d'avenir. Malgré sa hâte d'en discuter avec elle, cette conversation pouvait encore attendre quelques jours. Élisabeth se glissa sans bruit hors des appartements. Dans le couloir, elle tomba nez à nez avec Aude.

— Est-ce que Marguerite, je veux dire, Mme de Razès se porte bien ? s'enquit cette dernière, l'air soucieux.

Élisabeth songea qu'heureusement elle n'était pas seule à se préoccuper de l'état de sa mère.

— Elle dort, répondit Élisabeth en chuchotant. Cela peut-il attendre ?

— Bien sûr, je souhaitais seulement l'entretenir de… Ce n'est pas grave, je reviendrai plus tard, ou sinon demain.

Élisabeth crut déceler de la déception chez sa belle-sœur. Mais il y avait autre chose. De l'appréhension ? de l'angoisse ?

— Vous allez bien, Aude ? Vous semblez, enfin… Je sais que cela ne me regarde pas. Toutefois, si vous cherchez une oreille… Elle hésita à employer le mot « amicale » : Euh, fraternelle…

La comtesse de Montcerf tressaillit. Elle ressentit une joie puérile et les larmes lui montèrent aux yeux.

— C'est Nicolas. Xavier a tenté de le convaincre d'attendre la lettre du baron de Lugny avant de décider de l'action à poser, mais je pressens qu'il n'a pas l'intention de se ranger à ses sages conseils. Je tremble à l'idée que, dans son courroux, il plonge tête baissée dans le danger.

C'était bien la première fois qu'elle voyait sa belle-sœur exprimer la crainte de quelque chose. L'amour qu'elle éprouvait pour Nicolas était sincère et, devant une démonstration aussi touchante, Élisabeth se troubla. Que pouvait-elle lui dire qui apaiserait ses inquiétudes ? Elle-même était hantée par l'idée que son frère perdît la vie dans un excès de témérité.

— Les duels d'honneur sont interdits, allégua Élisabeth. Puis elle ajouta : Nicolas vous aime trop pour courir le risque d'être châtié par le roi.

— Justement, c'est par amour pour moi qu'il dit vouloir se venger. Que les hommes peuvent être bêtes !

Elle avait lancé cela en souriant, mais ses traits angéliques étaient déformés par la détresse qu'elle ressentait.

— Je croyais que vous souririez à ses élans d'intrépidité, voire que vous l'y suivriez, confia Élisabeth, que la tournure des événements confondait.

Ses présomptions ne surprenaient guère la jeune comtesse. Depuis qu'elle portait ouvertement l'épée, Aude s'était forgé une réputation d'excentrique à laquelle son passé de cantatrice avait naturellement concouru.

— Je conçois que mon mari souhaite demander réparation pour cette offense. Et, depuis que je connais l'identité de mon assaillant, je ne demande pas mieux que de le voir recevoir une cuisante leçon. Mais le duc d'Enghien n'est pas un être comme les autres. Il ne connaît pas la peur et n'a rien à perdre. Tandis que Nicolas, lui, a une famille.

Elle aurait pu dire une épouse, une femme, mais elle avait utilisé le mot « famille ». Élisabeth se sentit tout à coup si émue qu'elle faillit embrasser la jeune femme. Pour la première fois, elle avait la certitude qu'Aude acceptait leur famille comme un élément indissociable de son époux.

— Voulez-vous que je tente de lui parler ? Je sais qu'il m'en veut d'avoir tu l'identité de l'intrus, mais je peux tout de même essayer de le dissuader de se battre en duel.

Aude haussa les épaules, un geste qui témoignait éloquemment de son impuissance.

— Il n'y a que le chevalier de Chambon et moi qui soyons dans la confidence. Cela lui déplaira sûrement d'apprendre que je vous ai fait part de ses intentions…

Aude paraissait résignée à courir le risque d'être blâmée. Élisabeth hésita. Le succès de sa démarche était loin d'être assuré.

La dernière chose qu'elle souhaitait était que son frère se brouillât avec sa femme. Surtout si celle-ci pouvait le convaincre de ne pas affronter le duc.

— Si le chevalier de Chambon connaît les desseins que nourrit mon frère, peut-être que nous pourrions utiliser son ascendant sur lui pour l'en détourner. Ce gentilhomme me paraît être plus avisé que Nicolas.

Aude fronça les sourcils.

— Nicolas m'a toujours parlé de lui comme d'un homme au caractère ombrageux et même cynique. Non, je doute qu'il puisse nous aider.

— Cynique, vraiment ? Êtes-vous certaine que c'est bien de Vincent qu'il s'agit ? s'étonna Élisabeth.

— N'est-il pas le frère d'Isabelle de Coulonges ? Alors oui, je ne doute pas que ce soit lui. Peut-être vous a-t-il fait une autre impression ?

Élisabeth se retint de confier à Aude que le chevalier avait tenté de la consoler après la dispute qu'elle avait eue avec son frère. En dépit de la gêne qu'elle avait éprouvée, les paroles de Vincent lui avaient apporté un réel réconfort. C'était la première fois de sa vie qu'elle rencontrait un jeune homme aussi tendre. À n'en pas douter, son idylle avec la duchesse de Fontanges l'avait affiné quant à l'expression de ses sentiments.

— Je ne saurais me porter garante de sa réaction, mais je pense pouvoir le gagner à notre cause.

D'un signe de la tête, Aude lui témoigna son accord.

— Je peux vous conduire à sa chambre, il s'y trouve en ce moment, proposa-t-elle sans tergiverser.

— B... bien, bredouilla Élisabeth, qui rougit légèrement.

Il était tard pour une visite inattendue, mais elle ne se sentait pas la force d'invoquer la décence alors que, manifestement, Aude comptait sur elle.

ϾϿ

Marguerite ouvrit les yeux et la lumière crue du matin l'éblouit.

« C'est déjà l'aurore », pensa-t-elle en réalisant tout à coup qu'elle s'était étendue pour faire une sieste la veille et ne s'était pas réveillée avant le début du jour.

Elle se dressa sur son séant. Sa malle était toujours ouverte. Dans sa chambre, rien n'avait bougé. Personne n'était venu la soustraire à son sommeil. Elle se sentit à la fois embarrassée et reconnaissante de la considération qu'on lui avait ainsi manifestée. Au-delà du mur de pierre, les bâtisseurs s'affairaient déjà sur le chantier de la tour d'angle. Leur labeur produisait un vacarme terrifiant. Marguerite ne doutait pas que toute la maisonnée fût réveillée.

« Xavier sera sûrement en bas pour le déjeuner, songea Marguerite. À moins qu'il ne soit sorti rejoindre les maçons. »

À cette perspective, Marguerite se rembrunit. Elle avait suffisamment joué au jeu du chat et de la souris. Si Xavier voulait se plaindre, elle ne se déroberait pas. Mais s'il ne parvenait pas à lui pardonner les actes de sa mère, il y avait bien peu de choses qu'elle pouvait faire. Soudain, elle entendit frapper à la porte. Son cœur se souleva, mû par un fol espoir. Elle s'élança pour ouvrir.

— Pardonnez-moi, madame, je ne savais pas si je devais vous réveiller, fit Bertille en la considérant avec une lueur amusée dans les yeux.

Marguerite soupira bruyamment.

— Je ne dormais plus. Entrez, je vais avoir besoin d'assistance pour faire ma toilette.

— Bien sûr, madame. Oh ! Vous n'avez point terminé de défaire vos bagages. Je vais m'en charger, n'ayez crainte.

Marguerite se tint debout et, passivement, se laissa dévêtir. Il y avait tant d'années que la chambrière était à son service qu'elle se livrait à ses mains habiles avec une confiance totale.

— Pouvez-vous me dire si M. de Razès est en bas ?

— Je ne l'ai pas vu, madame. Mais je présume qu'il est à l'extérieur, sur le chantier.

Marguerite expira bruyamment. Puis, comme la domestique avait cessé de dégrafer son corsage, elle lança :

— Continuez, Bertille. M. de Razès était-il à table hier soir ?

— Si fait, madame.

— A-t-il fait des commentaires sur mon absence ?

Bertille fit une pause.

— Non, madame. Néanmoins, il semblait fort ennuyé.

— Xavier, cette situation est ridicule au possible ! s'exclama Marguerite.

Bertille bredouilla une vague réponse, puis, pour se donner contenance, attrapa un peigne.

« La pauvre, tu ne l'as guère habituée à des épanchements. C'est à peine si tu lui as parlé dix fois dans les quinze dernières années », pensa Marguerite.

Une envie de rire aussi subite qu'incontrôlable s'empara d'elle. Ses épaules se soulevèrent spasmodiquement, et bientôt tout son corps réagit à son esclaffement. Médusée, Bertille recula d'un pas.

— Vous vous sentez bien, madame ?

La réaction de sa chambrière provoqua une nouvelle secousse chez Marguerite, qui s'obligea ensuite à recouvrer son calme.

— Je vais bien, Bertille. En fait, je me sens mieux que je ne m'étais sentie depuis longtemps.

— Ça fait plaisir à entendre, madame, dit la domestique, sceptique.

— Pourriez-vous me donner mon courrier et mon coupe-papier, Bertille ?

Promptement, la servante lui apporta les missives qu'elle avait reçues durant son absence. Marguerite considéra les trois enveloppes. Sur la première, elle reconnut l'écriture de Claudine. Sur la deuxième, plus légère, apparaissaient des traits grossiers. Marguerite fut troublée en reconnaissant la main de Benjamin Doucet. À l'aide du coupe-papier, elle l'ouvrit d'un mouvement habile. Fébrile, elle glissa son doigt dans l'ouverture.

— Je pose les rubans verts, ils s'harmoniseront avec la couleur de vos yeux, commenta Bertille.

Non, il valait mieux qu'elle attendît d'être seule. Fi ! Le moins que l'on puisse dire, c'est qu'elle n'avait pas de temps à consacrer à cette incartade. La dernière lettre était plus épaisse que les deux autres. La calligraphie, fine et nerveuse, était celle d'Annette. Intriguée, Marguerite décida de commencer par celle-là. Après tout, il n'y avait pas si longtemps qu'elle avait quitté Mirmille… Elle se demandait bien ce que sa tante pouvait avoir trouvé à lui écrire.

— Madame, est-ce que je coiffe vos cheveux comme d'habitude ?

— Oui, faites, répondit distraitement Marguerite en déca-chetant l'enveloppe.

La missive en contenait une deuxième, repliée sur elle-même, mais non scellée. En voyant le papier jauni, Marguerite pensa tout de suite à la correspondance de sa mère. Elle lut d'abord le mot d'Annette, qui disait ceci :

Chère Margot,

Ton passage à Mirmille m'a procuré beaucoup de joie. J'espère que ton retour a été agréable et que tu as été épargnée par la pluie qui a sévi sur notre région pendant des jours. Après ton départ, je me suis mise en tête de retrouver la correspondance de ton père qui était entassée sous les combles. La lettre que je t'envoie était rangée dans une vieille cassette, signe que ton père l'avait gardée précieusement en souvenir de ta mère. J'espère que sa lecture t'apportera du plaisir et peut-être aussi des éclaircissements. Elle mérite que tu lui accordes une attention particulière. Ta mère l'a rédigée alors qu'elle était en Auvergne, peu de temps avant qu'elle ne contracte la peste. Par ailleurs, elle nous a fourni l'occasion, à ton oncle et à moi, d'évoquer de vieux souvenirs. Charles-Antoine m'a rapporté que, lorsqu'elle était mourante, Madeleine a confié un vieux pendentif en argent à Alain, en lui ordonnant de le cacher et de ne point l'ouvrir. J'ai aussitôt pensé à ton loquet ! Je ne doute pas qu'il s'agisse de celui que ton père t'a transmis. Ces par-

celles d'information te serviront peut-être à résoudre le mystère qui entoure ce bijou. J'ose espérer que tu me feras part de tes découvertes dans un prochain courrier. Charles-Antoine, Julien, Marie-Louise ainsi que les enfants t'envoient leurs meilleurs sentiments. Nous chérissons les moments passés avec toi et espérons te revoir bientôt.

Je t'embrasse,
Annette de Collibret

Marguerite considéra la lettre dont elle venait d'hériter. Contenait-elle la clé de l'énigme ? Elle leva le menton et ordonna à Bertille de la laisser seule. La servante fit une courbette et s'esquiva. Une fois qu'elle fut sortie, Marguerite se pencha sur les vieux papiers.

꩜

— Je crains de n'avoir pas été d'une grande aide, termina Vincent avec un air peiné. Votre frère est entêté comme un mulet. Il n'en démordra pas, j'en ai bien peur.

Élisabeth, touchée par le souci que le chevalier portait à la chose, posa sa main sur la sienne et dit :

— Je vous remercie de votre dévouement, monsieur de Coulonges. Nicolas est heureux de pouvoir vous compter parmi ses amis.

Le teint du chevalier, blanc comme le lys, se colora tout à coup.

— Soyez convaincue que cette amitié s'étend à tous les membres de sa famille, répondit-il en pressant sa main.

La jeune femme fut troublée ; une telle proximité avec un homme était inconvenante. À cet instant, Xavier pénétra dans le petit salon.

— Élisabeth, avez-vous vu votre mère ce matin ?

Prise en flagrant délit, la jeune femme se redressa brusquement.

— Non, père, je ne l'ai pas vue depuis hier soir.

— Hum, fit-il.

Élisabeth se détendit. Son père ne l'avait pas vu toucher le chevalier.

— Je peux témoigner d'une chose, elle était bien dans ses appartements hier soir.

Contrairement à ce qu'elle croyait, cette nouvelle ne chassa pas son air soucieux. Il délibéra en lui-même, tandis qu'Élisabeth et Vincent demeuraient silencieux. Puis, il prit le parti de leur confier les raisons de son trouble.

— On a capturé un homme armé qui rôdait autour du château. Il semblerait qu'il soit une sorte de... messager. Il prétend devoir s'entretenir avec Marguerite de Razès.

Vincent réagit aussitôt.

— Un complice du reître qui a attaqué Mme de Razès ?

Élisabeth écarquilla les yeux. Sa mère avait bel et bien fait une mauvaise rencontre !

— Je serais bien en peine de vous le dire. Ma femme n'a pas cru bon de me mettre dans la confidence, maugréa Xavier.

— Le coquin n'était pas un simple bandit de grand chemin, expliqua Vincent. Il était fort habile à l'épée, et le pistolet long qu'il portait n'était pas de ceux que portent les hommes de cet acabit. Malheureusement, et c'est bien ma faute, nous n'avons pu l'interroger... Dites-moi comment je peux vous assister et je le ferai.

— Pour l'heure, il m'importe surtout de trouver mon épouse. Élisabeth, demandez à la comtesse si elle a rencontré votre mère ce matin.

— Vous, venez avec moi, ordonna-t-il à Vincent.

— Monsieur, je suis à vous.

Élisabeth se rendit à l'escalier tandis que son père et le chevalier prenaient la direction opposée. Elle traversa le couloir et s'arrêta devant la porte des appartements d'Aude.

— Aude ? appela-t-elle en frappant énergiquement.

La porte s'ouvrit subitement. La jeune femme resta interdite en découvrant sa belle-sœur portant de pied en cap des vêtements de voyage masculins.

— Oh ! fit Élisabeth.

Aude la tira à l'intérieur.

— Je n'ai pas beaucoup de temps. Nicolas a résolu de partir avant le dîner. Je vais avec lui.

— Comment ?

— Une fois sur la route, j'ai fermement l'intention de le convaincre de la folie de son entreprise, mais, pour le moment, je joue le jeu. S'il croit que je m'oppose à ce duel, il ne tolérera pas que je l'accompagne.

— Mais c'est dangereux ! Et s'il advenait une autre tragédie ? Aude, je vous en prie, soyez raisonnable !

— Ne vous inquiétez pas pour moi. Priez plutôt pour qu'il revienne sain et sauf ! Je vais tout tenter pour l'empêcher de se battre, dussé-je lui lier les poings ! promit-elle en passant sa rapière dans la courroie de son baudrier.

Élisabeth voulut parler, mais l'émotion nouait sa gorge.

« Non, n'y allez pas, ce n'est pas votre place, Aude ! » pensat-elle en s'étranglant dans ses sanglots.

La comtesse de Montcerf, dont la silhouette paraissait encore plus frêle dans ce pourpoint ajusté, passa ses bras par-dessus les épaules rondes de la jeune femme et l'attira contre elle. Les cheveux blonds, noués sur sa nuque délicate, libéraient un doux parfum de violette qui contrastait avec l'odeur aride du cuir de ses gants.

— Au moins, tout ceci m'aura permis de gagner une sœur, murmura Aude.

Élisabeth hocha la tête et bafouilla :

— Oui.

La duelliste s'écarta et attrapa un couvre-chef paré de plumes de faisan qui complétait son déguisement avec doigté. Élisabeth se ressaisit et, mue par un élan de lucidité, demanda :

— Aude, avez-vous vu ma mère aujourd'hui ? Elle serait introuvable.

La comtesse répondit, tout en se coiffant :

— Je ne l'ai pas croisée, mais je sais que Bertille l'a assistée à son lever.

Élisabeth essuya ses yeux, légèrement rassérénée par cette nouvelle. Au moins, sa mère n'avait pas disparu !

31

Volonté de fer

Xavier et sa fille trouvèrent Bertille dans la salle où s'effectuaient le lavage et le blanchissage du linge. Les bassines fumantes dégageaient une douce odeur de lavande. La servante était assise sur un tabouret et s'occupait d'un ouvrage de couture.

— Bertille, viens là.

— Monsieur, fit-elle en s'empressant d'obéir. Que puis-je faire pour vous ?

— Sais-tu où se trouve ma femme ?

— Non, je ne…

— Si je ne m'abuse, tu l'as coiffée ce matin ?

— Si fait, je…

— Il est important, j'oserais dire primordial, que nous la retrouvions !

— Père, intervint Élisabeth. Laissez-la parler !

Bertille jeta un regard obligé à Élisabeth, qui lui répondit par une moue compatissante.

— Oui-da, il est vrai que je l'ai assistée dans sa toilette ce matin. C'était peu après l'aurore.

— Où serait-elle allée, selon toi ?

— Mais je l'ignore, monsieur ! se défendit la servante. Pourquoi ? Que se passe-t-il ?

— Fouchtra ! Quelqu'un doit bien savoir où elle est !

— Elle est peut-être sortie se promener sur la lande, suggéra Élisabeth, qui craignait de voir son père céder à la panique. Il fait si beau !

— Je n'y avais pas songé, avoua Xavier avec dépit.

La découverte dudit « messager » armé jusqu'aux dents l'avait alarmé au point de lui faire perdre tout bon sens.

— Maintenant que j'y songe, s'exclama brusquement Bertille, madame a ouvert son courrier et, à moins que je m'abuse, cela l'a bien perturbée, car elle m'a renvoyée subitement, ce qui n'est pas...

— Elle lisait une lettre, dis-tu ?

— Oui, et elle s'est pâmée tout à coup.

— Merci, Bertille, répliqua-t-il, pensif.

— Avec plaisir, monsieur, répliqua non sans fierté la chambrière.

— Je vais aller voir dans ses appartements. Pendant ce temps, Élisabeth, vérifiez si on ne l'a pas vue autour du haras.

— J'y cours, rétorqua Élisabeth, qui s'éloigna sans perdre un instant.

Quelque peu rassuré, Xavier prit la direction de l'aile des chambres. Somme toute, il était possible que Marguerite ait reçu une missive et que cela l'ait troublée au point de sauter le déjeuner. Ainsi, rien ne prouvait que son absence était liée au rôdeur. Il pénétra en coup de vent dans la chambre de sa femme. Sur une petite console étaient alignés les articles de toilette qui composaient l'escadron de sa coquetterie féminine. En fait, cela tenait à peu de choses : quelques rubans, du rouge pour les lèvres, un poudrier en nacre qui servait surtout de décoration, deux peignes en corne et un boîtier en argent où elle rangeait divers colifichets. Xavier scruta l'espace autour de la table. Soudain, son œil s'arrêta sur le coin d'une feuille de papier qui dépassait du miroir à main, présent qu'il avait offert à Marguerite pour leur mariage. Il souleva la glace et y découvrit les lettres. Xavier les considéra une à une. Il écarta celle qui n'était pas ouverte. Restaient les deux autres. Il reconnut l'expéditeur de la première à sa calligraphie : c'était celle de Benjamin Doucet, leur ami. Le sceau de la famille de Collibret marquait la deuxième enveloppe, ce qui lui permit de conclure qu'elle provenait de Mirmille. Il poussa un soupir impatient.

« Bon, voyons celle-là », décida Xavier.

Il s'apprêtait à lire la lettre de Benjamin lorsque, tout à coup, un bruit insolite lui fit dresser l'oreille.

— Lutisse ! s'exclama-t-il, stupéfait de voir sa sœur se glisser à l'intérieur de la chambre par une porte dérobée.

Elle se figea sur place, le corps à demi dissimulé par l'ouverture pratiquée dans l'épaisse muraille.

— Que venez vous faire ici ? s'offensa Xavier.

— Je peux vous expliquer. Ce n'est pas ce que vous pensez. Je n'avais aucune mauvaise intention.

Xavier fulminait. Il inséra la missive dans son pourpoint et croisa les bras sur sa poitrine. Lutisse, qui devait avoir compris que toute tentative de justification était vaine, regarda le sol comme si elle espérait y découvrir quelque passage secret par lequel elle pourrait s'évader.

— C'est décidé, tu pars ! tonna Xavier. Je n'aurai pas de traître dans ma maison !

— Moi ! Mais il s'agit justement de cela. Voyez par vous-même ! s'écria-t-elle en tirant un morceau de papier de sa manche.

Appâté par la promesse de quelque renseignement qui pourrait expliquer le comportement de sa sœur, Xavier s'approcha du pli qu'elle lui tendait. Il grommela puis examina le message, qui disait ceci :

Anne,

Je te confie le soin de ces documents en espérant que, par amitié pour moi, tu les garderas précieusement. Celle qui m'en avait confié la garde s'est présentée chez moi dans le but de me les retirer. Elle s'est comportée de manière fort cavalière, et je crains que mon refus à les lui rendre ne sonne l'alarme. Mon honneur me dicte de ne pas les remettre à mes anciens amis ni à quiconque, hormis la seule personne que mon épée soit digne de servir. Par ces temps de doute et d'intrigues, tu es la seule amie en qui je puisse avoir confiance. Si Dieu le veut, je viendrai les reprendre moi-même lorsque les temps seront meilleurs. Je pense à toi chaque jour.

Ton ami fidèle,
Hector de Razès

Xavier lut la lettre deux fois plutôt qu'une, mais sa deuxième lecture ne lui révéla rien de plus. À moins que sa sœur ne détînt les clés grâce auxquelles il aurait pu la déchiffrer, son contenu n'expliquait en rien pourquoi Lutisse était entrée dans les appartements de sa femme.

— Qu'est-ce que cela ? demanda-t-il sèchement.

— Je ne suis pas absolument certaine, mais je crois qu'elle est adressée à Anne de Bourbon, la sœur du prince de Condé, expliqua Lutisse avec une lueur d'exaltation dans les prunelles. Selon moi, c'est la seule frondeuse qui portait ce prénom.

— Vous vouliez fouiller la correspondance de la mère de Margot pour voir si le nom de cette femme y est mentionné ?

— Aidez-moi, mon frère. Ensemble, nous y parviendrons !

Xavier marqua une pause. Décidément, il ne pouvait plus tolérer les agissements de Lutisse. Plutôt que de la colère, il éprouvait une grande tristesse à la perspective de renvoyer sa sœur au couvent, seul endroit où son délire ne causerait de tort à personne.

— Lutisse, murmura-t-il. Quelle que soit la cause, vous ne…

— Comprenez-vous ? Cette Anne détient les documents qui ont mené notre père à sa perte ! Croyez-vous, comme moi, qu'il s'agisse du roi ? Notre père a écrit : « la seule personne digne de servir ». Ne voyez-vous pas qu'il s'agit d'un secret qui concerne le roi ? s'enflamma Lutisse.

D'accablement, Xavier se passa une main sur le front. Il était tenté de confirmer les suppositions de Lutisse. Puisque leur père était gentilhomme, son épée appartenait au roi. Mais Xavier jugea qu'il devait éviter d'entretenir les espoirs de sa sœur. Au contraire, il devait trouver la force nécessaire pour la convaincre d'abandonner ses élucubrations.

— Pendant toutes ces années… vous connaissiez l'existence de ce complot, dit-il. Néanmoins, vous avez attendu bien longtemps avant de revenir à Montcerf. Maintenant, Médéric est mort, et oui, j'ai épousé la fille de Madeleine de Collibret. Cette histoire appartient au passé et vous ne pourrez jamais, jamais rien y changer !

— Je suis venue dès que j'ai ouï dire que vous entrepreniez des travaux pour agrandir le château de notre père ! Je savais que le document était caché quelque part. Je croyais que c'était dans la chapelle, mais mes efforts pour le trouver à cet endroit se sont soldés par un échec. J'allais tout abandonner quand Élisabeth m'a confié cette lettre. C'est un signe ! Tout n'est pas perdu, si nous retrouvons cette Anne…

— Il y a déjà quelques années qu'Anne de Bourbon est morte ! Quant à ces pièces, elles ne sont plus à Montcerf ! Médéric a fait ce que notre père lui avait demandé, il les a mises en lieu sûr.

La conviction qui animait Xavier parut ébranler Lutisse, qui perdit peu à peu son enthousiasme. Elle balança la tête avec une lenteur exagérée.

— Ce mercenaire ! cracha-t-elle. Tout ce qu'il était capable de faire, c'était fumer sa pipe. Où était-il lorsqu'ils sont venus l'abattre ?

— Calme-toi, Lutisse, dit Xavier en posant fermement les mains sur les épaules de sa sœur.

Cette dernière se laissa choir au sol en gémissant et en hurlant.

— Père ? Que se passe-t-il ? s'inquiéta Élisabeth qui avait été alertée par le bruit.

Xavier poussa un juron. Il se sentait incapable d'exposer la situation à sa fille. Élisabeth considéra sa tante avec un mélange de consternation et de pitié. Sans hésiter, elle s'avança et la mena jusqu'au lit, où elle l'aida à s'étendre. Xavier l'observait tandis qu'elle lui murmurait des paroles apaisantes. Il ne pouvait s'empêcher d'admirer l'aisance avec laquelle sa fille abordait la souffrance d'autrui. Élisabeth se dévoua à Lutisse quelques instants, puis, lorsque les pleurs de celle-ci se firent moins intenses, elle s'adressa à Xavier :

— Le palefrenier a vu Marguerite ce matin. D'après lui, elle aurait sellé un cheval pour se rendre au village.

— À Montcerf ? fit Xavier.

« Mais pourquoi diable ? » pensa-t-il en lui-même.

— Je vais rester auprès de Lutisse, vous devriez y aller.

Xavier hésita un moment, puis, voyant qu'Élisabeth s'occupait de sœur, il se lança à la recherche de son épouse.

☙

Marguerite regardait intensément les trois morceaux brisés qu'elle tenait dans ses mains.

— Je suis désolé, madame de Razès, dit Armand Brûlé, le forgeron de Montcerf. Votre beau pendentif…

Elle leva les yeux vers lui et lui adressa un mince sourire.

— Ce bijou n'avait pas une très grande valeur. En outre, c'est moi qui vous avais demandé de l'ouvrir, non ?

— Mais vous semblez… Comment dire ?

« Déçue, se dit Marguerite. Furieusement et amèrement déçue. »

Non seulement le pendentif était-il irrémédiablement brisé, mais le centre en était désespérément vide. Finalement, l'orfèvre avait raison ; c'était la rouille qui en avait scellé l'ouverture. Les parois étaient couvertes d'une épaisse substance qui s'apparentait à du vert-de-gris. Marguerite approcha les fragments de ses yeux. Quelque chose était-il gravé dans le métal ? Elle s'approcha d'une lanterne pour mieux voir. Oui ! Malgré les effets de la corrosion, on pouvait distinguer la ciselure d'un blason familial.

— Soyez assuré que je suis très satisfaite de votre travail, dit-elle en rangeant les parcelles dans son aumônière.

Ses doigts fouillèrent la bourse à la recherche d'un paiement pour l'artisan.

— Oh non, madame, ce n'est pas la peine. Vous servir était un plaisir, certifia l'artisan en lui lançant une œillade charmante.

Si elle n'avait pas été aussi dépitée, Marguerite aurait rougi. Bien qu'il fût marié et plus d'une fois père, le forgeron était encore bel homme.

— Dans ce cas, laissez-moi vous offrir quelque chose à boire. Je meurs de soif ! Pas étonnant, il fait si chaud dans votre atelier qu'on se croirait dans un four !

Le mot « surprise » était trop faible pour décrire l'expression qui transforma le visage d'Armand Brûlé.

— Je… Oui. Il me reste… Mais cela peut attendre, décida-t-il en retirant son tablier. Vous voulez aller à l'auberge ?

— Ça me paraît être une bonne idée, répondit-elle gaiement.

Marguerite sortit de la forge et Armand, encore tout ébaubi, lui emboîta le pas. Son arrivée au village, alors qu'elle était montée en amazone, avait causé tout un émoi. Et tandis qu'elle avait traversé la place du village, des visages curieux s'étaient pressés aux fenêtres pour la regarder passer.

« On va parler de ma rencontre avec Armand jusqu'au jour de Pâques ! » se gaussa-t-elle intérieurement.

L'auberge n'était pas très loin. Lorsqu'ils entrèrent, les regards se tournèrent mécaniquement vers eux. Tous les visages, sans exception, témoignaient du trouble et de l'excitation suscités par la présence de la femme du seigneur. Marguerite regretta aussitôt son impulsivité. Quelle mouche l'avait piquée ? Mais il était trop tard pour reculer. Elle se dirigea vers la table la plus proche et s'assit. Armand, qui tenait à ce que chacun sût qu'il l'accompagnait, mit le double du temps à prendre place sur un tabouret. Il trépignait sur son séant, et Marguerite jugea qu'il semblait aussi émoustillé qu'une demoiselle à son premier bal. Elle décida qu'il valait mieux trouver un prétexte à ce tête-à-tête inusité.

— Je voulais vous confier un projet qui me tient à cœur, dit-elle en guise de préambule.

— Un projet ?

— Un travail, rectifia-t-elle.

Il fronça les sourcils. Elle laissa l'effet de ses paroles se prolonger, tandis qu'elle demandait à l'aubergiste Pantin de leur apporter un pot de vin.

— Je veux offrir une nouvelle épée à mon époux. Et je voudrais vous confier le soin de la forger.

Cette idée, finalement, n'était pas plus bête qu'une autre, même si la pensée d'offrir quoi que ce soit à Xavier était à ce moment-là aux antipodes de ce que lui dictaient ses sentiments.

— Bien, je… Ce sera un honneur pour moi, madame de Razès.

— À la bonne heure ! Je vous ferai parvenir mes préférences et vous me direz votre prix. Hum, ce vin n'est pas mauvais, qu'en pensez-vous ?

La question prit le forgeron au dépourvu. Il se hâta d'y goûter et faillit s'étouffer.

— Ce n'est pas de la piquette, pour sûr !

« Que cela te serve de leçon. Il est préférable de faire de petits pas, si tu ne veux pas causer de drames autour de toi », pensa-t-elle. Elle se dit aussi qu'elle devait apprendre à doser sa nouvelle spontanéité.

— Margot ! s'époumona Xavier.

Elle dressa la tête. Son mari se tenait sur le pas de la porte. Ses cheveux noirs étaient en bataille et il paraissait fort agité.

— Fouchtra ! lança-t-il avant de se ruer sur elle.

Marguerite inspira calmement, disposée à faire face à ses interrogations. Mais lorsqu'il arriva à sa hauteur, il l'étreignit fougueusement, ce qui lui tira un « holà » sonore.

— J'ai cru qu'il t'était arrivé malheur ! dit-il. Tu ne devrais jamais sortir sans prévenir !

— Mais voyons, qu'est-ce qui te prend ? protesta-t-elle en se libérant de son étreinte.

Xavier céda à sa volonté. Une fois qu'il se fut écarté, Marguerite comprit qu'il avait eu peur de ne pas la revoir. Sans se soucier des villageois qui assistaient à la scène, elle lui dit :

— Je ne serais jamais partie comme ça. Je regrette ce qui s'est passé entre nous, bien sûr, mais…

— Chut, ce n'est pas le moment. Je vais t'expliquer en chemin, affirma-t-il, autoritaire.

Décontenancée, Marguerite prit la main qu'il lui tendait et le suivit à l'extérieur de l'auberge.

Ils montèrent en selle, et ce n'est qu'une fois hors du village qu'il lui demanda :

— D'abord, que faisais-tu en compagnie de ce bellâtre, Armand Brûlé ?

Marguerite était encore sous le choc des révélations que Xavier lui avait faites lorsqu'ils arrivèrent en vue du château. Xavier avait confié à Vincent de Coulonges le soin de veiller sur le messager. Ce dernier s'était emmuré dans un mutisme troublant, arguant qu'il ne parlerait qu'à Marguerite de Razès.

— Somme toute, il a peut-être un message à me livrer, avança Marguerite. Et en dépit de nos inquiétudes, il n'a rien fait qui nous permette de mettre en doute ce qu'il dit.

— Hormis qu'il errait dans le bois autour de notre demeure et qu'il est armé comme un spadassin, je te l'accorde. Selon toi, pourrait-il y avoir un lien entre lui et l'homme qui a attaqué ton carrosse ?

— C'est possible...

Xavier poussa un soupir exaspéré.

— Pourquoi m'avoir caché la vérité ? Tu voulais que je goûte à ma propre médecine ?

Marguerite tira sur les brides de son cheval pour ordonner à celui-ci de s'arrêter.

— Il me faudrait des journées entières pour te raconter tout ce que j'ai découvert durant mon voyage, lança-t-elle. Entre ta sœur, qui s'est déclarée mon ennemie, et le fils de Condé, qui a fait d'Élisabeth la cible de ses obsessions, quand suis-je censée trouver le temps de te faire le récit de mes aventures ? Oh, j'oubliais de mentionner Nicolas, qui est parti affronter le duc en duel...

— Comment ? Quand cela ?

— Plus tôt, je les ai aperçus traverser le village au galop, comme si la mort était à leurs trousses, lâcha-t-elle en se remettant à marcher.

— Ils ? Tu veux dire qu'Aude l'accompagne ?

Marguerite lui répondit par un hochement de tête entendu. Elle n'était pas mécontente de l'argument qu'elle avait soulevé au cours de leur discussion. Après tout, quand aurait-elle pu lui raconter les incidents survenus durant son voyage ?

— Si j'avais deviné que mon oncle enverrait quelqu'un à Montcerf, sois certain que je t'aurais prévenu.

— Ton oncle Charles-Antoine ?

— Mon oncle maternel Fromondin de Saint-Loup, de l'ordre des Jésuites. D'après le prince de Condé, il voudrait récupérer un document secret qui serait caché à Montcerf.

— Fouchtra ! poussa Xavier, sidéré. Les pièces que mon père avait confiées à Médéric !

Il avait toujours su que Montcerf avait été le théâtre d'un drame qui s'était joué durant la Fronde, mais il avait enfoui cela parmi les éléments de son passé funeste. Lorsqu'il avait retrouvé ses terres et ses titres, Xavier avait donné sa parole à Colbert qu'il n'intriguerait plus contre le roi ou la cour. En d'autres termes, celui-ci lui avait fait comprendre qu'il valait mieux pour lui qu'il ne cherchât pas déterrer les vieux complots dans lesquels avait trempé Hector de Razès.

— Crois-tu que ce Fromondin te laissera tranquille lorsqu'il saura que tu n'as aucune idée de l'endroit où se trouvent ces papiers ?

— Franchement, il m'apparaît comme un homme qui ne lâche pas prise aisément. Les seuls souvenirs que j'ai de lui sont déplaisants. J'avais peur de lui ! Mais pourquoi cette question ? Est-ce que par hasard tu saurais où ces papiers sont cachés ?

La question le prit au dépourvu.

— Euh... Non, répondit-il impulsivement.

Marguerite fronça les sourcils. En fait, Xavier avait bien une idée... mais c'était si loin, tout cela. Et puis, la personne à laquelle il pensait les avait-elle toujours en sa possession ? Il n'y avait qu'un moyen de le savoir. Il lui faudrait se rendre à Paris.

⁓

— Non ! Je veux porter mon manchon en fourrure du Nouveau Monde ! cria Margot en frappant le dallage du pied.

Madeleine inspira profondément. Du haut de ses huit ans, la petite savait très bien que le meilleur moyen d'obtenir ce qu'elle désirait était de faire une scène devant témoins, car alors sa mère n'osait pas la punir.

— Ma chérie, il fait trop chaud pour cela, tenta de la raisonner Madeleine.

— Je ne veux pas qu'il fasse trop chaud ! Je veux mon manchon en hermine !

— Sais-tu, Marguerite, où se situe le Nouveau Monde, d'où provient ce si joli morceau de vêtement ? demanda Fromondin de sa voix susurrante.

La fillette le dévisagea avec pitié, comme si elle déplorait l'ignorance de son oncle.

— Voyons, mon oncle, c'est de l'autre côté des mers, là où il y a des sauvages et des fourrures !

— Ne l'encourage pas, murmura Madeleine entre ses dents.

— Ma pauvre sœur… La discussion était perdue avant même qu'elle ne commence. Il n'y a qu'à la regarder pour voir de qui elle tient son modeste caractère.

Piquée au vif, Madeleine répliqua :

— C'est toi qui me dis cela !

Fromondin se pencha vers elle avec une lueur amusée dans les yeux.

— Mais je ne parlais pas de toi, ma chère sœur.

Comme si elle pressentait qu'elle pourrait profiter de la distraction de sa mère pour avoir gain de cause, Margot lança :

— Claudine va porter son nouveau bonnet, elle. Je veux mettre mon…

— C'est bon, Margot, tu peux l'amener. Cependant, je veux que tu me laisses seule avec ton oncle.

— Je suis vexé, rétorqua-t-il avec un sourire cruel. Je me faisais une telle joie de passer du temps avec ma nièce. Elle sera aussi belle que toi, j'en ai bien peur. Quant à Claudine, c'est encore trop tôt pour le dire.

— Je t'interdis de parler de mes filles comme si elles étaient des marchandises !

Fromondin leva la main pour signifier une trêve.

— Comme tu t'emportes vite ! Ce n'était qu'un compliment. Tu te comportes comme une chatte auprès de ses petits. C'est très touchant.

Entre-temps, Margot s'était levée. Elle marcha sans hâte vers la sortie, en tendant l'oreille pour ne pas perdre un mot de ce qui se disait entre sa mère et son oncle. Madeleine marmonna d'une voix tremblante :

— Désormais, j'aimerais que tu évites de te présenter sans invitation. C'est très gênant.

— Si tu avais daigné répondre à ma lettre, je n'aurais pas eu à commettre cette impolitesse.

— C'était pourtant clair. Je ne veux plus espionner…

La fillette se dépêcha de quitter la pièce. La présence de ce grand homme vêtu de noir et aux manières affectées lui causait un malaise inexprimable. Elle ne comprenait pas que sa mère tolérât sa présence, qui ne lui apportait vraisemblablement aucun plaisir.

⤲

— Je serais plus rassuré si…

— J'ai besoin de le voir seule, affirma Marguerite, en frôlant doucement le bras de Xavier. Puis, elle ajouta : je crains qu'il refuse de parler si tu es présent.

Depuis qu'ils avaient pénétré dans la cour du château, la main de Xavier semblait jointe au pommeau de son épée. Marguerite redoutait qu'une réaction colérique de sa part ne ruinât sa dernière chance d'apprendre le secret du pendentif. Xavier considéra sa femme en silence. Marguerite ne s'indigna pas de cet examen, qu'elle croyait devoir aux soucis que son absence lui avait causés.

— Bon, concéda-t-il. Je vais demeurer ici avec le chevalier de Chambon, au cas où tu aurais besoin de m'avoir à tes côtés.

Satisfaite de ce compromis, elle hocha la tête avant d'entrer dans la pièce où était détenu le messager. Ce dernier était assis sur un banc et se tenait appuyé sur ses genoux, les épaules courbées. Ses chevilles et ses poignets étaient retenus par une solide corde. Il leva la tête en entendant entrer Marguerite. L'insistance de Xavier à l'accompagner n'avait pas préparé cette dernière à découvrir un jeune homme d'une aussi frêle stature : il n'avait rien en commun avec le reître qui l'avait attaquée ! Cependant, Marguerite restait sur ses gardes ; on ne pouvait juger de la bonté de quelqu'un à son allure.

— Madame de Razès ? demanda-t-il, plein d'espoir.

— Vous avez insisté pour me voir, monsieur ?

— Madame, les rudesses de vos gens m'ont confondu. Si j'avais su qu'il était aussi difficile d'accéder à votre personne, je vous aurais écrit pour vous demander une audience.

Son élocution était sans faille et, d'instinct, Marguerite sut qu'elle avait affaire à un jésuite, ou du moins à quelqu'un ayant frayé avec les jésuites.

— La méfiance qu'on vous a témoignée est légitime. Mon garde et mon cocher ont été gravement blessés par un homme qui avait été payé pour disposer de moi...

— Madame ! s'exclama-t-il. Je suis navré d'apprendre cela.

La confusion que Marguerite pouvait lire sur son visage paraissait sincère. Ou il n'était pas du tout au courant, ou il jouait la comédie à la perfection.

— Je comprends mieux maintenant qu'on m'ait traité avec de si mauvaises façons, bien que je n'aie rien fait qui mérite un tel...

— Vous portiez une épée qu'on m'a décrite comme fort longue.

— Par précaution, je voyage seul, se défendit-il aussitôt. Du reste, l'essentiel est que vous soyez indemne. Le coupable a-t-il été châtié ?

Marguerite flaira le piège et rétorqua le plus spontanément du monde :

— Nous l'avons mis aux arrêts.

Le coursier se contenta d'approuver d'un signe de la tête qui semblait des plus francs.

— Vous ne m'avez point décliné votre nom.

— Pardonnez-moi. Je me nomme Gracieux de la Meysaille. Je suis novice et j'ai récemment été affecté au service du père jésuite Fromondin de Saint-Loup.

— Je suppose que mon oncle attend une réponse, hasarda-t-elle. Il ne faudrait pas trop tarder. Donc, si je puis vous prier de me transmettre cette dépêche...

— C'est que, dans la bousculade, je crains d'avoir laissé tomber l'étui qui contenait la lettre, avoua l'homme, penaud.

Marguerite leva un sourcil dubitatif.

« Un messager sans message, pensa-t-elle. Qu'est-ce que cela signifie ? »

— Je vais envoyer mes gens fouiller le bois. Montcerf compte plus de cinquante acres de terre… Alors, je vais vous faire porter de la lecture pour vous permettre de patienter.

Sur ce, elle se leva et se dirigea vers la porte.

— Attendez ! Vous ne pouvez pas me garder ici contre mon gré !

Marguerite se retourna vers lui et lui adressa un sourire bienveillant.

— Vous avez raison. Mais lorsque mon oncle apprendra que vous avez égaré sa lettre, vous serez au moins à l'abri de son courroux.

Il émit en vain quelques mots de protestation alors que la porte se refermait. Xavier attendait de l'autre côté.

— Alors ?

— Il n'a pas la lettre. Il prétend qu'elle est tombée quand les hommes du château l'ont appréhendé, conta Marguerite sans cacher son scepticisme. Je crois que de passer un peu de temps dans ce lieu le fera réfléchir.

Les traits de Xavier se durcirent.

— Nous ne pouvons pas nous permettre d'attendre. Qu'est-ce qui empêche ton oncle d'envoyer un nouvel assassin ? Laisse-moi faire, il parlera !

Marguerite déglutit. Certes, il y avait du vrai dans ce que disait Xavier… Mais elle frémissait à l'idée de laisser ce jeune homme à la merci des foudres de son mari.

— Promettez-moi de ne pas recourir inutilement à la violence…

Sa supplique frustra Xavier, qui se retrancha derrière une façade de sévérité glaciale.

— Je ferai ce qu'il faut pour lui délier la langue. Reste ici avec M. de Coulonges.

— Bien, fit-elle, en se plaçant à l'écart.

« J'aurais dû l'informer des agissements de mon oncle. Pourquoi ne l'ai-je pas fait, d'ailleurs ? Après l'attaque du duc d'Enghien, sa réaction est justifiée. Il cherche à éviter un autre drame », se dit-elle.

Après un moment, la discussion en cours de l'autre côté s'intensifia. Sans distinguer les propos qui étaient échangés, Marguerite devina que le messager ne se soumettait pas à la volonté de son mari. Prudemment, elle s'approcha de l'huis. Lorsqu'elle entendit le bruit d'un corps qui chute au sol, elle eut la confirmation que les choses avaient mal tourné.

— Xavier ! appela-t-elle en cognant de toutes ses forces contre le battant de bois.

Vincent de Coulonges s'approcha à son tour.

— Madame de Razès, dit-il, pour la dissuader d'intervenir.

Elle l'ignora et tambourina de plus belle contre la porte. Quelques secondes plus tard, Xavier se décida à ouvrir. Loin d'être impressionné par son regard réprobateur, il passa la main dans ses cheveux désordonnés en arborant un air de victoire qui déplut fort à Marguerite.

— Que lui as-tu fait ?

— Rien que je ne sois pas en droit de lui faire. Il avait reçu l'ordre de se laisser prendre. Il comptait s'approcher suffisamment de toi pour te dérober le pendentif de ta mère.

— Le voler ? Mais pourquoi ?

Marguerite serra les poings. Ainsi, tous les efforts de son oncle visaient à prendre possession du loquet. Et pourquoi donc ? Il lui fallait en avoir le cœur net une fois pour toutes !

— Margot, où vas-tu ?

Elle découvrit le jeune homme étendu sur le banc. Outre sa lèvre tuméfiée, il semblait plus ébranlé que blessé. Un mélange de soulagement et de contentement l'envahit : si Xavier avait dit vrai, cet homme avait eu exactement ce qu'il méritait. Elle lut la crainte dans ses yeux lorsqu'elle s'approcha de lui. Elle profita de ce qu'elle était debout pour tenter de l'intimider.

— Je vais vous rendre le bijou à la condition que vous me disiez ce qu'il représente pour mon oncle !

— Comment voulez-vous que je le sache ? Je ne suis qu'un serviteur… Je vous en prie, laissez-moi partir !

Il paraissait sur le point d'éclater en sanglots. Marguerite sortit le pendentif de sa poche et le lui montra :

— Voyez par vous-même ! C'est pour cela que vous avez mis votre vie en péril ! Or il ne contient rien ! Rien du tout !

La vision du pendentif brisé tira le jeune homme de sa torpeur. Sans quitter les fragments des yeux, il se dressa sur son séant. Marguerite tenta de s'imaginer ce qu'il ressentait à cet instant. Peut-être comprenait-il qu'il n'était qu'un simple instrument pour son oncle ? Il ouvrit la bouche. Cependant, aucun son n'en sortit. Marguerite lui tendit les morceaux, mais il secoua résolument la tête.

— Prenez-le, je n'en ai que faire !

— Non…

Elle leva un sourcil. Le pauvre était maintenant au comble de l'affolement.

— Qu'avez-vous ?

En suivant son regard, elle réalisa qu'il fixait le tracé du blason des Saint-Loup, visible en dépit de la corrosion.

— Vous risquez, vous pourriez… Le poison… murmura-t-il en reportant sur elle ses yeux agrandis par la détresse.

Elle recula de stupeur. Avait-il dit *le poison* ? À la lumière de ce nouvel indice, l'esprit de Marguerite s'éclaira brusquement. C'était la substance se trouvant dans le pendentif qui avait causé la détérioration des parois ! Fromondin avait donné ce loquet à Madeleine en même temps qu'il lui avait confié la mission indue de faire avaler son contenu à une personne de haut rang. Il avait ainsi condamné sa propre sœur à la mort, car les armoiries de la famille de Saint-Loup relieraient inéluctablement le médaillon à la personne de Madeleine !

32

La fin d'une idylle

Grégoire de Collibret étira les jambes et les bras, ne laissant que très peu d'espace libre pour sa compagne, étendue à ses côtés. Dans son geste, il manifestait la grandeur de sa satisfaction à l'égard de ses prouesses.

Du coin de l'œil, Ninon avisa son sourire de triomphe. Il lui faudrait ménager l'orgueil de son jeune apprenti. Grégoire faisait partie de ces amants qui avaient besoin d'entendre dire qu'ils avaient été à la hauteur de leur tâche. La courtisane fouilla dans sa mémoire. Il lui semblait que, lorsqu'elle avait débuté dans le monde, les gentilshommes qui fréquentaient son salon ne prenaient pas le temps de lui demander si elle était comblée. Était-ce son âge ou sa réputation qui faisait en sorte qu'on accordait désormais tant de crédit à sa parole ? Il y avait certainement un peu des deux.

« Un jour, les hommes devront nous prendre en considération, sans s'arrêter à notre jeunesse ou à notre manque d'expérience », songea Ninon.

— Alors ? J'espère que vous avez eu autant de plaisir que moi, lança-t-il d'une voix où pointait la crainte que ses espoirs soient déçus.

Ninon lui lança un sourire mitigé. Le cousin de Marguerite n'était pas prêt à regagner sa campagne.

◦～◦

Ninon ôta ses chaussures et les jeta dans un coin de la pièce. Hector la regarda faire et un sourire étira sa bouche maintenant surmontée d'une moustache, comme celle que portaient les gentilshommes de la cour.

— Une autre paire de gâchée. Si cette Fronde pouvait prendre fin ! Là, j'irai m'acheter de nouvelles chaussures. En attendant, comme personne ne se soucie de l'état des rues…

— Tu devrais faire l'acquisition d'une chaise à porteurs, comme celles qu'affectionnent les dames du Marais.

— Et qui me la payera ? Toi ?

Derrière la boutade, il y avait des reproches muets. Ne l'avait-il pas abandonnée, presque oubliée même ? Elle avait peine à croire que deux années s'étaient écoulées depuis la mort tragique de Marion de Lorme. Hector était reparti pour sa province quelque temps après cela. Mazarin, qui craignait une tentative d'évasion, venait de transférer les princes de Vincennes à Marcoussis. Ce dernier acte avait décidé le comte de Montcerf à retourner chez lui. Or, s'il n'avait jamais cessé de soutenir la Fronde, on ne pouvait pas dire qu'il avait été aussi fidèle en amour.

— Viens avec moi ! déclara-t-il soudainement.

Elle leva la tête et le regarda avec étonnement.

— Où veux-tu aller ?

— Mais à Montcerf ! Où croyais-tu que j'allais ?

— Mais que ferais-je là-bas ?

Ninon avait lancé cela avec sa verve habituelle. Sans penser à mal. Elle se mordit la lèvre inférieure en voyant Hector s'assombrir.

— Je ne plaisante pas, Ninon. J'y ai beaucoup pensé, tu sais…

— C'est pour cela que tu es revenu ?

Il secoua la tête.

— Je te l'ai dit, je suis ici pour soutenir le prince de Condé. Mais je…

— Tu es bien le seul à penser qu'il a besoin d'aide, rétorqua-t-elle, renfrognée. Son arrivée n'a fait qu'empirer la situation, qui n'était déjà pas très gaie.

— Justement, il a besoin des conseils d'un homme avisé.

Ninon maugréa. Depuis qu'il était entré dans Paris, Condé y faisait la pluie et le beau temps. Regrettablement, bien peu de ses proches avaient un tempérament équilibré, mais il ne manquait pas de parents prêts à attiser ses instincts guerriers. La courtisane doutait que Hector, fort de *sa limpidité de mots et de gestes, pût rivaliser avec la fougue des duchesses qui se disputaient ses faveurs.*

— Tu devrais prendre garde qu'on ne prenne pas ombrage de ton ascendant sur lui. Depuis que sa maîtresse l'a quitté, on se bat pour savoir qui aura le plus d'influence sur lui.

— Anne, la pria-t-il en lui prenant les mains.

Leurs regards se cherchèrent, puis se trouvèrent. Ses pupilles à lui avaient la sobriété des chênaies d'Auvergne, tandis que les siennes avaient la brillance de la Seine, dans laquelle se baignait le ciel de minuit.

— Hector, il te faut une femme, mais surtout une mère pour tes enfants. Je ne suis pas la compagne dont tu as besoin. Les femmes comme moi, nous ne...

— Tu n'es pas une courtisane, protesta-t-il.

— Laisse-moi finir. Que tu le veuilles ou non, je suis une courtisane. Différente de Marion, bien sûr. Je suis Ninon. Ninon de Lenclos.

Elle eut une pensée pour son ami Scarron et pour tous les autres qui avaient tourné des vers ou des chansonnettes pour célébrer son esprit et sa grâce. Oui, elle était Ninon. Elle ne serait jamais Mme de Razès ni Mme de quoi que ce soit, d'ailleurs.

— Je n'ai jamais été adroit à formuler de grands discours. Alors, je vais te le demander une fois, une seule : épouse-moi, Anne.

Elle caressa la peau nue de sa joue. Deux ans auparavant, elle aurait probablement succombé à la flamme de son amant. Pour rester près de lui, elle aurait tout quitté. Quelle erreur cela eût été !

— Je serai toujours ton amie, quoi qu'il advienne. Lorsque tu visiteras Paris, tu viendras me voir et ce sera comme si tu n'étais jamais parti. Tu ne subiras jamais mes infidélités, mes inconstances ou mes caprices.

Hector laissa tomber sa tête entre les mains de la courtisane. Il poussa un soupir résigné, et Ninon sourit.

༄

Le temps s'était rafraîchi sans crier gare. Quelques feuilles avaient quitté leur branche pour se laisser tomber au sol. Bien que Marguerite sût qu'il y aurait encore de belles journées dans la saison, elle se sentait nostalgique. Une semaine s'était écoulée depuis le départ de Nicolas et Aude, et ils étaient toujours sans nouvelles d'eux. Oksana avait été consternée d'apprendre qu'ils étaient partis sans prévenir. Malgré cela, son amie avait joint sa voix à la sienne pour dissuader Xavier de se lancer à leur recherche. Marguerite était convaincue que personne n'aurait pu ramener son fils à la maison ; il était fier, noble, et son sens de l'honneur ne pouvait laisser passer un tel affront. En outre, il avait passé l'âge d'obéir à ses parents. C'était lui, à présent, le comte de Montcerf. Si Xavier avait renoncé à éperonner son cheval, Marguerite savait qu'il ne dormait pas sur ses deux oreilles.

« C'était beaucoup plus aisé lorsqu'ils étaient enfants », arguait Oksana. Elle avait bien raison. Plus que jamais, Marguerite appréciait la sagesse de son amie, qui se plaisait à lui rappeler que le comte de Montcerf et son épouse n'en étaient pas à leurs premières aventures.

En revanche, elle était préoccupée par l'état d'Élisabeth, qui se comportait comme si le poids du monde pesait sur ses épaules. Marguerite n'avait ménagé aucun effort pour tenter de la raisonner, mais Élisabeth s'entêtait à porter le blâme de la fausse couche d'Aude. En somme, tant qu'ils n'auraient pas la confirmation que Nicolas et Aude étaient saufs, elle continuerait à se tracasser. Et si d'aventure le duc d'Enghien croisait à nouveau leur route, Marguerite ne donnait pas cher de sa peau ! Bien sûr, Élisabeth n'était pas la seule à s'inquiéter pour son frère et sa belle-sœur. Un vent de piété soufflait sur le château. Dans la chapelle maintenant restaurée, plusieurs lampions brûlaient pour que le comte et la comtesse retournassent promptement à Montcerf. C'était à croire qu'ils étaient partis en croisade ! Tout en faisant sa toilette, Marguerite songeait que les gens se tournaient vers Dieu dès que l'ombre d'un malheur se pointait, quand soudain Xavier pénétra dans sa chambre. Elle sursauta.

— Je ne t'ai pas entendu entrer.

Il avait les yeux cernés et, spontanément, le visage de son père s'imposa à elle. Bien qu'il n'eût jamais été seigneur d'un comté, ce dernier avait travaillé toute sa vie avec acharnement pour assurer le bien-être des siens. De même, les récents événements avaient été éprouvants pour son mari. Les agissements de Lutisse l'avaient finalement convaincu de la renvoyer au couvent. Marguerite se réjouissait secrètement de son départ, qui était imminent.

Elle l'entendit pousser un soupir tandis qu'il retirait son pourpoint. Depuis que le messager de Fromondin de Saint-Loup avait été appréhendé, c'était le premier soir qu'il venait la rejoindre sans s'effondrer immédiatement sur le lit.

— À quoi songes-tu ? lui demanda-t-elle en démêlant ses longs cheveux.

Il se passa une main sur le front.

— Je ne suis pas rassuré à la pensée qu'Élisabeth entreprenne ce voyage…

— Voyons, Xavier, elle aussi a besoin de distraction, le coupa-t-elle. D'ailleurs, avec tous les efforts qu'elle a mis dans la cueillette et la préparation des simples, ce serait terrible si on l'empêchait de mener son projet à bien ! Moulins n'est qu'à quelques jours de voyage, et puis le chevalier de Chambon l'accompagne. Quel mal pourrait-il lui arriver ?

— Puis-je terminer de t'exposer ma pensée ? rétorqua-t-il en lui jetant un regard sombre.

Le ton de son mari la cloua sur place.

— Je ne me réjouis pas qu'Élisabeth côtoie de près ces religieuses. Elles pourraient user de leur influence pour la recruter dans leur sororité. Notre fille est fragile et influençable.

Bien que refroidie par l'attitude de Xavier, Marguerite pondéra sa réaction.

— J'y avais pensé aussi. Mais prendre le voile est une démarche qui demande du temps, de la réflexion. Je ne la crois pas capable d'agir impulsivement, sans nous consulter.

— Hum, maugréa Xavier. Je pensais que tu serais alarmée à la perspective qu'Élisabeth entre chez les Hospitalières ! Vraiment, Margot, je ne te comprends plus. Tu as… changé. Depuis ton retour de Paris, tu n'es plus la même.

— Dois-je prendre cela comme un reproche ?

— À toi de voir, répliqua sèchement Xavier.

Marguerite avait beau se raisonner, elle refusait d'excuser le comportement de son époux. Sûrement, il y avait davantage que des ennuis paternels derrière son attitude désobligeante.

— Premièrement, Élisabeth ne risque pas de subir le même sort que Lutisse. Ta sœur était une enfant perturbée lorsqu'elle s'est retrouvée au couvent. Deuxièmement, je crois notre fille trop sensible aux charmes masculins et surtout trop sentimentale pour choisir de vivre cloîtrée. Troisièmement, si tu m'en veux encore d'être partie à Paris, tu ferais mieux de m'exposer la chose clairement au lieu de te dérober !

Elle avait lancé ce dernier trait un peu fort et s'en mordit les lèvres. Xavier était blême. Il s'approcha d'elle et, brutalement, lui retira le peigne des mains. Surprise, Marguerite laissa échapper un cri.

— Comment est-ce que tu t'y es pris pour séduire Benjamin ?

La question tomba comme un couperet, laissant Marguerite sans voix. Elle tenta de rassembler ses esprits. Depuis quand Xavier connaissait-il la vérité ?

— J'espérais que tu me l'avouerais toi-même, mais tu es trop lâche ! l'injuria Xavier.

— Ce n'est pas cela ! Je voulais te le dire…

L'émotion lui arracha un sanglot. Atterrée par la réaction de Xavier, elle se débattait contre son mensonge alors qu'au fond d'elle-même elle savait que tout était perdu. Xavier s'éloigna d'elle, comme s'il redoutait l'intensité de sa violence. Marguerite se souvint qu'après avoir lu la lettre de Benjamin, quelques jours auparavant, elle l'avait brûlée. Il ne restait donc aucune trace de son adultère. Elle en déduisit que Xavier avait lu la lettre avant elle.

« Il le savait lorsqu'il est venu me retrouver à l'auberge ! » comprit-elle avec stupeur.

En vain, car le geste qu'elle avait commis revenait la heurter de plein fouet.

— Mon amour, je regrette… murmura-t-elle.

Mais c'était trop tard. Xavier avait déjà quitté sa chambre.

‿

— Que pourrais-je encore vous dire ?

— Vous vous acharnez bien vainement, déclara calmement Nicolas. Dieu m'est témoin, je ne repartirai pas sans avoir vu M. le duc d'Enghien.

Gabriel de Collibret lança un coup d'œil au prince de Condé, qui était demeuré muet durant toute la durée de l'entretien. Il avait, quant à lui, épuisé tous ses arguments. Son neveu avait tous les droits de demander réparation pour l'acte ignoble commis par Henri-Jules : il avait été le premier à le soutenir. En dépit de la rage de Nicolas, il continuait à espérer qu'aucun sang ne serait versé dans cette affaire.

Discrètement, il avisa la jeune comtesse de Montcerf, méconnaissable dans ses vêtements masculins. Sa peau pâle contrastait avec le feutre noir de son chapeau ; Aude était tragiquement belle. Gabriel ressentit un pincement au cœur. Son discours l'avait-il émue ? Avait-elle conscience que, si son époux s'obstinait dans cette voie, elle risquait de devenir veuve prématurément ?

— Monsieur de Razès, j'ai beaucoup d'estime pour votre mère. Aussi vous parlerai-je en ami, déclara Louis de Bourbon-Condé. Malgré les torts horribles dont vous accusez mon fils, rien ne pourrait me résoudre à lui retirer mon appui.

Le prince de Condé avait pris la parole, et sa prestance, grâce à laquelle il s'était naguère imposé sur les champs de bataille, était toujours aussi inspirante. Gabriel priait pour que son neveu, intimidé, en vînt à changer d'avis.

— Je ne vous aurais pas prié d'agir différemment, répondit Nicolas, froidement.

— Vous voulez venger l'honneur des vôtres, et c'est une chose qui se conçoit bien. De nos jours, on croise de moins en moins d'hommes prêts à mettre la main au fourreau pour laver un affront. Le roi, bien sûr, punit sévèrement les duellistes. Mais ce n'est pas tant cela qui décourage la jeunesse que la crainte de la mort. Il y a quarante ans à peine, on collectionnait les cartels et le duel était, ma foi, un divertissement ! J'y ai perdu plus d'un ami fidèle, arraché à la vie par le hasard, qui a voulu qu'une épée plus prompte que la sienne le fauche dans sa prime jeunesse. Heureusement, on y songe maintenant à deux fois avant de tirer l'épée. Moins par couardise que par clarté d'esprit.

Gabriel considéra son neveu : même s'il faisait un effort pour se maîtriser, la tirade du prince minait sa patience. Son oncle et maintenant ce grand seigneur tentaient de lui faire la leçon. Si la situation se prolongeait, il se vexerait, et Gabriel ne pourrait l'en blâmer.

— Monsieur le prince, vos paroles sont pleines de sagesse, et je vous prie de croire que je ne suis pas indifférent à vos tentatives de me faire entendre le bon sens. En outre, je suis certain que mon père aurait usé de termes semblables si je lui en avais donné la chance. Or, il n'aurait pas eu plus de succès que vous ou mon oncle. Toutefois, sachez ceci : je suis gentilhomme et, si votre fils consent à faire amende honorable, je ne poursuivrai aucune action qui pourrait lui être funeste, ou l'être à moi-même.

Une bouffée de fierté envahit Gabriel de Collibret : s'il n'avait pas été en présence du prince de Condé, il aurait applaudi la noblesse de son neveu.

— Je crains de devoir vous dire qu'il ne retirera pas ses offenses. Votre oncle vous a précédé, et Henri-Jules prétend n'avoir aucun souvenir de cette nuit-là. En fait, sa mémoire lui fait défaut et...

Nicolas leva la main pour signifier au prince de se taire. Ce dernier pâlit sous l'affront.

— Vous vous fatiguez bien inutilement. Dites-moi plutôt où je peux le trouver et nous réglerons cela le temps venu.

Cette fois, Gabriel prit la parole :

— Il est parti pour Paris il y a près d'une heure.

Nicolas fronça les sourcils. Plus que jamais, il ressemblait à Xavier. Sans un regard pour le prince ou pour Gabriel, il tourna les talons. Il n'avait mis qu'une seconde à comprendre que l'unique but de la rencontre était de faire gagner du temps au duc d'Enghien.

— Nicolas, attendez-moi ! le pria Gabriel. Je viens avec vous.

⁓

Élisabeth déposa la lettre de Hyacinthe. La simplicité des termes qu'avait employés son ami pour lui annoncer ses fiançailles avec Isabelle de Coulonges la troublait ; la jeune femme se demandait même s'il y avait déjà eu plus qu'un simple lien d'amitié entre Hyacinthe et elle. Pouvait-elle avoir imaginé ce sentiment, cette complicité, cette fébrilité qu'elle ressentait dans son ventre chaque fois qu'elle posait les yeux sur lui ? L'image du jeune homme aux larges épaules et à la chevelure blonde s'imposa à elle. Non, elle n'avait rien inventé. Toutefois, force lui était d'admettre qu'il n'avait jamais éprouvé une émotion similaire à son endroit. Sa mère, heureusement, lui avait déjà appris la nouvelle. L'annonce de ces fiançailles n'était donc pas une surprise. Élisabeth estimait que la lettre de Hyacinthe n'aurait pu arriver à un meilleur moment : elle avait tant à faire avant de partir pour le couvent des Hospitalières qu'elle ne trouverait pas le temps de s'apitoyer sur son triste sort. Elle avisa les contenants de grès qui recouvraient sa table. C'était le moyen le plus efficace mais le plus coûteux de conserver les onguents. Son père lui avait passé ce caprice. Comme sa mère, il reconnaissait désormais que son intérêt pour l'herboristerie était plus qu'une passade. Élisabeth savait que le moment approchait où elle devrait confier ses projets d'avenir à sa mère. Il lui faudrait le faire avant de partir pour le couvent, s'il advenait qu'elle choisît de rester à Moulins... Un coup frappé à sa porte la tira de sa réflexion.

— Ma tante ! fit Élisabeth en voyant Lutisse.

Elle hésita une petite seconde avant de lui proposer :

— Vous voulez entrer ?

— Je dois malheureusement refuser, déclina complaisamment Lutisse. Mon carrosse est dans la cour, et je crains de l'avoir déjà trop fait attendre.

Élisabeth fit la moue en joignant ses mains devant elle, une pose qui convenait à la peine qu'elle croyait devoir feindre pour la circonstance. Son sentiment véritable, cependant, était tout autre. Bien qu'elle déplorât que Lutisse n'eût pas reçu un meilleur accueil à Montcerf, elle savait que le départ de celle-ci marquerait le retour à la quiétude. Par ailleurs, Élisabeth savait qu'elle n'avait aucun reproche à se faire : elle avait toujours traité Lutisse avec sollicitude. Néanmoins, sa tante avait une personnalité qui provoquait des réactions contradictoires. Et que ce soit volontaire ou non, cela créait des remous.

— Je voulais vous remercier pour votre amabilité et votre accueil, dit Lutisse. Je ne m'attendais pas, en venant ici, à rencontrer une jeune femme aussi candide et au caractère aussi agréable que vous. Je ne connaîtrai jamais le bonheur d'avoir un enfant, mais le bonheur que j'ai eu de vous côtoyer est certainement ce qui s'en rapproche le plus. Pour cela, je vous sais gré.

Émue, Élisabeth allongea le bras pour toucher Lutisse, mais celle-ci avait déjà reculé d'un pas.

— Je vous écrirai, affirma Élisabeth sous le coup de l'impulsion.

Lutisse ébaucha un petit sourire et se retourna. Sa robe grise, faite d'une étoffe rigide, se fondait dans le décor de la pierre avec une harmonie déconcertante. Élisabeth se dit que ce départ devait être déchirant pour sa tante. Il y avait bien des chances qu'elle ne revienne jamais à Montcerf. Pourtant, Élisabeth ne connaissait personne qui aimait autant ce château, hormis peut-être Xavier. Elle referma lentement la porte. La brise qui entrait par la fenêtre transporta jusqu'à elle un amalgame d'odeurs. Élisabeth avisa les herbes qui séchaient dans son alcôve. Il lui restait tant à faire !

« Allons, se dit-elle, je dois avoir terminé de préparer mes bagages avant le souper. »

Quelques instants plus tard, elle s'interrompait à nouveau en entendant frapper à sa porte.

— Je viens !

Cette fois, c'était sa mère. Élisabeth lui fit signe d'entrer.

— Je suppose que votre tante est venue vous dire au revoir.

— Oui. Elle n'est restée qu'un instant.

— Son départ vous attriste-t-il ?

Élisabeth secoua la tête.

— Je crois que ce sera une bonne chose pour toute la maisonnée, notamment pour votre père et pour vous.

Marguerite esquissa un faible sourire. S'il était vrai que Lutisse avait semé la zizanie entre Xavier et elle, elle devait bien constater qu'ils parvenaient à se disputer sans le concours de sa belle-sœur. Marguerite hocha la tête en silence. Il valait mieux que sa fille ignorât qu'ils s'étaient à nouveau brouillés.

— Oh ! J'oubliais ! Comme vous l'aviez prédit, j'ai reçu une lettre de Hyacinthe ce matin.

Marguerite leva les sourcils. Élisabeth avait lancé cela avec désinvolture, comme si la missive ne lui avait fait aucun effet.

— Vous ne paraissez pas…

— J'ai fort à faire, répliqua Élisabeth. Et je n'y puis rien, s'il en aime une autre que moi. J'en ai fait mon deuil : ce n'était pas mon destin d'épouser Hyacinthe de Cailhaut.

Mue par une intuition, Marguerite la relança :

— Alors, Vincent de Coulonges vous accompagnera jusqu'au couvent ?

— Nous irons ensemble jusqu'à Moulins. Le manoir de son père se situe à moins d'une journée de voyage de là, crut-elle bon de préciser.

Marguerite lui lança une œillade coquine.

— Qu'y a-t-il ? se troubla la jeune femme. Voyons, mère, qu'allez-vous imaginer ?

Marguerite s'esclaffa.

— Vous avez les joues… tenez, comme ces pivoines dont vous prisez tant les vertus !

— Non, pas les fleurs, mais leurs racines ! se défendit la jeune femme. Par ailleurs, ce n'est pas moi mais votre amie Geneviève qui soutient qu'elles soignent efficacement les maladies des nerfs.

— Certes, la famille de Coulonges est passionnante à connaître, à bien des égards.

Élisabeth écarquilla les yeux. Jamais sa mère ne lui avait parlé ainsi ! Déroutée, la jeune femme se demandait quelle était la cause de ces insinuations peu voilées.

— Je ne suis pas sans avoir remarqué la courtoisie dont M. de Coulonges fait preuve à mon endroit. Mais je ne suis pas assez naïve pour me laisser abuser à nouveau par les amabilités d'un gentilhomme.

— Hum, fit Marguerite. Les déceptions ne sont pas rares, pour qui ose s'aventurer sur…

— *La Carte de Tendre* ? termina Élisabeth avec ironie.

Marguerite poussa un soupir. L'éducation de la galanterie faisait cruellement défaut à sa fille, élevée dans le respect des convenances et à des lieues de tout ce qui s'apparentait à un salon mondain.

« Comment aborder ce délicat sujet sans choquer sa pudeur ? » se demanda Marguerite.

— Votre père… votre père croit que vous envisagez d'entrer chez les Hospitalières, laissa-t-elle tomber brutalement.

Élisabeth hoqueta de surprise. Stupéfaite que son plan ait été percé à jour, elle se laissa choir sur son lit. L'ancienne courtisane comprit alors que son mari avait vu juste : leur fille nourrissait le projet secret d'entrer au couvent.

— Oh, mère ! Je ne sais plus !

Marguerite s'assit à côté de la jeune femme, sur l'édredon.

— Les chagrins que vous ressentez ne doivent pas vous faire peur. Nous avons tous été durement affectés par ce qui est arrivé à Aude, à Nicolas, à Lutisse. Certes, les murs du couvent vous garderaient contre la souffrance de vos proches, mais ils vous empêcheraient aussi de partager leurs joies.

Élisabeth fronça les sourcils.

— Ce n'est pas afin de m'isoler du monde que j'envisage de devenir hospitalière, rectifia-t-elle. Je n'ai jamais ressenti de félicité comparable à ce que j'ai éprouvé lorsque j'ai assisté sœur Pauline. J'aimerais connaître cela à nouveau. Je voudrais apprendre à soigner les gens.

Marguerite était trop abasourdie pour répondre. Sa fille était radieuse ; ses yeux brillaient d'une étincelle qu'elle ne lui avait jamais vue auparavant.

— Je suppose que, si vous vouliez consacrer votre vie à la guérison des malades, il vous faudrait prendre le voile, conjectura-t-elle.

Elle pouvait difficilement imaginer qu'une femme célibataire se dévouât aux gens mal portants sans que cela provoquât l'indignation du clergé.

— Votre ambition est fort louable, ajouta-t-elle. Comprenez-moi bien, je serais très fière de vous !

Élisabeth sourit.

— Toutefois, je regretterais de vous voir vous engager dans cette voie sans vous avoir encouragée à vivre tout ce que la vie… terrestre a de beau à offrir.

Élisabeth lança à sa mère un regard interrogateur. Faisait-elle allusion aux rapports charnels ?

— La vie terrestre ? Je ne vois pas…

— Élisabeth… Je sais que vous n'ignorez pas qu'avant d'épouser votre père j'ai été courtisane à Paris, dit Marguerite avec un sourire presque tendre.

Elle songeait à Oksana, qui avait, bien avant elle, confié ce secret à sa fille sans pour autant démériter à ses yeux.

— J'ai manqué de faire votre éducation à l'égard des plaisirs de la chair… parce que je voulais vous protéger de la vérité, et aussi, je l'admets, parce que je voulais que vous restiez fille le plus longtemps possible. Or, je ne doute pas que vous ayez déjà ressenti une curiosité pour les choses de l'amour…

Élisabeth voulut protester, mais fut soudainement captivée par les confidences que sa mère commençait à lui faire.

Aude et Nicolas avaient parcouru trois lieues à peine. Au loin, ils pouvaient encore distinguer les arbres du domaine de Chantilly lorsqu'ils aperçurent le duc. Ce dernier s'était arrêté en bordure du chemin et se tenait appuyé contre le tronc d'un gros chêne. Du haut de sa monture, il parut à Aude encore plus malingre que dans son souvenir. Cette fois-ci cependant, il était vêtu d'un manteau sombre et propre, et ses cheveux étaient maintenus par un ruban. La seule ressemblance avec l'être bestial qu'elle avait pourchassé dans le château résidait dans son regard, vif et cruel. Aude aurait voulu que Nicolas ne remarquât pas sa présence et, pour un instant, comme il ne modifiait pas sa cadence, elle crut qu'il allait passer outre. Mais il bifurqua finalement à droite et commanda à son cheval de franchir le ravin. Demeurée de l'autre côté, Aude assista, impuissante, au face-à-face entre les deux hommes.

— Monsieur le comte de Montcerf ! s'exclama sans surprise Henri-Jules de Bourbon-Condé.

La célérité avec laquelle Nicolas s'était élancé pour rejoindre son adversaire avait confondu Gabriel de Collibret. Renonçant à le suivre, il alla rejoindre Aude.

— Que faites-vous ? le houspilla-t-elle. Votre place est à ses côtés !

Gabriel bredouilla des excuses et tourna bride afin de gagner suffisamment de vitesse pour la course. Aude reporta son attention sur la discussion de plus en plus vive qui avait cours entre son mari et le duc.

— Vous m'attendiez ? demanda Nicolas, perplexe.

— Disons que j'espérais votre venue. Quand mon père m'a ordonné de partir pour Paris, je lui ai obéi, pour ne pas éveiller les soupçons. On m'a averti que vous arriviez à Chantilly, en compagnie de votre excentrique dame.

— Vous savez pourquoi je suis ici, déclara Nicolas.

Le duc d'Enghien s'inclina, et Aude se demanda s'il s'agissait là d'un geste de dérision ou d'une marque de respect.

— Nommez vos termes, monsieur le comte.

Aude blêmit en voyant son époux mettre pied à terre.

« Si un malheur lui arrivait, je ne me le pardonnerais jamais », pensa-t-elle.

Elle aurait voulu l'enjoindre, au mépris de la dignité, de garder son épée dans son fourreau, mais l'humiliation aurait été trop grande. L'étalon du baron de Lugny bondit par-dessus le fossé au moment où les deux hommes s'avançaient l'un vers l'autre. Ils ne voyaient, ne regardaient que leur vis-à-vis. Et, tels des danseurs sur le point d'attaquer une courante, ils mirent la main sur le pommeau de leur arme, dans un mouvement parfaitement synchrone.

— Vous et moi. Pour les armes, je me contenterai de ma rapière, annonça Nicolas.

— Je ferai comme vous, accepta Henri-Jules. Je vais remettre ma dague à M. le baron.

La détermination du duc d'Enghien était aussi ferme que celle de Nicolas, et Aude ne put s'empêcher de se demander quel mystérieux mobile l'animait. Était-il fou, téméraire ou bien à la recherche d'émotions fortes ? Gabriel accepta silencieusement les armes que lui tendirent les opposants. Son visage, déformé par l'angoisse, n'émut personne sinon Aude, qui n'y vit que le reflet de ses propres craintes. Elle se décida à descendre de cheval, car l'animal devenait de plus en plus nerveux. Finalement, dans la quiétude de cette éclaircie de bord de route, le combat s'engagea.

33

Orgueil et pudeur

— Nous devrions nous arrêter ici, suggéra Vincent de Coulonges en dirigeant sa monture vers une percée dans la luxuriante verdure.

Naturellement, le cheval de la jeune femme imita celui du gentilhomme. Rassurée de se savoir en de si bonnes mains, Élisabeth se contenta d'admirer la vallée splendide qui s'étendait à perte de vue. Même si on pouvait toujours apercevoir le sommet du puy Mary, le comté de Montcerf était loin derrière eux. Quelques instants plus tard, elle posa le pied sur un tapis de bruyères et de trèfles.

— Vous connaissez bien cette région ? demanda-t-elle en avisant un petit ruisseau qui serpentait plus avant dans le vallon.

— Nous venions pêcher ici, mon père et moi, lorsque j'étais enfant.

Il avait saisi les brides de son étalon et le menait jusqu'au point d'eau.

— Vous pêchiez ? Vraiment ?

Vincent lui décocha un large sourire.

— Vous pensiez être la seule à avoir des distractions campagnardes ?

La remarque fit sourire la jeune femme, qui le suivait de quelques pas.

— Nous partions pour plusieurs journées à la fois. Il nous arrivait même de dormir à la belle étoile.

L'évocation de ce souvenir illumina le visage harmonieux du gentilhomme.

— Votre mère appréciait-elle ces plaisirs champêtres ?

Vincent s'esclaffa.

— Ma mère n'était pas très aventurière. D'ailleurs, elle montait fort peu à cheval. Elle quittait Paris avec regret et semblait toujours heureuse d'y retourner.

— Pourtant…

— Je sais, elle s'était entichée d'herboristerie. Mon père affirme qu'elle avait cet intérêt bien avant leur mariage. Chez Ninon, elle préparait déjà, paraît-il, des infusions aphrodisiaques…

Élisabeth laissa échapper un « oh » sonore, dont elle rougit aussitôt. Vincent rit de la voir se troubler.

— Je ne… C'est que… ma mère…

— J'avais oublié, c'est un secret de famille ! Votre frère et moi avons déjà eu cette épineuse discussion. Du reste, c'est moi qui ai eu l'insigne honneur de lui apprendre la vérité au sujet de l'hôtel des Tournelles.

Devant l'air désabusé de son accompagnateur, Élisabeth crut important d'ajouter, pour faire bonne figure :

— Détrompez-vous, je sais que ma mère a été courtisane dans sa jeunesse. Néanmoins, ce n'est pas un sujet dont nous devisons couramment, voilà tout.

— Je ne voulais pas vous offusquer. C'était simplement pour voir votre joli sourire. En outre, ma mère n'a jamais rien concocté qui s'apparentât à un stimulant, enfin, selon ce que je sais. Sa spécialité consistait plutôt à préparer des cataplasmes à la rhubarbe et des infusions d'orge. Rien de très exotique.

Élisabeth hésita. Les traits du chevalier étaient cachés derrière ses longs cheveux qu'il portait dénoués. Devait-elle poursuivre la discussion ?

— Loin de moi l'idée de vouloir vous contredire, mais… dans le manuel de votre mère, il existe bel et bien une préparation destinée à éveiller les sens pour attiser l'amour. Bien sûr, je ne l'ai point essayée… Je n'aurais pas eu cette inclination.

Élisabeth sentit ses joues s'empourprer. Vincent de Coulonges la détailla du regard, jaugeant ses intentions.

— Pourquoi me dites-vous cela ?

— Je ne… C'est vous qui avez abordé le sujet, se défendit-elle.

— C'est une conversation bien hardie pour une jeune femme qui désire entrer en religion, et permettez-moi de vous faire mes excuses… Je n'aurais pas dû m'y aventurer.

Élisabeth fit une moue de dépit.

— Nous devrions manger, déclara-t-il en prenant la sacoche dans laquelle étaient rangées les denrées.

Élisabeth opina sans entrain. L'allusion à son avenir dans l'ombre de la piété lui avait coupé l'appétit. À l'inverse, Vincent s'empressa de déballer les fromages, les saucissons, le pain au miel et les confitures. Lorsque les victuailles furent étalées devant eux, il lui dit :

— Vous n'avez le cœur à rien ? À votre place, j'en profiterais tandis que la gourmandise vous est encore permise…

Élisabeth se renfrogna.

— Qu'est-ce qui vous prend de me tourmenter ainsi ?

— Moi ?

— Avez-vous idée du courage qui m'est nécessaire pour décider de m'isoler en ce lieu sans savoir si…

— Si ?

Élisabeth secoua la tête. Ses paroles avaient dépassé sa pensée.

— N'en parlons plus.

Sa mine rétive attendrit le jeune homme, qui lui confia sans ambages :

— Le talent de guérisseuse de ma mère attirait des malades de tous les faubourgs. Elle œuvrait au couvent des sœurs de la Visitation et ne rentrait souvent qu'après la tombée de la nuit. Il fit une pause et laissa échapper un ricanement amer. Un jour, elle a attrapé cette fièvre… Mon père a dû alerter la police tant il y avait de gueux qui se pressaient à la porte de notre hôtel pour la voir agoniser. Pendant longtemps, j'ai évité l'abbaye des visitandines. À ce jour, je ne crois pas leur avoir pardonné de m'avoir séparé de ma mère.

Ce témoignage spontané de Vincent provoqua l'admiration de la jeune femme. Elle ne croyait pas avoir jamais rencontré un homme qui l'émût autant que le fils de Geneviève.

— Monsieur le chevalier, je regrette de m'être emportée. Je suis si maladroite !

— Venez ici, mademoiselle de Razès, lui dit-il en lui tendant la main.

Elle avança vers lui, fébrile comme une biche aux abois.

— Si vous avez le moindre doute, n'y allez pas, la supplia-t-il, en relevant son menton pour la regarder dans les yeux.

Émue, Élisabeth sentit des larmes poindre au coin de ses paupières. Elle approcha son visage du sien et posa ses lèvres au coin de sa bouche. S'armant de courage, elle osa :

— Vincent, veux-tu être mon premier amant ?

« Dire cela et puis mourir », pensa-t-elle en sentant ses jambes l'abandonner.

Tout gentilhomme qu'il était, il ne se défendit pas contre le désir qu'Élisabeth faisait naître en lui. Vincent brûlait d'une dévorante soif de vivre : il avait vu sa bien-aimée, Angélique de Fontanges, s'éteindre avant d'avoir vingt ans. À ses yeux, il n'y avait donc rien de plus précieux que la vie. Et qu'était l'union de l'homme et de la femme sinon la plus pure expression de l'énergie vitale ? Il lui fallait sacrifier sa morale à la conviction profonde qu'Élisabeth ne pouvait se cloîtrer sans avoir connu l'amour.

— Oui. Ce serait pour moi le plus grand des bonheurs.

Élisabeth ferma les yeux de félicité. Se souviendrait-elle de ce que sa mère lui avait dit ? Sous le dais bleu et blanc, ils s'allongèrent côte à côte. Élisabeth sourit lorsqu'il posa sa main sur sa poitrine haletante. Le temps était clément, ses sens étaient en alerte ; une tempête se préparait. Il lui murmura à l'oreille :

— Les caresses sont destinées à préparer ton corps à me recevoir. Tu dois me guider…

Élisabeth ouvrit la bouche pour avaler l'air qui semblait tout à coup lui manquer. Elle sentit la main de son amant se poser sur son genou, puis glisser à l'intérieur de sa cuisse, sous le tissu. Les doigts de Vincent frôlèrent la moiteur de sa fleur avec une douceur infinie. Élisabeth se cambra. Le sang battait à ses tempes. Surtout, désarmer sa pudeur, ne pas résister. Elle ouvrit ses jambes. L'invitation encouragea Vincent, qui remonta ses jupes et posa ses mains sous la rondeur de ses fesses. Il la souleva légèrement vers le ciel. Élisabeth poussa un cri en sentant le bout de sa langue sur elle. Elle chavira dans un monde où l'espace et le temps, ces deux éléments immuables, n'avaient plus aucun sens. Vincent lui murmura des paroles tour à tour réconfortantes et langoureuses, auxquelles elle répondait en riant. Lorsqu'il sentit qu'elle était proche de la jouissance, il se coucha près d'elle et, blotti contre la courbe de son dos, se fraya un chemin dans son intimité.

— N'aie pas peur.

Le contact de sa chair brûlante l'apaisa. Son corps robuste et souple, rompu aux exercices physiques, se fondait naturellement à celui, rond et voluptueux, de la jeune femme. Élisabeth sentit son sexe battre contre ses cuisses. Lentement, elle ondula son bassin contre le sien jusqu'à ce qu'il fût ancré dans son ventre. La douleur, fugitive, s'oubliait derrière l'épanouissement qu'elle ressentait. Ainsi enlacés, ils remuèrent langoureusement jusqu'à ce que leur plaisir culminât avec l'orgasme.

∽

Marguerite déposa sa plume. Ses doigts étaient tachés d'encre. Elle avait écrit sans réfléchir, sans pudeur. Elle souffla délicatement sur le papier. Devait-elle relire la lettre qu'elle destinait à Xavier ? Sa raison lui dictait de le faire. Mais qu'arriverait-il si elle jugeait le ton trop pitoyable, trop implorant ? Elle avait déjà beaucoup attendu. Or, chaque jour qui passait l'éloignait un peu plus de Xavier. Ses excuses, pourtant sincères, n'avaient servi à rien. La colère de son mari était bien légitime. Elle l'avait anticipée, prédite même. Mais elle n'en demeurait pas moins incroyablement impuissante face à la force de son courroux. En pliant la feuille de papier, Marguerite se sentit accablée d'une profonde lassitude. Soudain, on frappa à sa porte.

— Madame ? C'est moi !

Elle reconnut la voix de Bertille.

— Entrez !

La servante se faufila à l'intérieur et s'empressa de refermer la porte derrière elle.

— Oh ! madame !

La chambrière avait l'air affolé. Marguerite sentit son cœur faire un bond dans sa poitrine.

« Nicolas ! » pensa-t-elle.

Elle se précipita vers la domestique.

— Nous avons reçu de leurs nouvelles ? Parle, voyons !

Bertille inspira avec une affectation qui irrita Marguerite.

— C'est M. de Razès… Vous m'avez demandé de venir vous prévenir s'il…

Marguerite poussa un soupir de soulagement et se laissa tomber sur son fauteuil.

— Il a fait préparer des provisions pour un voyage. Il part !

— Mais pour aller où ?

— Je l'ignore, madame.

Avait-il décidé de se lancer à la poursuite de Nicolas ? Il était un peu tard pour intervenir, mais qui sait ce qui lui trottait dans la tête ces jours-ci ?

— Merci, Bertille, fit-elle.

Elle se saisit de sa lettre comme d'un sauf-conduit et, d'un pas décidé, se rendit aux appartements de son mari. Elle s'arrêta sur le pas de sa porte. C'était bien la première fois qu'elle hésitait à entrer chez Xavier.

« Regarde où ta folie t'a conduite ! » songea-t-elle au moment où elle se décidait à frapper.

Lorsqu'il apparut dans le cadre de la porte, Xavier avait un regard sévère.

— Je peux entrer ? demanda-t-elle sans fléchir.

Il l'invita à le faire d'un geste de la main. Durant toutes les années de son mariage, Marguerite ne croyait pas avoir vu son mari aussi intraitable.

— Est-ce vrai que tu pars ? lui demanda-t-elle.

Il tressaillit. Marguerite comprit qu'il n'avait jamais eu l'intention de l'avertir de son projet.

— Je dois aller à Paris.

— À Paris ! répéta-t-elle. Mais que diable vas-tu faire là-bas ?

Xavier croisa ses bras. Il ne daignait pas lui répondre !

— Xavier... l'implora-t-elle en tendant la main vers son visage. Il y a tant de choses dont j'aimerais te parler. Il faut que tu comprennes ! J'étais dans un tel état d'esprit...

Elle attendit, le cœur serré, qu'il lui répondît. Il dut avoir pitié d'elle, car il lança :

— Je vais revenir.

— Et... le chantier ?

Elle se sentait prise au piège dans un filet. Ses tentatives pour se libérer étaient de plus en plus pathétiques. Elle battait de l'aile. La chute, inévitable, serait terrible.

— L'architecte n'aura aucune peine à suivre mes ordres. Si tu n'as rien d'autre à me dire, j'ai beaucoup à faire si je veux partir à l'aube...

— Tu comptes quitter Montcerf demain ?

Xavier hocha de nouveau la tête. Si elle n'avait pas été si convaincue de la force de sa rancœur, elle aurait juré qu'il faisait tout exprès pour exciter son indignation.

— N'y a-t-il rien que je puisse faire pour te convaincre de rester ? demanda-t-elle d'une petite voix.

— Mon voyage est important. Ce n'est pas une stratégie pour t'éviter...

— Pourtant, ça y ressemble fort.

— Tu ne comprends pas, Margot. En me trahissant comme tu l'as fait, tu as détruit tout ce que nous avions construit ensemble. Pourquoi as-tu fait cela ? Inutile, je ne veux pas le savoir. Je suis las de courir après toi. Las du mépris que tu as encore, après toutes ces années, pour les sentiments que j'ai envers toi !

L'affolement empêchait Marguerite de bouger. Non, Xavier ne pensait sûrement pas ce qu'il disait. C'était trop affreux ! Elle chancela.

— Allons, reprends-toi. Tu es une créature d'orgueil et de raison, dit-il

Marguerite éclata en sanglots. Elle refusait de lutter. Avant de sortir, elle jeta sa lettre au visage de Xavier.

∽

Élisabeth ouvrit les yeux. Le ciel s'était assombri. Elle tourna la tête et vit son amant enfiler sa chemise. Le spectacle de sa nudité au beau milieu de la nature rappelait les ébats des divinités de l'Olympe. Elle sourit béatement. Certes, un lit aurait été plus confortable. Mais la candeur de leur étreinte en ces lieux n'était pas pour lui déplaire. Il se tourna vers elle.

— Je t'ai réveillée.

Elle le regarda en silence, les yeux rieurs. Il s'accroupit près d'elle et déposa un chaste baiser sur son front.

— Je vais remplir mon outre au ruisseau. Il faudrait partir sous peu, si nous voulons atteindre l'auberge avant la tombée de la nuit.

Le ton traînant de sa voix et la langueur de ses gestes trahissaient son manque d'entrain à reprendre la route. Élisabeth sentit un frisson parcourir son corps et descendre jusqu'à la pointe de ses orteils.

— Crois-tu qu'il va pleuvoir ?

Elle trouvait que sa voix sonnait étrangement, qu'elle était rauque, comme si elle avait la toux.

— Il n'y a aucun nuage… Pourquoi ? À quoi songes-tu ?

— Nous devrions rester ici ce soir et reprendre le chemin demain, au petit jour.

Vincent plissa les yeux et la regarda entre ses longs cils bruns. Gênée, Élisabeth tira sur les pans de la cape qui la recouvrait.

— Êtes-vous certaine de ne pas avoir glissé quelque chose dans mon vin, mademoiselle ? Car il me semble que je n'aie guère le choix et que je cède à tous vos caprices.

Le rire enjoué de la jeune femme résonna dans la vallée. Elle tendit les bras vers lui pour qu'il vînt la retrouver.

— Je vais d'abord en profiter pour ramasser du bois. La nuit va être fraîche et je ne voudrais pas que vos excentricités nous amènent à attraper froid.

Elle se rangea à la sagesse de son amant et le regarda dévaler la pente jusqu'à la petite étendue boisée. Il s'arrêta auprès des chevaux, qui paissaient toujours près du ruisseau, et retira leur harnachement. Lorsqu'il revint, elle avait enfilé une jupe et une chemise légère et grignotait un morceau de pain.

— J'ai peine à croire que tu as l'âge de mon frère, lança-t-elle soudainement. Tu es tellement plus sage que lui !

Vincent s'assit à côté d'elle et prit une gorgée d'eau avant de dire :

— Mon père a mis plusieurs années à se remettre de la mort de ma mère. Il buvait du matin au soir. Isabelle et moi, nous devions nous charger des tâches quotidiennes et de la cuisine. Nous n'avions pas de domestiques pour nous mignoter.

Devant l'expression consternée d'Élisabeth, il s'empressa d'ajouter :

— Nous n'étions pas dans la misère ! Seulement, je ne passais pas ma journée à fainéanter avec mes camarades. Veux-tu de l'eau ?

Elle accepta l'outre mécaniquement, et ce n'est que lorsqu'elle s'y mouilla les lèvres qu'elle prit conscience qu'elle avait très soif.

— Tu t'inquiètes pour lui, n'est-ce pas ?

— Nicolas n'est plus un enfant. Il sait ce qu'il fait.

« Tout comme moi, je ne suis plus une fille », conclut-elle avec un mélange de joie et d'appréhension.

Maintenant qu'elle avait connu l'amour, devait-elle se sentir différente ? Sa mère l'avait encouragée à aller de l'avant avec son projet de postulante, mais était-ce bien ce qu'elle voulait ? Elle n'avait jamais pris par elle-même de décision réfléchie et, bien que cela lui coûtât de l'admettre, c'était beaucoup moins facile qu'elle ne l'avait imaginé. En outre, la dernière fois qu'elle avait agi sous le coup d'une impulsion, cela avait failli lui coûter la vie...

— Élisabeth ? l'interpella Vincent. Tu ne regrettes pas ce que nous avons fait ?

Elle tressaillit.

— Non.

Au moins, elle était sûre de cela. Sa réponse fit sourire le jeune homme.

— Si tu en as envie, je voudrais recommencer, affirma-t-elle sans vergogne. Mais avant, je vais me laver au ruisseau.

— B... bien, bredouilla Vincent.

Élisabeth traversa pieds nus l'étendue d'herbe. Elle retira son jupon et se glissa dans l'eau jusqu'aux hanches. Sans avoir besoin de se tourner, elle savait les yeux du jeune homme rivés sur elle.

❧

Si Xavier s'était toujours considéré comme fortuné d'avoir Marguerite de Collibret pour épouse, il n'avait jamais craint de la perdre. Dans les premières années de leur mariage, il s'était efforcé de captiver son esprit et son corps, surmontant ses propres limites afin qu'elle ne se languît pas de sa vie de courtisane. Il avait réussi. Du moins le croyait-il. À ses yeux, le lien qui les unissait était plus fort que tout. Mais voilà que, pour une vétille, Marguerite était partie. La stupeur et la colère avaient fait place à la peur. Elle avait retrouvé Paris comme on retrouve un ancien amant. De son piédestal où il se sentait invulnérable, Xavier avait fait une chute brutale. Le tableau de son bonheur conjugal se craquelait, et apparaissaient ses manques, ses faiblesses, sa paresse et son égoïsme. Pour la première fois, il avait connu la peur. Il ne pourrait pas vivre sans elle. Non. Cette certitude, il l'avait acquise lors de son retour de Montferrand.

Aux prises avec la détresse de ses enfants, il avait ressenti plus que jamais le besoin de s'appuyer sur Marguerite. Elle était son refuge. Leur complicité, plus que tout le reste, lui avait manqué cruellement. Il s'était senti perdu sans elle. Voilà pourquoi il s'était promis de la reconquérir lors de son retour à Montcerf, à n'importe quel prix. Mais rien ne l'avait préparé à cette trahison.

Xavier ramassa le pli que Marguerite lui avait jeté au visage.

« Si tu savais… Si tu connaissais la souffrance qui me tord les entrailles lorsque je t'imagine dans les bras d'un autre que moi ! Margot ! Je me croyais aussi puissant, aussi fort qu'un géant. Naguère, ton amour m'avait ramené à la vie, et aujourd'hui ton inconstance m'anéantit. Ô femme infidèle ! »

Il regarda la feuille qu'il tenait entre ses doigts. Que lui apporterait ce minuscule bout de papier ? Les regrets de Marguerite, sa peine, ne faisaient qu'accroître ses remords. L'idée qu'il eût pu éviter ce drame se distillait en lui, meurtrissait son cœur. S'il avait été plus vigilant, moins imbu de lui-même, il ne l'aurait pas laissée partir. À contrecœur, comme un fantassin qui va à la rencontre d'une guerre qu'il sait perdue d'avance, Xavier ouvrit la lettre :

> Mon amour, mon seul amour,
>
> Je me suis égarée. De toi, mais surtout de moi. Je ne vivais plus pour moi-même. Je souffrais de garder dans l'ombre cette part de moi qui m'avilissait. Pour être à la hauteur de toi, je m'efforçais d'être irréprochable. J'étouffais. Je suis partie, mue par une force incontrôlable. Je devais reprendre mon souffle ! Mais cette bouffée d'air m'a tourné les sens. Ma raison m'a abandonnée. Au plus fort de la tempête qui sévissait, j'ai compris que je n'avais jamais cessé d'être Margot. Ce carcan, c'est moi qui me l'étais imposé. Moi seule. Si j'avais eu le moindre doute quant à cela, je ne serais pas revenue. Mais je sais que je veux vivre auprès de toi. Je regrette qu'il m'ait fallu te faire subir mes errements. C'est un mal que je devrai supporter. Je n'ai jamais voulu me soustraire à ma culpabilité ; si je cherchais à retarder mon

aveu, c'est par haine de cette souffrance dont la seule vue m'écorche le cœur. Je t'aime.

Margot

～

Elle s'immergea complètement dans la cuve. Ses larmes se mêlaient à l'eau parfumée. Elle aurait voulu se réfugier en un lieu où la douleur n'existait pas. Ses pensées allaient et venaient comme le ressac des vaguelettes sur les parois de la baignoire. Anne-Marie. Sa cadette, qui ne verrait jamais ses parents heureux. Après toutes ses années de bonheur, constater l'échec de leur union, pis, de leur amour ! Quel triste tableau ! Car leur mariage survivrait, pâle imitation de leur complicité de jadis ; spectre sans âme, sans cœur. Que dirait Nicolas ? Élisabeth serait dévastée. Elle aurait voulu dompter toutes ces idées cauchemardesques, mais elles arrivaient par milliers, comme les renforts d'une armée indénombrable. Il lui était difficile de croire qu'un moment aussi fugace pût ruiner ce qu'ils avaient mis des années à bâtir. Marguerite tentait de se ressouvenir du sentiment qui l'habitait lorsqu'elle s'était retrouvée dans les bras de Benjamin, mais elle n'y arrivait pas. À cet instant-là, elle n'avait pensé qu'à elle-même et non à Xavier ou à leur famille. Marguerite se rappela ensuite avec exactitude les paroles de Ninon, qui avait défendu son droit à l'admiration, à l'exaltation. Son besoin de se sentir femme et désirée. La courtisane l'avait mise en garde contre la fierté de son époux : elle connaissait les risques que comportait le partage entre amants. Dans le plus fort de sa souffrance, Marguerite décida que, lorsque ses enfants seraient de retour, elle repartirait pour Paris. Oui, et cette fois, elle séjournerait chez Ninon !

En s'accrochant à ces desseins chimériques, elle parvenait à se construire un barrage contre le torrent d'émotions qui déferlait en elle. Xavier pouvait aller au diable ! Tôt ou tard, il reviendrait frapper à sa porte et elle le chasserait ! Voilà ! Finalement, c'est en vain qu'elle avait écrit cette lettre. Elle y avait mis tout son cœur, sans envisager qu'il pût refuser de la lire. Marguerite avait été inspirée par l'exemple de sa mère, perdue au fond de l'Auvergne, qui avait ressenti le désir de rédiger un mot d'amour pour son mari. La puissance de sa plume avait ému Marguerite. Elle n'avait pas besoin de comparer les deux textes pour savoir que les termes qu'elle avait empruntés pour transmettre son sentiment à Xavier ressemblaient à ceux de Madeleine. Or, Alain avait été touché par cette sincérité, par cette preuve d'affection, tandis que Xavier y restait indifférent. Leur histoire se terminerait-elle aussi tragiquement que celle de ses parents ? Après avoir traversé la France dans une périlleuse chevauchée, sa mère était revenue en Champagne, amoindrie par la maladie qui brûlait ses entrailles. Elle avait passé ses derniers jours loin de ses enfants et de l'homme qu'elle aimait, car Alain, inquiet, s'était lancé aveuglément à sa suite. Il était revenu à Mirmille quelques instants avant sa mort. Marguerite n'avait pas été témoin de leurs retrouvailles. Tout ce dont elle se souvenait, c'était d'avoir vu son père, cet homme fier et énergique, pleurer comme un enfant. Le spectacle de son chagrin avait bouleversé la fillette qu'elle était. Aujourd'hui, grâce aux lettres et aux témoignages d'Annette et du prince de Condé, elle parvenait à se représenter ce tête-à-tête. En dépit des épreuves qu'ils avaient dû affronter, Madeleine et Alain s'étaient retrouvés. Ils avaient surmonté des obstacles plus grands que ceux qui s'étaient dressés devant Xavier et elle, sans jamais cesser de s'aimer.

« Peut-être ai-je présumé de nos forces ? » se dit Marguerite.

Le lendemain, Xavier partirait pour Paris. C'était peut-être mieux ainsi. La distance lui permettrait de souffrir en paix. Elle prendrait le temps de panser ses blessures et de refaire ses forces. Elle essaierait d'apprendre à vivre sans lui. Recroquevillée sur elle-même, Marguerite n'entendit pas qu'on l'appelait. Après quelques tentatives restées sans réponse, Bertille pénétra dans la chambre et vint se planter à côté d'elle.

— Madame ?

Marguerite renonça à cacher son trouble. Elle en eût été bien incapable. Ses paupières étaient gonflées, ses yeux et ses joues humides et écarlates.

— C'est monsieur. Il demande à vous parler, annonça Bertille, alors que l'émotion faisait trembler sa voix.

— Que veut-il ? Non, j'ai pâti suffisamment de ses méchancetés.

— Dois-je lui dire que vous êtes souffrante ?

— Faites ! Non, attendez !

Un fol espoir la fit hésiter. Elle se haït d'espérer qu'il lui pardonnât. Après toutes les horreurs qu'il lui avait dites !

— Demandez-lui s'il désire toujours partir.

Bertille opina résolument du menton. C'était pour Marguerite une mince consolation de constater que la domestique avait pris son parti contre Xavier. Rapidement, celle-ci revint lui transmettre la réponse de son mari :

— Il n'entend rien changer à ses plans, désapprouva Bertille.

— Grand bien lui fasse ! lança Marguerite avec un pincement au cœur. Dites-lui que je ne veux pas le voir.

Bertille tourna les talons. Marguerite réprima un sanglot et sombra dans l'eau devenue froide. Ses membres étaient transis et sa peau, chiffonnée comme celle d'un vieux fruit. Malgré cela, elle ne trouvait pas la force nécessaire pour sortir de la cuve. La voix de Xavier la tira brutalement de son apathie.

— Je veux que tu viennes avec moi à Paris.

Il était apparu sous ses yeux après avoir traversé le mur de pierre. La surprise déséquilibra Marguerite, qui s'accrocha désespérément au rebord en métal de la cuve.

— Que fais-tu là ? cria-t-elle en sentant sa voix se briser.

Apparemment, il existait un passage secret reliant sa chambre à celle de son époux.

— Margot…

Il s'élança vers elle et enserra ses épaules mouillées. Incapable de protester, elle se laissa enlacer.

— J'ai lu ta lettre. Désormais, il n'y aura plus de désaveux, plus de démentis. Je te veux tout entière. J'étais aveugle, j'étais sourd. Il posa un doigt sur ses lèvres. Chut ! Ne parlons plus de ce que tu as fait. Je sais que tu le regrettes, et c'est tout ce qui importe à mes yeux. Trop souvent j'ai été prodigue de fierté. Alors, tant pis si aujourd'hui elle me fait défaut. Je t'aime.

Il tira Marguerite de l'eau et la mena jusqu'au lit. Terrassée par l'émotion, elle se laissa faire. Il l'aida à s'étendre et, avec une infinie douceur, sécha les gouttes qui perlaient à la surface de sa peau.

ॐ

Aude ne quittait pas Nicolas des yeux. Ses poings étaient serrés à s'en faire mal. Sa poitrine se soulevait sporadiquement. Elle oubliait de respirer normalement tant elle était tendue. Étourdie, elle posa sa main sur le dos de son cheval. Ce n'était pas le moment de défaillir ! Les duellistes ferraillaient sauvagement et les percussions métalliques, tel un sinistre requiem, résonnaient dans la clairière. Elle tressaillait à chaque mouvement qu'effectuait Nicolas, comme si son corps faisait écho au sien.

« Oui, c'est ça ! » l'encourageait-elle en pensée tandis qu'il enfilait feintes et parades avec une adresse incroyable.

Mais leur ennemi n'était pas moins doué. Ce qu'il avait perdu en endurance et en force physique, il le compensait en volonté et en témérité. Le duc d'Enghien était complètement absorbé par le combat ; son visage busqué, impressionnant de stoïcisme, paraissait dépourvu de toute émotion. Aude aurait préféré qu'il grognât et grimaçât, qu'il crachât, bref, qu'il exposât la bête pleine de mauvaiseté à laquelle elle avait dû faire face à Montcerf. Elle repensait aux légendes qui circulaient dans le village. Ses instincts sanguinaires se tenaient-ils tapis sous l'astre du soleil pour ne sortir que la nuit, à l'instar des loups-garous ? Nicolas poussa un cri. L'épée de son adversaire avait déchiré son pourpoint. Aude retint son souffle. Comme le premier des gentilshommes, le duc s'écarta prestement. Il ne se remit en garde que lorsque Nicolas eut démontré son intention de poursuivre le combat. Aude ferma les yeux de soulagement.

Grâce au ciel, la blessure de Nicolas était superficielle ! S'il avait fallu que son époux se retirât, elle en aurait été choquée. Elle avait sous-estimé la haine qu'elle ressentait pour le duc d'Enghien. Alors qu'auparavant elle avait prêché la tempérance, désormais elle n'hésiterait pas à tirer sa rapière à son tour ! Nicolas revint à la charge avec la force du lion, et, cette fois, c'est son arme qui atteignit sa cible. Déstabilisé par son aplomb, Enghien para maladroitement et la lame de Nicolas bifurqua pour aller se loger dans son abdomen. Son hurlement de douleur fit monter les larmes aux yeux d'Aude. C'était fini ! Le duc chancela et lâcha son épée. Dans un élan de joie, la comtesse s'élança vers son époux et ne freina sa course qu'une fois arrivée au bord du ravin. Le comte rengaina son arme et se dirigea vers son adversaire. Ce dernier perdait son sang mais s'entêtait à rester sur ses pieds, en dépit des supplications que proférait Gabriel. Soudain, Aude vit Nicolas s'immobiliser et tendre le cou vers la route. À l'horizon, un groupe de cavaliers se détachait sur le fond bleu du ciel. Les plumes blanches de leur chapeau ondoyaient comme des papillons dans le vent. Lorsqu'elle comprit qu'ils étaient là pour arrêter son mari, Aude se sentit faiblir.

— Nicolas ! l'implora-t-elle.

La garde du prince. Qu'allait-elle faire de Nicolas ? Il fallait qu'il prît la fuite ! Impuissante, elle demeura sur le bord du gouffre, tandis que leurs chevaux franchissaient l'obstacle qui les séparait de son mari. Noblement et sans l'ombre d'une hésitation, Nicolas leur remit sa rapière. Aude fondit en larmes. Aucun doute possible, le prince de Condé avait envoyé ces hommes ! Contrairement à elle, Nicolas ne paraissait ni étonné, ni ému ; il connaissait les risques qu'il courait en désobéissant aux décrets royaux. Avant de monter en selle, il lui lança un dernier regard. Elle ressentit une effusion de cœur si forte qu'elle éprouva une vive douleur. Et si c'était la dernière fois qu'ils étaient réunis ? Un goût de sel mouilla ses lèvres.

— Je vais accompagner le duc à Chantilly, l'informa Gabriel, qui l'avait rejoint. Je vous suggère de venir avec nous. Je ne doute pas que le prince, malgré les circonstances, vous fera bon accueil…

Ses joues étaient striées de traces de poussière, ses cheveux étaient sales, mais elle répondit, d'une façon très composée :

— Je ne quitterai pas mon mari.

— Vous n'y pensez pas ! Ils vont le conduire à Paris.

Aude sentit sa mâchoire se serrer.

— Et lui, le duc, que deviendra-t-il ?

— Je doute qu'il survive à sa blessure…

« Je suppose qu'il pourra compter sur la clémence de son père, pensa-t-elle. Il ne me reste plus qu'à prier pour que le Seigneur se montre intransigeant envers ce monstre. »

Gabriel manifestait une inquiétude singulière pour le duc d'Enghien. Cependant, Aude, qui ignorait leur lien fraternel, conclut qu'il craignait les reproches du prince de Condé.

— Je ne peux plus attendre, madame, dit Gabriel, piteux. Faites preuve de raison et laissez-moi vous escorter dûment jusqu'à Chantilly.

Les gardes avaient déjà rejoint le chemin et se pressaient au galop vers l'horizon. Aude se remit immédiatement en selle. Elle releva la tête, presque avec défi :

— Lorsque vous serez à Chantilly, écrivez à mes beaux-parents pour leur conter que leur fils est victorieux. Dites-leur aussi que je vais tenter de défendre sa cause auprès du roi.

Elle ne laissa pas à Gabriel la chance de répliquer et détala au galop.

34

Retour aux sources

En juin 1663, Xavier avait quitté Paris pour s'élancer à la poursuite du carrosse de Margot, qui filait vers Mirmille. Depuis ce jour-là, ils n'avaient revu Paris que durant de brefs séjours, et le hasard avait voulu que ce soit toujours séparément. Xavier y était allé plus souvent qu'elle, mais jamais sans regretter son absence. Cette fois, ils étaient ensemble. Margot était habitée d'un étrange sentiment d'irréalité, comme si elle avait attendu ce moment pendant près de vingt ans, sans jamais oser y croire vraiment. Leur arrivée, pourtant, se fit par un après-midi banal du mois de novembre 1681. Il faisait froid à pierre fendre et les rues du Marais étaient presque désertes, chacun ayant trouvé mieux à faire que de mettre le bout du nez dehors. Margot, enfouie sous sa cape bordée de fourrure, ne laissait voir que le vert de ses yeux qui larmoyaient. D'un commun accord, Xavier et elle avaient décidé de gagner directement la maison de la courtisane. C'était dans cet hôtel de la rue des Tournelles que le destin les avait réunis. Naturellement, Ninon lui avait un peu forcé la main. Savait-elle, au moment où elle avait demandé à sa jeune protégée de séduire le jeune comte de Montcerf, que se jouaient les prémices d'une surprenante histoire, qui les amènerait à aboutir, trente ans plus tard, sur le seuil de sa demeure ?

Xavier avait de sérieux doutes quant au caractère fortuit de leur aventure, bien qu'il admettait qu'il était peu probable que Ninon eût orchestré ce plan ; elle ne pouvait pas savoir qu'ils se marieraient. Il se plaisait toutefois à répéter que l'ingéniosité de Mlle de Lenclos était réputée. Il fallait bien connaître Xavier pour savoir que derrière ses louanges se cachait de la méfiance. Margot le surveillait du coin de l'œil tandis qu'il confiait le soin de leurs chevaux au palefrenier de l'auberge.

— Mets-leur de la paille fraîche et une double ration d'avoine, recommanda-t-il en le payant de quelques pièces bien sonnantes. Nous ne devrions pas trop tarder.

Xavier considéra les stalles mal entretenues avec un air grincheux.

— Plus vite on aura conduit cette affaire, mieux je me porterai.

— Allons, quitte cet air maussade, l'incita Margot. N'oublie pas que Ninon est mon amie et, si ma mémoire ne me fait pas défaut, tu la considérais avec beaucoup d'égards il n'y a pas si longtemps.

Le voyage leur avait permis se retrouver en tête à tête. Après les péripéties et les disputes qu'ils avaient traversées, cette occasion aurait dû favoriser leur rapprochement, mais leurs cœurs, hélas, n'étaient pas légers. À quelques jours de voyage de Montcerf, ils avaient intercepté un messager qui apportait des nouvelles d'Aude et de Nicolas. Ce dernier avait été mis aux arrêts après son duel contre le duc d'Enghien. Quant à la comtesse, la lettre de Gabriel disait simplement qu'elle avait gagné Paris dans l'espoir d'influencer le jugement du roi. Où était-elle maintenant? Margot aurait été bien en peine de le dire. Ce constat, peu réjouissant, leur rappelait qu'ils avaient du pain sur la planche s'ils espéraient libérer leur famille des menaces qui l'entouraient.

« Nous la retrouverons, ne te fais pas de souci, lui avait dit Xavier d'un ton confiant. Aude te ressemble. Elle est forte et n'a pas froid aux yeux. Rappelle-toi comment tu étais à son âge! »

Il avait dit cela sans prétention de flatterie, mais elle avait tout de même souri. Xavier avait développé une sincère estime pour la femme de son fils, et cela la ravissait. Par ailleurs, Aude avait prouvé qu'elle avait du mérite, même si elle affichait parfois une assurance qui frisait l'arrogance.

— Tu me laisseras expliquer à Ninon les motifs de notre venue?

— Bah ! Tu n'auras qu'à lui dire que nous venons prendre des leçons de galanterie ! Elle n'aura rien à objecter à cela ! Une fois que sa vigilance sera endormie, nous aurons le champ libre pour fouiller la demeure à notre guise, lança-t-il en plissant ses yeux noirs, ce qui lui donna l'air d'un gamin malicieux.

Margot sentit une tension l'envahir. Si Xavier lui avait pardonné son incartade avec Benjamin, elle estimait que le sujet n'était pas clos. Dès que leur dialogue frôlait les verbes « aimer » ou « fleureter », elle devenait fébrile. D'ailleurs, malgré toutes les nuits passées l'un contre l'autre, ils n'avaient pas refait l'amour depuis le soir où Xavier avait pénétré dans ses appartements par la porte dérobée. Elle espérait qu'une fois cette délicate affaire réglée ils se retrouveraient comme amants.

— Je m'exprimerai sans détour, affirma-t-elle pour se donner de l'assurance.

Contrairement à Xavier, elle ne comptait pas user d'artifices pour convaincre Ninon et considérait que sa meilleure arme était encore la franchise. Mais lorsque la porte s'ouvrit et que la silhouette féminine de la courtisane se dessina dans l'embrasure, la nervosité la gagna. Elle sourit gauchement à Ninon sans parvenir à articuler une seule parole.

— Margot ? Xavier ? Mais entrez ! Si vous restez là sans bouger, vous allez vous transformer en glaçons !

Après le froid qu'il faisait dans la rue, le petit vestibule de l'hôtel était des plus accueillants. Margot sentit ses doigts picoter, reprendre vie. Elle frotta ses mains l'une contre l'autre.

— Vous arrivez de Montcerf ? demanda Ninon en examinant leurs vêtements de voyage poussiéreux.

Margot fit oui de la tête.

— Nous avons voyagé à cheval, précisa-t-elle.

Cela justifiait en partie leur allure débraillée. Ninon ne dit rien, mais son visage exprimait l'égayement qu'elle tirait de ce débarquement aussi inattendu que singulier. Sitôt après les avoir invités à passer au salon, elle s'empressa de leur offrir des boissons et un goûter. Margot s'étonna du peu de cas que son amie faisait de leur arrivée inopinée. Mais elle ne tarda pas à s'apercevoir que la courtisane n'avait rien perdu de son intuition et de sa perspicacité.

— Vous êtes venus pour prêter main-forte à votre belle-fille ? lança-t-elle en humant les arômes qui se dégageaient de sa tasse de café.

— Aude ! s'exclamèrent Margot et Xavier à l'unisson.

Xavier se brûla les doigts et poussa un « fouchtra » bien senti.

— Sais-tu où elle se trouve ? renchérit Margot.

— Je la croyais chez ta sœur, répondit Ninon. N'y êtes-vous point allés ?

— Non. Euh… Nous voulions te voir. Mais d'abord, rassure-moi. Aude est bien portante ?

— C'est votre fils dont il faut s'inquiéter. Ignorez-vous qu'il a été incarcéré à la Bastille parce qu'il s'est battu avec le duc d'Enghien ?

Margot secoua la tête tristement.

— Nous y reviendrons, répondit Xavier. En fait, l'affaire qui nous amène est tout autre.

Le regard de Ninon alla de l'un à l'autre, comme si elle se demandait qui, de Margot ou de Xavier, allait lui fournir les explications. Finalement, Margot prit la parole :

— Il s'agit d'une situation un peu délicate… Comme tu le sais, j'ai quitté Paris sur les traces de ma mère, guidée par ses lettres, ce qui m'a conduite en Champagne. Après une brève halte à Mirmille, je me suis rendue à Chantilly. Au cours d'un entretien avec le prince de Condé, j'ai appris que ma mère avait accompagné sa femme à travers l'Auvergne.

Margot fit une pause. Elle vit que ce long préambule avait allumé une étincelle dans les pupilles de Ninon. Xavier coupa court à ce prologue :

— Margot a découvert que le passage de Madeleine à Montcerf était un prétexte pour y dissimuler un document secret. À ce jour, la nature exacte de ces pièces demeure ambiguë, car mon père, de crainte qu'elles tombent en des mains malintentionnées, les avait remises aux soins de son écuyer peu de temps avant de trépasser. Ce serviteur, Médéric Vannheimer, les avait transportées jusqu'à Paris pour les confier à une tierce personne.

À la mention de feu le comte de Razès, le sourire de Ninon s'était envolé. Elle avait l'air pensif de quelqu'un qui rumine les événements de son passé.

— J'ai toujours considéré que ces papiers étaient sans grande importance et que le complot qu'ils concernaient était mort avec la Fronde. Mais à cause d'un incident récent, qui a failli coûter la vie à Margot, je dois absolument les retrouver, renchérit Xavier.

— Voilà pourquoi nous sommes ici, termina Margot en levant vers son amie un visage vibrant d'espoir.

Un sourire empreint de regret étira les lèvres fines de Ninon.

— En vérité, vous avez attendu bien longtemps pour vous manifester !

— Vous ne les avez plus ? Qu'en avez-vous fait ?

Margot posa sa main sur le bras de son mari pour l'inciter au calme. Ninon s'était toujours vantée de sa loyauté envers ses amis et Margot ne l'avait jamais prise en défaut, mais sa fidélité était-elle à l'épreuve du temps ?

— Quand Médéric m'a raconté les circonstances tragiques qui avaient mené à la mort d'Hector, j'ai craint que l'on vînt m'appréhender à mon tour. Je l'ai écouté faire le récit de son périple : comment, après avoir fui Montcerf avec les deux enfants de son maître, il avait laissé la jeune fille aux soins d'un couvent et poursuivi sa route avec le garçon, qui était presque un homme. La famille de Razès était dispersée, et bientôt leur domaine allait devenir la propriété de l'État parce que Hector avait comploté avec les princes. En définitive, ses alliés se retournaient contre lui ; Médéric croyait en effet avoir reconnu le meneur des hommes qui avaient envahi le château en la personne d'un proche du prince de Condé. Tout me portait à croire que ces papiers avaient causé la perte d'Hector. Or, j'étais une femme sans naissance, sans famille. Un mince obstacle pour qui ambitionnait de mettre la main sur ces pièces.

Xavier contenait avec peine son impatience.

— Médéric m'a dit qu'un jour prochain, lui-même ou le fils d'Hector se présenterait pour recouvrer les documents. Cette affaire m'a servi de leçon : dès lors, j'ai limité mon commerce avec les princes, préférant la compagnie, moins risquée, des écrivains et des philosophes. Pour tout vous dire, lorsque Xavier a cogné à ma porte le fameux soir où vous vous êtes rencontrés, j'ai cru que ce moment était arrivé. Mais vous ne saviez pas, alors, ce que vous savez maintenant. Depuis que j'ai ces pièces en ma possession, personne ne m'a inquiétée. Voilà près de trente ans que j'attends de vous les remettre.

Xavier poussa un soupir d'aise. Hector de Razès ne s'était pas trompé.

— Je vais les chercher.

Ils demeurèrent silencieux, suspendus au fil de l'intrigue dont Ninon tenait l'extrémité. Elle réapparut un portefeuille en cuir à la main. Sans cérémonie, elle le tendit à Xavier.

— Je les ai placés là-dedans pour les protéger. Ces documents sont aussi vieux que moi, ajouta-t-elle en esquissant un sourire.

Xavier prit le portefeuille avec l'air de quelqu'un qui soupèse avec gravité la charge dont il hérite.

— En avez-vous pris connaissance ?

Ninon répondit par la négative.

— J'avoue que cela a occupé mes pensées après que Médéric me les eut remis. Mais depuis… bien de l'eau a coulé sous les ponts. Il y a des années que je n'y avais plus songé. Quand Margot m'a raconté qu'elle explorait la correspondance de sa mère, j'ai su que tôt ou tard elle apprendrait l'existence de ces documents et aussi de la singulière relation entre Madeleine et Hector.

Margot écarquilla les yeux en signe de surprise.

— Hector et moi nous écrivions assidûment. Vos parents s'étaient croisés à Paris, lors d'une visite de Madeleine. Mais leur véritable rencontre s'est faite à Montcerf, lors de son passage avec la coterie de la princesse de Condé. Je ne crois pas qu'il y ait eu entre eux autre chose qu'une suite d'intrigues. En outre, Madeleine était la maîtresse du prince de Condé.

— Merci… Anne, exprima Xavier.

Ninon lui répondit par une moue nostalgique.

— Qu'allez-vous en faire ?

— Des gens influents seraient prêts à tout pour mettre la main dessus. L'unique façon de se protéger contre eux consiste à les remettre au roi, affirma-t-il sans hésiter.

⁓

Aude de Razès avait suivi l'escorte de son mari jusqu'à Paris. Même si le prince de Condé n'avait pas l'autorité nécessaire pour émettre une lettre de cachet, il n'en demeurait pas moins pair du royaume et cousin du roi. Nicolas mit deux jours avant de se retrouver à la Bastille. Furieuse et prête à tout pour secourir son mari, la comtesse avait dû en rabattre lorsqu'elle avait frappé aux portes de Versailles, chasse gardée des courtisans et de la noblesse de robe. Ses alarmes avaient été vaines, elle découvrit que le comté de Montcerf était fort peu de chose dans les dédales protocolaires de la cour.

— Deux semaines, ce n'est pas si long, l'encouragea Claudine. Une femme que je fréquente, Mme Brécourt, a bien dû attendre deux mois avant d'obtenir une audience ! Il est vrai que c'est qu'une bourgeoise, mais son époux a des appuis auprès du ministre Louvois…

— Les bourgeois ont envahi Versailles ! renchérit Grégoire de Collibret, qui faisait feu de tout bois pour s'attirer l'attention de la jeune comtesse de Montcerf.

Aude se contenta de lever un sourcil. S'il s'était mis à son service pour l'assister dans ses démarches auprès du roi, ses efforts ne lui rapportaient que de vagues complaisances, Aude étant trop préoccupée par l'arrestation de son époux pour prendre conscience de l'attirance que Grégoire ressentait pour elle.

— Vous ne devez pas vous laisser abattre, insista Claudine. Nicolas est traité selon son rang, je me suis renseignée. Il mange très bien et sa geôle est parmi les mieux pourvues.

Aude serra les poings. Elle aurait bien assiégé cette tour de malheur si elle n'avait pas craint de subir le même sort que son époux. L'inaction la rendait folle !

— Que puis-je faire d'autre ? demanda-t-elle à Claudine.

— Vous reposer, voilà qui serait sage, répondit cette dernière en posant sa main sur sa chevelure claire. Vous devez être du meilleur air lorsque vous paraîtrez devant le roi.

Grégoire de Collibret opina en silence, bien qu'il lui fût impossible d'imaginer plus touchante créature que celle qui se trouvait présentement devant lui, avec sa peau d'une pâleur lunaire, ses paupières bleuies par les nuits d'insomnie, ses lèvres rougies par les morsures de dents anxieuses. Aucun homme, fût-il roi, ne pourrait résister à une telle fragilité ! Il se dressa soudain et laissa échapper :

— Morgué ! Je viens d'avoir une idée !

Claudine leva les yeux au ciel. Le naturel irréfléchi et fougueux de son cousin lui pesait de plus en plus. Comment lui faire entendre que ses emportements ne faisaient que compliquer les choses ?

— Parlez, monsieur, fit Aude.

— Mon cousin, le mieux pour elle serait d'attendre la rencontre avec le roi, intervint Claudine.

Grégoire agita la main pour taire ses préventions. Non, cette fois, son plan avait du génie !

— Vous allez vous produire devant le roi ! Il aime la musique, la danse et les femmes. Il ne pourra pas rester insensible à votre personne.

Claudine ouvrit la bouche pour protester, mais se ravisa. Le projet de son cousin, résolument fantasque, lui plaisait.

— Impossible ! Non, je ne peux pas, répondit Aude.

❧

Cette nuit-là, Margot ne trouva pas le sommeil. Xavier, lui, avait cherché refuge dans cet état d'inconscience bienheureux qui apaise l'esprit et calme les inquiétudes. Il ronflait doucement à côté d'elle, sous l'édredon de cette chambre verte qui avait été la sienne pendant quelque temps. Le coup du sort qui les avait réunis dans ce lieu chargé de sens, alors qu'ils s'apprêtaient à livrer une bataille au nom de leur amour et de leur enfant, avait tout pour la garder en éveil, mais ce n'était pas la cause de son insomnie. Ses yeux fixaient le plafond, comme si elle avait pu y trouver les réponses aux questions que sa quête avait suscitées. Madeleine avait-elle administré le poison contenu dans le loquet ? À qui était-il destiné ? Mazarin, son ennemi de toujours, était mort de cause naturelle plusieurs années après la Fronde. Margot devait-elle en conclure que, lorsqu'elle avait donné le pendentif à Alain, il était toujours rempli de la substance corrosive qui avait endommagé les parois ?

« Qu'importe, puisque tout cela appartient au passé, se dit-elle en poussant un soupir. Xavier se préoccupe-t-il, lui, de savoir lequel des amis de Condé a tiré sur son père ? »

Une certitude s'imposa alors dans son esprit. Xavier connaissait le nom du coupable ! L'aventure de Nicolas à Paris l'avait mis sur la piste. Déjà, il avait des doutes quant à son identité lorsqu'il avait inhumé le corps de Médéric. D'ailleurs, il ne s'était pas ému des souvenirs de Condé, d'Enghien, de Ninon, d'Annette et de Charles-Antoine. Aucun désir de vengeance ne l'agitait. Était-ce le signe que sa noblesse orgueilleuse cédait du terrain ? Margot se refusait à le croire. Toutefois, il faisait preuve d'une sagesse nouvelle, qui n'était pas sans accroître son estime pour lui. Xavier voulait d'abord protéger les siens, comme il le lui avait dit plus tôt :

— Nous allons utiliser ces documents pour soustraire Nicolas à la justice du roi.

— Nous ne savons même pas ce qu'ils révèlent !

Un sourire énigmatique flottait sur les lèvres de Xavier.

— Lutisse arguait que c'était un secret d'État. Avons-nous besoin d'en savoir plus ? Par ailleurs, ce qui importe surtout, c'est que le roi nous croie lorsque nous lui garantirons notre complète ignorance du contenu de ce document.

— Je vois, répondit-elle, déçue. Mais… n'es-tu pas curieux ?

— Margot ! Je tremble à l'idée de ce qu'il pourrait faire s'il apprenait que nous détenons des preuves capables d'ébranler sa couronne.

« Xavier a raison. Il a séquestré Fouquet, car ce dernier avait osé défier son pouvoir. Il a emprisonné ou conduit à l'exil des dizaines de hauts nobles qui avaient trempé dans l'affaire des poisons. Il a frappé de disgrâce les princes frondeurs alors qu'il n'était encore qu'un enfant... Aujourd'hui, c'est le maître incontesté de toute la France. Il disposerait de nous à son gré si nous représentions une menace pour lui. »

Margot avait beau être convaincue de la justesse de ces arguments, elle ne parvenait pas à renoncer au secret. Doucement, elle se glissa hors du lit. Xavier avait laissé le portefeuille sur son ancien secrétaire. Elle s'en approcha sur la pointe des pieds. Elle jeta un dernier coup d'œil à son mari. Il dormait. Soulagée, elle tâta l'intérieur de cuir et, précautionneusement, en tira le pli qu'il contenait. L'excitation la gagnait peu à peu. Les secousses de son cœur s'accéléraient. Au premier regard, elle fut troublée. C'était écrit en espagnol ! Margot se passa une main sur le front. Il y avait si longtemps qu'elle avait eu l'occasion de faire l'usage de cette langue ! Instinctivement, elle plissa les yeux et se pencha sur le papier. Elle avait pratiquement terminé lorsqu'un bruissement l'arracha à sa lecture. Elle leva la tête. Entièrement réveillé, Xavier l'observait depuis le lit.

— Tu as bientôt fini ? demanda-t-il sans sourciller.

Elle ne répondit pas et rangea soigneusement le pli dans le portefeuille. L'opération, pourtant fort simple, lui prit une éternité. Lorsque, la mine basse, elle rejoignit enfin son mari, il déclara :

— Satisfaite ?

— Navrée de te décevoir, mais je ne pouvais tout simplement pas...

— Je pressentais que ta curiosité prendrait le dessus. Eh bien ?

Elle se lova au creux de l'épaule de son mari, un geste qui visait à l'amadouer, mais surtout à jouir de cette complicité qui transparaissait dans ses propos.

— La lettre a été écrite par une dame de compagnie de la reine, une intrigante, relata Margot, qui contenait avec peine son excitation. Elle prétend que le roi serait un bâtard. Sa maîtresse lui en aurait fait la confidence. Et enfin, le meilleur : elle est adressée à un certain prêtre répondant au nom de Luzier, de l'ordre des Jésuites.

Xavier ne répondit pas immédiatement.

— Mentionne-t-elle le nom du père légitime ? interrogea Xavier.

Margot secoua la tête. Cette affaire, d'importance, surpassait tout ce que son esprit aurait pu imaginer. Elle rattachait les événements bout à bout : Madeleine avait reçu des Jésuites l'ordre d'empoisonner Mazarin. Une fois le ministre éliminé, ce document permettait à Condé de faire valoir son droit d'héritage. Sans l'appui du Parlement, le petit roi et la reine offraient une piètre opposition au prince, qui avait le soutien de la compagnie de Jésus.

— Te crois-tu en mesure de paraître devant le roi ?

Les doutes de Xavier fouettèrent son orgueil, et elle rétorqua subitement :

— Et toi ?

— Je suis rompu à ces exercices de dissimulation. N'oublie pas que nombre de secrets de cour sont passés entre mes mains à une certaine époque.

Margot répliqua immédiatement :

— Ne sais-tu pas que j'ai été courtisane ?

Pour un peu, elle se trompait et disait « je suis » à la place de « j'ai été ». Sans préambule, Xavier se pencha vers elle et l'embrassa fougueusement sur la bouche.

— Je t'aime, lui dit-il, avant de s'étendre à côté d'elle.

35

La rencontre finale

Lorsque Margot s'éveilla, la couche était froide. Ninon lui expliqua que Xavier était parti peu après l'aube en prétextant qu'il devait s'occuper d'une affaire urgente.

« Il doit s'être rendu chez Claudine pour s'assurer qu'Aude va bien », conclut Margot.

Son absence lui offrit l'occasion de déjeuner en tête à tête avec son amie. Un instant de pure simplicité, de douceur, que Margot garderait précieusement en souvenir pendant les années à venir. Après le repas, elle resta bavarder avec Ninon. Spontanément, la conversation tourna autour de l'avenir de sa fille, Élisabeth, du mariage d'Isabelle de Coulonges, des aventures d'Aude. Cette génération de femmes qui leur succéderait en suivant des voies différentes des leurs, mais avec autant de panache. Après un moment, elle se leva. Elle portait toujours l'indienne que Ninon lui avait prêtée à son arrivée.

— Je devrais aller faire ma toilette, dit-elle à Ninon.

Elle monta à sa chambre. Elle n'était pas peu impatiente de retrouver sa belle-fille. Heureusement, Aude n'était pas seule pour traverser cette épreuve : Claudine était là pour la soutenir. Elle s'apprêtait à prendre congé de son hôtesse pour aller les retrouver lorsque celle-ci lui annonça :

— Grégoire ne devrait pas tarder à se lever. Tu devrais peut-être l'attendre ? Il sera sans doute ravi de t'escorter chez ta sœur.

Margot demeura immobile, puis, d'une voix neutre, lança :

— Tu as bien dit *Grégoire* ? Comme dans Grégoire de Collibret, mon cousin ?

Ninon lui sourit le plus naturellement du monde.

— Il séjourne chez moi depuis quelque temps, expliqua la courtisane.

— Comment se fait-il ?

— Je te le mentionnais dans ma dernière lettre. Elle n'a pas dû se rendre à temps. Allons, Margot, ne te mets pas dans cet état, dit Ninon. Il n'est pas pire que la plupart des hommes qui fréquentent mon salon. Je crains que ton bonheur domestique ne t'ait rendue intolérante.

Elle haussa les épaules. Ninon n'avait peut-être pas tort. Cependant, Xavier était aux antipodes d'un libertin comme Grégoire. Elle maugréa, puis finit par accepter qu'il l'accompagnât. Sur la route menant à l'hôtel de Claudine, il lui confia l'astuce qu'il avait imaginée pour amadouer le roi.

— Aude va se produire au Palais-Royal ! Nous avons choisi un extrait d'*Atys*, de Lully. C'est l'opéra favori du roi. Elle tiendra le rôle de la muse de la tragédie. Subtile métaphore, n'est-ce pas ?

— Pas autant que vous voudriez le croire, mon cousin, railla Margot. Et que dit Aude de tout cela ?

— Aussitôt que je lui ai présenté le morceau, elle s'est enthousiasmée ! Ah ! Elle a l'âme d'une artiste !

Margot lui jeta un regard sombre. Grégoire avait un don pour l'irriter. Évidemment, il était trop tard pour faire marche arrière. L'opéra de Paris et Lully : Grégoire avait déployé des trésors d'ingéniosité pour organiser tout cela en si peu de temps. C'est sans surprise qu'elle découvrit qu'il avait réussi à enjôler Claudine :

— Je t'assure, Margot, que j'étais aussi résistante et sceptique que toi, mais j'ai assisté à la répétition et... Aude est tout simplement fantastique ! Nous ferons salle comble ! Il ne faudrait pas se surprendre que le roi la réclame à Versailles avant la fin de la semaine !

— À Versailles !

Margot n'en croyait pas ses oreilles. Grégoire était convaincu que le roi exprimerait le désir d'entendre Aude chanter. Tandis que Xavier faisait tout pour obtenir ce tête-à-tête avec le roi, son cousin inventait des stratagèmes fantaisistes ! S'il fallait que leur hardiesse fît échouer leur plan en provoquant le déplaisir du monarque…

— Marguerite ! s'exclama Aude en faisant irruption dans le salon.

Elles s'étreignirent en s'abandonnant à la joie qui les transportait.

— Je suis si contente de vous retrouver enfin ! exprima Margot avec soulagement. Nous nous sommes tellement inquiétés pour vous.

— Je me porte bien, la rassura-t-elle. C'est de Nicolas qu'il faut se soucier. Claudine vous a raconté, pour la représentation ?

Aude s'empressa de lui faire le récit de son voyage depuis Montcerf. Si elle ne cachait pas la mésestime en laquelle elle tenait les Condé, elle faisait un effort pour sourire et se montrer d'humeur égale. Par ailleurs, la jeune femme avait trop à faire pour se laisser aller au désespoir. Margot pardonna ainsi à Grégoire.

— Xavier n'est pas venu avec vous ? demanda Aude.

— Nous logeons chez Ninon, répondit Margot. Toutefois, j'admets que j'ignore où il se trouve présentement. Il était déjà parti lorsque je me suis réveillée. La route a été pénible ; nous avons voyagé à cheval.

— Grands dieux, ma sœur ! Seriez-vous devenue une aventurière, à l'instar de votre belle-fille ?

— Mon séant ne saurait se piquer d'une telle fantaisie !

Claudine et Aude s'esclaffèrent.

— Vous joindrez-vous à nous pour le souper ?

— Ce sera un plaisir, chère sœur. Mais je vais d'abord tenter de retrouver mon époux.

Si Xavier n'était pas ici, alors, il devait être en train d'orchestrer la rencontre avec le roi. Or, une démarche aussi malaisée pouvait lui prendre toute la journée. Lorsqu'il aurait terminé, nul doute qu'il irait la chercher chez Ninon. Convaincue de son raisonnement, elle retourna à l'hôtel des Tournelles.

— Xavier ? fit-elle en battant des paupières. Hum. Quelle heure est-il ?

— Presque sept heures, répondit-il d'une voix lasse.

— Oh ! Claudine nous avait conviés chez elle.

Elle se redressa sur les oreillers. Xavier avait retiré son pourpoint, qu'il posa sur le dossier d'une chaise. Elle avait voulu faire une petite sieste, mais voilà bien quatre heures qu'elle dormait !

— Où étais-tu ?

— Je reviens de Versailles, affirma-t-il en s'étirant. Je suis fourbu !

Il s'assit sur le lit, à côté d'elle.

— Pouvons-nous espérer…

— Nous sommes attendus demain matin, répondit-il.

— Demain ? Mais c'est merveilleux ! N'es-tu pas de mon avis ? Qu'y a-t-il ?

— On m'a laissé entendre que le roi était très en colère contre notre fils. J'ai peur que notre réussite ne soit pas assurée. Bien des choses ont changé en vingt ans. Notre souverain se fait vieux. Il est plus grave, plus intransigeant.

Margot enlaça son mari.

— Je garde espoir. De mon côté, j'ai vu Aude. Tu avais raison à son sujet. Elle n'a pas perdu de temps, elle a une audience avec le roi dans deux semaines.

— Hum.

— Xavier, je t'en prie… Tout n'est pas perdu. Tu oublies que nous avons les pièces.

— Justement. Le roi ne se laissera pas manipuler bêtement. Nous allons devoir faire montre de finesse.

Sa dernière rencontre avec le roi remontait à plusieurs années. Margot en gardait une empreinte caractéristique : ce tête-à-tête avait marqué la transition entre son ancienne vie et sa nouvelle. Elle se remémorait avec une singulière acuité la fébrilité et le désarroi qui l'habitaient lorsque le monarque avait fait son apparition. Elle était encore jeune et, malgré tout son aplomb, il n'en demeurait pas moins qu'il était le souverain de toute la France ! Lorsque Margot aperçut les grilles ornées de l'emblème du soleil, elle fut prise d'un vertige. Cet entretien ne ressemblait en rien au premier ! Aujourd'hui, elle était comtesse et mère de trois enfants. La famille de Collibret s'était défaite de la disgrâce que lui avaient occasionnée ses rapports avec Fouquet. Et aujourd'hui, le roi n'était plus novice dans l'exercice du pouvoir.

« Il n'a rien à craindre avec nous. Il a conquis les nobles, les bourgeois, le clergé. De plus, il est père, lui aussi. Il saura se montrer clément », espéra-t-elle.

Une fois de plus, Xavier s'était abouché avec Colbert pour obtenir la faveur de cette audience. Margot leva les yeux vers son mari. Il la regardait, mais sans la voir vraiment ; son esprit était ailleurs. Pensait-il lui aussi à Nicolas ? Soudain, elle prit conscience de la tragique ironie de sa situation. Comme vingt ans auparavant, elle venait implorer le roi de gracier un membre de sa famille. Ses mains se mirent à trembler.

— Margot ? lança Xavier.

Elle essaya de sourire, mais sa bouche se contracta sous l'effet de l'émotion.

— J'ai peur, lui avoua-t-elle.

Le carrosse s'arrêta. Ils étaient arrivés à Versailles.

— Tout ira bien. Je suis là.

ॐ

Margot admirait l'aisance avec laquelle Xavier avait chaussé ses souliers de courtisan. Il faisait parfaitement la courbette au moment où l'étiquette l'ordonnait et toisait ses pairs avec l'assurance de celui qui ne souffre pas que l'on s'interroge sur sa présence à Versailles. Malgré leurs efforts pour se fondre dans le paysage, ils attiraient l'attention. Xavier n'avait pas troqué son épée pour une canne à pommeau d'argent et il ne portait pas la perruque ; elle-même avait opté pour une coiffure sage, qui, sans gâter son allure, contrastait avec les arrangements vertigineux en vogue en ces temps. En dépit des extravagances de la cour, Margot remarquait, ici et là, l'influence grandissante de Mme de Maintenon. Cette femme au destin surprenant avait été l'amie de Ninon avant de devenir la gouvernante des bâtards royaux. Depuis l'affaire des poisons, le roi avait délaissé la Montespan pour se tourner vers la plus austère et plus sage Maintenon.

« Notre cause ne sourira pas à cette prude, songea Margot. Un duel entre un comte et un fils de prince fait partie des affaires contre lesquelles elle s'élève. »

Pourtant, lorsqu'elle avait fait sa rencontre, vingt ans auparavant, Mme de Maintenon ne lui avait pas paru être une femme capable de bannir le libertinage de la cour. Au contraire, si elle démontrait une réserve ingénue envers les propos galants et parfois égrillards, elle ne s'en amusait pas moins. Dans l'antichambre où ils patientaient, Margot l'aperçut. Elle était entourée d'un groupe de solliciteurs. Ils se pressaient sans vergogne, comme si la faveur qui environnait la marquise était contagieuse !

« Très peu pour moi », se dit Margot.

Elle aurait bien voulu saluer la marquise, mais rien ne lui faisait plus horreur que de se voir ranger dans la même espèce que ces flagorneurs. Lorsqu'elle entendit appeler leur nom, elle tressaillit. Déjà ! Xavier lui tendit le bras et elle s'empressa d'y prendre appui.

Cette seconde antichambre était presque déserte, un seul garde suisse veillait en retrait. Selon le protocole en vigueur, c'était là qu'étaient reçus les heureux dont la requête serait entendue de vive voix. Pour renforcer l'impression de rituel, le roi trônait au centre de la pièce, et rien, pas même le plafond sculpté, orné d'une frise grandiose, ne faisait ombrage à sa prestance. Margot s'était représenté maintes fois ce moment et, chaque fois, elle s'était vue prête à défaillir sous le coup de l'émotion. Toutefois, une force inespérée lui insuffla le courage de faire face au monarque.

— Monsieur et madame de Razès, fit le roi, il y a trop long-temps que nous avons eu le plaisir de votre visite.

Xavier se courba pour exécuter une gracieuse révérence et elle l'imita aussitôt. Il boudait la cour depuis plus de dix ans maintenant, mais le roi avait choisi de passer cette lacune sous silence. Margot hésitait à y voir un bon présage : le roi ne cachait pas son antipathie envers les nobles indépendants, qu'il associait librement aux mouvements séditieux.

— Votre Majesté nous fait un insigne honneur en nous rece-vant à Versailles. Nous aimerions lui témoigner le grand bonheur d'être parmi les sujets de Sa Majesté assez heureux pour admirer les merveilles qu'Elle a mises sous nos yeux.

Ce commentaire fit sourire le roi. Margot, qui guettait ses réactions du coin de l'œil, perçut l'affection que le monarque portait à son époux. Elle eut un pincement au cœur.

« Pourvu que cela soit suffisant », pensa-t-elle.

— Monsieur Colbert m'a signifié qu'une affaire d'importance nécessitait notre attention. Parlez, le roi vous écoute.

Xavier lui jeta un regard oblique. Margot prit alors la parole :

— Sire, j'implore votre indulgence. Une bien triste nouvelle est parvenue jusqu'à nous. Notre fils, Nicolas de Razès, serait détenu à la Bastille.

Le roi se tourna vers elle. Il ne semblait pas surpris de la tournure de la rencontre, mais laissait voir un léger agacement.

— Le comte de Montcerf a provoqué mon déplaisir. Ignorez-vous qu'il a violé l'édit royal interdisant le duel ? Il a croisé le fer avec le duc d'Enghien.

Le ton tranchant du monarque ne laissait guère de place à la clémence.

— Hélas, sire, nous le savons. Néanmoins, je ne serais pas une mère si je ne plaidais pas pour mon fils. Le duc d'Enghien a vilement forcé notre demeure et tenté de compromettre la vertu de sa sœur, notre fille. Nicolas a fait ce que tout gentilhomme aurait fait…

— Madame de Razès, coupa le roi. Sachez que nous sommes sensible à la cause de votre fils. Mais point n'est besoin d'offenser son roi pour laver l'honneur de sa famille.

Margot baissa les yeux. Si elle poursuivait dans cette voie, elle risquait de s'attirer à son tour les foudres royales.

— Veuillez pardonner à ma femme, sire. Elle est fort sensible et s'inquiète du sort qui sera réservé à notre fils.

— Notre mémoire a conservé le souvenir de Mme de Razès, répondit-il, signifiant par là qu'il excusait d'emblée l'audace de Marguerite. Votre fils a grièvement blessé un parent de la famille royale. Toutefois, monsieur de Razès, vous avez su vous attacher l'amitié du roi. Nous ferons preuve de clémence à l'endroit du comte de Montcerf : il sera de retour chez lui dans la prochaine année.

« L'an prochain ! » s'émut Margot en lançant un regard de détresse à son mari.

— Nous vous en sommes reconnaissants, s'empressa de répliquer Xavier.

Margot dut se faire violence pour ne pas s'élever contre cette injustice. Pour s'apaiser, elle se rappela que Nicolas savait fort bien, en posant son action, qu'il s'exposait au châtiment royal. Il connaissait les conséquences du duel.

— Votre majesté, laissez-moi vous expliquer les raisons qui nous amènent à Versailles, commença Xavier.

Margot l'écouta distraitement, tandis qu'il racontait les événements qui avaient mené à l'apparition du document. Le récit avait subi quelques changements, qui visaient surtout à protéger Ninon d'une enquête importune. Ainsi, Médéric Vannheimer avait veillé sur les documents jusqu'à sa mort, à la suite de quoi un messager anonyme les avait remis à Xavier. Comme l'écuyer était décédé l'année précédente, l'explication s'avérait crédible et, surtout, invérifiable. Xavier insista sur l'attaque dont Marguerite avait été victime et sur l'implication des Jésuites.

— Nous avons quitté Montcerf quelques jours après la venue de cet envoyé de l'ordre des Jésuites. Tout me porte à croire que ces documents contiennent des informations sensibles, qui auraient un rapport avec la mort de mon père et son implication dans la Fronde. Voilà pourquoi je suis venu trouver Votre Majesté, conclut Xavier en se levant pour rendre les pièces au roi.

Louis XIV saisit le portefeuille avec une solennité feinte, qui trahissait son manque d'intérêt pour la question. Il jeta néanmoins un regard œil distrait sur son contenu. La surprise transforma ses traits. Il leva un sourcil et se pencha sur la lettre. Margot l'observait attentivement, tout en veillant à ne rien laisser paraître de l'excitation qui l'agitait.

— Monsieur de Razès ? fit le roi.

— Sire.

— Avez-vous pris connaissance de ce document ?

— Non, Votre Majesté.

— Quelqu'un d'autre que vous y a-t-il eu accès ?

— Personne, en dehors de ma femme et moi, n'en connaît l'existence, sire.

Le roi les regarda tout à tour. L'expression de son visage ne laissait rien deviner de son trouble. Pour un moment, Margot douta de l'importance de la révélation. Peut-être s'agissait-il d'un faux ?

— Il est heureux que nous pussions compter sur votre loyauté, monsieur et madame de Razès. Soyez assuré que nous veillerons à ce que vous ne soyez plus incommodés par cette affaire. Je m'en porte garant.

Xavier se décoiffa pour saluer le roi bien bas. Quant à Margot, elle résista quelques secondes. L'attention du roi se posa sur elle. Un soupçon de doute animait son regard royal. Il fronça les sourcils. S'interrogeait-il sur l'ampleur de son dévouement ? Margot esquissa un sourire et, comme si elle venait d'être frappée d'étourderie, fit la révérence.

Le soir de la représentation, Margot accompagna Aude au théâtre pour l'assister dans ses préparatifs. Tandis que la jeune femme était calme et assurée, Margot devenait de plus en plus fébrile à l'approche du spectacle. En aidant Aude à ajuster son costume de scène, elle se piqua le bout du doigt.

— Aïe ! fit-elle en voyant perler une goutte de son sang. Comme je suis maladroite !

Aude ricana et lui retira l'aiguille des mains pour la placer sur l'ourlet de la robe.

— Voilà ! On n'y verra que du feu.

— Votre aisance est inouïe ! Vous n'avez pas le trac ?

Aude fronça les sourcils.

— J'ai parfois le sentiment d'avoir grandi avec un luth dans les mains. Je me souviens d'avoir accompagné ma mère dans un salon lorsque j'étais toute petite. J'enviais ses jolies coiffures, ses robes et les fleurs qu'on lui offrait. Je ne me rendais pas compte, à l'époque, combien tout cela était éphémère. Croyez-moi, je suis beaucoup plus agitée à la perspective de souper en compagnie de seigneurs auvergnats !

Margot se dit que Nicolas avait de la chance de pouvoir compter sur une femme aussi exceptionnelle qu'Aude. Lorsque tout serait fini, elle en ferait le compliment à la jeune femme, mais pour le moment, la dernière chose dont Aude avait besoin était qu'on lui rappelât l'enjeu de la soirée.

— Je vais aller vérifier si Grégoire a besoin de moi.

Les spectateurs avaient commencé à entrer. Margot, ravie, constata que la salle se remplissait rapidement. Elle se surprit à espérer que Grégoire ait raison. Si on vantait la performance au roi, il exprimerait le désir de l'entendre à son tour, et là…

— Margot ?

Elle se retourna en entendant la voix masculine qui l'interpellait. Margot se troubla lorsqu'elle reconnut Benjamin.

— Ben… jamin, bredouilla-t-elle en faisant un effort pour se ressaisir.

Il lui sourit sans tenter de masquer la tendresse qu'il éprouvait à la revoir.

— Je suis navrée, fit-elle en haussant les épaules.

Il s'ensuivit un silence inconfortable, que le brouhaha de la foule se chargea de remplir.

« Dis-lui que votre amitié est devenue insoutenable… Tes sentiments, même amicaux, doivent cesser désormais. Xavier ne le permettrait pas », se dit-elle en essayant de rassembler le courage nécessaire pour rompre avec son ami de longue date.

— Navrée de quoi ? demanda Benjamin en haussant la voix pour dominer le tumulte. Je m'attendais à ce que tu lui avoues notre petite… bagatelle. Dans ma lettre, je t'avais même donné ma bénédiction.

Margot le dévisagea sans comprendre. La lettre de Benjamin ! Elle l'avait lu hâtivement et l'avait brûlée aussitôt. Elle avait peine à s'en remémorer les détails.

— Benjamin, si je ne t'ai pas prévenu de notre présence à Paris…

— Tu te soucies des politesses alors que ton fils est en prison ? Allons, Margot !

Elle cligna des yeux, déstabilisée par l'attitude désinvolte de Benjamin. Soudain, une expression d'incrédulité transforma les traits du bourgeois. Il se pencha vers elle et murmura à son oreille :

— Xavier est venu me voir.

Margot secoua la tête, hébétée.

— Quand ?

— Le jour suivant votre arrivée.

« Il est allé rencontrer Benjamin sans m'en faire part ! » comprit-elle sans sourciller.

— Il ne t'a rien dit ! s'exclama-t-il.

Margot était abasourdie. Que s'étaient-ils dit ? Elle s'apprêtait à questionner Benjamin lorsque Xavier, élégamment vêtu d'un manteau long, fit son apparition.

— Ma mie, je vous cherchais, affirma-t-il en passant un bras autour de sa taille.

Son corps tout entier se tendit à son contact. Sa lèvre inférieure se mit à trembler.

— Qui dois-je féliciter pour cette soirée ? claironna Benjamin, en partie pour chasser le malaise ambiant.

— Grégoire de Collibret, le cousin de Margot, répondit Xavier.

Margot était bouleversée de savoir qu'ils avaient tenu un petit conciliabule et qu'elle en avait été exclue. Xavier lui avait pourtant promis qu'ils ne se cacheraient plus rien !

— On m'a confié que le roi se glisserait parmi les spectateurs afin d'assister à la représentation, leur confia Benjamin.

— Le roi ?

Margot se tourna vers Xavier, les yeux brillants d'espoir.

— Ne nous enthousiasmons pas trop vite, mon amour, lui dit-il. Ce ne sont que des rumeurs. Le roi ne se mêle pas aux gens du commun…

Soudainement, Margot sentit qu'elle était sur le point de succomber à son anxiété. Elle s'accrocha au bras de Xavier pour parvenir à endiguer l'émotion qui montait en elle. Ce dernier la couvait d'un regard amoureux, confiant et protecteur, qui eut raison de ses doutes quant à leur relation.

— Le rideau se lève, annonça-t-il.

Margot se tourna vers la scène. Aude faisait son entrée dans un décor magnifique, tout de rose et de bleu. Quand la cantatrice entama les premières notes, un murmure secoua l'assemblée réunie. Le cœur de Margot battait si fort qu'elle ne distinguait pas les paroles. Seulement l'émotion, pure et foudroyante, portée par le chant.

Épilogue

Lorsqu'elle pénétra sous la voûte, Margot crut d'abord s'être trompée. Elle embrassa d'un regard ému les lampions, le drapé blanc, les guirlandes de fleurs. Dans la chapelle, tous les préparatifs étaient en place pour le mariage. Mais où se trouvait la future mariée ? Soudain, elle l'aperçut, agenouillée devant l'autel. Ses cheveux épars sur ses épaules lui donnaient l'air d'une sainte, comme celles qu'on pouvait voir sur les médailles. La découvrir ainsi, recueillie dans un lieu de culte, troublait Margot. Elle connaissait Oksana depuis des années, mais c'était la première fois qu'elle la voyait prier. Son mariage avec le chevalier de Cailhaut signifiait aussi sa conversion au catholicisme, et elle deviendrait donc membre de l'Église catholique, apostolique et romaine. Margot éprouvait un certain soulagement à la perspective que son amie d'origine russe embrassât sa religion. Des rumeurs laissaient entendre que le roi allait lever le décret qui protégeait les membres de la religion réformée et, bien qu'Oksana fût chrétienne orthodoxe, Margot était plus rassurée de savoir qu'elle serait à l'abri de la ferveur religieuse qui soufflerait sur le pays.

Elle prit place sur un banc, légèrement à l'écart. Cette célébration serait aussi l'occasion de retrouvailles pour leurs familles. La veille, Hyacinthe de Cailhaut était arrivé à Montcerf en compagnie de sa fiancée, Isabelle de Coulonges. Claudine, son mari et ses enfants, qui passaient le printemps à Montcerf, seraient présents eux aussi. Margot regrettait que Gabriel ne puisse pas venir, mais la fin imminente de la grossesse de sa femme le retenait dans ses terres.

— Margot ? fit Oksana.

·La voix d'Oksana la tira de ses réflexions. Elle se leva et s'approcha de son amie. À la lueur des lumignons, le visage d'Oksana, qu'encadraient ses cheveux blond blanc, avait encore la beauté radieuse de ses vingt ans.

— L'amour te rajeunit, lui dit Margot.

Oksana accepta le compliment avec un sourire épanoui.

— Il y a longtemps que tu es là ?

— Un petit moment. Je suis allée à ta chambre d'abord, mais tu n'y étais pas… Je ne sais pas pourquoi, mais j'ai su que je te trouverais ici. Elle fit une pause et reprit, sur un ton doux amer : Lorsque nous étions chez Ninon, nous avions coutume de nous retrouver dans une de nos chambres à la fin de la soirée, pour prolonger le plaisir d'être toutes ensemble.

— Nous allions souvent dans la chambre de Sabine, qui était la plus grande de toutes, précisa Oksana.

— Je ne vais plus pouvoir le faire maintenant, regretta Margot. Dès demain, tu habiteras sous le toit de ton époux, le chevalier de Cailhaut.

Oksana posa une main sur celle de son amie.

— Tu sais, Margot, je m'étais juré de ne jamais me marier.

— Je me rappelle. Nous étions si jeunes ! Dix-huit ans, c'est précoce pour s'interdire le mariage à jamais !

« C'est aussi très tôt pour prêter quelque serment d'aucune sorte », se dit-elle.

Elle-même avait à peine vingt ans lorsqu'elle était devenue la femme de Xavier de Razès. Qui aurait pensé que la passion qui les avait enflammés jadis était un gage de réussite ? Somme toute, ils avaient été heureux pendant des années. Margot songeait aux obstacles incroyables qu'ils avaient surmontés et à ceux qui pourraient encore se trouver sur leur route. Elle était certaine que, quoi que l'avenir leur réservât désormais, Xavier et elle sauraient triompher de tout !

— Est-ce que tu penses à Élisabeth ? demanda Oksana en scrutant l'expression lointaine de Margot.

Leur fille avait pris la décision d'attendre encore une année avant de prononcer ses vœux. Cette annonce avait grandement surpris Margot. Après lui avoir rendu visite au couvent de Moulins, Margot était maintenant convaincue qu'Élisabeth avait trouvé sa voie parmi les sœurs hospitalières. La passion de la jeune femme pour ce qui avait trait à la préparation des simples, en plus de son naturel tourné vers la bienfaisance et la bonté, en faisait une candidate idéale pour la vie de sœur. Mais si elle soupçonnait que le chevalier de Chambon pût être la cause des doutes de sa fille, elle s'efforçait de ne pas influencer la jeune femme. Margot considérait que le choix revenait à Élisabeth et, quelle que soit la décision que celle-ci prendrait, elle s'était promis de la respecter.

— En fait, je songeais à Xavier, lui avoua Margot. Nous étions si jeunes lorsque nous nous sommes mariés ! Parfois, je me dis que je devais être folle ! C'est un miracle que nous ne nous soyons pas entre-déchirés, avec les années !

— Je t'enviais de t'être laissée apprivoiser. À plusieurs égards, je me voyais en toi à cette époque. J'aurai aimé pouvoir m'unir à un homme sans crainte de devenir l'objet de sa fierté masculine ou, pire, de me perdre en lui !

Margot était bouche bée. En dépit de leur amitié, la fière Oksana ne lui avait jamais témoigné son admiration auparavant.

« Se perdre en lui, devenir un objet de vanité », répéta Margot en se disant que les réticences de son amie étaient tout à fait fondées.

Oui, c'était bien là un piège ! D'ailleurs, n'avait-elle pas failli y tomber ?

Son incartade avec Benjamin avait été le contrecoup de ses efforts pour se conformer au rôle que son mariage lui destinait. Elle s'était ensuite promis de ne plus sacrifier cette part d'elle-même qui avait refait surface lors de son retour de Paris. Pour y arriver, elle pourrait compter sur Xavier, mais aussi sur Aude, qui lui avait si brillamment servi d'exemple. Sans son courage et sa fougue, nul doute que Nicolas serait demeuré à la Bastille.

En effet, quelques jours après sa représentation, le roi avait fait relâcher le comte de Montcerf, laissant planer un doute quant à sa présence au théâtre. Malgré cela, Xavier persistait à croire qu'elle était hautement improbable.

« Tout est dans les apparences, arguait-il. Le roi ne peut pas revenir sur sa décision alors que le monde entier le regarde. Comment réagiraient les courtisans ? Et Condé ? Nous ne saurons jamais si le roi était là ou non, mais Aude lui aura du moins fourni une échappatoire. »

Si le règne du roi avait été incertain pendant la Fronde, à présent Louis le Quatorzième était bien le maître absolu. Afin de conserver les apparences et probablement pour apaiser le prince de Condé, le souverain avait confiné le comte à ses terres. Pour Nicolas et Aude, qui avaient appris l'arrivée prochaine de leur premier enfant, ce jugement royal avait été reçu comme une bénédiction. Le roi avait tenu sa parole et, depuis leur départ de Paris, la menace des Jésuites paraissait définitivement écartée. Margot leva les yeux vers le plafond de la chapelle. Elle voyait d'un œil neuf les bêtes fabuleuses qui autrefois lui faisaient peur. C'étaient plutôt des gardiens magiques, qui étendaient leur protection aux habitants du château de Montcerf.

Remerciements

Le château de La Vigne, dans le département du Cantal, en Auvergne, m'a servi d'inspiration pour le domaine de Montcerf où évoluent les personnages de ce roman.

C'est grâce à Anne et Serge Golon, qui ont écrit la merveilleuse saga Angélique, que j'ai attrapé la piqûre de l'histoire de la France sous Louis XIV.

À toute l'équipe de chez Librex, pour m'avoir ouvert la porte toute grande, ce qui m'a permis de donner libre cours à mon imagination.

À ma famille et à mes amis, pour votre confiance et vos encouragements, qui me sont si chers.

Un merci spécial à Carmela, pour son aide précieuse dans la révision des textes.

Bibliographie

Simone Bertière, *Mazarin – Le Maître du jeu*, Paris, Éditions de Fallois, 2007.

Christian Biet, *Les Miroirs du soleil – Le roi Louis XIV et ses artistes*, Paris, Gallimard, coll. « Découvertes » n°58, 2000.

Guy Breton, *Histoires d'amour de l'histoire de France*, volume 1, Paris, Presses de la Cité, 1981.

COLLECTIF, *Le Siècle de Louis XIV – Histoire de la civilisation*, W.& A. Durant, 1964.

Victor Cousin, *La Jeunesse de Madame de Longueville – Étude sur les femmes illustres et la société du XVIIe siècle*, Paris, Librairie académique Didier et Cie, 1872.

Victor Cousin, *Madame de Longueville pendant la Fronde – Étude sur les femmes illustres et la société du XVIIe siècle*, Paris, Librairie académique Didier et Cie, 1872.

Roger Duchêne, *Être femme au temps de Louis XIV*, Paris, Perrin, 2004.

Roger Duchêne, *Ninon de Lenclos, la courtisane du Grand Siècle*, Paris, Fayard, 1984.

Martine Faure, *Cours d'escrime*, Paris, Éditions de Vecchi, 1997.

Michel Figeac, *L'Ancienne France au quotidien*, Paris, Armand Colin, 2007.

Pierre Lacaze, *En garde – Du duel à l'escrime*, Paris, Gallimard, coll. « Découvertes » n°107, 1991.

Henri Malo, *Le Grand Condé*, Paris, Librairies Jules Tallandier, 1980.

Dominique Paladilhe, *Le Grand Condé – Héros des guerres de Louis XIV*, Paris, Pygmalion, 2008.

Jean-Christian Petitfils, *La Transparence de l'aube – Mémoires de Claire-Clémence, princesse de Condé*, Paris, Perrin, 2006.

Henri Pigaillem, *Le Tapissier de Notre-Dame – Vie du maréchal de Luxembourg*, Paris, Éditions du Rocher, 2002.

François Trassard, Dimitri Casali et Antoine Auger, *La Vie des Français au temps du Roi-Soleil*, Paris, Larousse, 2002.